Prof. Dr. Harald Dettmer (Hrsg.)

Tourismus 2

Hotellerie und Gastronomie

Arbeitsbuch für Studium und Praxis

von

Deutschland: Prof. Dr. Harald Dettmer
Dipl.-Betriebsw. Thomas Hausmann
Prof. Dr. Christoph Braunschweig
Prof. Dr. Stefan Gewald
Dipl.-Betriebsw. Axel Gruner
Dipl.-Kfm. Frank Knabner
Dr. Siegfried Malich
Prof. Edgar E. Schaetzing
Werner Schneid, C. M.
Dipl.-Kfm. Ingo B. Wessel

Schweiz: Prof. Dr. Claude Kaspar

Österreich: Dr. Werner Oppitz

Südtirol: Dr. Christoph Engl

unter Mitarbeit von:
Dipl.-Betriebsw. (FH) Annegret J. Wurzer
Dipl.-Betriebsw. (FH) Nicola Zenkner

Wirtschaftsverlag Bachem Köln

Die Deutsche Bibliothek – CIP-Einheitsaufnahme

Hotellerie und Gastronomie: Arbeitsbuch für Studium und Praxis /
Harald Dettmer (Hrsg.). – Köln: Wirtschaftsverl. Bachem, 2000
(Tourismus; 2)
ISBN 3-89172-377-6

Einbandentwurf: Bettina Dyhringer, Köln
Gesamtherstellung: Druckerei J. P. Bachem GmbH & Co. KG Köln
Printed in Germany
ISBN 3-89172-377-6

Zum Geleit

Bücher zum Tourismus gibt es viele – aber in welcher Reihe finden Interessierte den Gesamtzusammenhang des Tourismus deutschsprachiger Länder sowie deren Arbeitsgebiete erörtert?

Ein Großteil der auf dem Markt befindlichen Werke betrachtet einzelne Teilbereiche der Tourismuswirtschaft wie Tourismusorte/Destinationen, das Gastgewerbe oder die Reiseveranstalter/Reisemittler nur länderbezogen.

In den vorliegenden Büchern zum Tourismus werden vornehmlich wichtige volkswirtschaftliche und betriebswirtschaftliche Inhalte des Tourismus in ihren gegenseitigen Abhängigkeiten dargestellt, gleichzeitig aber auch die funktionalen Zusammenhänge aufgezeigt. Daher wird das Gesamtsystem Tourismus grundlegend in drei Büchern erläutert.

Die Lehr- und Arbeitsbücher vermitteln den Studierenden fachrichtungsbezogener Studiengänge das theoretische und praktische Basiswissen des Tourismus einprägsam, übersichtlich, funktionsbezogen, anwendungsorientiert und überregional. Dieses wurde dadurch ermöglicht, dass die Autoren als Lehrende an Hochschulen, als Unternehmensberater oder leitende Mitarbeiter in der Tourismusbranche tätig sind und die gesammelten Erfahrungen in das Gesamtwerk eingebracht haben.

Besonders herauszustellen ist an dieser Stelle, dass die Reihe erstmals tourismuswirtschaftliche Aspekte Deutschlands, Österreichs, Südtirols sowie der Schweiz gleichermaßen berücksichtigt. Dieser gemeinsame Ansatz deutschsprachiger Länder und Regionen stellt die Grundlage einer angestrebten multinationalen Tourismuswirtschaft/-industrie dar.

Unser Wunsch ist es, dass die Leserinnen und Leser

- mit den vorliegenden Büchern das angestrebte Ziel in unserer Branche erreichen,
- den hier eingeschlagenen Weg eines länderübergreifenden Tourismus in der Praxis umsetzen,

kurzum die Reihe zum Tourismus am Markt den verdienten Erfolg findet.

Berlin, Bern, Bozen, Wien, 2000

Dr. Erich Kaub

Präsident des Bundesverbandes der Deutschen Tourismuswirtschaft
Präsident des Deutschen Hotel- und Gaststättenverbandes

Franz Steinegger

Präsident Schweizerischer Tourismusverband

Kommerzialrat Hansjörg Kröll

Obmann der Bundessektion Tourismus und Freizeitwirtschaft der Wirtschaftskammer Österreich

Walter Meister

Präsident des Hoteliers- und Gastwirteverbandes Südtirol

Wozu diese Buchfolge?

Die Verfasser von Tourismus 1 = **Tourismuswirtschaft,** 2 = **Hotellerie/Gastronomie** und 3 = **Reiseverkehrsinidustrie** haben sich das Ziel gesetzt, zentrale Bereiche des Tourismus im deutschsprachigen Raum grundlegend darzustellen. In seiner Gesamtheit ist dieses Sprachgebiet nachstehend skizziert:

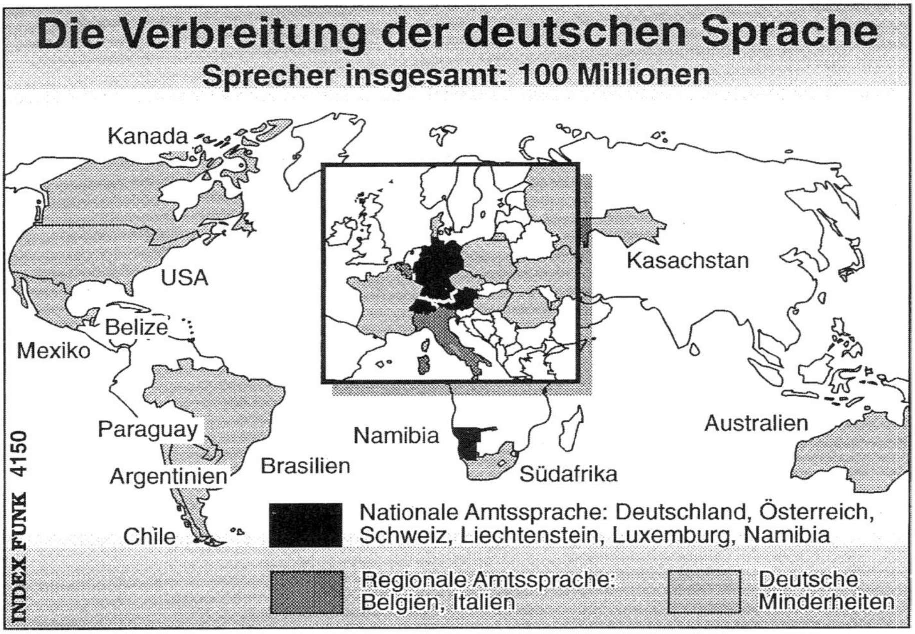

Bestandteil des Gesamtwerkes ist der Tourismus in

- ○ **Deutschland**
- ○ **Österreich**
- ○ **Schweiz**
- ○ **Südtirol**

mit seinen Gegebenheiten, Entwicklungen und Visionen. Somit wird der Ballungsraum deutschsprachiger Regionen touristisch dargestellt.

Die **Lehr- und Arbeitsbuchfolge** bietet darüber hinaus:

- ○ abgeschlossene **Bereiche des Tourismus** in übersichtlicher Form, auf **drei Werke** aufgeteilt;
- ○ eine **problemorientierte,** einführende Darstellung der Tourismuswirtschaft in **Verbindung von Theorie und Praxis;**
- ○ die **Lerninhalte des Tourismus** in sinnvoll aufeinander abgestimmte Lernfelder;
- ○ eine **didaktisch-methodische Aufbereitung** touristischer Problembereiche anhand von Situationen, Beispielen sowie **Übungsaufgaben** in Form von Fragen und Fällen **mit** zugehörigen **Musterlösungen** im letzten Teil jedes Buches; um den Lesefluss zu verbessern, den Wiedererkennungswert zu erhöhen und den Buchaufbau zu veranschaulichen, wurden durchgehend die nachstehenden **Piktogramme** eingebaut:

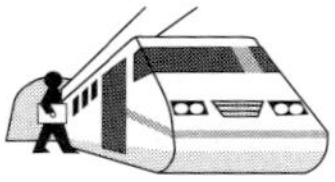 = Situation 

= Beispiele 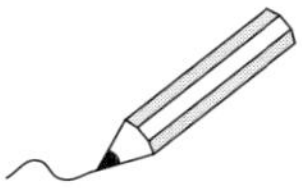 = Aufgaben

Weiterhin sind **wichtige Begriffe halbfett** gedruckt, was eine schnellere Auffindbarkeit ermöglicht und gleichzeitig einen Behaltenseffekt auslöst;

- ○ aufgrund der vorliegenden Strukturierung die Möglichkeit einer gezielten **Vorbereitung auf Prüfungen** im Tourismusbereich.

Dementsprechend eignet sich die Buchfolge für **Studierende der Fachrichtung Tourismus** an
Universitäten,
Fachhochschulen,
Berufsakademien,
Fachschulen,
Bildungsinstitutionen, z. B. Industrie- und Handelskammern
Fernstudienakademien und für
Teilnehmerinnen und Teilnehmer an Lehrgängen und Seminaren im Tourismusbereich, z. B. zum/zur Tourismusfachwirt/-in sowie nicht zuletzt
für alle Praktiker, die in der Tourismusbranche tätig sind.

Die **dargestellten Bereiche des Tourismus**

- ○ umfassen die **Lern- und Prüfungsinhalte** an Hochschulen -Studiengang/Schwerpunktfach Tourismus-,
- ○ entsprechen den **Richtlinien/Lernzielen** an Tourismusfachschulen sowie
- ○ den **Prüfungsanforderungen für Tourismusfachwirte** bei den zuständigen Institutionen;
- ○ wurden erweitert um die Inhalte touristischer **Problemfelder deutschsprachiger Regionen**, die von Bedeutung für den Tourismus sind.

Weitere **Vorteile der Arbeitsbuchfolge** für Studium und Fortbildung:

- ○ die umfangreichen Lerninhalte des Tourismus werden in straffer Form dargestellt und aufgrund des situativen Einstiegs **handlungs/-praxisorientiert** erläutert, was den Anforderungen entspricht, die in Prüfungen und Leistungsnachweisen gestellt werden;
- ○ die Darstellung der Bücher ermöglicht *Studierenden und Praktikern* gleichermaßen, die ihnen bekannten **Fragestellungen** zu **reflektieren** und damit die Inhalte effizient und zeitökonomisch zu nutzen.

Das umfassende Sachwortverzeichnis der einzelnen Bücher erschließt die dargestellten Bereiche des Tourismus und macht die Folge der Arbeitsbücher damit zu einem profunden **Nachschlagewerk**.

Die Weiterentwicklung der Lehr- und Arbeitsbücher zum Tourismus lebt von Anregungen aus der Leserschaft, so dass die Autoren für konstruktive Kritik dankbar sind.

Zum Fachlichen des Bandes Hotellerie und Gastronomie

Der vorliegende Band „Tourismus 2" stellt relevante betriebs- und volkswirtschaftliche Inhalte des Gastgewerbes heraus.

Ausgehend von der begrifflichen Definition und Abgrenzung von Hotellerie und Gastronomie werden zunächst die gegenwärtigen Situationen, Entwicklungen und Trends in der Branche erarbeitet.

Studierende und Praktiker erhalten viele Denkanstöße und Tipps, um individuelle Antworten auf Fragen zu finden, die das Zeitgeschehen mit sich bringt, z. B.

- Was muss ein Hotel seinen Gästen künftig bieten können?
- Welche Haupt-Auswahlkriterien wird der Gast zukünftig ansetzen?
- Mit welchen Marketing-Strategien kann auf Entwicklungen reagiert werden?

Die Inhalte des Buches zeigen in diesem Rahmen die Grundlagen und Funktionen von Marketing und Management auf. Dabei findet eine eingehende Auseinandersetzung mit Themenbereichen statt, wie Marketingkonzepte und -strategien, Marketing via Internet und Electronic Commerce, Finanzmanagement, Umwelt- und Qualitätsmanagement, Controlling, Front-office-Management, Food und Beverage Management, Unternehmensnachfolge sowie Wellness. Zu dem oben genannten Erkenntnisinteresse trägt auch ein Kapitel über ausgewählte Entwicklungen und branchenübergreifende Betriebsformen bei (Kapitel 6).

Abschließend werden die länderspezifischen Aspekte der Hotellerie und Gastronomie für den deutschsprachigen Raum Österreich, Schweiz und Südtirol herausgearbeitet.

Mit seinen Fallbeispielen, Sachanalysen, Aufgabenstellungen und Lösungsvorschlägen eignet sich der Band gleichermaßen zum Selbststudium und zur Prüfungsvorbereitung, z. B. auf Zwischen- und Examensprüfungen.

Bad Harzburg, im Januar 2000 Der Herausgeber

Inhaltsverzeichnis

Teil A: Hotellerie und Gastronomie - allgemein

Teil B: Hotellerie und Gastronomie – speziell

Teil C: Lösungen der kapitelbegleitenden Aufgaben

Teil A: Hotellerie und Gastronomie – allgemein

1. Hotellerie und Gastronomie – Teil der Dienstleistungsbranche

Leistung statt **Dienen**

gästeorientierte Dienstleistung

Gästezufriedenheit

Abb. 1–1: Dienstleistungssektor in Deutschland

Der Weg in die Dienstleistungsgesellschaft – gemessen am Anteil des Dienstleistungssektors an der Wertschöpfung – liegt heute schon über der 50 %-Marke und steigt ständig in Europa.

Die Leistung für den Gast ist die aktuelle „Formel" einer jeden Dienstleistung der gastgewerblichen Branche. Das Erbringen von Leistung gegenüber dem Gast ist nicht nur zeitgemäß, sondern spricht alle Mitarbeiter/innen gleichermaßen an; besonders das Management kann hochwertigen Service durch gastorientiertes Handeln qualitativ „vorleben" *(vgl. Bastian/Born/Dreyer 1999, S. 2).*

In der gesamten Tourismuswirtschaft dürfen sich die Qualität des Angebots einerseits und die des Service andererseits nicht allein gegenüberstehen, sondern sie müssen sich ergänzen. Diese zu einer Einheit miteinander zu verbinden, hängt entscheidend von den Menschen ab, die im Gastgewerbe arbeiten. Schließlich leben alle davon, dass der Kunde/Gast zufrieden ist *(vgl. Festansprache des Bundespräsidenten Johannes Rau, in: BDT [Hrsg.], S. 26).*

1.1 Begriff und Abgrenzung von Hotellerie und Gastronomie

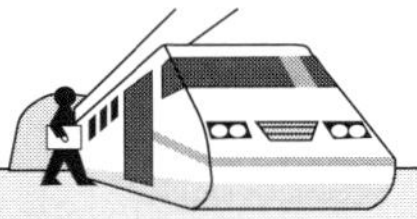

Was gehört tatsächlich zu Hotellerie oder Gastronomie? Ist ein großer Gasthof, der fünf Zimmer anbietet, seinen Hauptumsatz jedoch mit der Gastronomie macht, bereits zur Hotellerie gehörig? Wie lassen sich Sanatorien in dieses System einordnen? Wird eine Imbissbude mit vier Sitzplätzen als gastronomischer Betrieb gewertet? Wie steht es mit der Metzgerei, deren Waren vor Ort am Stehtisch verzehrt werden können? Welcher Kategorie wird eine Jugendherberge zugeordnet?

„Ein Gaststättengewerbe im Sinne des GastG betreibt gemäß *§ 1 Abs. 1 Deutsches Gaststättengesetz (GastG)*, wer im stehenden Gewerbe

- Getränke zum Verzehr an Ort und Stelle verabreicht **(Schankwirtschaft),**
- zubereitete Speisen zum Verzehr an Ort und Stelle verabreicht **(Speisewirtschaft)** oder

○ Gäste beherbergt (Beherbergungsbetrieb),

wenn der Betrieb jedermann oder bestimmten Personenkreisen zugänglich ist."

Nach dem *GastG* umfasst das Gaststättengewerbe sämtliche an **einen festen Ort gebundenen Einrichtungen,** in denen dem Gast **Getränke und/oder Speisen** angeboten werden und diese **in einem räumlichen Zusammenhang zum Abgabeort genutzt werden** (*vgl. Gruber, 1994,* S. 18).

Nicht berücksichtigt sind im *GastG* wesentliche Merkmale gastgewerblicher Betriebsformen, zum Beispiel: Standort, Betreiber, Kategorie, Betriebsgröße, Preispolitik, Produktpolitik, konzeptionelle Grundidee, Hauptzielgruppe.

Das *Gaststättengesetz* definiert den Begriff Gaststättengewerbe zwar bereits sehr weit, doch in der Praxis nimmt die Vielseitigkeit der Betriebe ständig zu. Hotellerie, Gastronomie – jeder hat eine ungefähre Vorstellung davon, was das ist. Doch im alltäglichen Umgang werden Begriffe wie Gastgewerbe, Hotellerie, Gaststättengewerbe, Gaststätten- und Beherbergungsgewerbe, Beherbergungsbetrieb, Bewirtungsbetrieb, Gastronomie, Gaststätte häufig verwechselt oder synonym verwendet. Auch in der Fachliteratur gibt es bisher keine einheitliche Definition dieser Begriffe.

Folgende Graphik gibt einen ersten Überblick, welche Kategorien im Gastgewerbe unterschieden werden:

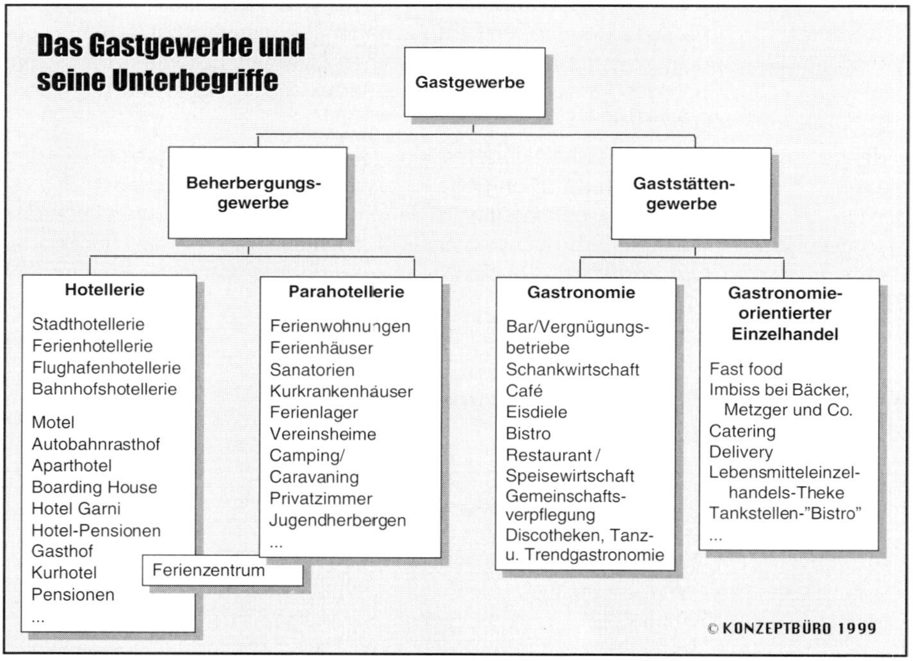

Abb. 1-2: Das Gastgewerbe und seine Unterbegriffe

Gastronomie beschreibt die Betriebe des Gaststättengewerbes mit Gaststättenkonzession. Dies bedeutet in der Regel, dass der gastgewerbliche Betrieb Hauptbetrieb des Unternehmens und/oder Food & Beverage (F&B) Hauptumsatzträger der Unternehmung ist.

Zum **gastronomieorientierten Einzelhandel** gehören alle Betriebe, die eine Verpflegungsleistung mit Einzelhandelskonzession anbieten (können). Verpflegung bedeutet dabei verzehrfertige Speisen und/oder Getränke, und beschränkt sich nicht auf Tiefkühlkost, Konserven oder andere Waren.

Zu den **gastgewerblichen Betrieben** zählt neben dem Gaststättengewerbe auch das Beherbergungsgewerbe, das heißt Betriebe, die auf die Unterbringung von Gästen spezialisiert sind. Als wesentliche Typen innerhalb des Beherbergungsgewerbes gelten Hotellerie und Parahotellerie.

„Für die unterschiedlichen Beherbergungsbetriebe gibt es in Deutschland keine gesetzlich festgelegte Begriffsbestimmung. Allerdings hat die Fachgruppe Hotels und verwandte Betriebe für die praktische Arbeit die verschiedenen Arten der gewerblichen Beherbergungsbetriebe definiert. Diese wurden in einer Vereinbarung zwischen dem DEHOGA und dem DTV für die Verwendung im gesamten deutschen Tourismus übernommen" *(Gugg/Hank-Haase, 1999, S. 252).* *Hierzu siehe auch S. 25 ff.*

Tab. 1-1: Umsätze im Gastgewerbe Deutschlands (vgl.: DEHOGA Jahresberichte)

Umsätze in Mrd. DM	**1995**	**1996**	**1997**	**1998**
Beherbergungsbetriebe	34,7	34,1	33,6	33,9
Gaststättengewerbe	73,7	71,7	70,6	68,5
Gastgewerbe insgesamt	108,4	105,8	104,2	102,4

1.2 Leistungen der Hotellerie und Gastronomie (Gastperspektive)

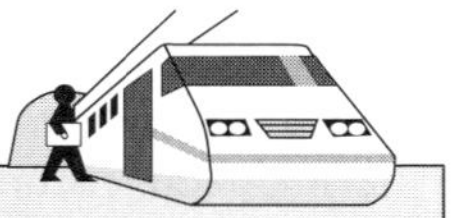

Hauptleistungen	**Nebenleistungen**
Verpflegungsleistungen: ● Küchenleistungen (Zubereitung von Speisen, Tee, Kaffee, Patisserieprodukte) ● Kellnerleistungen (Verkauf von alkoholfreien Getränken, Wein, Bier, Sekt) ● Serviceleistungen (Servieren der Küchen- und Kellnerleistungen) ● Beherbergungsleistungen (Zimmervermietung und Bereitstellungsanitärer Einrichtungen)	branchenbezogene Leistungen gegen Entgelt: ● Besorgung der Gästewäsche ● Vermittlung von Telefongesprächen ● Verkauf von Tabakwaren und Souvenirs ● Sauna, Solarium und andere Sporteinrichtungen ● Garagenvermietung

In den Branchenübersichten werden die Leistungen der Hotellerie und Gastronomie durchweg der **Dienstleistungsbranche** zugeordnet. Aus dem Dienstleistungscharakter der gastgewerblichen Leistungen ergeben sich Konsequenzen für alle Funktionsbereiche des Betriebes, von der Beschaffung über die Leistungserstellung bis hin zum Absatz. Für ein effizientes gastgewerbliches Management ist es daher notwendig, den Dienstleistungscharakter und die daraus resultierenden Interdependenzen a priori in die konzeptionellen Überlegungen einzubeziehen (*vgl. Hänssler [Hrsg.], 1997, S. 87*).

1.2.1 Charakteristik der touristischen Leistung, insbesondere des Gastgewerbes

Die touristische Leistung als besondere Dienstleistung besteht aus verschiedenen Teilleistungen, wovon die Hotel- und Gaststättenleistung eine wichtige Funktion übernimmt.

Die **touristische Leistung** lässt sich wie folgt charakterisieren:

1. Die touristische Leistung besteht für den Touristen aus einem Bündel von sach- und personenbezogenen (Dienst-)Leistungen, die einzeln – aus der Sicht der touristischen Unternehmung betrachtet – als spezifische touristische Produkte erscheinen.
2. Diese touristischen Einzelleistungen sind komplementär, das heißt voneinander abhängig. Daraus folgt eine enge, gegenseitige Verquickung der Leistungsträger, welche diese Einzelleistungen anbieten.
3. Die **touristische Leistung basiert auf:**
   - dem ursprünglichen Angebot (natürliche Gegebenheiten, soziokulturelle Verhältnisse, allgemeine Infrastruktur) und
   - dem abgeleiteten Angebot (Einrichtungen zur Ortsveränderung, des Aufenthalts und der Vermittlung).

   Sowohl innerhalb des abgeleiteten Angebots als auch zwischen ursprünglichem und abgeleitetem Angebot besteht eine Komplementärbeziehung, die zu einer engen gegenseitigen Abhängigkeit der Angebotsträger führt. Das ursprüngliche Angebot bildet meist den wichtigeren Teil des touristischen Produkts (Ferien- und Ausflugstourismus) und ist – die allgemeine Infrastruktur (Verkehrserschließung, Wasser- und Energieversorgung, Entsorgung) ausgenommen – kaum veränderbar. Das Management der Leistungsträger kann also den wesentlichen Teil des angebotenen Produkts, nämlich das natürliche Angebot, praktisch nicht den sich ändernden Präferenzen und Wünschen des Touristen anpassen und ist somit langfristig einem recht hohen Risiko ausgesetzt. Diese Einschränkung des Aktionsspielraums des Managements der Leistungsträger unterstreicht auch die Bedeutung des Standorts der touristischen Leistung, zumal die Kundenpräsenz gefordert ist, und eine für Dienstleistungen allgemein antizyklische Lagerhaltung nicht gegeben ist.
4. Weil das touristische Produkt Dienstleistungscharakter aufweist, besteht für den Anbieter, insbesondere für die Hotellerie und Gastronomie, ein sehr beschränktes Rationalisierungspotential. Ein wesentlicher Abbau des Personalbestandes ist kaum möglich und unter Umständen auch nicht wünschenswert (Gästebetreuung und -bedienung). Daraus resultiert eine besondere Abhängigkeit von der Qualität des Personals.
5. Die Labilität der touristischen Nachfrage (räumlich, wirtschaftlich, gesellschaftlich) und die Saisonabhängigkeit (zeitlich) bedingen eine diskontinuierliche Leistungserzeugung.
6. Für die Formulierung des Angebots an touristischen Leistungen, z. B. des Gastgewerbes, ist die Unterschiedlichkeit der touristischen Teilmärkte von Bedeutung (*vgl. Kaspar, 1995, S. 37*).

1.2.2 Segmentierung der Nachfrage nach Hotel- und Gastronomieleistungen

Aufgrund der Tatsache, dass die Nachfrage nach touristischen Leistungen nicht homogen, d. h. nicht gleichartig ist, erhöht eine Segmentierung der Nachfrage die Chancen von Erfolgsaussichten, welche der Mitbewerber nicht oder nur beschränkt erreichen kann. Aus der Kenntnis der Erwartungen und Ansprüche des Gastes kann ein Angebot an

Hotel- und Gastronomieleistungen danach ausgerichtet sein, oder es wird der Gast bzw. das Gästesegment gesucht, welches dem Angebot entspricht.

Die **„klassische" Segmentierung** geht aus von:

- sozio-demographischen Kriterien wie Alter, Geschlecht, Familiengröße, Bildungsnivau, Beruf, Einkommen usw.,
- geographischen Kriterien wie Wohnort (städtisch, ländlich), Herkunftsland usw.,
- Zweckkriterien wie Ferien, Naherholung, Städtereisen usw.,
- Reisegewohnheiten bei Individual- und Gruppenreisen, z. B. Zeitpunkt, Aufenthaltsdauer.

Gäste- und Haushaltsbefragungen, Reiseanalysen usw. ergeben zum Teil wesentliche Erwartungs- und Bedürfnisunterschiede potentieller, „segmentierter" Touristen. Als einleuchtendes Beispiel seien die unterschiedlichen Aufenthaltserwartungen der Jugend- und Seniorentouristen erwähnt.

Neue Segmentierungen betreffen Einstellungs- und Persönlichkeitskriterien, Verhalten (Stammgäste, Lebensstil, Neigungen) und Nutzenerwartungen (Gesundheit, Wellness, Fitness).

Beispielhaft soll die Marktsegmentierung nach Lebensstilgruppen von Romeiß-Stracke (Neues Denken) wiedergegeben werden: Sie unterscheidet zwischen den „aktiven Genießern", den „Trendsensiblen", den „Familiären" und den „Nur-Erholern" unter den Touristen.

Diese klare Strukturierung wird allerdings durch die Aussage relativiert, dass immer mehr Menschen danach streben, ihre eigene Individualität auch beim Aufenthalt außer Haus auszudrücken.

Diese Situation lässt sich wie folgt schildern:

„Täglich entstehen neue Hotels, Restaurants, Wirtschaften, Pubs, Snacks, Delis usw. Neue Mitbewerber also im eigenen Quartier, am Ort, im In- und Ausland. Gestern noch waren Bangkok und die Türkei ‚in', heute sind es die Kanarischen Inseln und der Bayrische Wald. Vollwert, alkoholfrei und fleischlos werden über Nacht zu Aufsteigern, während Braten, Brandy und Bockwurst sich auf der Verliererliste befinden.

Wir erkennen unsere Gäste nicht wieder. Sie ändern ihr Verhalten schneller als wir begreifen" (*SHV/SWV/DEHOGA/ÖHV [Hrsg.], 1992, S. 1*).

Zwischen personenbezogener und geographischer Segmentierung besteht ein Zusammenhang: Je enger personenbezogen (z.B. Surfer, Golfer) segmentiert wird, desto eher ist man in der Regel auf ein geographisch größeres Einzugsgebiet (touristisches Potential) angewiesen.

Ein kleines Familienhotel kann sein Einzugsgebiet kleiner halten als ein Betrieb, der sich auf Golfferien spezialisiert.

Die Segmentierung birgt aber auch Gefahren: Es kann eine zu enge (Übersegmentierung) oder zu weite (Untersegmentierung) Marktaufteilung erfolgen.

- Bei einer **Übersegmentierung** sind die angesprochenen Gästesegmente zu eng und zu spezifisch gewählt. So musste beispielsweise ein 5-Sterne-Alpen-Hotel, welches sich ausschließlich auf Vegetarier spezialisiert hatte, nach zwei Saisons den Betrieb einstellen.
- Im Gegensatz dazu will man es bei der **Untersegmentierung** zu vielen recht machen und verliert dabei seine klare Linie und Zielsetzung aus den Augen. Das Hotel oder der Gastbetrieb läuft damit Gefahr, dem Gast kein eindeutiges Profil zu bieten, was geringere Gästetreue und höheren Preisdruck zur Folge hat (*vgl. Kaspar, 1997, S. 128*).

1.2.3 Einflussgrößen auf die Nachfrage nach Hotel- und Gastronomieleistungen

Die Nachfrage nach Hotel- und Gaststättenleistungen unterliegt äußeren Einflüssen, welche vom Betrieb kaum beeinflusst werden können, die aber vom Betrieb zur Kenntnis zu nehmen sind, um entsprechend zu reagieren.

Zu den wichtigsten **Einflussgrößen** sind zu zählen:

- wirtschaftliche Entwicklungen: Entwicklung der Konjunktur und der verfügbaren Realeinkommen im Inland und in den Herkunftsländern der Gäste, der Wechselkurse und der Kaufkraftparitäten sowie der Beschäftigungslage;
- gesellschaftliche Entwicklungen: demographische Entwicklung der Bevölkerung (z. B. Zunahme der Senioren), Entwicklung von Freizeit und Urlaub, von Konsum- und Sparverhalten;
- technische Entwicklungen: Verbesserung der Verkehrstechnik und damit der Verkehrserschließung, der Kommunikationstechnik (Informations- und Reservationscenter), Recyclingtechnologie;
- ökologische Entwicklungen: Verunreinigung der Luft, der Gewässer und der Böden, Akzeptanz umweltgesetzgeberischer Maßnahmen;
- politische Entwicklungen: Veränderungen in allen Bereichen der Wirtschafts-, Sozial- und Verkehrspolitik (z. B. Ferienregelungen, sozialtouristische Maßnahmen, gesundheitsfördernde Maßnahmen bei Kuren, Grad der unternehmerischen Handlungsfreiheit, verkehrsfördernde Maßnahmen wie Preispolitik der Verkehrsträger usw.).

1.2.4 Entwicklung im Gastgewerbe

Mittel- bis langfristige Entwicklungstendenzen werden als Trends bezeichnet, im Gegensatz zu Modeströmungen.

Zu den für das Gastgewerbe wichtigen **Trends** zählen:

- der Anteil der über 65-Jährigen an der Gesamtbevölkerung der wirtschaftlich entwickelten Länder verdoppelt sich in den nächsten dreißig Jahren;
- der Bildungsgrad und die Reiseerfahrung der Bevölkerung nehmen zu, Reisende werden anspruchsvoller;
- die Familiengröße nimmt ab, d. h. immer mehr Männer und Frauen beschließen, alleine zu leben;
- mehr Menschen werden Zeit und Geld für internationales Reisen ausgeben;
- es wird ein beträchtlicher Anstieg der Fernreisen erwartet;
- auch die Anzahl der Reisen auf kurze und mittlere Distanzen wird zunehmen;
- die Aufenthaltsdauer in der Destination wird weiter abnehmen, während die Reisehäufigkeit gleichzeitig konträr verläuft; somit kann eine Zunahme der Kurzaufenthalte, der Zweitferien und Städtereisen erwartet werden;
- die Entwicklung der Transporttechnologie im Flug- und Schnellbahnverkehr führt zu noch größerer Mobilität;
- der Markt der Incentive-(Belohnungs)reisen wird schneller wachsen als der Kongresstourismus;
- die Zahl der internationalen, nationalen und regionalen Kongresse wächst seit 1980 mit ca. 5 % jährlich. Gleichzeitig nimmt die Spezialisierung zu, was zu einer sinkenden durchschnittlichen Teilnehmerzahl führt.

Besonders zu erwähnen ist hier noch eine der größten Herausforderungen dieses Jahrzehnts; diese dürfte die politische und ökonomische Integration in die europäische Gemeinschaft darstellen.

Deshalb ist den Hoteliers und Gastronomen zu raten, ihre volle Aufmerksamkeit den turbulenten Marktentwicklungen zu schenken und ihre Bereitschaft zum Wandel in allen Lebensbereichen wahrzunehmen.

Auf welche besonderen Bedürfnisse Sie als Unternehmer mit welchen Leistungen antworten, ist Sache des persönlichen Stils, aber auch des Charakters und des Standortes Ihres Betriebes sowie der Zusammensetzung Ihrer Gäste. Praktisch bedeutet das: Sie müssen sich entscheiden, ob Sie zum Beispiel ein ruhiges Haus für ältere Gäste führen wollen oder ein Clubhotel, in dem es zugeht wie in einem Bienenkorb.

So empfiehlt es sich, die grundlegenden Entscheidungen der Unternehmenspolitik schriftlich festzulegen und sie Eigentümern, Mitarbeitern und Gästen des Unternehmens bekannt und verständlich zu machen (*SHV/SWV/DEHOGA/ÖHV [Hrsg.], 1992, S. 23 und 26*).

1.2.4.1 Entwicklung der Hotellerie

Im Zeitalter umwälzender neuer Technologien und eines ungebrochenen Wachstums des Dienstleistungssektors erfährt die Arbeitswelt einen tiefgreifenden Wandel. Hoher materieller Wohlstand, zunehmende Bedürfnisse immaterieller Art (Freizeit, Reisen, Bildung) und steigende Erwartungen der Menschen an die persönliche Arbeitsbefriedigung geben der Arbeit und Freizeit einen neuen Stellenwert. Für das Hotelunternehmen als ein Ort, wo arbeitende Menschen, Reisende und Feriengäste unmittelbar aufeinandertreffen, bedeuten die Veränderungen in Wirtschaft und Gesellschaft sowohl Gefahr als auch Chance für die Zukunft *(vgl. Zegg, 1989)*.

1.2.4.1.1 Geschichtlicher Rückblick

Mit der Möglichkeit der Ortsveränderung kam auch das Bedürfnis nach Beherbergung und Verpflegung außer Haus auf.

Die Geschichte der Gaststätten unterscheidet zwischen:

- dem Fremdenrecht der früheren germanischen Zeit und der privaten Gastfreundschaft,
- der Kirchen- und Klostergastlichkeit sowie
- der Gastlichkeit als Gewerbe (*Thoms, 1952, S. 6*).

Auf letztere wird nachfolgend näher eingegangen.

Einen entscheidenden Auftrieb erhielt der Tourismus mit der Verbesserung des europäischen Verkehrssystems und durch die sich positiv auf den wirtschaftlichen Wohlstand auswirkende Industrialisierung. Träger des ansteigenden Tourismus war vorerst die Straße, zumal die Passstraßen und die Straßen des grenzüberschreitenden Verkehrs zu Beginn des 19. Jahrhunderts einen Ausbau erfuhren. Seit den zwanziger Jahren des letzten Jahrhunderts förderte auch die Dampfschiffahrt auf den Seen den Tourismus.

Vor allem wurden Tourismus und Geschäftsverkehr jedoch durch das Aufkommen der Eisenbahnen begünstigt. Die Verbilligung und Beschleunigung des Reisens durch die Eisenbahn, welche auch den Fahrkomfort entscheidend verbesserte, ließen insbesondere den Tourismus zu einer Erscheinung werden, die immer breitere Bevölkerungsschichten erreichte. Das Signal hierzu gab nicht zuletzt Thomas Cook als Organisator von weltumspannenden Gruppenreisen.

Dem Beispiel des Engländers Cook folgten in Deutschland Carl und Louis Stangen, die in Berlin ein Reisebüro gründeten und ab 1863 Pauschalreisen veranstalteten.

Der wachsende Touristenboom wie auch der zunehmende Geschäftsreiseverkehr stellten auch an die Beherbergung immer größere Ansprüche. Die bisherigen bescheidenen Unterkünfte, nicht selten in Pfarrhäusern und Klöstern, wurden nach und nach durch Hotels und Gasthäuser ersetzt, d. h. durch Betriebe, die gewerbsmäßig und gegen Entgelt für den Empfang, den Aufenthalt und die Unterkunft der Gäste eingerichtet waren.

Der Bädertourismus bildete im 18. wie im 19. Jahrhundert eine starke Grundlage für die entstehenden Hotel„paläste" – Abbilder der Prunkbauten einer Gästeschicht, die sich aus Adeligen, insbesondere aus den Kaiser- und Königsfamilien, dem neureichen Bürgertum sowie aus dem Offiziersstand rekrutierte.

Je nach Jahreszeit hielt sich diese internationale obere Schicht an der französischen und italienischen Riviera (Winter), in den Thermalbädern und Großhotels der Alpenrandseen (Sommer, Spätfrühling und Frühherbst) auf oder unternahm ausgedehnte Reisen nach Nordafrika, Ägypten und/oder Griechenland.

Die beiden Weltkriege veränderten die Lage des Gastgewerbes in Europa entscheidend. Im Rahmen einer „Demokratisierung" des Tourismus sind neue Touristenschichten auf den Plan getreten, gefördert durch die fortschrittliche Gestaltung der Sozial- und Wirtschaftspolitik (*vgl. Kaspar, 1996, S. 23 f.*).

1.2.4.1.2 Der Hotelmarkt

„1998 war für die deutsche Hotellerie das beste Jahr seit der Boom-Periode 1990–92. Fast zwei Drittel aller Betriebe konnten Umsatzzuwächse verbuchen. Die 200 umsatzstärksten Hotels konnten ihre Erlöse im Durchschnitt um 4,8 % steigern. Der Internationale Hotelverband (IHA), der mehr als 750 Hotels vertritt, verzeichnet eine allgemein positive Grundstimmung. Auch die kleinen und mittelständischen Beherbergungsbetriebe melden nach 5 mageren Jahren wieder ein leichtes Umsatzwachstum" *(Gugg u. a. 1999, S. 4).*

„Das Angebot der rund 13.500 Hotelbetriebe wuchs im letzten Jahr um 12.000 Hotelzimmer und damit etwa gleich stark wie in den vorangegangenen Jahren. Bei einem gleichzeitigen Zuwachs von 3,4 Mio. Übernachtungen verbesserte sich die Kapazitätsauslastung um 0,3 Prozentpunkte. Vor allem die ausländische Nachfrage entwickelte sich positiv. Fast jede 5. Übernachtung in der Hotellerie entfällt auf Gäste aus dem Ausland" *(ebenda).*

Betrachtet man vornehmlich die Angebotsentwicklung der Betriebe des klassischen Beherbergungsgewerbes – Hotels, Gasthöfe, Pensionen und Hotels garni –, so ergibt sich folgendes Bild:

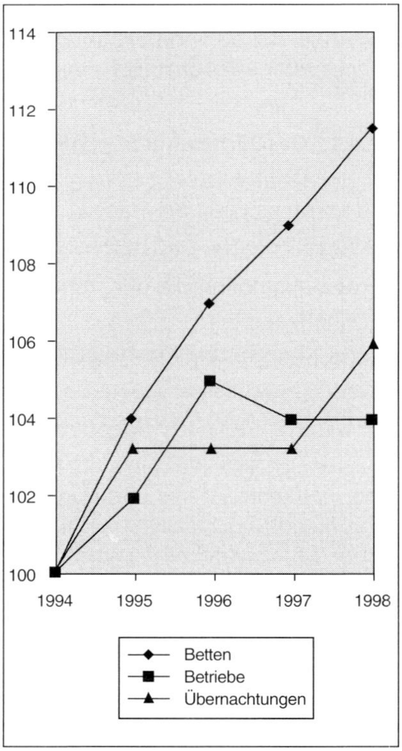

(Quelle: Statistisches Bundesamt, Wiesbaden)

Die deutsche Hotelbranche wies in den vergangenen Jahren ein gleichläufiges Wachstum der Hotelkapazitäten und Übernachtungen auf, das 1995 seinen bisherigen Höhepunkt erreichte. Das Wachstum konnte vor allem durch den hinzukommenden geographischen Markt der neuen Bundesländer begründet werden. Allerdings zeichneten sich zwischen Hotels, Hotels garni, Gasthöfen und Pensionen unterschiedliche Entwicklungen ab. Während die Zahl der Hotelbetriebe bei einem Bettenzuwachs annähernd gleich blieb, sank die Zahl der verbleibenden Hoteltypen bei einem leichten Bettenzuwachs. Daraus ist für die Zukunft zu folgern, dass in zunehmendem Maße Kleinbetriebe aus dem Markt ausscheiden und Großbetriebe überdurchschnittliche Zuwachsraten verzeichnen werden.

So stieg die durchschnittliche Betriebsgröße „bei den Hotels in den letzten fünf Jahren von 64 auf 68 Betten, bei Gasthöfen und Pensionen von 23 auf 24 Betten und bei Hotels garni von 29 auf 32 Betten" *(ebenda, S. 7).*

Tab. 1-2: Angebotsentwicklung in Deutschland

Betriebsart		**Anzahl Betriebe**		**Anzahl Betten**	
	Jahr	**absolut**	**Index**	**absolut**	**Index**
Hotels	1994	12.586	(100)	808.000	(100)
	1998	13.532	(108)	923.000	(114)
Gasthöfe	1994	10.572	(100)	245.000	(100)
	1998	10.558	(100)	251.000	(102)
Pensionen	1994	5.993	(100)	143.000	(100)
	1998	6.712	(112)	158.000	(110)
Hotels garni	1994	9.415	(100)	277.000	(100)
	1998	9.247	(98)	297.000	(107)
Gesamt	1994	38.566	(100)	1.473.000	(100)
	1998	40.049	(104)	1.629.000	(111)

(Quelle: Statistisches Bundesamt, Wiesbaden; vgl. Gugg und Hank-Haase 1999, S. 7)

„Insgesamt konnten die Betriebe des klassischen Beherbergungsgewerbes im Jahr 1998 eine deutliche **Nachfragesteigerung** um 2,25 % erreichen. Dies ist in erster Linie auf Übernachtungszuwächse von rund 3,2 % in Hotels zurückzuführen. Das Übernachtungsaufkommen in Hotels garni stieg um 2,9 %, während die Nachfrage in Gasthöfen und Pensionen – wie bereits in den Vorjahren – weiter schrumpfte" *(Gugg und Hank-Haase, 1999, S. 10).*

Die Daten lassen erkennen, dass die klassischen (Individual) Privathotels vermehrt einen Marktanteil bezüglich der vorhandenen Bettenkapazität verloren haben. Die **Kettenhotellerie** expandierte vor allem im Mittelklassesegment der Zwei- und Dreisterne-Kategorie. Unter dem wachsenden Wettbewerbsdruck bleibt den Privathotels u. a. der Zusammenschluss zu Hotel- und Marketingkooperationen.

Inzwischen gehört in Deutschland bereits jedes vierte Hotelzimmer zu einem Hotelkonzern und jedes siebte Hotelzimmer ist einer Hotelkooperation angeschlossen *(vgl. Seitz/Wolf, 1991, S. 28).*

„Gegenwärtig sind 121 auf dem deutschen Markt agierende Hotelgesellschaften bekannt, die insgesamt über 2750 Häuser verfügen. Bei dieser Zahl muß allerdings berücksichtigt werden, daß Hotels mitunter in mehreren Hotelkooperationen gleichzeitig zusammengeschlossen sind, so daß ein geringer Doppelzählungseffekt auftritt" *(Gugg und Hank-Haase, 1999, S. 29).*

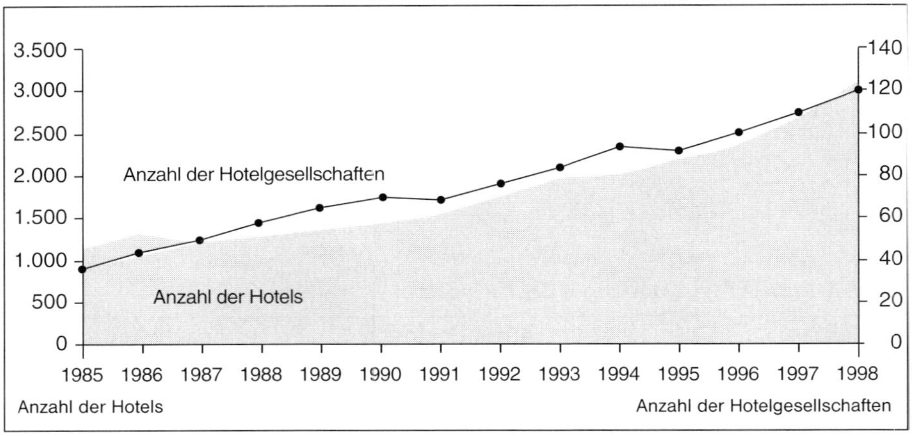

(DEHOGA [Hrsg.], Jahresbericht 1997/98, S. 66)

Seit Beginn der Erhebungen des DEHOGA wachsen die Hotelgesellschaften in Deutschland dynamisch.

„Die jüngste Vergangenheit ist dabei noch zusätzlich von erheblichen und sich immer schneller vollziehenden Veränderungen innerhalb der Sphäre der Markenhotellerie geprägt. Für den deutschen Markt hervorzuheben ist hier etwa das Co-Branding von Arabella und Sheraton oder das Joint Venture von Dorint und Inter-Continental" *(Gugg und Hank-Haase, 1999, S. 29).*

Immer mehr vermischen sich i. R. dieser Entwicklung Hotelketten und Hotelkooperationen, zum Beispiel aufgrund von Franchising für selbständige Unternehmer *(vgl. ebenda, S. 30).*

Daraus lässt sich ableiten, dass die Hotelbranche in Deutschland unter einer chronischen **Überkapazität** leidet, die durch die Expansionsstrategie der Hotelketten weiter gefördert wird. Die Angebots- und Nachfrage-Schere ist in Deutschland auch in den vergangenen Jahren verstärkt worden. Eine Konsolidierungsphase findet im Segment der Luxus- und First-Class-Hotellerie statt, aber nicht in den Mittelklassebetrieben, deren Neubauten im Schnitt jeweils rund 180 Betten aufweisen.

Die Expansion der Hotelgesellschaften fand insbesondere in den alten Bundesländern statt. Ein Drittel aller neu dazugekommenen Hotelbetten wurde in den neuen Bundesländern gebaut. Rund ein Fünftel der verfügbaren Hotelkapazitäten der Hotelgesellschaften liegt in den neuen Bundesländern (*vgl. Buer, 1997, S. 84*).

1.2.4.1.3 Erfassungsbereich der Beherbergungsstatistik

Nach dem *„Gesetz über die Statistik der Beherbergung im Reiseverkehr"* von 1981 werden vom Statistischen Bundesamt nur Beherbergungsbetriebe mit mehr als acht Gästebetten erfasst, wobei es weder auf die Gewinnerzielungsabsicht noch auf den Aufenthaltszweck der Gäste ankommt. Ebensowenig ist maßgebend, ob die Gästebeherbergung betrieblicher Haupt- oder Nebenzweck ist. Somit ist der gesetzlich vorgeschriebene Erfassungsbereich der Beherbergungsstatistik mit dem gewerblichen Sektor – streng genommen – nicht deckungsgleich.

Dieser Umstand scheint jedoch zumindest bei der Betriebsart „Hotel" so selten, dass er hier vernachlässigt werden kann.

In den neuen Ländern der Bundesrepublik Deutschland ist die Beherbergungsstatistik nach dem *„Gesetz über die Statistik der Beherbergung im Reiseverkehr"* erstmals Mitte 1991 zur Anwendung gekommen, so dass das Jahr 1992 als das erste vollständige Vergleichsjahr in Frage kommt (*vgl. Seitz/Wolf, 1991, S. 18*).

1.2.4.1.4 Die Hotelsituation und ihre Zukunft

Unter dem Titel **„Professionalität, einfache Strukturen und kurze Entscheidungswege"** umschreibt das Präsidium des Schweizer Hotelier-Vereins Situation und Zukunft der Hotellerie auf treffende Weise:

„Rasant wechselnde und oft einschneidende Veränderungen in Hotellerie, Gastronomie und Tourismuswirtschaft verlangen nach immer neueren und zukunftsgerichteteren Lösungen. Dies gilt für die Tourismusbranche ganz allgemein, es gilt für die Hotelbranche und natürlich auch für jeden einzelnen Hotel- und Gastronomiebetrieb. Es ist das Spiegelbild der übrigen Wirtschaften und reflektiert die gegenwärtigen Trends und Tendenzen: Nichts bleibt gleich – (fast) alles wird anders. Veränderungen und (neue) Ziele bestimmen den Handlungsbedarf. Neuausrichtung lautet denn auch die Devise. Angestrebt werden Professionalität, einfache Strukturen und kurze Entscheidungswege in Betrieben und Organisationen."

Hotellerie und Gastronomie prägen die touristische Vielfalt und Qualität. Das stilvolle Luxushotel im weltbekannten Kurort gehört genauso zum attraktiven Angebot wie der idyllische Landgasthof in einmalig schöner Umgebung; die weltumspannende Airline ebenso wie der moderne Eurocity-Zug. Das regionale Carunternehmen, das Kleintaxi in der Stadt, das nostalgische Dampfschiff oder eine Bergbahn ergänzen die bunte Palette.

Diese besondere Vielfalt ist Stärke, jedoch auch Schwäche. Stärke, weil Vielfalt immer auch Auswahl und Wettbewerb beinhalten. Vielfalt kann indes auch die Bündelung der einzelnen Leistungen und Produkte erschweren oder dem Vereinheitlichen von Kräften und gemeinsamen Interessen im Wege stehen.

Die Veränderungen in der Hotelbranche verlangen vom einzelnen Betrieb immer neue, ständig preisgünstige und laufend bessere Angebote. Deshalb bedarf es professionell aufbereiteter und preisgünstiger Dienstleistungs- und Supportangebote für maßgeschneiderte, einzelbetriebliche Problemlösungen. Als zwingend nötig und absolut unverzichtbar erweisen sich dabei die touristischen Interessenvertretungen in Wirtschaft, Politik und Öffentlichkeit. Denn auch hier unterliegen die rasch ändernden Interessen und Bedürfnisse einer äußerst dynamischen Entwicklung in einer schnelllebigen Zeit. Von besonderer Bedeutung sind die möglichen Allianzen, oft auch Bündnisse und Kooperationen auf begrenzte Zeit.

„Im internationalen Vergleich behauptet sich der deutsche Hotelmarkt jedoch noch eher schwach. Die Bundeshauptstadt Berlin bildet hinsichtlich Zimmerauslastung und Zimmerpreis im Vergleich mit 18 europäischen Metropolen das Schlußlicht" *(Gugg und Hank-Haase 1999, S. 4).*

Insgesamt gesehen blickt das Hotelgewerbe jedoch optimistisch in die Zukunft. Vor allem im Tagungs- und Bankettbereich werden steigende Nachfrage- und Umsatzwerte erwartet *(vgl. ebenda).*

Weltweit ist **Tourismus die Wachstumsbranche Nummer eins.** Dementsprechend gilt es, gezielt für den eigenen Erfolg mit einzigartigen Produkten, vorbildlicher Servicequalität, guter Produktivität, effizientem Marketing sowie kundenfreundlichen Bestell- und Reservierungssystem zu arbeiten.

Die professionelle Reise- und Ferienindustrie muss sich darauf einstellen, dass Gäste/Kunden kritischer, preisbewusster und anspruchsvoller geworden sind. Daher ist es gut zu wissen, dass es viele engagierte Hoteliers und Gastronomen gibt. Ebenso zuversichtlich stimmt, dass sich viele junge Menschen für das Gastgewerbe begeistern lassen und sich der anspruchsvollen Ausbildung, der Berufs- und Unternehmerverantwortung stellen.

Das Gastgewerbe – ein anspruchsvolles Business –, stellt als serviceorientierte Branche mit seiner gästeorientierten Philosophie darauf ab, hervorragende Leistung bei hohem und zukunftsorientiertem Qualitätsanspruch zu erbringen (*vgl. SHV (Hrsg.), Jahresbericht 1997*).

1.2.4.2 Entwicklung der Parahotellerie

Der eigentliche Vertreter des gastgewerblichen Beherbungsbetriebes ist das Hotel. Indessen spielte schon immer die so genannte Parahotellerie eine wichtige ergänzende und zusätzliche Beherbergungsmöglichkeit.

Die veränderten Anforderungen an Beherbungsmöglichkeiten (Auflehnung gegenüber Essens- und Kleiderzwang, freiere und unabhängige Gestaltung des Aufenthalts im All-

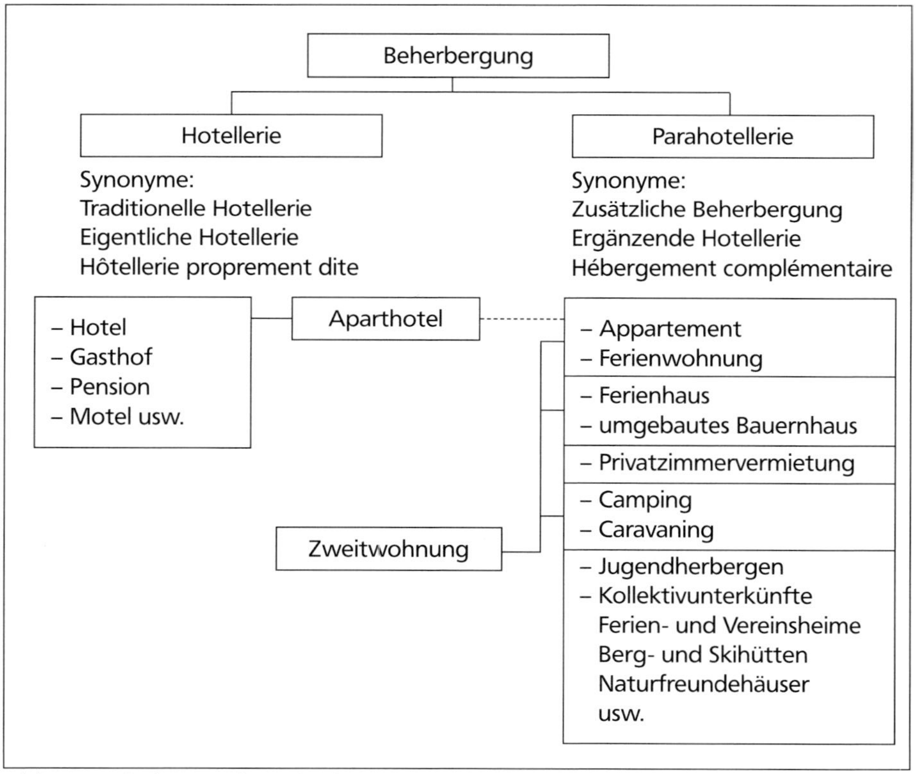

Abb. 1-3: Gliederung des Beherbergungsgewerbes

gemeinen) sowie die so genannte Demokratisierung der touristischen Nachfrage (einkommensmäßig tiefere Bevölkerungsschichten als Nachfrager touristischer Leistungen) haben der so genannten Parahotellerie nach dem Zweiten Weltkrieg entscheidenden Auftrieb gegeben.

Unter **Parahotellerie** versteht man alle Beherbergungs- und Unterkunftsformen, die nicht der traditionellen Hotellerie zugeordnet werden, oder mit anderen Worten, die neben (para) der traditionellen Hotellerie bestehen.

Mit dem Einsetzen des Zeitalters der Freizeitgesellschaft, mit der Veränderung der Konsumgewohnheiten und mit der räumlichen Konzentration von Arbeit und Wohnen (verdichtetes Bauen) nimmt der Bedarf an Ferien- und Zweitwohnungen (auf Miet- und Eigentumsbasis) in Erholungsgebieten ständig zu. Die wachsende Mobilität der Gesamtbevölkerung, der allgemeine Wohlstand, verbunden mit einer Flucht in die Sachwerte als Folge des weltweiten Inflationsprozesses verstärken diese Entwicklung. Verschiedene wirtschaftliche Randgebiete, deren Entwicklungsmöglichkeiten beschränkt sind, sehen deshalb gerade in der Parahotellerie einen Grundpfeiler für ihren wirtschaftlichen Aufschwung.

Die Beherbergungsstatistik zählt Erholungs- und Ferienheime, Schulungsheime, Ferienhäuser und -wohnungen, Hütten, Jugendherbergen, Sanatorien sowie Kurkrankenhäuser zur Parahotellerie.

Die **Bettenkapazität** der Parahotellerie beträgt im Vergleich zur Hotellerie in Prozenten (*vgl. Abb. 1-5*)[1])

	Alte Bundesländer	**Neue Bundesländer**
Hotellerie	64,3	67,6
Parahotellerie	35,7	32,4
– Erholungs- , Ferien-, Schulungsheime	8,7	7,1
– Ferienzentren	1,7	1,3
– Ferienhäuser u. -wohnungen	13,0	9,5
– Hütten, Jugendherbergen	4,6	7,8
– Sanatorien, Kurkrankenhäuser	7,8	6,6

1.2.5 Hotellerie

Laut Deutschem Hotel- und Gaststättenverband (DEHOGA) sollte ein **Hotel** folgende **Mindestvoraussetzungen** erfüllen (*vgl. DEHOGA-Jahresbericht von 1990/91*):

- Mindestkapazität von 20 Gästezimmern;
- Ausstattung eines erheblichen Teils der Gästezimmer mit eigenem Bad/Dusche und WC;
- Angebot eines Hotelempfangs.

Ein Hotel ist ein Beherbergungsbetrieb mit angeschlossenem Verpflegungsbetrieb für Hausgäste und Passanten. Es zeichnet sich durch einen angemessenen Standard seines Angebots und auch entsprechende Dienstleistungen aus.

Hotels werden häufig nach ihrem Standort bezeichnet, der auch ihre Zielgruppe definiert, zum Beispiel die Unterscheidung von Stadt- und Ferienhotellerie. An besonderen Stand-

1) Basis 1996

orten entstehen darüber hinaus Bahnhofs- oder Flughafenhotels, Messe- oder Kongresshotels. In der Ferienhotellerie finden sich Typen wie Golfhotel, Sport- und Wellnesshotel, Familien- und All-Inclusive-Hotel. Verändertes Reiseverhalten und sich wandelnde Gästebedürfnisse haben dabei immer neue Formen des Hotelbetriebs hervorgebracht (*vgl. Heidelberger Handbuch, Oktober 1992, O 1-6/Seite 3-4*).

Das **Motel** ist auf die Bedürfnisse motorisierter Reisender spezialisiert. Unter anderem zeichnen sich diese Häuser häufig durch Parkmöglichkeiten unmittelbar vor den Zimmern aus sowie durch unkomplizierte An- und Abreisemöglichkeiten zu allen Tages- und Nachtzeiten. Als Sonderform des Motels firmiert der **Autobahnrasthof**, der sich an oder direkt neben Autobahnen und Schnellstraßen befindet.

Das gehobene **Aparthotel** trägt in der Regel dem Wunsch von Gästen Rechnung, die langfristig die Annehmlichkeiten eines Firstclass Hotels genießen wollen, ohne auf „eigenen" Wohnraum (Apartment/Wohnung) oder die Möglichkeit der Selbstversorgung (Küche) zu verzichten. Einfache Aparthotels oder **Boarding Houses** sind ebenfalls auf längerfristige Vermietung ausgerichtet, bieten jedoch im Vergleich zum gehobenen Aparthotel ein eingeschränktes Dienstleistungsangebot.

Das **Kurhotel** definiert sich durch seine Hauptklientel Kurgäste und befindet sich nach der Gesundheitsreform in Deutschland und der reduzierten Förderung derzeit vielfach in der Krise. Neben Unterkunft und Verpflegung werden den Gästen unterschiedlichste Kurangebote im Gesundheits- und Wellnessbereich geboten: Das Angebot wird in diesem immer vielfältiger und reicht von physikalischen Therapien (Massagen, Krankengymnastik, Atemtherapien usw.) über Thermal-, Moor- oder Kneippbäder bis hin zu diätetischer Ernährung, psychotherapeutischer Betreuung und kreativen Angeboten (Aquarellmalerei, afrikanisches Trommeln usw.).

Kurheim. Das Kurheim ist ein in einem Heilbad oder Kurort gelegener Beherbergungsbetrieb, der die Merkmale der Pension bzw. des Fremdenheims ausweist.

Den grundsätzlichen beherbergungsbezogenen Service eines Hotels bietet das **Hotel garni**, die Verpflegung des Gastes beschränkt sich jedoch auf das Frühstück oder höchstens eine kleine kalte Küche.

Da das *GastG* keine verbindliche Definition gibt, firmieren viele Betriebsformen unter dem Namen Hotel, obwohl sie die oben genannten Empfehlungen des DEHOGA nicht erfüllen. So werden der Hotellerie auch Gasthöfe, Hotel-Pensionen oder Pensionen zugerechnet.

Ein **Gasthof** ist ein Beherbergungsbetrieb mit angeschlossenem Schank- und/oder Speisebetrieb, der auf einfache und mittlere Ansprüche ausgerichtet ist. Häufig sind Ausstattung und Angebot regionenspezifisch gestaltet.

Hotel-Pensionen bzw. **Pensionen** sind in der Regel familiengeführte Betriebe mit einfacher Ausstattung und einem eingeschränkten beziehungsweise auf ein Tagesgericht begrenzten Angebot an Frühstück, zum Teil auch Mittag- oder Abendessen, das im vergleichsweise niedrigen Pensionspreis inbegriffen ist.

Die Bezeichnung „Hotelpension" ist häufiger in Städten zu finden.

Ein Fremdenheim ist ein Pensionsbetrieb einfacher Art.

All-Suite-Hotel. Wesentlich ist bei dem All-Suite-Hotel, daß es zu jedem Schlafraum auch einen Wohnraum anbietet.

Ein All-Suite-Hotel ist von seinem Leistungsangebot ein Vollhotel, das vornehmlich in Städten anzutreffen ist. Das komplette Serviceangebot umfaßt eine Gastronomie, die sich auch an Gäste wendet, die nicht übernachten.

Boardinghouse. Das Angebot des Boardinghouse wendet sich meist an Langzeitnutzer im urbanen Umfeld. Die Zimmer sind von ihrer Ausstattung her an privaten Wohnungen ausgerichtet. Der Service schwankt von sehr geringem Angebot bis hin zu einem hotelmäßigen Roomservice.

Zur Kategorisierung von Hotels

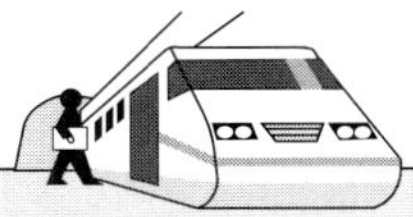

Sarah und Michael Reisner studieren Kataloge für ihren nächsten Urlaub. „Michael, ich habe das richtige Hotel für uns gefunden. Es hat auch drei Sterne und ist viel günstiger, als das, was du rausgesucht hast.“ Beim genaueren Lesen stellen die beiden fest, dass das Angebot beider Hotels weit auseinanderklafft. Das Hotel in Sarahs Katalog ist ohne Schwimmbad, bietet kein Frühstücksbüffet und Abendessen gibt es nur bis 20.30 Uhr. Das andere Haus dagegen verfügt über ein eigenes Restaurant, einen großen Wellness- und Fitnessbereich mit Schwimmbad und liegt zudem direkt in der Nähe der Skilifte. „Du, Sarah schau' mal. In deinem Katalog sind fünf Sterne die höchste Kategorie, in meinem drei Sterne und in dem da drüben vier Sterne. Wer soll sich denn da zurechtfinden. Können die sich nicht auf ein System einigen?“

Es gibt in Deutschland keine verbindlichen, einheitlichen **Bewertungskriterien und -kategorien** zur Klassifizierung von Beherbergungsbetrieben. Die unterschiedlichsten Unternehmen, Veranstalter, Hotelführer und Verbände vergeben hier Sterne und Rangfolgen. Seit 1996 bemüht sich der DEHOGA um ein einheitliches Modell. Ein Betrieb kann sich danach freiwillig der Klassifizierung unterziehen, die durch den DEHOGA vorgenommen und überprüft wird. Vergleichbar zur Einteilung in vielen Ländern werden bis zu fünf Sterne vergeben:

Die Kategorien der Deutschen Hotelklassifizierung

★★★ Komfort
Unterkunft für gehobene Ansprüche

- Einzelzimmer 14 qm, Doppelzimmer 18 qm
- 90 % der Zimmer mit Dusche oder Bad/ WC
- Erweitertes Frühstück oder Frühstücksbüffet
- 12-stündig besetzte Rezeption, Telefon im Zimmer
- 70 % der Zimmer mit TV-Anschluss
- Restaurant

★★★★★ Luxus
Unterkunft für höchste Ansprüche

- Einzelzimmer 18 qm, Doppelzimmer 26 qm
- Suiten
- 24 Stunden besetzte Rezeption mit Concierge-Bereich
- Alle Zimmer mit Dusche/ WC, davon 80 % mit Bad/WC
- Hotelhalle mit Getränkeservice, Restaurant, Hotelbar
- Konferenz- und Bankettmöglichkeit

★★ Standard
Unterkunft für mittlere Ansprüche

- Einzelzimmer 12 qm, Doppelzimmer 16 qm
- 50 % der Zimmer mit Dusche oder Bad/ WC
- Getränkeautomat
- Sitzgelegenheit pro Bett
- Tisch

★★★★ First Class
Unterkunft für hohe Ansprüche

- Einzelzimmer 16 qm, Doppelzimmer 24 qm
- Alle Zimmer mit Dusche oder Bad/ WC
- Frühstücksbüffet und Zimmerservice
- Bademantel auf Wunsch, Kosmetikspiegel, Fön
- Alle Zimmer mit TV-Anschluss
- Empfangshalle, Restaurant, Hotelbar

★ Tourist
Unterkunft für einfache Ansprüche

- Einzelzimmer 8 qm, Doppelzimmer 12 qm
- Empfangsdienst
- Kontinentales Frühstück
- Fließend Kalt-/ Warmwasser
- Kofferablage
- Aufenthaltsraum

Abb. 1-10: Hotelklassifizierung (aus: DEHOGA Jahrbuch 1996/1997, S. 62)

Eine deutschlandweite einheitliche Kategorisierung durch den DEHOGA wird hiermit angestrebt, jedoch von vielen Hoteliers nicht angenommen, wie nachstehende Pressenotiz zeigt:

Krieg der Sterne: Streit um Noten für Hotels

Klagen über „geschäftsschädigende" Bewertung durch die Innung
Jetzt 87 der 450 Berliner Häuser ausgezeichnet

Von Jörn Hasselmann

BERLIN. 87 der etwa 450 Berliner Hotels dürfen sich jezt mit offiziellen Sternen schmücken. Gestern bekamen 13 Häuser, die die freiwillige Klassifizierung beantragt hatten, von der Hotel- und Gaststätteninnung ihre Sterne verliehen. Drei Hoteliers waren derart sauer über das Ergebnis, daß sie unter Protest zurücktraten. "Zwei Sterne sind geschäftsschädigend", klagt die Eigentümerin des Askanischen Hofs, Eva Glinicke. Sie hatte mit "drei bis vier" gerechnet.

"Bett ist nicht gleich Bett, ärgert sich Eva Glinicke. Ihre Gäste - viele Künstler wie David Bowie darunter - dürften sich in Antiquitäten wohlfühlen und nicht mit Bilka-Billig-Mobiliar vorliebnehmen. Auch die Menge des Personals berücksichtige die Dehoga nicht. Auch bei ihr sei kein Tester persönlich gewesen.

Diese Vorgehensweise ist seit einem Jahr üblich. Die Hoteliers bewerten sich mittels Fragebogen selbst, nur in Zweifelsfällen werde man sich persönlich umsehen, heißt es bei der Innung.

Jeder Hotelier konnte sich bislang soviele Sterne an die Haustür schrauben, wie ihm es paßte. Genau das passiert jetzt immer noch, schimpfen die Kritiker. Denn die Häuser stufen sich in einem Fragebogen selbst ein.

Kritik an den Dehoga-Sternen gibt es - auch von Verlagen, die mit ihren Hotelführern Geld verdienen.

„Die Dehoga kategorisiert alle gleich, auch da wo der Schimmel im Bad blüht." In der Tat gibt es Dehoga-Sterne nur für zählbare Kriterien: Gibt es ein Bad mit Warmwasser oder nicht. Ob das dann schmuddelig ist, spielt keine Rolle. Sterne fallen reichlich hernieder: Nur drei Häuser fallen in die "Touristklasse".

Der Varta ist sparsamer: Drei Berliner Häuser dürfen sich mit fünf Sternen schmücken: das Adlon, das Four Seasons und das Schloßhotel Vier Jahreszeiten. Das "Forum" am Alex bekommt nur einen Stern im Varta – von der Innung dagegen drei.

vgl. Tagesspiegel, 28.08.1998

Abb. 1-11: Probleme der einheitlichen Hotelklassifizierung

Eine einheitliche und verbindliche Klassifizierung würde in- und ausländischen Touristen helfen, sich einfach und problemlos in der Vielfalt der Hotelangebote zurechtzufinden. Anders als in Deutschland und in der Schweiz gibt es zum Beispiel in Österreich und in Südtirol bereits eine verbindliche Klassifizierung, der sich alle Hoteliers unterziehen müssen.

1.2.6 Parahotellerie

Zur Parahotellerie zählen unter anderem Ferienwohnungen, Ferienhäuser/-wohnungen, Sanatorien, Kurkrankenhäuser, Ferienlager, Vereinsheime, Camping/Caravaning, Privatzimmer, Jugendherbergen (vgl. 1.2.4.2). Diese Betriebe werden häufig als gastgewerbliche Nebenerwerbsbetriebe geführt.

Obwohl die Mehrzahl der Übernachtungsgäste in gewerblichen Logisbetrieben – mit steigender Tendenz – absteigt, verzeichneten auch Teile der Parahotellerie Zuwachsraten: „Der Anteil der Parahotellerie erhöhte sich deutschlandweit auf 26,4 Prozent, wohingegen derjenige der Sanatorien und Kurkrankenhäuser von 17,3 auf 13,4 Prozent absackte" (*DEHOGA-Jahresbericht 1997/1998, S. 252*).

Ein Mischung aus Hotellerie und Parahotellerie bilden die Ferienzentren oder -dörfer, die sowohl Hotels als auch Appartements oder Ferienhäuser anbieten. Aparthotels werden dagegen zumeist der Hotellerie zugerechnet, vor allem weil Kombinationen mit regulären Zimmern und damit eine höhere Flexibilität die Regel werden.

1.2.7 Gastronomie

Gastronomie bezeichnet die Gesamtheit der Gaststätten als **Teil des Gastgewerbes.** Damit sind Gastronomie und Gaststättengewerbe synonyme Begriffe. Das *GastG* unterscheidet zwischen Speisewirtschaft und Schankwirtschaft sowie zwischen dem speise- bzw. getränkeorientierten Unternehmen.

Gastronomische Betriebe unterscheiden sich unter anderem durch

- das Angebot: zum Beispiel Hähnchenrestaurant, Eisdiele, Tapas Bar;
- die Betriebsgröße: zum Beispiel Megarestaurant;
- den Standort: zum Beispiel Landgasthof, Citybar, Kurrestaurant, Hotelgastronomie;
- den Betreiber: zum Beispiel Familienbetrieb, Konzern, Kette;
- die Kernzielgruppe: zum Beispiel Familie, Kinder, Senioren.

Nachstehend erfolgt eine **kurze Beschreibung einiger klassischer gastronomischer Betriebsformen** (*vgl. Dettmer 1999, S. 254 ff.; Heidelberger Handbuch, O 1-5/ Seite 3–5*):

Restaurant: Verpflegungsbetrieb mit reichhaltiger Auswahl an Speisen und Getränken, höhere Qualitätsstandards, gehobene Atmosphäre. Eine Untergruppe des klassischen Restaurants bilden die Spezialitätenrestaurants, die sich häufig auf das Speisenangebot eines Landes oder einer Region beschränken (aktuelle Beispiele sind kalifornisch, kreolisch, japanisch).

Free-flow-Restaurant: Im Zentrum steht eine attraktive, verkaufsaktive Präsentation der Speisen und Getränke im Rahmen verschiedener Angebotstheken und -büfetts zur Selbstbedienung. Bei einigen Produkten erfolgt die Endfertigung vor den Augen des Gastes. Der Gast bewegt sich frei zwischen den verschiedenen Garküchen und Theken und bezahlt meist am Check-Out-Schalter, bevor er sich in den Gastraum begibt.

Schnellgastronomie (synonymer Begriff „Fast Food"): Meist in Form eines Selbstbedienungsrestaurants entwickelt sich eine immer größere Angebotsvielfalt am Markt, zum Beispiel Sandwiches, Hamburger, Hähnchen, Pizza, Gyros, Fisch. Schnellgastronomien finden sich vor allem in Fußgängerzonen und Citylagen oder an großen Verkehrswegen und -knotenpunkten, in Gewerbegebieten oder in der Nähe von Multiplexkinos oder Einkaufszentren.

Bahnhofsgaststätten und Autobahnraststätten nehmen durch ihre Lage und die spezielle Servicefunktion am Auto- bzw. Bahnreisenden eine Sonderrolle ein. Die Öffnungszeiten richten sich bei den Bahnhofsgaststätten nach dem ersten beziehungsweise letzten Zugverkehr, auf Autobahnraststätten sind sie unbeschränkt und damit häufig 24 Stunden (in Deutschland Pflicht).

Strauß,- Kranz-, Buschen- oder Besenwirtschaften sind eine Besonderheit im gastronomischen Markt und unterliegen nicht den allgemeinen Bestimmungen für die Gastronomie (Vorhaltung von WC-Räumen, Hygienestandards, Besteuerung usw.). Maximal vier Monate im Jahr dürfen Weingüter oder Winzer in geeigneten Räumen ihre Produkte anbieten und kleine kalte oder warme Spezialitäten der Region servieren. Die Wirtschaften sind durch Sträuße, Kränze oder Besen, die am Haus angebracht werden, gekennzeichnet und dienen auch zum Verkauf der selbstproduzierten Weine und Säfte.

Cafés definieren sich durch ihren hohen Anteil an speziellen Kaffeespezialitäten, Kuchen, Gebäck am Umsatz und eventuell eine Auswahl kleinerer Gerichte. Die Öffnungszeiten richten sich häufig nach denen des umliegenden Einzelhandels. Viele Cafés sind an Einzelhandelsläden von Bäckereien oder Konditoreien angeschlossen.

Zu denken ist „an Nebenbetriebe, welche die Kundschaft mit preisgünstigen Mahlzeiten und Getränken versorgen. Hier wären insbesondere die Erfrischungsräume bzw. **Cafeterias von Warenhäusern/Kaufhäusern** zu nennen. Sie fallen unter den Begriff gastgewerblicher Nebenbetrieb eines nicht gastgewerblichen Hauptbetriebes.

Die Servicegesellschaft der Deutschen Bahn AG **(Mitropa)** ermöglicht ihren Reisenden, während der Bahnfahrt Speisen und Getränke zu sich zu nehmen" *(Dettmer 1999, S. 257).*

„Die meisten Großbetriebe in der Bundesrepublik Deutschland haben eigene **Kantinen,** in denen die Mitarbeiter preisgünstig (betriebliche Zuschüsse) beköstigt werden. Dabei ist in den letzten Jahren der Trend zu beobachten, dass die Betriebsversorgung ständig zunimmt. Aufgrund der durch den Betrieb gewährten Zuschüsse dürfen Betriebsfremde die Kantine nur aufsuchen, wenn sie von Betriebsangehörigen dazu eingeladen werden.

Ähnlich wie die Betriebskantinen sind in Behörden oder militärischen Anlagen die sog. **Kasinos** zu finden (z. B. Ärztekasino in Krankenhäusern, Offizierskasino) sowie an Universitäten die **Mensen.**

Die **betriebliche Gemeinschaftsverpflegung** ist heute keine reine Sozialleistung mehr, sondern ein gut funktionierender Dienstleistungsbetrieb. Diese Verpflegung wird immer mehr als Indikator (= Merkmal/Anzeichen) für die Wertschätzung der Mitarbeiter durch das Unternehmen gewertet. Neben der herkömmlichen Betriebsgastronomie in den Großbetrieben (ca. 8 Mio. Personen/Tag), in den Behörden der öffentlichen Hand, in Heimen und Kasernen (ca. 10 Mio. Personen/Tag) gewinnen die Dienstleistungen aus dem Catering (s. u.) ständig an Bedeutung. Immer mehr kleinere und mittlere Unternehmen nehmen die Angebote von Versorgungsdienstleistungsunternehmen oder Caterern mit Tiefkühlkost in Anspruch" *(ebenda).*

Nicht zu vergessen sind die Unterhaltungsbetriebe. So sind Bars „Betriebsformen, die als selbstständige Unterhaltungsbetriebe geführt werden oder einem anderen Betrieb, z. B. Hotel, angeschlossen sind.

Eine Bar weist besondere Einrichtungen auf, d. h., neben einer Bartheke mit Barhockern finden sich im Allgemeinen kleine Sitzgruppen; die Bar verfügt in der Regel über eine gehobene Ausstattung. Es werden im Wesentlichen Mixgetränke, Schaumweine bzw. Sekt auf Barkarten angeboten. Die Ausgabe von Speisen beschränkt sich in Bars auf wenige Angebote.

Eine besondere Form ist die **Tanzbar,** in der eine Tanzfläche zur Verfügung steht und Livemusik oder Schallplattenmusik angeboten wird. Im Gegensatz zu Tanzbars will das Angebot der **Diskothek** überwiegend jüngere Gäste ansprechen. Aus diesem Grund haben Diskotheken eine sehr viel größere Tanzfläche, arbeiten mit Diskjockeys, einer erheblich höheren Lautstärke sowie Laser- und Lightshows. Das Getränkeangebot ist nicht so exklusiv wie in Bars.

Ebenfalls zum weiten Feld der Gastronomie gehören die **Nachtlokale (Nightclubs).** Diese so genannte nächtliche Erlebnisgastronomie bietet ihren Gästen häufig Stripteasedarstellungen bis hin zu gewagten Bühnenshows. Sie haben alle ein sehr hohes Preisniveau und eine betriebsartbedingte Sperrzeitverkürzung, meist bis 4.00 Uhr morgens.

Weiterhin gehören zur Gastronomie die **Kabaretts** und **Varietés.** Während in Varietés akrobatische Darbietungen aufgeführt werden (z. B. Friedrichsstadtpalast Berlin, Hansatheater Hamburg, GOP Hannover), geht es in Kabaretts hauptsächlich um den politischen

Abb. 1-12: Der schillernde Begriff „Gastronomie"

Witz (z.B. Stachelschweine, Berlin, Lach- und Schießgesellschaft, München)" *(ebenda, S. 255).*

Neben den genannten gastronomischen Betriebsformen nimmt die Vielfalt und Spezialisierung der gastronomischen Unternehmen ständig zu. Fast täglich, scheint es, entwickeln sich **neue Trends und Angebote**, die den Markt erweitern oder Vorhandenes verdrängen. Aus der Masse der Möglichkeiten wird im Folgenden eine **kleine Auswahl neuerer Betriebstypen als Beispiel für den Trend zur Spezialisierung** erläutert:

Ein neuer Trend sind die sogenannten **Cigar Clubs**. Verstärkt durch die zunehmenden Einschränkungen für das Rauchen in der Öffentlichkeit in den Vereinigten Staaten, erfüllen die Cigar Clubs das Bedürfnis der Raucher nach eigenen Refugien. Die Wiederbelebung des klassischen Rauchsalons in modernem Gewand wurde ein voller Erfolg, wozu nicht zuletzt Berühmtheiten aus Film, Wirtschaft und Politik beitrugen. Wie in Amerika sind auch in Europa einige Clubs ausschließlich für Mitglieder geöffnet. Andere dagegen wenden sich an ein breiteres Publikum und laden zum ausprobieren, sehen und gesehen werden ein. In „echten" Cigar Clubs ist die Getränkekarte reduziert auf Drinks, die sich mit dem Rauchen von Zigarren vereinbaren lassen. Auch die Slow-Food-Bewegung entdeckt das Zigarrenrauchen für sich: das Rauchen einer Corona dauert im Durchschnitt eine gute Stunde.

Die moderne Technik bescherte der Gastronomielandschaft das **Internet Café**. In Zeiten, in denen in Europa noch nicht jeder einen eigenen Internetzugang zu Hause hat, lädt das Internet Café zum Surfen in virtuelle Welten ein. Der Gast sitzt im Café, genießt das meist sehr knappe Getränke- und Speisenangebot und nimmt gleichzeitig Kontakt in alle Welt auf. Wie beim Cigar Club stehen auch in diesem gastronomischen Betriebstyp Essen und Trinken nicht mehr im Mittelpunkt des Angebots und des Besucherbedürfnisses.

An spanische Tradition und Lebensart lehnt sich die Idee der **Tapas Bars** an. In Spanien werden dem Gast, der einen Wein bestellt, traditionell kostenlos Tapas gereicht: eine Vorspeise, manchmal auch eine Suppe, ein einfaches kleines Gericht oder ein Tellerchen mit Oliven. Das Prinzip der Tapas Bars in Deutschland (häufig bereits auch in von Touristen besuchten Teilen Spaniens) funktioniert anders. Tapas werden hier nicht mehr kostenlos abgegeben. Vielmehr liegt der Schwerpunkt des Speisenangebots auf einer Auswahl kleiner Gerichte und Vorspeisen (Tapas), aus denen der Gast sich seine eigene Mischung zusammenstellen kann. Diese genießt er in „spanischer" Atmosphäre bei spanischem Wein.

Bisher ist es weder den Verbänden noch den starken Zulieferern (zum Beispiel Brauereien) gelungen, eine weitreichende und langfristig gültige Typologie (Typengliederung, Segmentierung) der Gastronomie einzuführen. Dies ist einer der Gründe, warum über Gastronomie sehr unterschiedliche und unvergleichbare Daten existieren.

Dieser „Schnellschuss" durch die gastronomische Begriffswelt verdeutlicht das Problem der Segmentierung, das heißt der eindeutigen Definition und Bezeichnung gastronomischer Absatzstätten. Begriffe wie Hotelgastronomie, Erlebnisgastronomie, Heurigen Lokal, Wirtshaus oder Bahnhofsgaststätte werden verwendet, ohne dass sich der Benutzer ihre tatsächliche Bedeutung bewusst macht. Das Problem soll hier nur angedeutet werden: Was bezeichnet der Begriff Wirtshaus? Kann ein Wirtshaus eine Erlebnisgastronomie oder Hotelgastronomie sein? Handelt es sich bei dem Begriff Erlebnis- oder Szenegastronomie um Oberbegriffe, die eine bestimmte Art von Gastronomie kennzeichnen? Gibt es einen Unterschied zwischen Kaffeehaus und Café?

Der Markt „Gastronomie" ist stark zersplittert und stark individualistisch, mittelständisch geprägt – in Deutschland etwa 172.000 Betriebe inklusive Kantinen und Caterer (*vgl. DEHOGA Jahrbuch 1997/ 98, S. 12*). Zusammen mit den niedrigen Zugangsvoraussetzungen und dem Nimbus als „Nische der Selbstverwirklichung" führt dies zu einer unüberschaubaren Anzahl von Angebotsformen. Eine Beurteilung ist nur schwer möglich.

1.2.8 Foodservice

Die Beurteilung des gastronomischen Marktes wird darüber hinaus durch sich widersprechende Marktdaten noch komplizierter. Einerseits lässt sich der Umsatz des Gaststättengewerbes insgesamt als kontinuierlich rückläufig bezeichnen (*vgl. Abb. 1-2*).

Andererseits lässt sich der Außerhauskonsum oder auch Außerhausverzehr als tendenziell steigend ermitteln. Hierzu sei auf Untersuchungen des Instituts Klaus Noyen bzw. der CMA verwiesen:

Essen außer Haus – Häufigkeit			
Jahr	**pro Woche/Person**	**pro Monat/Person**	**pro Jahr/Person**
1991	2,3	10,0	119,6
1995	2,8	12,1	145,6
1996	3,5	15,2	182,0
1997	3,6	15,6	187,2

Abb. 1-13: Häufigkeit von Essen außer Haus in Deutschland, vgl.: FoodService 05/98

Essen außer Haus – Ausgaben in DM			
Jahr	**pro Woche/Person**	**pro Monat/Person**	**pro Jahr/Person**
1991	DM 24,97	DM 107,44	DM 1.289,29
1995	DM 31,25	DM 135,41	DM 1.624,90
1996	DM 33,95	DM 147,12	DM 1.765,40
1997	DM 33,12	DM 143,52	DM 1.722,24

Abb. 1-14: Ausgaben für Essen außer Haus in Deutschland, vgl.: FoodService 05/98

Was ist nun richtig? Oder anders ausgedrückt: Was ist für die Entwicklung des gastronomischen Marktes relevant? Bei dieser Frage kommt ein neuer Begriff ins Spiel, nämlich „Foodservice"; er wurde in Deutschland durch die gleichnamige Zeitschrift in der Fachwelt populär gemacht.

„FoodService Europe wishes to use the term foodservice as an umbrella term for everything. Which is logical! The foodservice industry (food and beverage plus service) is considered here as the opposite to retailing: the away-from-home market versus shopping in supermarkets etc., and consumption at home."
(vgl. FoodService Europe, 01/98)

Foodservice integriert nach heutigem Verständnis sowohl die Gastronomie, wie sie nach dem *Gaststättengesetz* definiert ist, als auch den gastronomieorientierten Einzelhandel (*vgl. Kapitel 1.2.6, in dem auf denjenigen Anteil des Einzelhandels eingegangen wird, der verzehrfertige Speisen und/oder Getränke zum Konsum verkauft*). Foodservice ist sehr viel mehr als Gastronomie, und es kann zu recht vermutet werden, dass das Wachstum des Außerhauskonsums, das heißt des Verzehrs von Speisen und/oder Getränken außerhalb des Wohn- und Arbeitsortes vor allem Wachstum im Bereich des gastronomieorientierten Einzelhandels auslösen muss, nicht zuletzt weil die Umsätze der Gastronomie (des Gaststättengewerbes) rückläufig sind. Die relevanten Umsätze des gastronomieorientierten Einzelhandels in Deutschland werden nicht veröffentlicht – hier ergibt sich also eine Grauzone, deren unternehmerisches Chancenpotential allerdings nach übereinstimmenden Expertenmeinungen beträchtlich ist.

Mit „Foodservice" häufig verwechselt wird der Begriff „Systemgastronomie" und dieser wiederum mit dem Begriff „Fast Food". An dieser Stelle soll versucht werden, die Begriffe eindeutig zu klären.

Systemgastronomie wird durch den Deutschen Hotel- und Gaststättenverband folgendermaßen definiert:

Systemgastronomie betreibt, wer Speisen und/oder Getränke zum Verzehr an Ort und Stelle entgeltlich anbietet und darüber hinaus über ein standardisiertes Konzept verfügt, mindestens drei Outlets eröffnet hat und diese zentral steuert.
(vgl. DEHOGA, Fachabteilung Systemgastronomie 1991)

TOP 20
Die größten Unternehmen/ Systeme der Gastronomie in Deutschland (1)

Rang	Vorjahr	Unternehmen	Kat.	Vertriebslinien	Umsatz (ohne MwSt) Mio. EUR			Zahl der Betriege	davon FR (2)	
					Mio. EUR	Mio. DM	Mio DM		davon FR (2)	
					1998	1998	1997	1998	1998	1997
1	1	MacDonald's Deutschland Inc., München	FF	McDonald's	**1.934,7**	**3.784,0**	3.384,3	**931**	545	850
2	2	LSG Lufthansa Service Holding AG, Kriftel	VG	LSG Airline Catering (3), Partyservice, Airport-G.	**669,6**	**1.309,6**	1.290,3	**37**		34
3	3	Autobahn Tank & GmbH, Bonn (4)	VG	Raststätten	**489,3**	**957,0**	975,0	**365**	358	369
4	4	Mitropa AG, Berlin (5)	VG	Mitropa	**296,0**	**579,0**	604,0	**603**		618
5	5	Dinea Gastronomie GmbH, Köln	HG	Dinea, Grillpfanne, Axxe	**233,1**	**456,0**	481,0	**301**	37	317
6	6	Nordsee GmbH & Co. KG, Bremerhaven	FF	Nordsee	**219,3**	**429,0**	404,4	**291**	4	286
7	7	Burger King GmbH, München	FF	Burger King	**209,6**	**410,0**	320,0	**175**	112	141
8	8	Mövenpick Gesellschaften Deutschland, Stuttgart	AS	Mövenpick, Marché, Mövenpick-Hotelr.	**155,7**	**304,6**	317,6	**52**	3	52
9	9	Karstadt AG, Essen	HG	Karstadt Gastronomie	**152,6**	**298,5**	309,0	**149**		146
10	10	Tricon Restaurants International Ltd. & Co. KG, Mülheim/ Ruhr	FF	Pizza Hut, (Nudelmacher), KFC	**127,8**	**250,0**	253,5	**142**	63	165
11	12	Whitbread Restaurants Holding GmbH, Düsseldorf	AS	Tascaria Maredo, Maredo, Churrasco u. a.	**98,4**	**192,5**	191,1	**68**	3	64
12	11	Wienerwald GmbH, München	AS	Wienerwald	**97,1**	**190,0**	225,0	**137**	63	155
13	13	Restaurationsbetriebe Stockheim GmbH Co. KG, Düsseldorf	VG	Flughafen-, Bahnhof-, Messe-Restaurants	**93,4**	**182,6**	158,6	**20**		21
14	14	Gate Gourmet GmbH Deutschland, Neu-Isenburg	VG	Airline-Catering (3)	**80,5***	**157,5***	153,0*	**13**		13
15	16	Block House-Gruppe, Hamburg	AS	Block House, Elysee-Gastro, Jimmy's Hamburger	**73,5**	**143,7**	139,8	**39**		39
16	17	Roland Kuffler GmbH, München	AS	Spatenhaus, Mangostin, Käfer'S u. a	**70,6**	**138,0**	127,0	**36**	21	30
17	15	G&T Gastronomie u. GmbH & Co. Betriebs KG, Kreuzwertheim	FZ	Fun & Lollipopp u. a.	**69,1**	**135,1**	144,7	**52**	52	53
18	21	Feinkost Käfer GmbH, München	AS	Käfer Partyservice, Käfer-Gastronomie	**61,4**	**120,0**	110,0	**7**		7
19		Esso AG, Hamburg (6)	FF	Snacks	**61,4**	**120,0**	95,0	**370**	370	350
20	18	Le Buffet System-Gastronomie u. Dienstleistungs-GmbH, Dreieich	HG	Le Buffet	**59,3**	**115,9**	136,5	**51**	6	59

(1) ohne Hotellerie, Gastro-Gesamtumsätze inkl. Fremdregie-Betriebe. Alle Eigenangaben werden von den Unternehmen verantwortet
(2) FR=Fremdregie, Franchising
(3) keine gastronomietypische Absatzsituation
(4) Pachtbetriebe der Tank & Rast; ausgebauter Service
(5) ohne Mitropa Schiffscatering GmbH, Comfort Table, Mitropa Suisse; SaS, Mitropa France usw.
(6) Komplette Neueinstufung, kein Vergleich mit früheren

Kat. = Kategorien/ Systeme
FF = Fast Food, Imbiss, Heißverkauf, Home delivery
VG = Verkehrs- und Messegastronomie
HG = Handelsgastronomie
AS = Fullservice-Gastronomie – ausgebautes Sortiment, ausgebauter Service,
FZ = Freizeitgastronomie

© FoodService

Abb. 1-15: Tabelle der Top 20 Systemunternehmen in Deutschland (vgl. FoodService 04/99)

Systemgastronomie ist somit zunächst unabhängig vom Produkt (zum Beispiel Steaks oder Hamburger), unabhängig vom Service (zum Beispiel Counter Service oder Bedienung) und unabhängig von der Schnelligkeit des Verzehrvorgangs (Fast Food oder Slow Food). Systemgastronomie ist eine Untergruppe von Gastronomie, das heißt des Gaststättengewerbes, das heißt der konzessionierten Gastronomie. Systemgastronomischer Einzelhandel ist in dieser Definition zunächst nicht erfasst.

Daraus lässt sich jedoch nicht schlussfolgern, dass in vielen systemgastronomischen Betrieben (z. B. Nordsee, Wienerwald, McDonald's, Burger King, Pizza Hut) nicht hohe Umsätze im Bereich des gastronomieorientierten Einzelhandels getätigt werden. Gerade hier kann beobachtet werden, dass ein hoher Anteil am Umsatz durch das Mitnahmegeschäft gemacht wird, zum Teil bis zu 40 % (*hierzu vgl. Kapitel 1.2.6*).

Von **Fast Food** unterscheidet sich die Systemgastronomie grundsätzlich, denn Fast Food beschreibt eine bestimmte Art und Weise, wie verzehrfertige Speisen und/oder Getränke an den Gast bzw. den Kunden gebracht werden. Diese Form kann am ehesten am ursprünglichen Begriff des englischen „fast" (= schnell) festgemacht werden und beschreibt die Gastronomie und den gastronomieorientierten Einzelhandel, die aus Sicht des Gastes oder Kunden einen insgesamt schnellen Bestell- und Verzehrvorgang ermöglichen. Wie dies im Einzelnen zu definieren sei, darüber herrschen in der Branche die unterschiedlichsten Meinungen.

Nicht mehr zutreffend erscheinen heute Definitionen, wie sie M. Reisen oder auch die Zeitschrift FoodService noch in den 80er Jahren anboten, die Fast Food auf die gleiche Ebene mit dem Begriff Systemgastronomie setzten. Die Folge war, dass sich im Fast Food-Segment Unternehmen wie McDonald's, Burger King oder Pizzahut befanden, diese jedoch nicht als Systemgastronomie erkannt wurden, obwohl sie deren Kriterien eindeutig erfüllten. Fast Food **kann** eine Untergruppe der Systemgastronomie sein, geht aber weit über den Begriff Systemgastronomie hinaus. Als Beispiel hierfür können Imbisse, die nicht systematisiert sind, oder auch Schnellverkaufseinheiten, die nur temporär existieren (auf Festen, in Freizeitparks und Open-Air-Konzerten), angeführt werden.

Einen guten Überblick über die Bedeutung der Systemgastronomie in Deutschland bieten die Untersuchungen (inzwischen bereits Langzeituntersuchungen) der Fachzeitschrift FoodService.

Das Segment Systemgastronomie ist in Deutschland im Wachstum begriffen. Dies bestätigen die veröffentlichten Zahlen aus der oben genannten Fachzeitschrift im Vergleich zu den Zahlen des Gesamtmarktes, für dessen Beurteilung in Deutschland lediglich das Zahlenmaterial des DEHOGA zur Verfügung steht.

Nach Expertenmeinungen wird allerdings der Markt der Systemgastronomie in Deutschland langfristig nicht das Niveau der angelsächsischen Länder erreichen. Dort gehören bereits bis zu 70 % des Foodservice-Marktes der Systemgastronomie an, in Deutschland dagegen etwa 15 bis 20 %.

Folgende Tabelle erläutert das Wachstum der Unternehmen, die seit zehn Jahren unter den Top Ten der Branche rangieren und ohne Auf- und Verkäufe von Unternehmen Zuwächse verzeichnen:

Nettoumsatz in Mio. DM				
	1987	1995	1998	Var. 87/98
McDonalds	774	2.981	3.784	498 %
Burger King	181,5	286	410	226 %
LSG	573	1.495	1.544	269 %
Nordsee	202,5	372,2	429	212 %
Zahl der Betriebe				
McDonalds	262	649	931	355 %
Burger King	62	125	175	282 %
LSG	13	29	34	262 %
Nordsee	285	297	291	102 %
Durchschn. Umsatz/Betrieb				
McDonalds	2,95	4,59	4,06	138 %
Burger King	2,93	2,28	2,34	-20 %
LSG	44,08	51,55	45,41	3 %
Nordsee	0,71	1,25	1,47	207 %

Abb. 1-16: Entwicklung von Top-Unternehmen der Systemgastronomie (vgl. FoodService)

Um die Veränderungen am Markt zu beschreiben, wird häufig zwischen „ausländischen Gastronomen, herkömmlicher Gastronomie und Systemgastronomie" *(FoodService Forum 1997, Dt. Fachverlag)* unterschieden. Das Fazit solcher Vergleiche ist, dass das Segment der „ausländischen Gastronomie" und der „Systemgastronomie" auf Kosten der „herkömmlichen Gastronomie" wachse. Doch der Versuch, diese Begriffe voneinander abzugrenzen, zeigt, dass sie nicht praktikabel sind: Gehören McDonald's oder die Pizzeriakette zur ausländischen Gastronomie oder zur Systemgastronomie? Ist Wienerwald ein herkömmliches Restaurant oder ein Systemer?

Klarer lässt sich der Markt durch ein weiteres Element des Foodservice-Marktes beschreiben: durch die Betrachtung der permanenten antipodischen Diskussion zwischen Individual- und Systemgastronomie. Deren Wandel verdeutlichen die nebenstehenden Darstellungen.

Die beiden Bilder symbolisieren deutlich, dass Individual- und Systemgastronomie zusammenwachsen. Dieser Prozess wird sich weiter beschleunigen. Dies liegt an der steigenden Bedeutung der Dienstleistungswirtschaft und auch dem insgesamt steigenden Bewusstsein für Service und Dienstleistung.

Im Bereich des gastronomischen Marktes bedeutet Bewusstsein der Dienstleistungsnachfrage vor allem eine Erhöhung der **Serviceintensität,** wobei diese nicht gleichzusetzen ist mit Tischbedienung oder mit klassischem Aufdecken und Servieren. Vielmehr handelt es sich um ein direktes „Rangehen" an den Gast, das sich in promptem Wahrnehmen, freundlicher Ansprache, schneller und kompetenter Beratung, zügiger Zube-

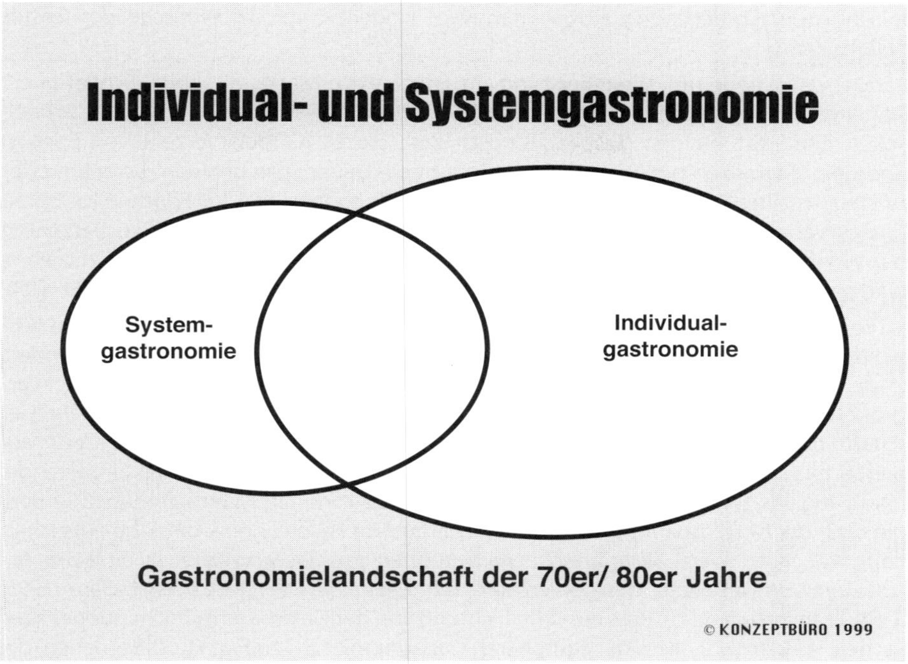

Abb. 1-17: Die Beziehung von Individual- und Systemgastronomie in den 70er/80er Jahren

Abb. 1-18: Die Beziehung von Individual- und Systemgastronomie jenseits der 90er Jahre

reitung oder Endfertigung sowie intensivem Eingehen auf die Wünsche des Gastes äußern kann.

Parallel dazu bedeutet **Dienstleistung** im Foodservice-Markt vor allem Schnelligkeit. Daher wurde der Begriff Fast Food oftmals synonym für diesen Markt verwendet. Schnelligkeit bedeutet für den Gast letztendlich Zeit, die er für den Verzehr von Speisen und/oder Getränken benötigt. Diese umspannt die Dauer zwischen dem Betreten oder Ansteuern eines Outlets (= Betriebsstätte, Lokal, Ausgabestelle) für Foodservice bis zu dessen Verlassen und betrifft somit auch die Bestellung, den Erhalt und das Verzehren der Ware. Der Anspruch, den Zeitaufwand für Essen und Trinken weiter zu reduzieren, wird sich in der Zukunft verstärken. (Dies gilt zwar für viele Anlässe, aber nicht für alle!)

Im Bereich der **Handelslandschaft** sind zwei wachsende Trends zu beobachten: „Die Ausweitung der großflächigen Einzelhandelskonzepte an den Stadträndern senkt besonders in den neuen Bundesländern die Besucherfrequenzen in den Innenstädten. Die Vergrößerung der durchschnittlichen Verkaufsflächen führt dazu, dass immer mehr Geschäfte eine gastronomische Versorgung für Mitarbeiter und Kunden anbieten bzw. anbieten müssen. Beides wirkt sich nicht nur auf den kleineren städtischen Einzelhandel ungünstig aus, sondern auch auf die umliegende Gastronomie. Mitarbeiter und Kunden, die nach der Mittagspause oder nach Geschäftsschluss Gastronomiebetriebe aufsuchen könnten, fallen weg" *(Erfolgreiche Investitionen im Gastgewerbe – Leitfaden für Hoteliers und Gastwirte, Gastgewerbliche Schriftenreihe, DEHOGA (Hrsg.), Daun 1995, S. 61).* Hier wird deutlich, dass die Umschichtung von der Gastronomie (nicht nur der klassischen, sondern vor allem der stationären Gastronomie) hin zu Fast Food-Betrieben, die Einzelhandel sind, anhält. Letztlich geht es auch hier um Schnelligkeit. Ein Beispiel dafür bietet der Bereich der Freizeitparks.

Im neuen Freizeitpark „Animal Kingdom" in Orlando hat Disney World auch im Bereich der Schnelligkeit von Gastronomie neue Maßstäbe gesetzt. Die Mehrzahl der über 260 Eating-Places von Disney World bewältigen inzwischen etwa 90 Transaktionen pro Kasse und Stunde (Transaktion bedeutet Kaufvorgang von verzehrfertigen Speisen und/oder Getränken, das heißt eine Einzelperson oder auch eine Familie, wenn eine Person für alle kauft). Das ist etwa doppelt so hoch, wie das, was die klassischen Fast Food-Systemer erreichen können.
(vgl. FoodService 07/98).

Wo liegt nun das **Wachstumspotential** des Foodservice-Marktes? Im Wesentlichen stimmt die Branche überein, dass das Hauptwachstumspotential in neuen Flächen, also der Schaffung neuer Outlets bzw. der Expansion liegt. Auf bestehenden Flächen macht derzeit auch der mit Abstand führende Branchenriese McDonald's keine Zuwächse mehr. Häufig sind diese neuen Flächen so genannte „neue Standorte", zum Beispiel Bahnhöfe, Multiplex-Kinos, Freizeitparks usw. In diesem Bereich aber, falls nicht der Standort komplett neu geschaffen wird, verdrängt Foodservice, das heißt in dem Fall besonders einzelhandelsorientierte Gastronomie oder gastronomieorientierter Einzelhandel, die Gastronomie vom Markt.

Es drängt sich die Frage auf, warum sich die Gastronomen soviel von der „Food-Mark" *(Gretel Weiß, Forum Systemgastronomie 1994)* abnehmen lassen und sie Branchenfremden wie Kinobetreibern, Freizeitparkbetreibern, Einzelhandelskonzernen oder Einkaufszentren überlassen. Warum lassen Gastronomen dieses Bedürfnis des Menschen, sich schnell – aber in Deutschland häufig immer noch „gut" – verpflegen zu lassen, entgehen? Eine wesentliche Marktchance kann nur darin liegen, mehr einzelhandelsorientierte Verzehrgeschäfte zu tätigen, gleichgültig ob jemand ursprünglich Restaurantfachmann/-frau oder Koch/Köchin gelernt hat oder nicht.

1.2.9 Abgrenzung von Hotellerie zur Gastronomie und zum Einzelhandel

Abb. 1-9: Gastronomie an der Tankstelle (1998) *© Konzeptbüro Wessel*

Die Übergänge zwischen Hotellerie und Gastronomie sowie Gastronomie und Einzelhandel sind in der Praxis fließend. Ein Ansatz zur Einordnung über die Frage nach dem **Kerngeschäft** des zu betrachtenden Betriebes kann versucht werden.

Die Einteilung in Hotellerie, Gastronomie und Einzelhandel rührt daher, dass ursprünglich die Hauptumsatzträger klar definiert waren und lediglich ergänzende Geschäftsbereiche dazugegliedert wurden. Inzwischen liegen die Zukunftschancen des Gastgewerbes auch stark in Mixangeboten und integrierten Konzepten. Dadurch verlängert sich vielfach die Aufenthaltsdauer des Gastes im Outlet und erhöht sich der Umsatz.

Die **Abgrenzung zwischen den Betriebsformen** wird damit jedoch immer schwieriger und zugleich auch immer weniger sinnvoll. Der Gesetzgeber und die statistischen Ämter haben es bisher versäumt, Definitionen und Bestimmungen den neuen Gegebenheiten anzupassen. Das zeigt sich auch in den Wettbewerbsnachteilen durch die verschiedenen Steuersätze und Steuerarten. Bei Einbeziehung ausländischer Destinationen und der dort gültigen rechtlichen und steuerlichen Bestimmungen wird der Markt noch heterogener und unüberschaubarer.

Wird beispielsweise kein Alkohol zum Sofortverzehr ausgeschenkt und werden keine Sitzplätze vorgehalten, mithin anhand von Details wie der Breite des Ausgabebretts usw. der Charakter des Verweilens eindeutig abgewehrt, kann der Betrieb unter **Einzelhandelskonzession** eröffnen. Neben der erheblichen Ersparnis, da anders als in der Gastronomie keine Stellplätze ausgewiesen oder teuer abgekauft, keine Toiletten – getrennt nach Damen und Herren sowie nach Personal – vorgehalten werden müssen, können die Produkte zu gleichen Preisen wie im Service am Tisch verkauft werden. Die meisten Gäste und Kunden reklamieren diesen erheblich geringeren Service nicht. Der Betrieb muss nur Einzelhandelssätze der Umsatzsteuer abführen. In Deutschland ist dies gegenüber derzeit 16 % für die Gastronomie nur 7 % im Einzelhandel, also eine Nettomarge von 9 % auf das gleiche Produkt. Verständlich, dass in diesem Segment, wo viele Bäcker, Metzger, Fast-Food-Anbieter und Stände anzusiedeln sind, große Bewegung ist.

Eine weitere Hürde wider eine Markttransparenz liegt in der Tatsache, dass die meisten Gastronomieunternehmen, wie erwähnt, hauptsächlich mittelständisch und sehr individuell betrieben werden. Jeder Unternehmer betrachtet den Markt, sein Konzept und seinen Standort nur aus seinem persönlichen Blickwinkel und handelt dementsprechend. Es gibt somit kaum Markttransparenz oder gar einheitliche Strukturen. Das erschwert die Erforschung des gastgewerblichen Marktes ungemein.

Im Vergleich zu anderen Industriezweigen ist das Gastgewerbe nach wie vor **ein Stiefkind der betriebswirtschaftlichen Betrachtung.** Verursacht schon die bloße Erfassung des Marktes Probleme bei Marktuntersuchungen, scheitern diese letztendlich an geschönten oder grundsätzlich verweigerten und geheimgehaltenen Daten über Umsätze, Kundenstamm und Laufkundschaft, Durchschnittsbons usw. Junge Unternehmer und Neueinsteiger können bei der Betriebsgründung daher nicht auf verlässliche Daten zurückgreifen.

Aufgaben

1. Welche Mindestvoraussetzungen werden vom DEHOGA für die Bezeichnung Hotel vorgeschlagen?
2. Wann wird von Aparthotels, wann von einem Boarding House gesprochen?
3. Anhand welcher Kriterien lassen sich gastronomische Betriebe segmentieren?
4. Am Markt etablieren sich ständig neue Betriebsformen, zum Beispiel Tapas Bar, Internet Café oder Cigar Club. Kennen Sie weitere neue Betriebsformen? Wodurch zeichnen sie sich aus?
5. Durch welche Kernaussagen lassen sich Fast Food und Systemgastronomie unterscheiden?
6. Ein klassisches Hotelrestaurant, das auch Nicht-Hotelgästen zugänglich ist, zählt zu den Bewirtungs-, nicht zu den Beherbergungsbetrieben. Gilt das auch für die Hotelgastronomie, die ausschließlich ihre eigenen Hotelgäste bewirtet?
7. Wie definieren sich „Schlemmergassen", in denen der Gast sowohl Waren mitnehmen als auch stehend oder sitzend vor Ort verzehren kann?
8. Das Hotel zum Goldenen Ochsen ist mit drei Sternen vom DEHOGA ausgezeichnet. Zwei Straßen weiter steht das Hotel Zum Silbernen Löwen, das ebenfalls mit drei Sternen ausgezeichnet ist, allerdings von ARAL. Haben nun beide Hotels den gleichen Standard? Begründen Sie Ihre Antwort!

9. Gabi und Thomas gehen in ein neues Restaurant, das am Marktplatz eröffnet hat. Gabi sucht nach einer neuen Stelle als Bedienung, muss jedoch feststellen, dass es hier keinen Service am Tisch gibt. Statt dessen können die Gäste zuschauen, wie der Koch ihr Essen zubereitet. Um welche Betriebsart handelt es sich? Was zeichnet sie aus?

10. Fallbeispiele Systemgastronomie

    a) Ein Anbieter gastronomischer Leistungen zeichnet sich im Speisenangebot durch Fast Food aus. Ist für dieses Angebot ein System erforderlich? Begründen Sie Ihre Antwort.

    b) Welchen entscheidenden Vorteil hat der Gast durch Externalisierung von Dienstleistungen in der Systemgastronomie?

11. Interpretieren Sie die nachstehende Graphik.

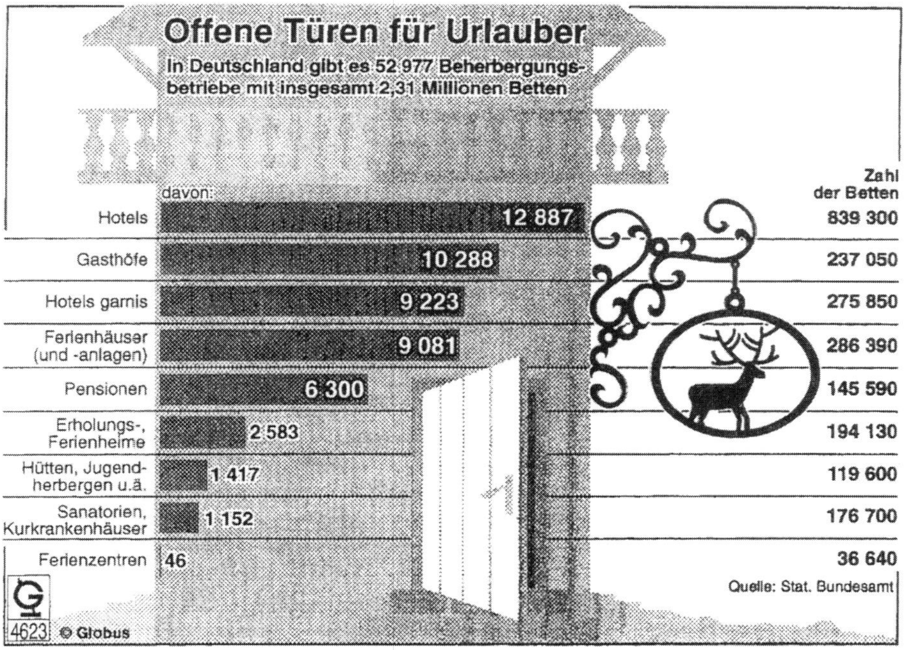

Quellen und weiterführende Literatur

AHGZ – Allgemeine Hotel- und Gaststättenzeitschrift, Stuttgart, Jg. 1995–1999

Bastian, Harald; Born, Karl; Dreyer, Axel: Kundenorientierung im Touristikmanagement, München/Wien 1999

Bieger, Th.: Management von Destinationen und Tourismusorganisationen, München/Wien 1997

Bundesverband der Deutschen Tourismuswirtschaft (Hrsg.): Dokumentation des dritten Tourismusgipfels, Bonn/Brüssel/Berlin 1999

Buer, Christian: Gestaltung von ganzheitlichen Managementsystemen im Hotel, Bern u. a. 1997

DEHOGA (Hrsg.): Erfolgreiche Investitionen im Gastgewerbe, Leitfaden für Hoteliers und Gastwirte, Gastgewerbliche Schriftenreihe, Daun 1995

DEHOGA (Hrsg.): Jahrbuch, Bonn 1996/1997

DEHOGA (Hrsg.): Jahrbuch, Bonn 1997/1998

Dettmer, Harald (Hrsg.): Betriebswirtschaftslehre für das Gastgewerbe, Hamburg 1999

Dettmer, Harald (Hrsg.): Kochen als Beruf, Hamburg 1999

Dettmer, Harald: Wirtschaftslehre für Hotellerie und Gastronomie, Hamburg 1999

Dr. Kaub Consult (Hrsg.): Gastronomie der Zukunft. Eine Grundsatzstudie, Frankfurt am Main 1996

FoodService – Wirtschaftsfachzeitschrift für professionelle Gastronomie, Frankfurt am Main, Jg. 1995–1999

FoodService Europe – Wirtschaftsfachzeitschrift für professionelle Gastronomie, Frankfurt am Main, Jg. 1998

Gugg & Hank-Haase (Hrsg.): Der Hotelmarkt in Deutschland 1999, Frankfurt/Main 1999

Hänssler, Karl Heinz (Hrsg.): Management in der Hotellerie und Gastronomie, München und Wien 1997

Heidelberger Handbuch für Hotellerie und Gastronomie, hrsg. von H.-J. Bethge, Werner H. Groos, K. Wolf, Stuttgart 1992

Kaspar, Claude: Die Tourismuslehre im Grundriss, Bern/Stuttgart/Wien 1996

Kaspar, Einführung in das touristische Management, Bern u. a. 1997

Kaspar, Claude: Management im Tourismus, Bern u. a. 1995

Kaub, E.; Wessel, I. B.: Erfolg mit Flexibilität. Kreative Gastronomiekonzepte systematisch entwickeln, Frankfurt am Main 1996

Konzeptbüro (Hrsg.): Alltag als Event. Was Gäste erwarten und Gastronomen erfolgreich macht. Frankfurt am Main 1997

Meininger, P. (Hrsg.): Fizzz, Zeitschrift für die Szenegastronomie, Neustadt (Weinstraße), Jg. 1996–1999

NGZ – Neue Gastronomische Zeitschrift für Hotellerie und Gastronomie, Frankfurt am Main, Jg. 1995–1999

Seitz, E.; Wolf, J.: Handbuch Tourismus Management, Heidelberg und New York 1991

SHV/SWV/DEHOGA/ÖHV (Hrsg.), Marketing der Gastfreundschaft, Bonn u. a. 1992

Thoms, Werner: Handbuch für Fremdenverkehrsbetriebe, Giessen 1952

Zegg, Roland: Arbeitsplatz Hotellerie, Bern und Stuttgart 1989

2. Aufgaben der Hotellerie und Gastronomie im Rahmen des Tourismus

Sehr geehrte Damen und Herren,

wir hatten bei Ihnen eine Pauschalreise gebucht. Laut Katalog sollte das Hotel über ein ausgezeichnetes Restaurant verfügen. Bezeichnen Sie das täglich gleiche, langweilige Buffet mit seiner Ansammlung verkochter Gemüse, fetttriefender Speisen und Personal, das einen nicht versteht, als ausgezeichnet? Zum Glück fanden wir einen kleinen einheimischen Wirt, der uns wunderbar bekochte. Das hat uns für vieles entschädigt. Die Mehrkosten, die das verursachte, können Sie sich sicher vorstellen.

Auch die Zimmer entsprachen nicht unseren Vorstellungen. Durchhängende Matratzen, hellhörige Wände (Hören Sie gerne die intimsten Details aus dem Nachbarzimmer?), ein ständig defekter Fahrstuhl...

Wir waren mehr als enttäuscht, denn unsere kostbare Urlaubszeit wollten wir unbeschwert verbringen.

2.1 Hotellerie als lokaler touristischer Leistungsträger

TUI Chef Corsten auf Einkaufstour

TUI-Vorstandsvorsitzender Dr. Ralf Corsten sieht den Expansionsplänen der anderen Veranstalter gelassen entgegen. Mit derzeit 164 Anlagen und 81.000 Betten verfügt der Marktführer immerhin über eine rund doppelt so hohe eigene Kapazität wie die nächsten Verfolger zusammen [Abb. 2-2]. Und er möchte den Vorsprung halten. „Die TUI wird auch in den nächsten Jahren jeweils mehrere hundert Millionen DM investieren“, berichtet Corsten. Rechnet man lediglich die geplanten Projekte der TUI-Hotelgesellschaften zusammen, dann wird im Jahr 2002 die Marke von 200 Hotels überschritten.

Die Marktführer haben bei der exklusiven Vermarktung der von ihnen dominierten Ketten bereits für klare Verhältnisse gesorgt: Zunächst komplimentierte die TUI die C&C-Veranstalter aus den Riu-Häusern. Danach verwies NUR die TUI bei Iberostar.

vgl. fvw spezial, Nr. 10, 23.04.99

Insbesondere die **Hotellerie** ist **der zentrale lokale Leistungsträger im Tourismus,** denn Reisen erstrecken sich zum überwiegenden Anteil auf Mehrtagesreisen. Kernbestandteil von Mehrtagesreisen ist die Übernachtung. Obwohl auch hier ein nicht unerheblicher Anteil durch Camping, Übernachtungen bei Freunden, Verwandten oder ähnliches gegeben ist, spielt die Hotellerie die entscheidende Rolle. Im Zuge einer weiteren Zunahme des Wohlstandes, insbesondere in Ländern, die bisher noch unterproportional zum Tourismusaufkommen beigetragen haben, sowie mit dem Trend zu mehr Service wird die Bedeutung der Hotellerie für die Zukunft eher noch wichtiger.

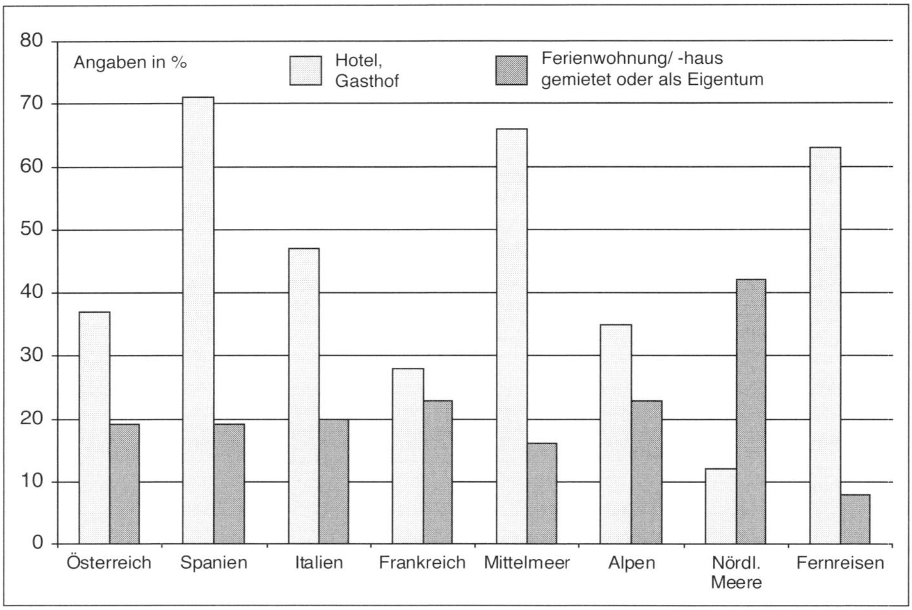

Abb. 2-1: Unterkunftsform und Reiseziel bei Urlaubsreisen der Deutschen (sämtliche Reisen)

(Quelle: Reiseanalyse, Tabellenband Reiseziele [Ausland] 1995, S. 13)

Die zunehmende vertikale Integration der Reiseindustrie (= der Reiseveranstalter und Reisemittler) zeigt, dass das Problem der qualitativen Unterschiede zwischen verschiedenen Anbietern erkannt wird. Reisekonzerne verlassen sich immer weniger darauf, dass die – wie oben für die Gastronomie gezeigte – vergleichbar atomistische und mittelständische Struktur der Hotellerie schon die entsprechende Qualität und Zuverlässigkeit im Service bieten wird, um sie in die Reiseprogramme aufzunehmen. Vielmehr erwerben Veranstalter und Mittler Hotels und Hotelketten, um Kontingente optimal platzieren zu können sowie Einfluss auf die Gestaltung von Angebot und Preisen zu nehmen und letztlich Kunden- wie Markenbindung zu erreichen.

Hotelbeteiligungen deutscher Veranstalter						
Veranstalter	**TUI**	**C&N**	**LTU**	**FTI**	**ITS**	**Alltours**
Hotelmarken	Riu (seit 1.4.99 inkl. Iberotel), Grecotel, Grupotel, Robinson, Dorfhotel	Iberostar, Aldiana	LTI	Siva	Calimera	Club Alltoura, Allsun
Anzahl Hotels	164	51	40	28	9	23
Anzahl Betten	81.000	34.500	21.700	11.000	6.000	13.080

Abb. 2-2: Hotelbeteiligungen deutscher Veranstalter (vgl. FVW spezial, Nr. 10, 24. 4. 99)

Ein wesentlicher Teil des Aufenthalts am touristischen Zielort – dem Ziel der Reise überhaupt – werden im Hotel und dessen Einrichtungen verbracht. Die Empfindlichkeit des ganzen Erlebnisses „Reise" und „Urlaub" vom Hotel und dessen vernetzter, vielfältiger Qualität ist ganz erheblich. Dem trägt die Struktur der Branche noch zu wenig Rechnung.

Im Gegensatz zur Industrie der Verkehrsträger und der Reiseveranstalter ist die Hotellerie immer noch wenig **professionalisiert und betriebswirtschaftlich durchstrukturiert.** Eine deutliche Zunahme von touristischen Studiengängen an Fachhochschulen, Hotelfachschulen und Spezialausbildungen sollen hier Abhilfe schaffen. Immerhin gelten Hotelmanager aus den deutschsprachigen Ländern weltweit als begehrt und hochwertig. Die Ausbildungen mit touristischen Studiengängen werden gerne kopiert und Praktikumsplätze in deutschsprachigen Hotels sind weltweit begehrt.

Osteuropäische Destinationen, die Karibik oder auch die Länder der arabischen Welt haben erkannt, dass Quantität, also reiner „Massentourismus" auf Dauer einem nachhaltigen Tourismus hinderlich ist. Was heißt Qualität in der Praxis? Wie werden Qualitätsmerkmale und Servicepolitik in einer Destination umgesetzt? Eine gute Möglichkeit, dies zu lernen, bietet das Praktikum in einem deutschsprachigen Betrieb (zum Beispiel Gastronomie, Verband der Tourismusbranche, Leistungsträger, Hotellerie, Reiseveranstalter, Reisebüro). Intensive Einblicke in interne Abläufe können hier vermittelt werden: die Arbeit in der Küche, die Bedienung am Gast, Buchungs- und Reservierungsservice, Reiseleitung usw.

Zahlreiche Anfragen nach „Know-how-Transfer" und Unterstützung im Softwarebereich werden an europäische Unternehmen herangetragen. Gerade die deutschsprachigen Länder sind nicht nur mit die wichtigsten Quellländer für diese Destinationen, sie verfügen darüber hinaus über die notwendigen Erfahrungen, Voraussetzungen und Möglichkeiten, ihr Know-how im Tourismusbereich zu vermitteln.

In den zunehmenden Vernetzungen und integrierten Konzepten hat die **Hotellerie häufig die Kernfunktion.** Denn auch in Feriendörfern, All-Inclusive-Anlagen, Clubanlagen, ganzen künstlichen Touristeninseln, in schwimmenden 5-Sterne-Palästen und abgeschiedenen umgebauten Klosteranlagen sind die Kernleistungen Bett, Zimmer, Sanitäreinrichtungen, Frühstück, Betreuung und Rezeption sowie Sauberkeit und Service von zentraler Bedeutung. Darüber können auch aktuelle Trends wie Internetanschluss, Multimediaräume, Animationsprogramme und virtuelle Erlebniswelten nicht hinwegtäuschen.

Eine aktuelle Untersuchung **über Trends im Bereich Einrichtung und Ausstattung** von Hotelzimmern im deutschsprachigen Raum zeigt, dass Faktoren wie Ambiente, Qualität der Bettstatt und vor allem immer noch der Sanitärräume (das heißt „Badlandschaften") mindestens gleichwertig neben Ausstattung, Lichtdesign, Technik und Zusatzeinrichtungen stehen (Konzeptbüro Wend 1999).

Der Hotellerie fällt innerhalb touristischer Destinationen (vgl. Kap. 2.3) und deren konsequenter Entwicklung häufig eine **Schlüsselrolle** zu. Denn die Hoteliers müssen Profilierung, Angebotsgestaltung und die über die Werbung verbreiteten Serviceversprechen letztlich einhalten und diese durch vielfältiges Personal sicherstellen. Hier entscheidet sich immer mehr, warum jemand trotz vergleichbar optimaler klimatischer und natürlicher Bedingungen die eine touristische Destination der anderen vorzieht – bei vergleichbarem Preis selbstverständlich.

Im Wesentlichen gelten die oben gemachten Aussagen auch für die Parahotellerie. Lediglich in spezialisierten Segmenten, die eine schmale Klientel mit hoher Bindungsbereitschaft ansprechen, gelten leicht andere Gesetze. Hier ist gerade der individuelle Anspruch, die individuelle Gastgeberfamilie oder die Bindung an besondere Standorte und Angebote häufiger prägend für den Erfolg.

2.2 Gastronomie als lokaler touristischer Leistungsträger

Erwartungen der Gäste	
Komponenten des Leistungsangebotes	**Angaben in %** (Mehrfachnennungen inkl.)
Umfangreiches Speise-/Getränkeangebot	52
Besondere Spezialitäten	36
Guter, angemessener Service	91
Erlebnisangebot/Atmosphäre	87
Gastronomietyp	**Angaben in %** (Mehrfachnennungen inkl.)
Restaurant	39
Szenekneipe	48
Eckkneipe	18
Café	29
Ausflugslokal	31
internationale Küche	62

(Vgl. Meyer, Jörn-Axel; Hoffmann, Frank: Erfolgsfaktoren in der Gastronomie, Berlin 1997, S. 67)

Die Gastronomie ist im Vergleich zur Hotellerie durchschnittlich weit weniger von den Touristen als ihren Gästen abhängig. Damit zählt die Gastronomie – natürlich außerhalb rein touristisch bestimmter Orte – zum indirekten Tourismus (unter 50 % des Umsatzes mit Touristen, *vgl. Tourismuswirtschaft, Bd. 1*).

Dennoch hat gerade die Gastronomie im Verhältnis zu dieser relativ geringen Abhängigkeit eine vergleichsweise höhere **Imagebedeutung** für die Stadt, den Ort oder die

Destination. Eine funktionierende und abwechslungsreiche Gastronomielandschaft von **hoher Qualität** (bedeutet passgenau zu den Erwartungen der Gäste, nicht immer „edel" oder „teuer") wird von vielen Marketingfachleuten als wesentlich für die Bewertung des Zielortes und für die Überzeugung potentieller Gäste und Touristiker gewertet.

Eine Absicherung dieser Qualität sowohl im Aufbau als auch über einen längeren Zeitraum hinweg kann noch weniger beeinflusst werden als in der Hotellerie. Denn gerade der Charakter des „Entdeckens" kleiner Kneipen und Restaurants, versteckter Bistros und Aussichtsterrassen mit Bewirtung ist vielfach wichtig für einen gelungenen Aufenthalt am Zielort.

Dagegen steht das Bestreben, „böse Überraschungen" weitgehend zu minimieren, indem die gastronomische Versorgung im Hotel oder in der Anlage in Eigenregie und zunehmend als Selbstbedienung voll aus der „Üppigkeit" konzipiert wird: All-Inclusive-Anlagen bestimmen auch hier scheinbar den Trend.

Gastronomie wird aber nach übereinstimmenden Einschätzungen von Experten auch in Zukunft – zumindest in Europa und in von Europäern bestimmten touristischen Destinationen – nicht wesentlich mehr systematisiert werden als heute (*vgl. Kap. 1.2.5*). Damit wird die Einbindung der heterogenen Gastronomie neben dem Prinzip einer ständig neuen Auswahl der „Guten" für das touristische Programm die einzige Alternative bleiben. Unter speziellen Gesichtspunkten gilt dies auch für Geschäftsreisedestinationen (Messestandorte) und Großevents (zum Beispiel die Weltausstellungen/EXPOs).

2.3 Hotellerie und Gastronomie als Kernbestandteil von Tourismusdestinationen

WANDERN
RUND UM
BAD HARZBURG

Auch außerhalb des Nationalparks findet der wandernde Naturfreund viele schöne Routen und Ziele, darunter die urigen Kästekippen, die Marienteich-Baude und das Gebiet zwischen Bad Harzburg und der Okertalsperre. Die Kurverwaltung bietet regelmäßig geführte Wanderungen an (siehe die monatlich erscheinenden Veranstaltungspläne) und auch der Harzklub offeriert geführte Wanderungen für jedermann. Mehrmals im Jahr gibt es die eintägigen Harzüberquerungen, die jeweils im Süd-Harz beginnen und in Bad Harzburg enden. Für die Wanderungen auf eigene Faust empfiehlt sich der Kuf einer guten Wanderkarte.

Im Zentrum der Aufmerksamkeit von touristischen Gebieten liegt die Gestaltung und Entwicklung von **Tourismusdestinationen.** Eine touristische Destination lässt sich als ein aus der Sicht von Reisenden definiertes Reisezielgebiet erfassen.

„Eine **Destination** ist ein geographischer Raum (Ort, Region, Weiler, großes Hotel), den der Gast (oder ein Gästesegment) als Reiseziel auswählt. Sie enthält sämtliche für einen Aufenthalt notwendigen Einrichtungen für Beherbergung, Verpflegung, Unterhaltung/Beschäftigung. Sie ist damit das eigentliche Produkt und die Wettbewerbseinheit im Tourismus, die als strategische Geschäftseinheit geführt werden muss" (*vgl. Bieger, S. 74 u. 385*).

Eine touristische Destination lässt sich wie die meisten qualitativen Begriffe nicht eindeutig fassen, sondern verändert sich nach den unterschiedlichen Perspektiven der Wahrnehmenden. Wesentliche Perspektive für die Definition einer touristischen Destination ist die der Reisenden, wobei hier je nach Quellgebiet und Zielgruppe unterschieden werden muss.

Generell ergeben sich aber folgende Bestandteile einer touristischen Destination aus der Perspektive eines allgemeinen Reisenden:

(1) die Natur bzw. die Kulisse (engl. „site"),

(2) Wetter und klimatische Bedingungen,

(3) Hotels, Unterkünfte,

(4) Erreichbarkeit, Transport, Flüge usw.,

(5) Freizeitangebot,

(6) gastronomisches Angebot

(7) und vieles mehr.

Dies ist keine allgemein gültige Reihenfolge (*vgl. Bieger, S. 38 f.*). Es stellt sich vielmehr die Frage nach dem Anteil von Hotellerie und Gastronomie im Gesamtzusammenhang einer touristischen Destination. Aus verschiedenen Expertenquellen lässt sich der Anteil von Hotellerie und Gastronomie an den Gesamtkosten einer pauschalen Urlaubsreise zwischen 35 und 50 % einordnen. Der durchschnittliche Preis (Veranstalterpreis) einer Urlaubsreise (über vier Tage) liegt ca. bei 540 Euro (*vgl. Urlaub und Reisen 98*).

Damit spielt das Gastgewerbe eine wesentliche Rolle für die Gesamtbeurteilung und das Leistungspaket, das heißt sowohl für die qualitative als auch quantitative Seite einer Urlaubsreise. Dem gegenüber steht die, wie vorher angedeutet, atomistische und zumindest sehr stark mittelständisch-einzelunternehmerisch geprägte Struktur des Gastgewerbes auch in vielen touristischen Destinationen. Und somit ist das Gastgewerbe im Rahmen der Produktentwicklung aus Sicht des Reisenden und seiner Vermittler, das heißt der Veranstalter und Reisemittler schwer steuerbar.

Die **touristischen Destinationen** entwickeln sich im Rahmen der Weiterentwicklung des Gesamttourismus. Dabei lassen sich zwei grundsätzliche **Entwicklungsrichtungen** unterscheiden:

a) Profilierung mit dem Ziel eines „Qualitätstourismus", das heißt eines auf die Wahrnehmung spezifischer Nutzenbestandteile und spezifischer Leistungen eines Reisenden ausgerichteten Tourismus;

b) Konsolidierung bezüglich Zusammenfassung von touristischen Leistungen zu einem gemeinsamen Preis: „All-Inclusive-Destinations".

a) Entwicklungsrichtung Profilierung

Für die Entwicklungsrichtung der Profilierung einer touristischen Destination muss zunächst davon ausgegangen werden, dass die Bestandteile (1) Site und (2) Wetter als gegeben vorausgesetzt werden können. Auch Bestandteil (4), also Erreichbarkeit und Transport, ist aus Sicht der Destination eher als externer Faktor zu betrachten. Beeinflussbar bleiben in der Hauptsache Bestandteil (3) Hotellerie, (5) Freizeitangebot und (6) Gastronomie. Insbesondere Hotellerie und Gastronomie bilden das Rückgrat der meisten touristischen Destinationen. Hintergrund ist die in den letzten Jahrzehnten noch wenig entwickelte professionelle Gestaltung von (künstlichen) Freizeitangeboten. Diese nimmt erst seit einigen Jahren deutlich zu.

Hotellerie und Gastronomie haben im Rahmen der Profilierungsstrategie einer Destination folgende strategische Entwicklungsmöglichkeiten:

➜ Segmentierung des Angebotes

Das bedeutet eine gesamtheitliche Planung des Übernachtungs- bzw. Foodservice-Angebotes für die Destination im Rahmen von Qualitätsstufen: Hierunter wird eine abgestimmte Angebotsschaffung bzw. -veränderung verstanden, zum Beispiel bei der Hotellerie im Bereich der Sterne 1 bis 5, bei der Gastronomie bei der Segmentierung in Schnellgastronomie, Slow Food, Ethnischer Gastronomie, Spezialitätenrestaurant usw. Letztlich auch bei der Gesamtsegmentierung im Bereich zum Beispiel Sporthotellerie, Wellness-Hotellerie, Fun-Park-Einrichtungen usw.

➜ Upgrading

In vielen touristischen Destination wurden in den Boom-Zeiten des Pauschaltourismus kurzfristig Betten- und Essenskapazitäten geschaffen, wobei sich nach schon weniger als zehn, meistens aber mehr Jahren eine hohe Notwendigkeit ergibt, diese infrastrukturellen Maßnahmen zu verbessern, zu renovieren und auf den neuesten Stand der qualitativen Ansprüche der Reisenden zu bringen. Im Rahmen der Gesamtdestinationsentwicklung haben die Hotellerie und Gastronomie hier eine wesentliche qualitative und imageprägende Aufgabe.

➜ Total Quality Management

Gerade für die Attraktion von Qualitätstouristen ist es unumgänglich, alle wesentlichen Bestandteile des Erlebnisses des Touristen vor Ort in einer durchgehenden Qualität vorzufinden und auszustatten. Unter Qualität ist hierbei nicht nur „edel", „hochwertig" oder „teuer" zu verstehen, sondern die Übereinstimmung mit den Bedürfnissen und Wünschen der angestrebten Reisenden.

➜ Vernetzungen, Packages

In zunehmendem Maße fordern Touristen bestimmte Sonder- und Paketangebote zum Beispiel „Übernachtung & Ausflug" oder „Musical & Anreise & Übernachtung" oder andere Packages. Hier muss die Zusammenarbeit der Hotellerie, der Gastronomie und der Freizeitunternehmen in einer touristischen Destination optimiert werden.

➜ Buchbarkeit und Transparenz

Nicht zuletzt durch die sich auf starkem Vormarsch befindlichen elektronischen Medien wird eine Transparenz der wirklichen Leistungen touristischer Leistungsträger vor Ort immer wahrscheinlicher. Damit muss sich auch das Hotel und der gastronomische Betrieb in einer touristischen Destination mit seinen Leistungen am Weltmarkt darstellen können. Dass dies nur im Rahmen einer touristischen Destination machbar ist, liegt auf der Hand.

b) Strategie der Konsolidierung (All-Inclusive)

„All-Inclusive passt als konsequente Weiterentwicklung der Pauschalreise in die heutige Zeit." „All-Inclusive" ist heute weltweit ein Begriff und befindet sich auf dem Vormarsch. Es scheint den Nerv der Reisekunden zu treffen. Experten wie Willi Verhuven schätzen den Anteil der All-Inclusive-Hotels in wenigen Jahren auf 10 %. Freyer hält sogar eine Quote von 30 % für realistisch *(FVW Ausgabe 23/98).*

All-Inclusive ist letztendlich als die Idee zu verstehen, einzelne Leistungsbestandteile zu bündeln und zu einem Gesamtpreis zu verkaufen. Der Reiz für den Reisenden liegt psychologisch darin, Leistungen, die wiederholt in Anspruch genommen werden, unbegrenzt zu einem vorher vereinbarten Gesamtpreis nutzen zu können, wie zum Beispiel das Wiederauffüllen eines Kaffees oder das Leihen eines Surfbrettes. Der damit verpackte „Schnäppcheneffekt" ist der Ansatzpunkt von All-Inclusive.

Mittlerweile hat sich All-Inclusive zu einer Vermarktungsplattform generell entwickelt. Warnende Stimmen (zum Beispiel von Gerd Prantner, Direktor von Hotels und Hotelberater), sind schon zu hören, die All-Inclusive als Marketingetikett für den Versuch halten, viele Hotels aus ihrer sehr schlechten Lage kurzfristig herauszureißen. Letztlich geht es um die Beurteilung der Möglichkeiten für Hotellerie und Gastronomie im Rahmen der All-Inclusive-Strategie von Destinationen. Dabei lassen sich folgende Einteilungen finden:

→ Packaging Inhouse

Hier ist die vertikale Integration von Leistungen, wie sie die großen europäischen Reiseveranstalter, zum Beispiel Touristik Union International (TUI), vormachen, Basis der Grundstrategie. Neben der Transportleistung, der Vermittlung, der Vorausbuchung und des Transfers werden eben wie in jeder Pauschalreise Hotel und Übernachtung integriert. Neu hinzugekommen sind unbegrenztes Gastronomieangebot, unbegrenztes Freizeitangebot, wobei unter unbegrenzt zu verstehen ist, was im Rahmen der integrierten Räumlichkeit, also des Hotels oder der Clubanlage, eben zur Verfügung steht. Die Business-Strategie ist folgerichtig konsequent Beteiligungssystem oder Konzernintegration aller Leistungsbestandteile, um sie optimal beeinflussen und abstimmen zu können.

→ Spezialisierung auf Quellmärkte

All-Inclusive-Destinationen gehen immer mehr dazu über, sich auf bestimmte Quellmärkte zu spezialisieren, nicht zuletzt wegen der leichteren Handhabbarkeit und des größeren Servicegrades, der zur Verfügung gestellt werden kann. Dies hat unter anderem auch mit der Reiseintensität und mit den Reisezyklen bestimmter Quellmärkte, beispielsweise Deutschland oder Kanada, zu tun. Hotels und Gastronomieeinheiten in solch einer Destination müssten sich diesem Spezialisierungstrend, der naturgemäß den Vorteil einer Systematisierung und Standardisierung und damit einer Kostenreduktion mit dem Nachteil einer größeren Abhängigkeit bestimmter Quellmärkte und ihrer Fluktuationen mit sich bringt, anpassen.

→ Vernetzung innerhalb einer größeren Destination

In ersten Ansätzen beginnen bereits größere geographische Destinationen, zum Beispiel eine gesamte Insel mit mehreren touristischen Anlagen, sich touristisch zu vermarkten. Ein aktuelles Beispiel ist die Insel Cayo Largo in Cuba.

Abb. 2-3: Beispiel für All-Inclusive

→ Segmentierung

Auch für Hotellerie und Gastronomie im Rahmen von All-Inclusive-Destinationen ergibt sich durch den größeren Zusammenhang und die komplexere Vermarktung die Möglichkeit einer stärkeren Segmentierung, wie es – wenn auch in weiterem Maße – für einzelstehende Hotel- und Gastronomiebetriebe in Destinationen gilt. Es ist hier ebenso möglich, sich auf bestimmte Qualitätsstufen (Sterne in der Hotellerie) oder bestimmte Erlebniswelten (Sport, Wellness, Fun usw.) zu spezialisieren, wobei eine Abstimmung und enge Vernetzung mit der Vermarktungsstrategie der Gesamtdestination unabdingbar für das Gelingen dieser Segmentierung ist. Damit werden Hotellerie und Gastronomie über die Vermarktung, das heißt die Angebotsgestaltung stärker in das touristische Gesamtpaket integriert. Inwieweit und ob dies zu einer Verstärkung des Trends nach vertikaler Integration in der Tourismuswirtschaft führt, bleibt dahingestellt.

Aufgaben

1. a) Warum beteiligen sich zunehmend mehr Reiseveranstalter an Hotels im Ausland?

   b) Welche wirtschaftlichen Auswirkungen haben solche Beteiligungen auf das Zielgebiet?
2. Welche Faktoren sind bei Einrichtung und Ausstattung von Hotelzimmern zu beachten?
3. Wie sieht ein Reisender die Bestandteile einer touristischen Destination?
4. Welche strategischen Entwicklungsmöglichkeiten kommen im Rahmen der Profilierungsstrategie einer Destination zum Einsatz?
5. a) Was ist unter Packaging Inhouse zu verstehen?

   b) Was sind die Vorteile für den Gast?
6. Corinna Miles und Torsten More fliegen in den Urlaub. Ihr Reiseziel ist seit Jahren Punta Cana in der Dominikanischen Republik. Sie wundern sich, dass es außerhalb der Hotelanlagen mit ihren All-Inclusive-Angeboten immer weniger einheimische Gastronomie bzw. Einkaufsmöglichkeiten gibt. Wie erklären Sie sich das?
7. Zunehmend wird durch die enorme Preisaggressivität im touristischen Markt die Qualität vernachlässigt. Welche wirtschaftlichen Folgen hat ein mangelhaftes Total Quality Management (TQM) für einen touristischen Leistungsträger?

Quellen und weiterführende Literatur

Bieger, Th.: Management von Destinationen und Tourismusorganisationen, München/ Wien 1997

Freyer, Walter: Tourismusmarketing, München/ Wien 1997

Freyer, Walter: Tourismus – Einführung in die Fremdenverkehrsökonomie, München/Wien 1995

FVW – Zeitschrift für die Tourismuswirtschaft, Hamburg Jg. 1995-1999

Gruner + Jahr Maria Studie, Tourismus, Hamburg 1996

Kaspar, Claude: Die Tourismuslehre im Grundriss, Bern/Stuttgart/Wien 1996

Kirstges, Thorsten: Expansionsstrategien im Tourismus, Wiesbaden 1992

Konzeptbüro (Hrsg.): Alltag als Event. Was Gäste erwarten und Gastronomen erfolgreich macht. Frankfurt am Main 1997

Konzeptbüro: „Was braucht der Gast? Wie investiert der Hotelier?" (Arbeitstitel), unveröffentlichte Studie, München 1998

3. Management in Hotellerie und Gastronomie

3.1 Managementbegriff

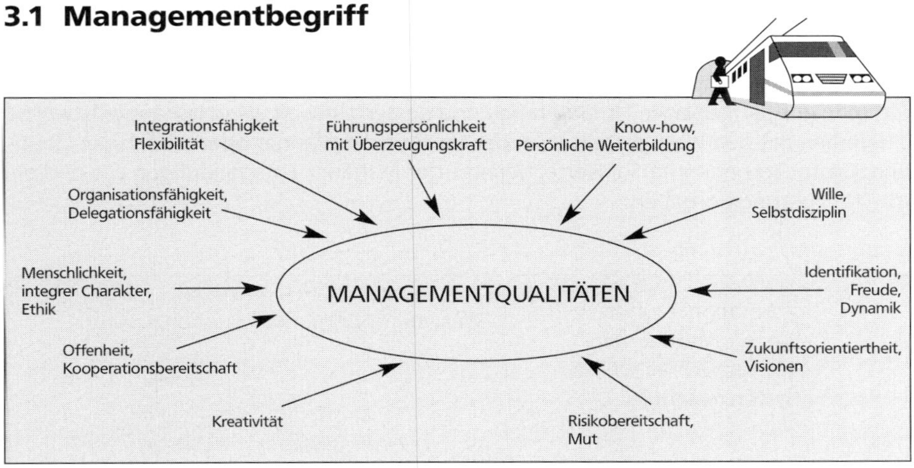

(Kaspar, Claude, in: Tourismusbetriebswirtschaft 2, Wien u. a. 1999, S. 10)

Management umschreibt das *Gestalten, Lenken* und *Entwickeln* von zweckorientierten sozialen Systemen *(vgl. Ulrich 1984, S. 11).*

„*Gestalten* bedeutet das gedankliche Entwerfen eines Modells, wie die Institution als handlungsfähige Einheit zu konzipieren ist. *Lenkung* bewirkt, dass die Institution nach bestimmten Verhaltensweisen geführt wird. *Entwickeln* sagt aus, dass eine Institution nicht kurzfristig und ein für alle Mal festgelegt werden kann, sondern entsprechend den Verhältnissen einer laufenden Entwicklung bedarf" *(Dettmer, Harald [Hrsg.]: Managementformen im Tourismus, Wien 1999, S. 10).*

Damit bezieht sich das Management nicht nur auf Unternehmen mit rein wirtschaftlicher Zielsetzung; zumal auch bei anderen gesellschaftlichen Institutionen Führungsprobleme auftauchen können. Management ist also mehr als Menschenführung und Organisation einer Institution *(vgl. Kaspar 1995, S. 42).*

„Die Unternehmensziele werden durch arbeitsteilige Prozesse realisiert, die zu einer **arbeitsteiligen Organisation des Managements** führen. Unternehmensführung erweist sich daher als ein Prozeß der Integration und Koordination aller Führungskräfte im Hinblick auf die Realisierung der Unternehmensziele" *(Koreimann 1995, S. 12).*

Eine **Management- oder Führungslehre** hat sich auf folgenden Gebieten zu bewähren:

- Ableiten von Funktionsmerkmalen und typischen Kriterien der Führung gastgewerblicher Unternehmen.
- Analyse typischer Handlungsweisen, die für das Erfüllen der Zielsetzungen nachweisbar sind.
- Untersuchen der Verhaltensweisen derjenigen Personen, die mit dem Ausüben der Führung beauftragt sind.
- Ableiten praktischer Aussagen für das Entwickeln, Lenken und Gestalten des Systems Unternehmen *(vgl. Koreimann 1995, S. 12).*

Das Realisieren der Konzeption, das ausführende Handeln, erfolgt auf der operationellen Ebene durch ausgewählte Führungskräfte/Manager *(vgl. Kaspar 1995, S. 42).*

„Manager sind – allgemein – die Führungskräfte eines Unternehmens, die in arbeitsteiliger Weise an der Zielerreichung mitwirken und die mit jeweils unterschiedlichen Kompetenzen (Machtbefugnissen) ausgestattet sind. Führung bezieht sich auf die Gesamtheit der Entscheidungen, die zur Erreichung der Ziele einer soziotechnischen Organisation notwendig sind" *(Koreimann 1995, S. 14).*

Im Rahmen des Führungsprozesses hat der Manager *Informationen* einzuholen; diese kommen aus dem eigenen Unternehmen und dessen Umwelt als so genannte Istwerte. Zusammen mit den Wertvorstellungen der Leistungsempfänger oder -abnehmer (Touristen, Gäste), so genannte Sollwerte, bereitet der Manager Entscheidungen vor und erarbeitet Führungsvorgaben:

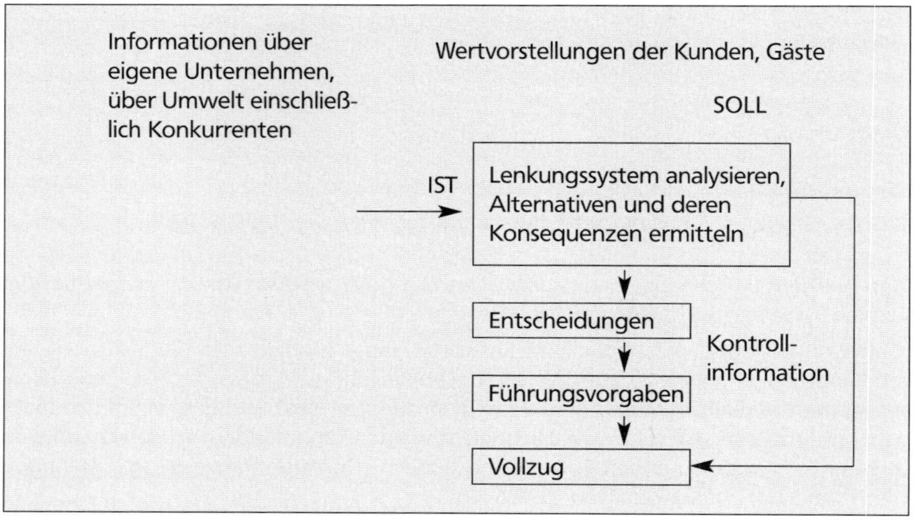

Management als informationsverarbeitendes Lenkungssystem (vgl. Ulrich, Krieg: St. Galler Management-Modell 1974 + Kaspar 1999, S. 12)

Abhängig von der Branche und der Organisationsstruktur der Unternehmen sind von den Führungskräften unterschiedliche Managementbereiche zu steuern – dazu zählen im Gastgewerbe:

- Marketingmanagement
- Personalmanagement
- Finanzmanagement
- Qualitäts- und Umweltmanagement
- Front Office-Management
- Food and Beverage-Management
- Controlling.

Aufgaben

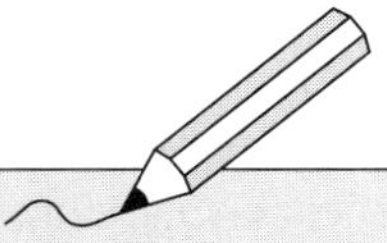

1. Welche Qualitäten sollte ein Manager Ihrer Ansicht nach besitzen.
2. Bestimmen Sie die Begriffe
   - Gestalten,
   - Lenken,
   - Entwickeln

   im Hinblick auf den Managementbegriff.
3. Nennen Sie Managementbereiche, die von Führungskräften im Gastgewerbe zu steuern sind.

Quellen und weiterführende Literatur

Corsten, Hans: Dienstleistungsmanagement, München/Wien 1997

Dettmer, Harald (Hrsg.): Tourismusbetriebswirtschaft 2, Managementformen im Tourismus, Wien 1999

Kaspar, Claude: Management im Tourismus, Bern u. a. 1995

Koreimann, Dieter: Management, München/Wien 1995

Ulrich, H.; Krieg, W.: St. Galler Management-Modell, Bern/Stuttgart 1974

3.2 Standort im Gastgewerbe

Eine Hotelkette will seine Stadthotellerie ausbauen. Dementsprechend beschließt das Management, zunächst in drei europäischen Großstädten die Hotelstandorte auszuwählen.

„Für die Unternehmensentwicklung ist die Wahl des Standortes ein wichtiger betrieblicher Faktor, wenn nicht sogar der wichtigste überhaupt. Eine nachträgliche Standortveränderung ist in den meisten Fällen kaum oder nur mit einem sehr hohen Kostenaufwand zu realisieren" *(Dettmer [Hrsg.] 1998, S. 73).*

„Standortentscheidungen gehören aufgrund ihrer langfristigen Wirksamkeit zu den konstitutiven Entscheidungen. Bei allen Unternehmen wird die zukünftige Gewinnsituation in erheblichem Umfang durch die Standortwahl beeinflußt. Unter Renditegesichtspunkten ist derjenige Standort als optimal anzusehen, der, bezogen auf das investierte Kapital, die Spanne zwischen den standortbedingten Differenzen von Aufwendungen und Erträgen maximiert. Unterschiede zwischen verschiedenen Standorten bestehen u. a. hinsichtlich der Höhe der Lohnkosten, der Grundstücks- und Baukosten, der Mieten, der steuerlichen Belastungen, aber auch der Absatzmöglichkeiten" *(Hänssler [Hrsg.] 1997, S. 13).*

Bereits lange vor Eröffnung eines Unternehmens gilt es, die verschiedenen **Argumente für und wider einen bestimmten Standort abzuwägen.** Zunächst einmal ist zu sondieren, welche gastronomischen Mitbewerber im Einzugsbereich angesiedelt sind. Bei dieser ersten Standortprüfung können 11 kritische Fragen eine erste Entscheidungsbasis bilden:

1. Wie ist die Konkurrenzsituation oder welche artverwandten Betriebe liegen in der Nähe, können daraus Synergieeffekte realisiert werden?
2. Ist in der näheren Umgebung eine ausreichende Kaufkraft gegeben (dicht bebautes Wohngebiet, Innenstadtlage mit viel Publikum)?
3. Ist die Umgebung freundlich und einladend?
4. Ist der Standort leicht zu erreichen?
5. Ist der Standort infrastrukturell erschlossen (z.B. Straße, Gas-, Wasser-, Strom- und Kanalanschlüsse)?
6. Sind ausreichende Parkplätze vorhanden oder werden sie in den Abendstunden durch Dauerparker blockiert?
7. Lässt sich die geplante Gaststätte zur Straße hin freundlich gestalten und mit einem breiten, einladenden Eingang versehen?
8. Gibt es behördliche Auflagen, die den Umbau einschränken (Denkmalschutz)?
9. Sind die Räume wirklich geeignet, auch unter Berücksichtigung späterer Erweiterung?
10. Ist im Einzugsbereich des Standorts Personal zu bekommen?
11. Kennen Sie den Bebauungs- und Verkehrsplan und sind hieraus keine nachteiligen Entwicklungen zu erwarten? *(Gros 1990, S. 17 + Dettmer [Hrsg.] 1998, S. 73 f.).*

Zu den a priori zu klärenden standortbedingten Kosten zählen außerdem: Grunderwerbskosten, Erschließungskosten, die Höhe der Gemeindeabgaben, öffentliche Förderungsmöglichkeiten *(vgl. Dettmer [Hrsg.] 1999, S. 21 ff.).*

Hilfreich ist es, mit Hilfe einer Befragung die Standortbestimmung zu fundieren, wobei diese natürlich jederzeit zu variieren ist.

Exemplarischer Fragebogen

<table>
<tr><td colspan="3">Guten Tag, bitte entschuldigen Sie die Störung, aber ich möchte Sie bitten, mir einige Fragen zu beantworten. Ich will Ihnen also nichts verkaufen! Ihre Antworten sollen nur dazu beitragen, Klarheit über Wünsche und Gewohnheiten der Bewohner dieses Stadtgebiets auf dem Sektor der Gastronomie zu gewinnen. Darf ich Ihnen also die wenigen Fragen kurz vorlesen? Vielen Dank.</td></tr>
<tr><td>Besuchen Sie Hotels und Restaurants?</td><td>☐ Ja</td><td>☐ Nein
(Bei „Nein“ Interview hier beenden, aber die Gesamtzahl der „Nein“-Antworten ist für die Auswertung sehr wichtig.)</td></tr>
</table>

Wenn „Ja": Würden Sie sagen, dass Sie Hotels/Restaurants	☐ häufig ☐ regelmäßig ☐ gelegentlich ☐ selten besuchen?
Haben Sie in Ihrem Wohngebiet ein Hotel/ Restaurant, das Sie regelmäßig aufsuchen? Welches? ____________________	☐ Ja ☐ Nein
Buchen Sie für Geschäftsfreunde oder Bekannte ein Hotel in Ihrer Umgebung?	☐ Ja ☐ Nein
Ist das Angebot an guten Hotel- und Restaurationsbetrieben nach Ihrer Überzeugung ausreichend oder könnten Sie sich vorstellen, dass ein neues Hotel mit Restaurant auch von Ihnen besucht bzw. genutzt würde?	☐ Ja ☐ Nein
Was sollte ein solches neues Hotel nach Ihrer Überzeugung besonders berücksichtigen …	☐ … das Angebot gepflegter Getränke? ☐ … eine Speisenkarte mit besonderen Spezialitäten, die man sich zu Hause doch nicht so häufig zubereitet? ☐ … eine Speisenkarte mit kleinen Gerichten für den Abend? ☐ … komfortable Einzel- und DZ? ☐ … einfach ausgestattet, aber günstige Zimmer
Ich möchte Ihnen nochmals sehr herzlich für die Beantwortung meiner Fragen danken. Sie haben mir sehr geholfen. Auf Wiedersehen.	

(Vgl. Gros 1990, S. 18 und Dettmer [Hrsg.] 1998, S. 74 f.)

Die sich schließlich ergebenden Vor- und Nachteile für das geplante Hotel lassen sich in eine Matrix integrieren und auswerten, die folgende Punkte berücksichtigen sollte:

Bewertung \ **Standortkriterien**	**Kostengesichtspunkte**	**Ertragsgesichtspunkte**
Vorteile	• vorhandene gute Infrastrukturen • Förderungsprogramme • geringe Personalkosten • günstige Lieferkosten • steuerliche Aspekte (niedrige Gewerbesteuer)	• gute Verkehrsanbindung • zentrale Lage, vom Gast gut erreichbar • geringe Konkurrenz • hohe Kaufkraft der Gäste • großes Einzugsgebiet • natürliche und historische Gegebenheiten (Landschaft, Sehenswürdigkeiten)
Nachteile	• kein qualifiziertes Personal • hohe Grundstückserschließungskosten • keine Erweiterungsmöglichkeiten • ungenügende, schlechte Parkflächen • hohe Umweltschutzauflagen	• hohe Umweltbelastungen • hohe Arbeitslosigkeit • starke Konkurrenz • ungünstige Ortslage (Stadtrand, schlechte Straßen)

(Vgl. Gros 1990, S. 18 und Dettmer [Hrsg.] 1998, S. 74 f.)

Wie sich gezeigt hat, bestimmt eine **Vielzahl von Standortfaktoren die Qualität** des Standortes. „Die Gewichtung dieser Faktoren in Abhängigkeit von der Betriebsart (z. B. Stadthotel, Urlaubshotel) kann zur grundsätzlichen Standortentscheidung und zur Überprüfung bestehender Standorte herangezogen werden. Da sich Standortfaktoren durch Lebensgewohnheiten oder infrastrukturelle Eingriffe ändern können, bedürfen sie einer regelmäßigen Neubewertung.

Eine **Standortanalyse** dient somit sowohl der Standortfindung als auch der laufenden Standortbeurteilung bestehender Betriebe" *(Dettmer [Hrsg.] 1999/2, S. 147).*

Aufgaben

1. Eine Standortuntersuchung ist vor der Projektierung eines Hotelneubaus unverzichtbar. Was sollte bei einer solchen Analyse Ihrer Ansicht nach besondere Beachtung finden?
2. Welche Bedeutung hat die Wahl des zukünftigen Standorts auf die Kosten- und Ertragsfaktoren eines Hotels?
3. Stellen Sie einen Fragenkatalog zusammen, der Ihnen hilft, eine Entscheidungsbasis für die Wahl des Standortes für einen Hotelneubau bzw. -kauf zu treffen.

Quellen und weiterführende Literatur

Dettmer, Harald (Hrsg.): Tourismusbetriebswirtschaft 1, Unternehmensgründung im Tourismus, Wien 1998

Dettmer, Harald (Hrsg.): Betriebswirtschaftslehre für das Gastgewerbe, Hamburg 1999/2

Gros, W.: Wie gründe und führe ich eine Gaststätte, Bonn 1994

Gros, W.: Der Gastronomiebetrieb, Hamburg 1990

Häussler, Karl Heinz (Hrsg.): Management in der Hotellerie und Gastronomie, München/Wien 1997

3.3 Marketingmanagement

Fundamental gesehen ist Marketing eine unternehmerische Grundeinstellung und Denkweise. Der Marketingbegriff wird auf differenzierte Weise erklärt; so z. B. in Bezug auf die unterschiedlichen Branchen (*vgl. Hausmann, 1998, S. 131*). Die folgende Darstellung bietet – diesem Beispiel folgend – konkrete Ausführungen zum speziellen Marketing des Gastgewerbes.

3.3.1 Marketing in Hotellerie und Gastronomie

„Finde Wünsche und erfülle sie!" – ist die Idee des modernen Marketing (*Kirchner, G.: Do-it-your self – Marketing und Werbung, Wiesbaden 1990, S. 11*).

Auch in Hotellerie und Gastronomie ist der Wettbewerb zwischen den Anbietern gastronomischer Leistungen härter geworden; dies nicht zuletzt durch den Einsatz moderner Kommunikationsmedien (z. B. Buchungs- und Reservierungssysteme) sowie die immer differenzierter werdende Angebots- und Nachfragestruktur am Markt für gastronomische Leistungen. Daraus leitet sich für den einzelnen Gastronomen ab, dass auch oder gerade im Gastgewerbe der Marktfunktion und damit dem Konzept des Marketings eine herausragende Bedeutung zukommt.

Dementsprechend sollte jeder Gastronom das Marketing in seinem Betrieb realisieren und dabei von nachstehender Sichtweise ausgehen:

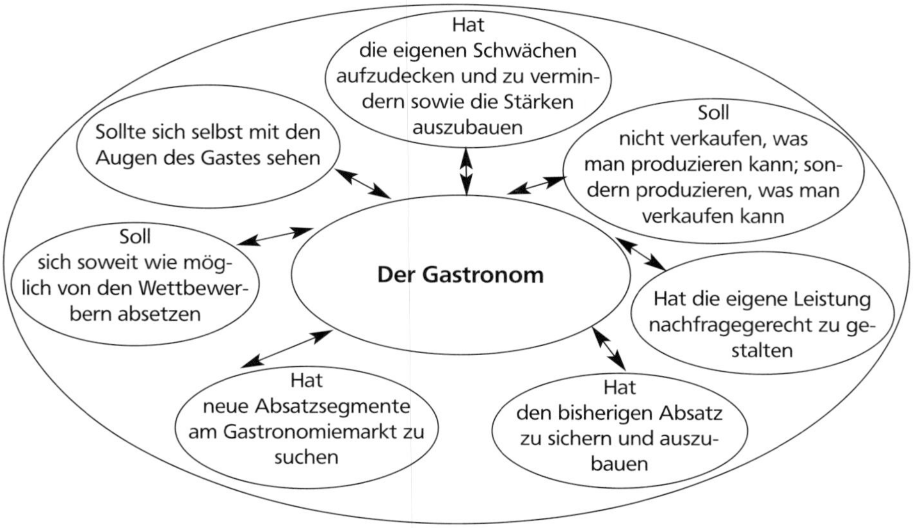

(vgl. Grothues, Ulrich: Marketing im Hotel- und Gaststättengewerbe, Dortmund 1997, S. 3)

Marketing ist nicht nur für Hotelketten und umsatzstarke Betriebe der Gastronomie notwendig; ganz im Gegenteil, gerade im mittelständisch geprägten Gastgewerbe ist Marketing zu einem unverzichtbaren Instrument geworden.

Unternehmer, die eine ablehnende Einstellung gegenüber dem Marketing einnehmen, werden künftig Probleme haben, sich am Markt zu positionieren. Die für Marketingmaßnahmen vom Unternehmen getätigten Aufwendungen sind keine vermeidbaren Kosten, die sich bei guter Leistung einsparen lassen, wenn auch die Mund zu Mund-Empfehlung immer noch die beste und billigste Marketingmaßnahme ist. Marketingkosten sind Investitionen, um die Rendite von Morgen zu erzielen (*vgl. DEHOGA (Hrsg.) 1996, S. 5*).

„**Marketing** – als unternehmerische Haltung und praktische Tätigkeit – ist heute die wichtigste Voraussetzung, ein Unternehmen der sich rasch wändelnden Umwelt anzupassen." Marketing ermöglicht „den Gastronomen,

- sich mit ihrem Angebot laufend auf die Bedürfnisse der Gäste einzustellen,
- sich von den Mitbewerbern abzuheben,
- durch wirksame Maßnahmen die Gästenachfrage für den Betrieb aktiv zu fördern,

- durch Beweglichkeit und Phantasie erhöhte unternehmerische Risiken auszugleichen und
- deren Gewinn zu verbessern" (*SHV/SWV/DEHOGA/ÖHV (Hrsg.) 1992, S. 25*).

Aufbauend auf den vorstehenden Ausführungen, lässt sich der Begriff des Marketing für das Gastgewerbe wie folgt definieren:

Marketing ist die unternehmerische Grundeinstellung und Denkweise, einen Betrieb marktgerecht zu führen, um dadurch die Bedürfnisse der Gäste, aber auch der Mitarbeiter/-innen rechtzeitig zu erkennen und mit den vorgehaltenen Leistungen zu befriedigen (*vgl. SHV/SWV/DEHOGA/ÖHV [Hrsg.] 1992, S. 25 und Grothues 1997, S. 12*).

Darüber hinaus gilt die Marktorientierung sowie das Ausrichten der Unternehmenspolitik auf permanentes Wachstums in der Zukunft als weiteres Definitionsmerkmal (*vgl. Dettmer [Hrsg.] 1996, S. 142*).

Aus diesen definitorischen Grundlagen lässt sich für die **praktische Tätigkeit des Marketing** ableiten:

1. Die von den Gästen nachgefragte Leistung ist zum richtigen Zeitpunkt sowie am richtigen Ort zu erbringen

- und zwar zu einem adäquaten Preis
- auf dem geeigneten Distributionsweg
- aufgrund wirksamer Verkaufsförderung, Werbung und Öffentlichkeitsarbeit
- dem richtigen Gast anzubieten,
- um dadurch einen angemessenen Gewinn zu erzielen (*vgl. SHV/SWV/DEHOGA/ÖHV [Hrsg.] 1992, S. 25*).

Um diese Arbeitsziele zu realisieren, ist es notwendig, dass die gastronomische Unternehmenspolitik gäste-, absatz- und verkaufsorientiert ausgerichtet ist, das Marketing also im Mittelpunkt aller Bemühungen steht.

3.3.1.1 Gastgewerbliche Unternehmenspolitik

„Die Unternehmenspolitik besteht aus den Visionen und aus den strategischen Zielsetzungen. Zu den strategischen Zielsetzungen gehören qualitative Ziele (z.B. die Erhaltung der unternehmerischen Selbständigkeit oder das angestrebte Image) sowie quantitative Ziele (z.B. die zu erzielende Rentabilität). Die strategischen Ziele werden durch die Formulierung von Unterzielen (z.B. Marktanteil oder Umsatz) konkretisiert, die gleichzeitig als Indikatoren für die Wettbewerbssituation dienen" (*Meyer, Jörn-Axel; Hoffmann, Frank: Erfolgsfaktoren in der Gastronomie, Berlin 1997, S. 96*).

Grundsätzlich ist **Unternehmenspolitik** immer über einen längeren Zeitraum, z.B. mehr als 5 Jahre, angelegt. Marketing, als Teilkonzept des Verhaltens im Rahmen der Unternehmenspolitik, bezieht sich in der Regel auf 3 bis 5 Jahre und erfasst das Absatzmarketing und Personalmarketing des gastgewerblichen Unternehmens; darüber hinaus steht das Marketing in Interdependenz zu den Unternehmensfunktionen Beschaffung, Investition, Finanzwirtschaft und Organisation. Dieser enge Zusammenhang in einem gastronomischen Marketingkonzept kommt nachstehend zum Ausdruck:

Beispiel gehobene Gastronomie:
= adäquate Personalpolitik (erhöhter Fachkräftebedarf)
= Einkauf hochwertiger und teurer Waren bzw. Materialien
= erhöhte Investitionen
= steigender Finanzbedarf

(*vgl. Meyer/Hoffmann 1997, S. 96*).

Marketing und effiziente Unternehmenspolitik sind also untrennbar miteinander verbunden. Immer gilt es, **strategische Erfolgspositionen (SEP)** zu schaffen. Derartige bewusst geschaffene Eigenschaften und Fähigkeiten führen im Wettbewerb nachhaltig zur Überlegenheit und ermöglichen dadurch überdurchschnittliche Ergebnisse. SEP können sein:

- Produktinnovationen (Entwicklung und Einführung neuer Produkte): Trendfrüherkennung und entsprechende Angebotsgestaltung (entweder als „Trendsetter" die Richtung bestimmen oder einfach „die Nase vorne haben");
- Segmentierung und konsequente Spezialisierung auf Bedürfnisse und Nutzenerwartungen der Gäste (z. B. das professionelle Seminarzentrum);
- Qualität, besondere Architektur, außergewöhnlicher Komfort, stimmungsvolles Ambiente der Räumlichkeiten;
- rationelle Produktion (bei gleicher Qualität niedrige Kosten);
- attraktives Betriebskonzept (z.B. Autobahnraststätten-Konzept);
- Mitarbeiter: Dank systematischer Mitarbeiterschulung, attraktiver Entlohnung, guter Motivation und Führung die fähigsten Mitarbeiter der Branche beschäftigen;
- Standort (abhängig von Betriebsart, z. B. an einem Verkehrsknotenpunkt oder einmalig gelegen inmitten eines Naturparks)" (*Dettmer [Hrsg.] 1996, S. 173*).

  Strategische Erfolgspositionen helfen, dass Unternehmen am Markt erfolgreich sind und die von Seiten der Gäste an sie gesetzten Erwartungen besser als ihre Wettbewerber erfüllen (z. B. ein spezielles Speisenangebot). Aufgrund dessen, dass strategische Erfolgspositionen im Allgemeinen nicht kurzfristig kopierbar sind, verschaffen sie eine bevorzugte Stellung bei den Zielgruppen und damit eine erfolgreiche Marktposition.

Ähnlich wie das SEP wirken die **Unique Selling Propositions (USP).** Dieser von einer amerikanischen Werbeagentur geprägten Begriff bezieht sich auf das Schaffen von Wettbewerbsvorteilen aufgrund einzigartiger und unverwechselbarer Leistungen. Hierbei kann es sich um zahlreiche Einzelleistungen handeln, die den positiven Gesamteindruck bei Gästen erhöhen (z. B. eine unverwechselbare Dekoration, frische Produkte aus ökologischem Anbau, exklusives Geschirr, die persönliche Art freundlicher und kompetenter Mitarbeiter, den Gast beim Namen zu nennen, ihn zu grüßen und zu verabschieden, eine karibisch anmutende Empfangshalle). Die USP sind im Gegensatz zu den SEP leichter kopierbar und damit meist nur kurzlebig; sie sind ständig den sich wandelnden Gästeerwartungen anzupassen (*vgl. SHV/SWV/DEHOGA/ÖHV [Hrsg.] 1992, S. 48 ff.; Dettmer [Hrsg.], Hamburg 1999, S. 183 f.*).

mögliche Formen der SEP	**Beispiele in der Gastronomie**
Marketing-Tempo ⇨ schnelles Aufspüren von neuen Gästebedürfnissen, schnelle Einführung entsprechender Angebote	– erster Anbieter von Vollwertkost – nicht vorbehandelte Salate und Gemüse – attraktiver alkoholfreie Drinks
Spezialisierung ⇨ Bedürfnisse und Nutzenerwartungen bestimmter Gästegruppen befriedigen	– einziges koscheres Restaurant – einziges kurdisches Restaurant – Live-Musik bestimmer Richtung
Qualität ⇨ Differenzierung von Wettbewerbern	– Café mit bester Confiserie am Ort – Weinlokal mit den besten Weinen
Betriebskonzept ⇨ Erlebnis vs. Versorgungsgastronomie	– Erlebnisgastronomie à la „Puparsch“, „Bar der Vernunft“, „Pomp, Duck and Circumstance“ oder „Ku-Dorf“
Mitarbeiter/Personal ⇨ fähiges Team dank systematischer Personalpolitik	– systematische Mitarbeiterauswahl und -schulung – attraktive Entlohnung

Abb. 3-1: Strategische Erfolgspositionen mit Beispielen aus der Gastronomie (Meyer, Jörn-Axel; Hoffmann, Frank: Erfolgsfaktoren in der Gastronomie, Berlin 1997, S. 97)

3.3.1.2 Marketing-Konzeption

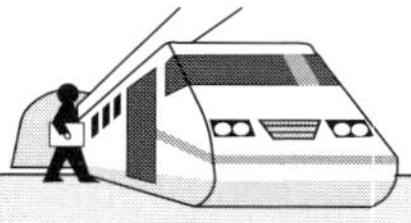

TREFF Hotels PHILOSOPHIE

Wir sind ein Unternehmen, das international denkt und handelt. Wir wollen Gewinn und Wachstum und langfristige Stabilität und Sicherheit für Mitarbeiter und Anteilseigner.

Innovation; Professionalität, Teamgeist, Kompetenz und Umweltbewusstsein sollen unsere Repräsentanten und das Unternehmen prägen.

Im Umgang untereinander und mit Dritten soll dies jeder verwirklichen und verdeutlichen. Menschliche und fachliche Qualifikation sind bei uns die Voraussetzung erfolgreicher Zusammenarbeit.

Die Grundlage unserer Führung sind:

- **Kooperation**
- **Information**
- **und Motivation.**

Unser Produkt ist die Dienstleistung. Vielfältige und abwechslungsreiche Angebote geben jedem einzelnen TREFF Hotel seinen individuellen und unverwechselbaren Charakter.

Die vielfältigen und unterschiedlichen Angebote, die sich an den Wünschen und Erwartungen unserer Gäste orientieren, sind im Konzept der TREFF Hotels in größtmöglicher Harmonie vereinigt.

Gäste, Reiseveranstalter, Lieferanten und Geschäftspartner müssen sich auf uns verlassen können. Die Zufriedenheit der Gäste ist unser Erfolg.

Um diesen Erfolg dauerhaft zu festigen, bedarf es eines permanenten, positiven und innovativen Verblüffungseffektes. (Vorher zu wissen, was der Kunde wünscht.)

Wann immer es möglich und wirtschaftlich sinnvoll ist, erwerben wir Hotels oder beteiligen uns daran, oder sind zumindest bei der Standortwahl und Konzeption sowie der architektonischen Gestaltung der von uns betriebenen Häuser entscheidend tätig.

Neue TREFF Hotel-Objekte sollen sich durch gute Standorte, wirtschaftliche Einstandspreise und erstklassige Projektpartner auszeichnen.

Wir gehören zu den großen deutschen Hotelunternehmen, unsere TREFF HOTELS sollen in Leistung, Erfolg und Ertrag die Besten sein.

TREFF Hotel Verkaufs-Philosophie:

Unter Einbezug der TREFF Philosophie leitet sich die Verkaufs-Philosophie entsprechend ab. Die Leitsätze sind:

1. Jeder TREFF Mitarbeiter ist ein Verkäufer. (Der Verkauf ist über die Basis organisiert.) Der Hoteldirektor ist der 1. Verkäufer.

Er denkt und handelt unternehmerisch, hat großen Aktionsfreiraum und trägt damit große Verantwortung. In der Erklärung meint der 1. Verkäufer, dass der Hoteldirektor den Verkauf nach den Bedürfnissen des Betriebes organisiert. In einem kleinen Betrieb kann der Hoteldirektor Assistent und Verkäufer in einer Person sein. In einem großen Betrieb kann der Hoteldirektor den Verkauf über mehrere Mitarbeiter organisieren. Der Hoteldirektor trägt die Hauptverantwortung für einen erfolgreichen Verkauf.

2. REGIONALVERKAUF

Die Synergieeffekte der Hotelgruppe nutzen. Aus den Basisbedürfnissen dürfen sich bei relevanten wirtschaftlichen Gegebenheiten ohne weiteres Regionalbüros bilden. Diese sollen in erster Linie die Basisbedürfnisse der Region abdecken und zusätzlich den TREFF Hotel Gruppengedanken forcieren. Kommunikationsoffenheit und partnerschaftliches Handeln sind die Verbindungslinien zu jedem TREFF Hotel.

3. Der TREFF Netzwerk-Gedanke

Jeder einzelne TREFF Mitarbeiter ist aufgefordert, sich aktiv an diesem (Verkaufs-) Netzwerk zu beteiligen. Beziehungsmarketing, Kommunikationsoffenheit und partnerschaftliches Handeln sind das Netzwerk zu jedem Treff Hotel und jedem Kunden.

4. V & M

Büros Arolsen Verkauf und Marketing

Dieses Büro versteht sich als Service-Büro der einzelnen Hotels. Die einzelnen Tätigkeiten der Mitarbeiter sind allen TREFF Hotels per Organigramm bekannt.

Besonders im Marketing ist systematisches Handeln notwendig, was einer gedanklichen Grundlage bedarf. Dafür stellt die **Marketing-Konzeption** eine Art geistiges Grundgerüst der unternehmerischen Marketingpolitik dar und umfasst:

- die Informationsbeschaffung,
- das Festlegen der Marketingstrategie,
- das Leistungskonzept.

Die Entscheidungen in diesen grundsätzlichen Marketingbereichen bestimmen die Richtlinien für die genaue Ausgestaltung des **Marketing-Mix** (= abgestimmter Einsatz der Marketing-Instrumente) und damit die Basis für das weitere Vorgehen des Unternehmens.

Aufgabe der Marketing-Konzeption ist es,

- die Bedürfnisse der Gäste festzustellen und
- durch eine optimale Befriedigung der Bedürfnisse
- Gewinne zu erzielen.

Also nicht die Bedürfnisse des Gastronomen/Hoteliers, sondern die des Gastes stehen im Vordergrund, denn: Der Wurm muss dem Fisch schmecken, nicht dem Angler! Mit anderen Worten, durch das Marketing soll das Unternehmen den Gast so gut kennen und verstehen, dass die angebotenen Leistungen zu ihm passen und sich selbst verkaufen (*vgl. Kotler 1989, S. 36 und Dettmer [Hrsg.] 1996, S. 144*).

Ein äußerst wichtiger Komplex im Rahmen der gesamten Marketing-Konzeption ist das **Beschaffen von Marktinformationen.** Dadurch lassen sich für das gesamte gastronomische Unternehmen (z.B. Kettenbetriebe) bzw. die einzelnen der Hotelkette angeschlossenen Hotelbetriebe Chancen und Risiken am Markt ausloten und die Stärken bzw. Schwächen des einzelnen Unternehmens resp. Betriebes offenlegen.

Der Prozess der Gewinnung von Marktinformationen sowie deren gegenseitigen Abhängigkeiten können aus dem nachstehenden Schaubild abgelesen werden.

Die zu gewinnenden Informationen sollen künftig zu fällende Entscheidungen fundieren, so dass deren Erhebungsvolumen das Entscheidungsrisiko minimiert.

Marketingforschung oder **Marketingresearch** werden allgemein definiert als die systematische Suche, Aufzeichnung und Auswertung von Daten, die sich auf die Probleme von Gütern und Dienstleistungen beziehen.

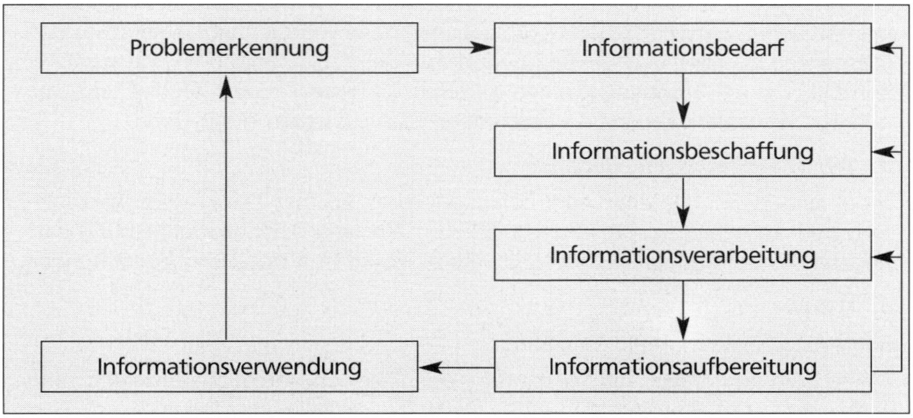

Abb. 3-2 (vgl. Weis 1997, S. 95)

Die unternehmerischen Aktivitäten stehen immer in enger Beziehung zur Markentwicklung, z. B. Aktivitäten der Wettbewerber im gastronomischen Bereich, geplante kommunale Bauprojekte, Veränderungen der Nachfrage aufgrund sozialer und volkswirtschaftlicher Entwicklungen. Derartige Marktuntersuchungen **(= Market Research)** beziehen sich also auf den potentiellen Absatzmarkt.

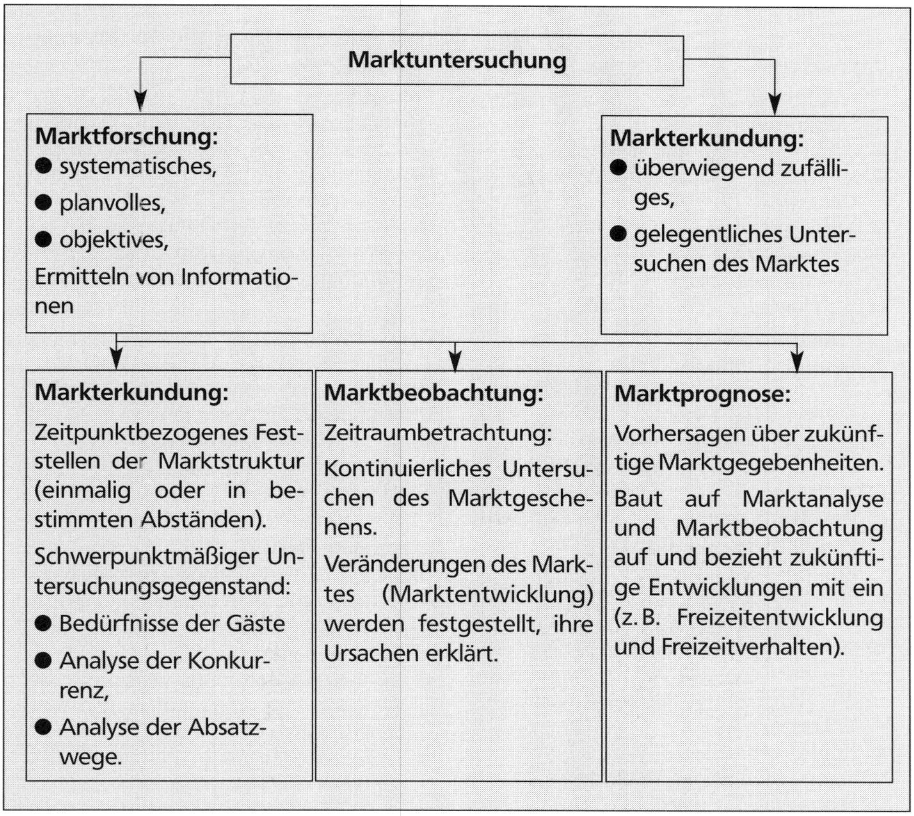

Abb. 3-3: Marktuntersuchung (nach: Dettmer, Harald [Hrsg.], Betriebswirtschaftslehre für das Gastgewerbe, Hamburg 1996, S. 159 und Hausmann, Thomas: Informationsgewinnung im Tourismus, S. 564 ff.)

Um die Marktsituation möglichst konkret beurteilen zu können, zeigt vorstehende Übersicht, dass es zwei Arten der Vorgehensweise gibt, nämlich die Marktforschung und die Markterkundung. Nimmt ein kleines Hotel gelegentlich eine Marktuntersuchung vor, z. B. in Gesprächen mit Gästen oder durch das Lesen von Forschungsveröffentlichungen, liegt bestenfalls Markterkundung vor. Bei der Marktforschung dagegen wird ein konkreter Teilmarkt, z. B. der Hotelmarkt Vorpommern, systematisch untersucht.

Marktforschung kann das Gastgewerbe als **Desk Research (Sekundärforschung)** oder als **Field Research (Primärforschung)** betreiben.

Erhebungsarten

Sekundärerhebungen

Auswertung bereits vorhandener Daten, die aus unterschiedlichen Gründen beschafft wurden.

Desk research: Diese Form der Marktforschung kann am Schreibtisch erfolgen.

Betriebsinterne Quellen:

- Umsatz-, Absatz-, Reservierungsstatistiken;
- Berichte des Außendienstes, der Sales Manager;
- Anfragen;
- Gästekarteien;
- Reklamationsstatistiken;
- Rechnungswesen und andere.

Externe Quellen:

- Statistiken amtlicher Stellen (z. B. Statistisches Bundesamt, Statistische Landesämter);
- Veröffentlichungen von Verbänden (Industrie- und Handelskammer, DEHOGA u. a.);
- Veröffentlichungen von Wirtschaftswissenschaftlichen Instituten und Forschungsinstituten;
- Firmenhandbücher, Branchenbücher (z. B. NGZ Branchenbuch);
- Fachbücher, -zeitungen und -zeitschriften;
- Veröffentlichungen von Untenrehmen (Geschäftsberichte, Prospekte, Preislisten, Gästezeitschriften);
- Erfahrungsgruppen;
- Veröffentlichungen von Werbeträgern;
- Auskunfteien und andere.

Primärerhebungen

Erhebung neuer und bisher noch nicht erhobener Marktdaten.

Field research: Gewinnung der Daten an ihrem Ursprungsort.

Befragung:
Erhebungsmethode (schriftlich, mündlich usw.), bei der man durch Antworten der befragten Personen Informationen über den Befragungsgegenstand erhalten will, z. B. Gästefragebogen, Befragungen gelten als die wichtigste Erhebungsmethode der Primärforschung. Bewährt haben sich u. a. Gästezirkel.

Beobachtung:
Datenerhebungsmethode, die auf die Erfassung der sinnlich wahrnehmbaren aktuellen Umwelt gerichtet ist, z. B. Beschreibung des Gästeverhaltens. Bewährt: konsequente Beobachtung der Gäste am Verkaufspunkt (z. B. Salat- oder Dessertbuffet, Rezeption, am gedeckten Tisch).

Experiment (Test):
Dabei soll die Entwicklung nach einer bewußt herbeigeführten Veränderung festgestellt werden (Befragungs- oder Beobachtungsexperiment);

- Laborexperimente unter künstlichen Bedingungen, z. B. Verpackungs- und Werbemitteltests.
- Feldexperiment unter natürlichen Bedingungen

Abb. 3-4: Erhebungsarten

(Aus: Dettmer, Harald [Hrsg.], Betriebswirtschaftslehre für das Gastgewerbe, Hamburg 1999, S. 159)

Natürlich ist das Auswerten bereits vorliegenden Datenmaterials, was meist für ähnliche Zielgruppen eruiert worden ist, kostenmäßig für das gastgewerbliche Unternehmen von Vorteil, weil die Daten bereits vorliegen und sofort für eigene Untersuchungen verwendet werden können, so dass eine lange Erhebungsphase entfällt.

Als nachteilig anzusehen ist, dass die gegebenen Informationen natürlich nicht immer auf die vorliegende Situation genau zutreffen, diese evtl. nicht mehr in jeder Beziehung aktuell sind, und auch die Wettbewerber derartige Daten auswerten können.

Gewinnt das gastgewerbliche Unternehmen zur Lösung des anstehenden Informationsproblems aktuelle, problembezogene, betriebsspezifische Daten, so ist eine Primärerhebung durchzuführen. Dabei stellt sich die Frage, ob alle in Frage kommenden **Probanden** (Untersuchungspersonen) befragt werden müssen oder ein bestimmter Anteil der relevanten Personengruppen eine genügend hohe Aussagefähigkeit aufweist **(= Repräsentativbefragung).** Entsprechend der in diesem Zusammenhang zu fällenden Entscheidung ist eine Marktsegmentierung vorzunehmen, d. h. die Zerlegung des Marktes in Teilmärkte. Als **Kriterien für eine Marktsegmentierung** kommen in Frage:

1. Beispiel: Gästekriterien

1.1 Sozioökonomische Untersuchungspunkte, z. B. Geschlecht, Alter, Beruf, Ausbildung, Familiengröße, Einkommen;

1.2 Gästeverhalten, z. B. Preis- und Werbesensibilität, Gästemotive, Gästetreue usw.;

1.3 Geographische Untersuchungspunkte, z. B. Bayern, Baden-Württemberg, Niedersachsen, Nordrhein-Westfalen oder Großstädte – Landbevölkerung oder Inlandsmarkt/Auslandsmarkt;

1.4 Zusätzliche Unterscheidungsmerkmale potentieller Gäste/Nachfrager, z. B. Großhaushalte, Catering-Betriebe, Saisonbetriebe usw.;

1.5 Gütekriterien, Speisenangebote, umweltfreundliche Verkaufsangebote, Preisgefüge usw.

Die Marktsegmentierung dient allerdings nicht allein nur als Grundlage der Marktforschung, sondern stellt schon eine Grundlage für den späteren Einsatz der marketingpolitischen Instrumente dar; schließlich soll dadurch eine selektive Marketingpolitik erreicht werden. Diese bedingt damit rückschließend die Auswahlkriterien der Marktsegmentierung bezogen auf die jeweilige Analyse.

Als konstruktive **Segmentierungsarten** des Marktes im touristischen Bereich bieten sich an:

- nach Getränken: Faßbierabsatz, Flaschenbierabsatz, Gastronomen, Einzelhändler, Getränkegroßhändler usw.
- nach Leistungsträgern: Bahnreisen, Busreisen, Schiffsreisen, Reisen per Flugzeug oder mit dem eigenen PKW.

Graphisch veranschaulicht könnte dementsprechend eine Aufteilung eines bestimmten Marktes nach Reisearten wie folgt aussehen:

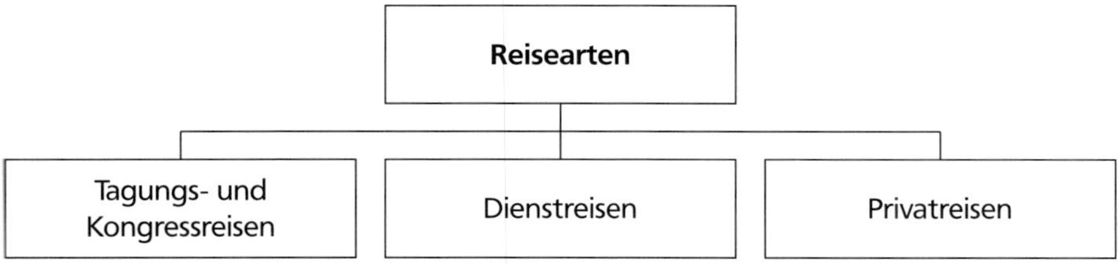

Wenn jetzt in den festgelegten Teilmärkten entsprechend der Marktsegmentierung die Instrumente dem Markt folgen, also eine zeitraumbezogene Marktuntersuchung **(= Marktbeobachtung)** oder eine zeitpunktbezogene Marktuntersuchung **(= Marktanalyse)** durchgeführt wird, so können derartige Analysen zu positiven Änderungen führen, die die Nachfrage wie das Angebot gastronomischer Betriebe betreffen. Bei letzteren gilt es vor allem zu untersuchen:

- die materiellen Leistungen (Essen, Trinken, Zimmer usw.) sowie
- die immateriellen Leistungen (Ambiente, Service, Umwelt, Umgebung usw.).

Genauso untersuchungsrelevant sind die Größen:

Dienstleistungserwartung der Gäste oder der Preis *(vgl. Dettmer 1996, S. 271).*

Bei allen Situationsanalysen von gastgewerblichen Betrieben – bezogen auf deren Angebot bzw. Produkte – ist immer zu berücksichtigen, dass die potentiellen Gäste nicht immer gastgewerbliche Betriebe wegen eines bestimmten Leistungsangebotes besuchen, sondern gerade heute die zusätzlichen Dienstleistungen (z. B. Event) eine erhebliche Rolle spielen, die über Erfolg und Misserfolg entscheiden können. Alle in diesem Zusammenhang erhobenen Daten sind als Gesamtergebnisse der Untersuchung zu analysieren, um eine Prognose für das jeweilige Unternehmen zu erarbeiten. Die marketingpolitischen Instrumente, die zum Einsatz gelangen sollen, sind darauf abzustimmen *(vgl. ebenda).*

Dieses bedeutet für die Praxis, dass jede **Marketingkonzeption** über zwei extreme Lösungsmöglichkeiten verfügt, nämlich den Informations- und Manipulationssektor.

1. **Informationssektor** = Mit diesem wird versucht, die Aufnahmefähigkeit des Marktes zu erforschen und das Leistungsangebot des jeweiligen gastgewerblichen Betriebes adäquat zu gestalten;
2. **Manipulationssektor** = Ein Hotel- oder Gaststättenbetrieb versucht durch den Einsatz marketingpolitischer Instrumente sein Angebot, z. B. verschiedenster Arten von vegetarischer Kost, mit Hilfe von Werbung, Verkaufsförderung und anderen Mitteln den Gästen zu verkaufen, d. h. am Markt unterzubringen.

Damit ist das Ergebnis einer jeden Marketinganalyse, also das Feststellen von Stärken, Schwächen, Möglichkeiten und Schwierigkeiten des jeweils zu bearbeiteten Zielgebietes innerhalb eines Tourismusmarktes entscheidend für die weitere Vorgehensweise resp. den Einsatz des Marketing-Mix.

Nachdem die allgemein gültigen und für die Praxis notwendigen Grundlagen einer Ist-Analyse gelegt worden sind, soll nachstehend eine derartige **Ist-Analyse** sowie **Ideensammlung** für angenommene Erholungshotels einer Hotelkette an verschiedenen Standorten modellmäßig betrachtet werden:

1. Zielsetzung des Gesamtprojektes – **Projektinhalt** –

1.1 **Aufgabe:** Entwicklung alternativer oder komplementärer Zukunftskonzepte für Sport- und Erholungshotels am Beispiel von verschiedenen Modellstandorten. Ein Modellort ist bereits festgelegt, nämlich die Errichtung des Hotels „Brockenblick" im Harz.

1.2 **Inhalt:** Im Rahmen der Modellvorhaben werden an ausgewählten Standorten ortsbezogene Strategien zur Neuausrichtung von Sport- und Erholungshotels in Form von Maßnahmenkatalogen entwickelt.

1.3 **Ziel:** Zukunftskonzept für das Hotel „Brockenblick" als ortsbezogene Strategie mit Maßnahmenplan.

2. Zielsetzung des Gesamtprojektes – zu berücksichtigende **Einflussfelder** im Überblick –

1. Zielsetzung des Gesamtprojekts
– zu berücksichtigende Einflussfelder im Überblick –

Generelle Trends

- Urlaubs- und Freizeitpräferenzen/Reiseverhalten
- Altersstruktur der Bevölkerung
- Konkurrenz durch (preiswerte) Reiseziele im In- und Ausland/ Ostharz
- Gesetzgeberische Maßnahmen im Sportbereich

Äußere Rahmenbedingungen

- Infrastrukturausstattung
- Verkehrsanbindung und Erreichbarkeit
- Lage/Stadtbild
- Landschaft, Klima

Sport- und Tourismusbereich „Brockenblick" am Torfhaus
(und weitere 5 Modellstandorte)

Sportbereich

- Angebot
- Nachfrage

Tourismus

- Angebot
- Nachfrage

Situation vor Ort

- Organisation und Struktur der Kurverwaltung
- Gremien, die sich mit der Zukunft des Ortes beschäftigen
- Wirtschaftliche Situation der Stadt/des Landes/des Sport-/ Erholungsbereichs

Abb. 3-5: Modellprojekt „Brockenblick": Materialsammlung zur Ist-Analyse

2. Ausgangssituation Brockenblick
– Generelle Ausgangslage –

Stärken	• Zentrale Lage in Deutschland • Zentrale Einzugsbereiche: Magdeburg–Halle, Göttingen–Braunschweig, Hannover–Kassel, Hamburg, Berlin, Bremen, Leipzig, Osnabrück • anerkannter heilklimatischer Kurort und Wintersportplatz • Ruhe und die Möglichkeit Abgeschiedenheit zu erleben bei zugleich breiten Angebotsspektrum im Bereich Aktivitäten und Unterhaltung • Gute Straßenanbindung • bekanntes Reiseziel
Schwächen	• Ortsbild wirkt altmodisch, 60er/70er Jahre Stil und Niveau

➡ Torfhaus ist begünstigt durch seine einmalige Lage.
Offensichtliche Schwäche ist die bisher zögerliche Weiterentwicklung zu einem modernen kundenorientierten Tourismusort.

Abb. 3-6: Modellprojekt „Brockenblick": Materialsammlung zur Ist-Analyse

3. Struktur der Gäste
– Gästeankünfte nach Herkunft: Torfhaus –

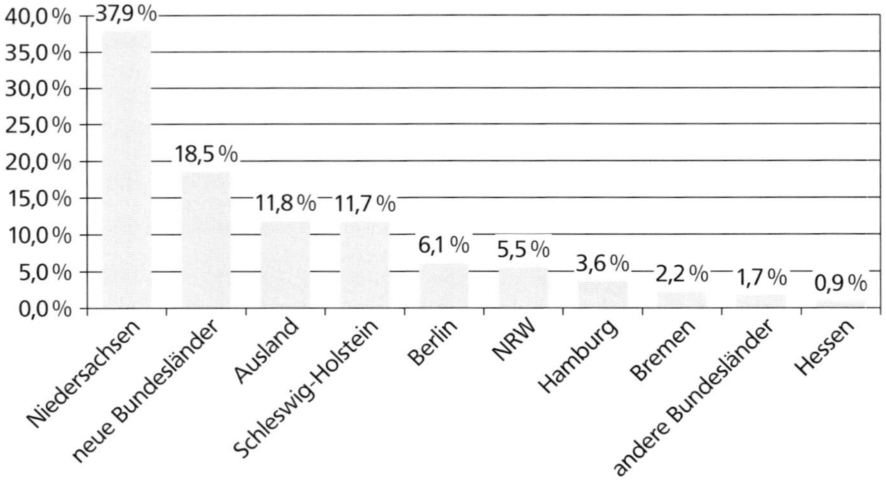

Mit einem Anteil von 37,9 % sind Gäste aus Niedersachsen in Torfhaus stark vertreten. 18,5 % kommen aus den neuen Bundesländern und 5,5 % aus NRW. Mit einem Anteil von 11,8 % sind Gäste aus dem Ausland in Torfhaus stärker vertreten als in angrenzenden Orten.

Abb. 3-7: Modellprojekt „Torfhaus": Materialsammlung zur Ist-Analyse

4. Struktur der Gäste
– Alter der Gäste im Torfhaus im Vergleich zum deutschen Altersprofil

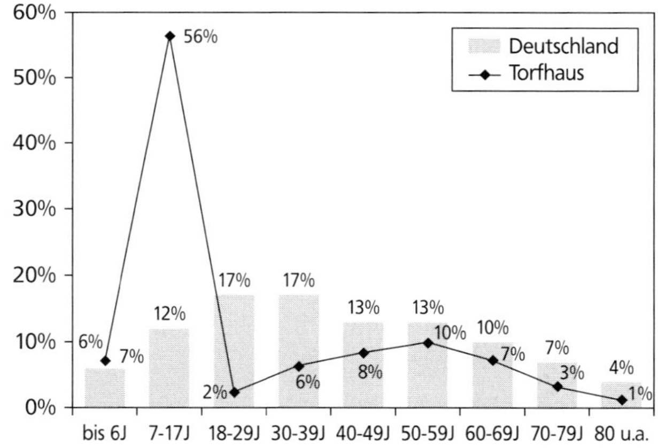

Die Altersgruppe von 7 bis 17 Jahre ist in Torfhaus deutlich überdurchschnittlich vertreten. Sind dies vorwiegend Kinder und Jugendliche in Gruppen oder in Begleitung ihrer Eltern? Wird den Kindern und Jugendlichen ein Angebot gemacht, das eine positive Erinnerung fördert? ⇨ zukünftiges Gästepotential

Abb. 3-8: Modellprojekt „Torfhaus": Materialsammlung zur Ist-Analyse

5. Infrastruktur und Angebotsspektrum

❑ **(Basis-)Angebote ohne direkten Zielgruppenbezug**

Torfhaus

- Hallenbad
- Eissporthalle
- Ski- und Heimatmuseum
- Bücherei
- Wassertretbecken
- Glasschleiferei
- Tennisanlage
- Minigolf-Anlage
- Seilbahn
- Bowling, Kegeln
- Glockenspiel

❑ **Zielgruppenorientierte Angebote**

Torfhaus

- Wanderwege/Radwege
- Kurmittelhaus/Kurpark
- Ski- und Langlaufinfrastruktur
- Rodeln
- Tanzen
- Reiten/Pferdekutschen/Pferdeschlitten
- Schießsport
- Eishockey
- Wanderwegenetz
- Kurhaus/Kurpark/Liegehalle
- Ski-/Langlaufinfrastruktur
- Kegel- und Bowlingbahn
- Eisschießbahn

Abb. 3-9: Modellprojekt „Torfhaus": Materialsammlung zur Ist-Analyse

6. Nachfrageseite
– Nutzung der Übernachtungsangebote: Torfhaus

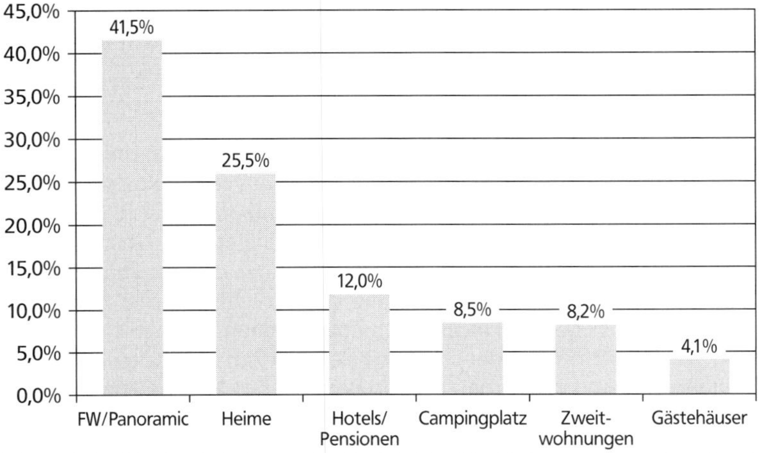

➡ In Torfhaus entfielen 41,5% der Übernachtungen auf Ferienwohnungen und die Panoramic-Anlage. An zweiter Stelle folgen Heime mit 25,5%, erst dann Hotels und Pensionen mit einem Anteil von 12,0%.

Abb. 3-10: Modellprojekt „Torfhaus": Materialsammlung zur Ist-Analyse

7. Stärken-/Schwächeprofil
– Erste vorläufige Bewertungen aus der Gesamtsicht der bisher vorliegenden Materialien –

- Erheblicher Erneuerungsbedarf bei den Übernachtungsangeboten (Modernisierung
- Genereller Modernisierungsbedarf im Ort
- Problematisches Preis-Leistungsverhältnis: Geringe Qualität in der Gastronomie bei z.T. relativ hohem Preisniveau
- Behauptet werden z.T. Akzeptanzprobleme des Tourismus bei den Einwohnern und mangelnde Gästeorientierung
- Fehlendes Bewußtsein für die sich verschärfende Wettbewerbssituation mit dem Ostharz, keine Strategie und wenig Aktivitäten dem Wettbewerbsdruck standzuhalten
- Sehr hohe Inlandsabhängigkeit/kaum ausländische Gäste
- Kein aktuelles Tourismuskonzept/Marketingkonzept
- Keine ausreichende Zielgruppenorientierung
- Pauschalangebote stark zersplittert, wenig übergreifende Abstimmung, wenig Werbung
- Behauptet wird, es gebe: Geringe Investitonsbereitschaft der privaten Anbieter
Geringe Investitionsneigung wg. fehlender finanzieller Potenz der Kommune

➡ **Grundsätzliches Defizit:** **Fehlendes Leitbild für die Ortsentwicklung (wenig Konsens)**

Konsequenz: **Keine Basis für abgestimmte Angebots- und Produktentwicklung nach Zielgruppen**

Abb. 3-11: Modellprojekt „Torfhaus": Materialsammlung zur Ist-Analyse

Die dargestellten Erhebungsmöglichkeiten beziehen sich in erster Linie auf die Großhotellerie und nicht die Individualgastronomie, die meist aus reinen Kostengründen die Untersuchungen weder selbst durchführen noch in Auftrag geben kann. Schließlich ist auch nicht gesagt, dass die gewonnenen Daten tatsächlich eintreten bzw. realisiert werden können. Jedem Hotelier ist bewusst, dass – mit Ausnahme von Stammgästen – jeder Gast ein Individuum für sich ist, das nicht mathematisch berechenbar und damit auch konsequent planbar ist. Entscheidend bleibt letztendlich immer, inwieweit es dem Gastronomen gelingt, die Bedürfnisse seiner Gäste mit den von ihm angebotenen Leistungen zufriedenzustellen. Allein daraus ergibt sich, ob der Gast den erlangten Nutzen/Zusatznutzen ausbaut und den besuchten gastronomischen Betrieb weiter empfiehlt bzw. in diesen zurückkommt. Die vorstehende Untersuchung hat allerdings klar herausgearbeitet, dass der Standort die entscheidende Erfolgsgröße eines gastronomischen Betriebes darstellt, da der eintritt in einen laufenden Hotelbetrieb als Pächter oder der Neubau eines Restaurants äußerst langfristige Auswirkungen auf den Gastronom und seinen Geschäftsbetrieb haben. Schließlich liegt das Gewinnmaximum dort, wo die Differenz zwischen standortbedingten Erträgen und standortabhängigen Aufwendungen die höchst-

8. Ideensammlung für Angebote nach Produktgruppen
☐ **Radwandern** – Ausweisung von Radwanderwegen und Aufnahme in Karten – Anbindung an europäischen Radwander-Route Holland–Polen – Organisation Touren mit Gepäcktransport ☐ **Mountain Bike/Skate Board** – Down Hill Rennen am Achtermann – Organisation von Touren – Bau einer Skate Board Anlage ☐ **Ski/Langlauf/Skijöring** – leichte Loipe für Anfänger und Ältere – Loipenführer – Skijöring ☐ **Golf** – Drivingrange ☐ **Wandern/Grüner Weg – Umweltpfad** – geführte Wanderungen zu spez. Themen (Pflanzen, Geologie, Geschichte, Tierspuren etc.) – Erstellung von Info-Material für spez. Wanderungen – Einrichtung/Verbesserung Umweltpfad ☐ **Themenbezogene Reiseangebote** – Gesundheit – Sport – Fitness/Wellness – Aktiv- und Erlebnisaufenthalte ☐ **Pauschalvermarktung hochklassiger Veranstaltungen unter Einbeziehung von** – Eisstadion – Hallenbad

Abb. 3-8: Modellprojekt „Torfhaus": Materialsammlung zur Ist-Analyse

mögliche ist. **Standortwahl** ist damit immer ein Problem des Abwägens zwischen Kosten und Absatzvorteilen. Hinzu kommt, dass im Rahmen der Individualgastronomie der direkte Kontakt zwischen Gastgeber und Gästen erheblich intensiver sich darstellt, als in anderen gastgewerblichen Bereichen. Durch eine derartige Interaktion zwischen Servicepersonal und Gästen lassen sich wichtige Informationen über das Verhältnis der Vertragspartner herausfinden, z. B. der Anteil der Stammkunden, der Zufriedenheitsgrad der Gäste, Trendmitteilungen oder Serviceveränderungen im Sinne von Verbesserungen. Werden derartige Informationen systematisch ausgewertet, so lassen sich rechtzeitig Risiken erkennen und in Chancen bezogen auf die jeweilige Zielgruppe umpolen (*vgl. Meyer/Hoffmann, S. 100*).

Die **Wettbewerbsstellung** des jeweiligen gastronomischen Betriebes lässt sich vor allem durch die Beantwortung der nachstehenden Fragen beurteilen:

– Verfügt der jeweilige Gastronomiebetrieb über Besonderheiten, der ihn vom Wettbewerber abgrenzt (u. a. SEP, USP, Architektonische Gestaltung, Gästestruktur/VIP's)?

- Kann der gastronomische Betrieb mit dem derzeitigen Mitarbeiterstamm sowie den zur Verfügung stehenden Finanzen auch in Zukunft erfolgreich am Markt wirken?
- Welche Betriebsergebnisse (brutto) der Hauptbereiche des Hotels (Beherbergungen und Bewirtung) liegen vor?
- Welche Relation besteht zwischen den im eigenen Hause erwirtschafteten Ergebnissen und denen der Branche bzw. der unmittelbaren Mitbewerber?

Nachdem nun die eigene Wettbewerbsstellung am Markt beurteilt worden ist, lässt sich eine **Portfolio-Analyse** erstellen. Letztere stellt ein relevantes Instrument im Rahmen des strategischen Marketing dar, mit dessen Hilfe sich die Position des eigenen Unternehmens im Verhältnis zu denen der Wettbewerber ermitteln lässt.

Portfolio (italienisch: Brieftasche, Dokumentenmappe) bedeutet im heutigen Sinn das Bestimmen eines nach Chancen und Risiken der künftigen Entwicklung ausgewogenen Produktprogramms. Die Portfolio-Analyse wurde in den 70er Jahren von der Boston Consulting Group und McKinsey entwickelt.

Bei der Portfolio-Analyse sollen die nachstehenden strategischen Grundfragen beantwortet werden:

1. Wie kann ein gastgewerblicher Betrieb innerhalb der von ihm angebotenen Leistungen sinnvolle Prioritäten für die künftige Entwicklung setzen? Dabei ist die Beantwortung der Frage davon unabhängig, ob dieser Betrieb stark diversifiziert oder auf eine bestimmte Leistungspalette beschränkt ist. Immer gilt es, aus einer Vielzahl von sich im Angebot befindlichen Leistungen die richtigen auszuwählen und zu unterstützen.
2. Eignet sich das momentane Produkt Portfolio dazu, den Bestand des gastgewerblichen Betriebes für einen überschaubaren Zeitraum abzusichern?
3. Gilt es, weitergehende Dienstleistungsbereiche zu akquirieren oder derzeitige herauszunehmen und nach welchen Kriterien sind die adäquaten Dienstleistungsbereiche auszuwählen? So steht beispielsweise ein Hotelbetrieb immer vor der Frage, ob es nur Beherbergung anbieten soll, und ob dieser Leistungsbereich auch in Zukunft die Wettbewerbsfähigkeit des Hotels allein aufrecht erhält oder ob zum Beispiel ein Restaurantbetrieb hinzuzunehmen ist. Daraus ergibt sich das Ziel jeder Portfolio-Analyse, nämlich ein optimales Mischungsverhältnis des Marktengagements des gastronomischen Betriebes anzustreben.

Die Portfolio-Analyse untersucht in der Regel nicht die einzelnen Dienstleistungsbereiche, sondern strategische Geschäftseinheiten (SGE) des gastgewerblichen Unternehmens/Betriebes. SGE setzen allerdings voraus, dass die einzelnen Dienstleistungsbereiche klar definiert sind und sich voneinander abgrenzen lassen, z. B. Beherbergung, Bewirtung. **SGE** sollten die nachstehenden Merkmale aufweisen:

- es sollte sich als eigenständige operative Einheit innerhalb eines gastronomischen Unternehmens führen lassen;
- diese umfasst ein homogenes Dienstleistungsangebot, das einen klaren Wettbewerbsvorteil hat (*vgl. Dettmer/Hausmann/Kloss/Meisl/Weithöner: Tourismus-Marketingmanagement, München/Wien 1999, S. 107 f.*).

Abb. 3–13: Portfolio-Analyse

(Nach: Dettmer, Harald [Hrsg.], Betriebswirtschaftslehre für das Gastgewerbe, Hamburg 1999, S. 190 und Dettmer, Harald [Hrsg.], Tourismus-Marketing-Management, München 1999 S. 110)

Hotelbetriebliche Leistungsbereiche (z. B. Beherbergung, Bewirtung im Restaurant, Gästeunterhaltung, Wochenendpauschalen) sind zusammenzufassen und adäquat den Wettbewerbsvorteilen sowie gemäß der Marktattraktivität in vier Kategorien einzuteilen. Jede Einführung neuer Dienstleistungsangebote erfordert Kreativität, Mut zum Risiko und finanzielle Mittel. Letztere lassen sich nur durch Erträge aus bisherigen Dienstleistungen erwirtschaften (*vgl. ebenda, S. 180*).

Der strategische **Wert von Portfolio-Analysen** für die Hotellerie ergibt sich daraus, dass jedem Feld Normstrategien zugeordnet sind.

So umfasst das Feld „Nachwuchs"/Questionmarks-Produkte bzw. -Dienstleistungen, die sich in der Einführungsphase befinden; es steht also noch nicht fest, ob sie marktfähig sind oder nicht. Meist liegen die Kosten über den Erlösen, da die Marktanteile noch zu gering sind.

„Sterne"/Stars sind im Hotel Dienstleistungen, die sich in der Wachstumsphase befinden; die Erlöse liegen höher als die Kosten. Sie benötigen jedoch weitere Investitionen, um ihr Wachstum zu fördern. Ebenfalls ist die Distribution auszubauen, und die Dienstleistungs-/ Produktvarianten sollten entwickelt und eingeführt werden.

„Milchkühe"/Cash Cows sind Produkte/Dienstleistungen in der Reifephase, deren Wachstumsmöglichkeiten beschränkt sind und daher auch Investitionen nur noch insofern notwendig sind, als sie zum Aufrechterhalten der Dienstleistung am Markt notwendig sind. Die hier eingespielten Gewinne werden meistens anderen SGE zugeführt.

„Arme Hunde"/Poor Dogs befinden sich als Produkt oder Dienstleistung in der Sättigungsphase und stehen am Ende ihres Lebenszyklus. Es bleibt zu überlegen, inwieweit derartige Angebote des Hotelbetriebes aus dem Markt genommen werden, da sie das Gesamtergebnis belasten.

Wichtig bleibt insgesamt, dass das Portfolio in allen vier Feldern ausgeglichen ist. Die Portfolio-Analyse stellt ein sinnvolles Instrument dar, um Prioritäten für die einzelnen SGE festzulegen und Investitionen in die richtigen Marktlücken zu lenken. Als Kritik lässt sich vorbringen, dass die Portfolio-Analyse ein subjektives Moment beinhaltet, denn durch das Festlegen der Hauptwettbewerber und die Wahl des Betrachtungszeitraums lassen sich unterschiedliche Zuordnungen der SGE zu den einzelnen Feldern erzielen und entsprechend falsche Normen, Strategien verfolgen. Natürlich lassen sich die einzelnen Felder nicht genau gegeneinander abgrenzen, so dass die relative Position einer SGE innerhalb eines Feldes in jedem Fall zu interpretieren ist (*vgl. Dettmer/Hausmann/Kloss/Meisl/Weithöner 1999, S. 110 f.*).

Aus der strategischen Analyse einer Portfolio lassen sich schlussfolgernd jedoch im Wesentlichen drei Richtungen für die künftige Unternehmenspolitik ableiten:

„1. Offensive Strategien (Investitionen: Ausbau des Ladenlokals, z.B. durch Gartenwirtschaft, Ausbau des Angebotes, z.B. Frühstück, Mittagstisch),

2. Defensive Strategien (Halten der Position: Keine Änderungen im Betrieb) sowie

3. Desinvestitionsstrategien (Rückzug von Leistungsbereichen z.B. Einstellen des Frühstücksangebots, Aufgabe des Auslieferservices)" (*Meyer/Hoffmann 1997, S. 101*).

Damit lässt sich als Fazit festhalten, dass eine tiefgehende Situationsanalyse auf der Basis spezifischer Informationen die absolute Grundlage für die Wahl des geeigneten Marketing-Konzeptes darstellt, und sich nur so die in der Unternehmenspolitik festgesetzten Unternehmensziele adäquat verfolgen lassen (*vgl. Meyer/Hoffmann 1997, S. 102*).

3.3.1.3 Marketing-Strategie

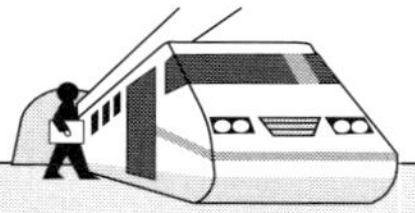

Hoteldirektor Klauda vom Hotel „Zum Bären" und sein Kollege Hofer haben sich wieder zur wöchentlichen Schachparty zusammengefunden. Klauda eröffnet das Spiel und zieht einen Bauern. Im Gegenzug reagiert Hofer ebenfalls mit einem solchen Schachzug. Klauda überlegt jetzt, wie er strategisch am besten vorgeht, um so schnell wie möglich einen Vorsprung gegenüber seinem Mitspieler zu erreichen. Die Vielzahl der Spielkonstellationen zwingt jedoch zu einem aufmerksamen Durchdenken jeder Situation; vor allem weil es in jeder Situation notwendig ist, sich mit den verschiedensten Möglichkeiten auseinanderzusetzen, die man selber hat bzw. auf die der Gegner reagieren kann. Es besteht also die Notwendigkeit, sich mit der Situation seines Gegenspielers vertraut zu machen wie sich in diese hineinzuversetzen, um dadurch seine möglichen Reaktionen, sprich nächsten Züge, vorauszusehen. Im Vordergrund steht natürlich immer, die eigenen Schachspieler – besonders den König – vor Angriffen zu schützen.

Während Klauda noch über den nächsten Spielzug nachdenkt, führt Hofer im stillen aus, dass die Grundstruktur des Schachspiels mit den Gedanken des strategischen Marketings vergleichbar ist.

Wenn ein gastronomisches Unternehmen aus der vorgegebenen Marketing-Konzeption einen Plan ableitet, der das weitere Vorgehen im Marketingsinne beinhaltet, so handelt es sich um eine **Strategie.** Erstellt beispielsweise ein großer Hotelbetrieb eine Marketingstrategie, so umfasst diese die langfristige Dimension des Marketing als Führungskonzeption, und zwar berücksichtigt sie dabei die Gesamtunternehmensumwelt (*vgl. Meffert 1993, S. 30 f.*).

Als wichtiger Bestandteil der Marketing-Konzeption des Hotels nimmt die **Marketingstrategie** die Funktion eines Bindegliedes zwischen den Unternehmens- und Marketingzielen sowie den durch das Marketing-Mix definierten operativen Maßnahmen ein. Während die Marketingziele festlegen, was das Hotel unseres Beispiels eigentlich erreichen will („Wo wollen wir hin?") bestimmt die Marketingstrategie des Hotels den Weg („Wie kommen wir dahin?"), während das Marketing-Mix das einzusetzende Instrumentarium festlegt („Welche Mittel müssen wir einsetzen?") (*vgl. Dettmer/Hausmann/Kloss/Meisl/Weithöner 1999, S. 90*). Marketingstrategien begrenzen also einerseits den Handlungsspielraum des gastgewerblichen Unternehmens, und zwar innerhalb des durch die Strategie festgelegten Rahmens, andererseits ermöglichen sie das zielgerichtete Handeln.

Abb. 3–14: Aufbau von Marketing-Konzeptionen
(vgl. Meffert, H.: Marketing, Wiesbaden 1993, S. 55)

Die Ziele der Marketingstrategie leiten sich aber nicht nur aus den Unternehmens- und Marketingzielen ab, sondern auch aus der jeweiligen Marktanalyse, durch die sich Faktoren ergeben können, die die Strategie beeinflussen, um daraus Wettbewerbsvorteile gegenüber den Mitbewerbern abzusichern. Schließlich ergibt sich für den Gast daraus der Grund, ein bestimmtes gastgewerbliches Unternehmen für Beherbergung oder Beköstigung usw. aufzusuchen. Dieses heißt allerdings nicht allein, dass sich der jeweilige gastronomische Betrieb durch besondere Speisen, Getränke oder Beherbergungsmöglichkeiten absetzen muss, sondern bei dem hohen Qualitätsstandard der angebotenen Leistungen/Produkte kommt es oft auf immaterielle Vorteile an, um sich am Markt zu positionieren. Entscheidend bleibt also immer, im Rahmen der Marketingstrategie eine auf die Zielgruppe bzw. Marktsegmente präzise formulierte Marketingidee einzubringen. So könnte man beispielsweise beim Ausbau eines ehemaligen Pferdestalls eines großen Gutshofes zu einem Restaurant die entsprechende Atmosphäre in geeigneter Weise beibehalten, so dass sich ein so genanntes **Szenen-Restaurant** ergibt, welches besonders Gäste anzieht, die sich in der Welt der Reiterei wohlfühlen.

Mit Hilfe einer **Angebotspositionierung** soll dementsprechend

- die Stellung des Unternehmens aus der Sicht der Gäste gegenüber den Mitbewerbern abgegrenzt werden;
- den potentiellen Gästen durch den Anbieter vor Augen geführt werden, welches Angebot sie erwartet oder anders ausgedrückt, die Gäste sollen sich ein klares Bild vom Unternehmen machen können.

Das Angebot eines gastgewerblichen Betriebes wird jedoch nicht in seinen einzelnen Leistungsbereichen vom Gast wahrgenommen, sondern wird als Ganzes gesehen, d. h. eine Vielzahl von Kriterien reduziert sich auf relativ wenige Eigenschaften (= Vor- bzw. Nachteile).

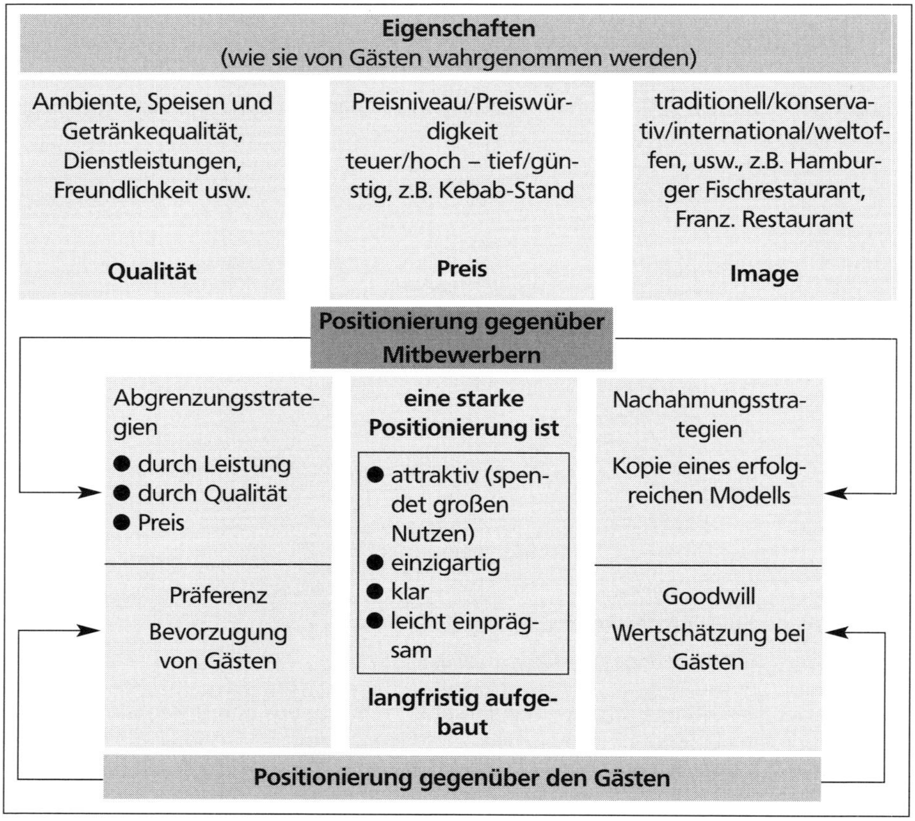

Abb. 3–15: Positionierung
(*Nach: Dettmer, Harald [Hrsg.], Betriebswirtschaftslehre für das Gastgewerbe, Hamburg 1999, S. 154*)

Grundsätzlich bleibt festzuhalten, dass jeder **Positionierung** eines gastgewerblichen Unternehmens am Markt sachliche und/oder emotionale Leistungsmerkmale zugrundegelegt werden können (z. B. kurzfristige Lieferung von Speisen und Getränken eines Restaurants an ein Unternehmen als Mittagstisch = sachlich bzw. asiatisches Restaurant einer Ausstattung, die den Gast nach Japan versetzt (*vgl. DEHOGA 1992, S. 75*).

Jede kompetente und langfristig angelegte Positionierungsstrategie eines gastgewerblichen Betriebes nehmen eine entscheidende Stellung im Rahmen der Marketingstrategie ein. Sie hat ebenso wie die oben ausgeführte Situationsanalyse/Marktinformation entscheidende Auswirkungen gegenüber dem sich anschließenden operativen Marketing. Natürlich stehen die obersten Unternehmensziele, die Marketingkonzeption wie alle strategischen Maßnahmen auch in Interdependenz zu den Marketinginformationssystemen, dem Einsatz bzw. der Auswahl der Marketinginstrumente (= Marketing-Mix) sowie dem Marketingbudget. Letztendlich wird auch die Organisation des gastgewerblichen Unternehmens bzw. der Kette tangiert – vor allem bezüglich der Marketingorganisation (*vgl. Meyer/Hoffmann 1997, S. 104*).

3.3.2 Ansätze eines operativen Marketing

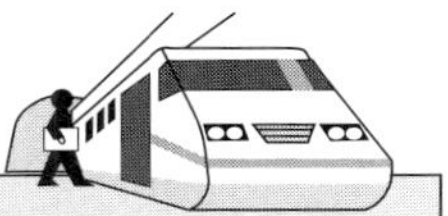

Das Restaurant „Zur Alten Mühle" will dem Trend nach mehr Individualität im Restaurant nachkommen und beginnt mit baulichen Veränderungen. Es werden abgegrenzte Sitzeinheiten gebildet und zusätzliche, abschirmende Dekorationen und dergleichen aufgenommen. Ebenfalls werden die Decken durch Netze und andere Hängestoffe herabgezogen, um eine gute „Wohnatmosphäre" zu erreichen.

Das vorstehende Restaurant wird allein durch die hier vorgenommenen baulichen Veränderungen voraussichtlich noch keine viel höhere Durchsetzung am Markt erzielen. Erst durch den Einsatz korrespondierender Marketingmaßnahmen ist mit einem höheren Erfolg zu rechen, d. h. die Umbauarbeiten und das damit erreichte neue Ambiente ist durch entsprechende Informationen in den Medien bekanntzumachen, es sollte auf jeden Fall ein „Tag der offenen Tür" veranstaltet werden und eine einführende Woche mit entsprechender Preisreduktion angeschlossen werden.

Dem Restaurant unseres Beispiels wird durch eine abgestimmte Kombination der einzelnen Marketinginstrumente einen höheren und hoffentlich bleibenden Erfolg erzielen, im Gegensatz zu einem nicht aufeinander abgestimmten Einsatz der einzelnen Marketinginstrumente = **Synergieeffekt.**

Die angesprochene Marketingstrategie kann also von jedem gastgewerblichen Unternehmen durch den aufeinander bezogenen Einsatz einer Vielzahl von Marketingmaßnahmen realisiert werden. Dabei kann das Unternehmen/der Betrieb mit dem ihm zur Verfügung stehenden Instrumentarium nachhaltig auf den Markt für gastronomische Leistungen Einfluss nehmen.

Abb. 3-16: Marketingpolitische Instrumente

3.3.3 Marketing-Mix

Immer ist es Ziel des marketingpolitischen Instrumentariums, also des eingesetzten **Marketing-Mix** auf die angestrebten Marktsegmente/Gästegruppen/Nachfrager im Sinne des Unternehmens entscheidenden Einfluss zu nehmen. Der jeweilige gastgewerbliche Betrieb muss jedoch entscheiden, welche Instrumente er in den Vordergrund stellen will und welche mehr begleitenden/unterstützenden Charakters sind. So kommt es beispielsweise bei einer Hafenkneipe sicher nicht darauf an, gehobenen Service bei einer Preisgestaltung im oberen Segment anzubieten, sondern ganz im Gegenteil, Preis und Service sind als nachrangiges Instrument anzusehen, während eine gezielte Leistungspolitik, sprich adäquate Speisen und Getränke, in einer dem Milieu angepassten Umgebung im Vordergrund des Marketing-Mix stehen müssen.

Wenn in der vorstehenden Übersicht der marketingpolitischen Instrumente eine Unterteilung vorgenommen wird, die von dem klassischen Marketing-Mix abweicht bzw. dieses ergänzt, so deswegen, weil das marketingpolitische Instrumentarium gastronomischer Betriebstypen in einigen Punkten eine differenziertere Sichtweise verlangt.

Ein für Marketing-Konzepte besonders untypisches Element ist die oben genannte Gästepolitik. Dieses nicht zuletzt deswegen, weil die Gäste zum einen als „Konsumenten" zu gewinnen sind, die die Aktivitäten des gastronomischen Betriebes bestimmen, andererseits die Gäste aber auch Bestandteil des „Publikums" sind und damit als externer Faktor des gastronomischen Angebotes auch zum Ambiente des Betriebes zählen. Dementsprechend ist die Gästewahl eines der wichtigsten marketingpolitischen Instrumente (*vgl. Kaub 1990, S. 188 f.*).

3.3.3.1 Leistungspolitik

„Lowry hatte ein Hotel auf der anderen Seite der Stadt. Es war ganz unbescheiden nach ihm benannt: ‚Das Lowrys'.

Kleine Zimmer, aber sauber und nett eingerichtet. Zu ihm kamen viele, die sich auch das ‚Ritz' hätten leisten können. Er kannte fast jeden Gast persönlich und kümmerte sich um jede Beschwerde selber. Wenn irgendwo eine Bettfeder knarrte, rief er mitten in der Nacht den Handwerker …

Einmal hatte ein Barkeeper versucht, den guten Whisky gegen billigen Fusel einzutauschen, um seinen Stich zu machen. Der Mann fand danach keinen Job mehr im ganzen Bezirk. So war Lowry."

(Cornell Woolrich, amerikanischer Erzähler 1903 bis 1968)

Der hier genannte Hotelier hat schon zu seiner Zeit gewusst, wie man Gäste an das Haus bindet, nämlich durch einzigartige und unverwechselbare Leistungen. Wenn heute die Wünsche auch andersartig sind, so geht es heute wie früher darum, dauerhaft Erfolg zu haben. Von einer solchen strategischen Erfolgsposition (SEP) ist heute als Eckpfeiler im Rahmen der marketingorientierten Leistungspolitik auszugehen. Mit Hilfe des SEP versucht der Hotelier, sich gegenüber den Wettbewerbern durch das Schaffen bestimmter Eigenschaften und Fähigkeiten abzusetzen. Damit bildet die strategische Erfolgsposition (SEP) einen zentralen Punkt bei allen Marketingüberlegungen. Dabei kann es sich um eine Vielzahl von Einzelleistungen, aber auch um Kompaktangebote handeln.

Einzelleistungen	Kompaktleistungen
● Produkte aus ökologischem Anbau ● individuell bezogener Service ● Fernseh- einschließlich Videogerät im Zimmer ● Bademantel im Badezimmer usw.	● Wochenende inkl. Wellnessprogramm zum Sonderpreis ● Wandertage ● Schlemmerwochenende ● Kulturwochenende usw.

Eine andere Möglichkeit, das gesamte Leistungsprogramm zu gestalten bzw. zu unterteilen, besteht in der Unterscheidung von Standard- und Spitzenleistungen.

Standardleistungen	Spitzenleistungen
● Speisenauswahl ● ständig im Angebot befindliche Getränke ● hygienisch einwandfreie Zimmer ● Animationsprogramm usw.	● tiefgegliederte Getränkekarte bezogen auf das Bierangebot in einer sog. „Bierschwemme" ● geringes, aber typisches Speisenangebot auf einer Almhütte ● Begrüßung eines jeden Gastes durch den Betriebsleiter und Überreichen eines „Bonbons" usw.

Einzelleistungen, wie Kompaktleistungen, Standard- wie Spitzenleistungen, kennzeichnen einen jeden gastronomischen Betrieb und sollen ihn gleichzeitig aus der Sicht der Gäste von den Mitanbietern unterscheiden. Die vielen kleinen Dienst- und Sachleistungen, also USP, verdeutlichen dem Gast klar, dass auf seine Bedürfnisse in besonderer Weise eingegangen wird.

Allerdings sind die USP für die Mitbewerber einfacher nachzumachen als die SEP (Strategische Erfolgsposition); daher sind die USP immer wieder zu überprüfen, zu aktualisieren oder im Rahmen einer Kreativitätsphase zu erneuern (*vgl. SHV/SWV/DEHOGA/ÖHV [Hrsg.] 1992, S. 48 ff. und 91 ff.*).

Da die **Individualgastronomie** durch die Person des Gastwirts/Hoteliers im besonderen Maße geprägt wird, ist sie selbstverständlich auch eher in der Lage, ausgehend von einem festgeschriebenen Angebot mit ständigen Anpassungen zu reagieren, indem z.B. besonders auf Früchte der Saison im Rahmen der Erstellung eines Speisenangebotes eingegangen wird. Diese Mobilität bei den angebotenen Leistungen räumt der Individualgastronomie gegenüber der **Systemgastronomie** einen wichtigen Vorteil ein. Damit ist allerdings nicht gesagt, dass die Systemgastronomie durch die optimale Kombination des Sortiments mit seinen Hauptumsatzträgern als erfolgreicher Spezialitätenbetrieb am Markt auftritt und vom Gast adäquat angenommen wird *(vgl. Kaub 1990, S. 187).* Es bleibt dem jeweiligen gastgewerblichen Betrieb überlassen, welches Leistungsmix und welches Leistungssortiment er bezüglich Breite und Tiefe in seinem Lokal anbietet; allerdings in Abhängigkeit von der bereits oben besprochenen Strategie des Leistungsangebotes.

Unabhängig von den bisherigen Ausführungen ist es eine permanente Aufgabe eines jeden Gastronomen, soweit wie möglich kreativ zu sein. So schnell wie sich die Geschmäcker der Gäste wandeln, so schnell muss der Gastronom mit seinem Angebot darauf reagieren, um auch morgen noch am Markt aufzutreten; gleichzeitig ist es seine ständige Aufgabe, die eigene Leistungs-/Angebotspalette zu überprüfen und nach **Marktnischen** Ausschau zu halten, um mit innovativen Leistungen potentielle Gäste anzusprechen/anzulocken. Seine Überlegungen beziehen sich allerdings nicht nur auf den reinen Leistungsbereich im Hause, sondern auch auf Faktoren, die außerhalb seines eigentlichen Betriebes zu suchen sind (z.B. Kooperation mit regionalen Anbietern, Anbietern von Garagen/Unterstellplätzen für die Gäste usw.).

Dementsprechend ist jedes einzelne Produkt daraufhin zu überprüfen, in welcher marktbezogenen Lebensphase es sich gerade befindet. Die einzelnen Phasen gastronomischer Leistungen/Dienstleistungen – auch als **Produkt-Lebenszyklus** bezeichnet – ergeben sich aus der Absatzmenge eines Produktes/einer Leistung bzw. einer Produktgruppe oder Branche und der damit im Zusammenhang stehenden Änderungen im Zeitablauf. Das Konzept des Lebenszyklus versucht, die Lebensdauer von gastronomischen Leistungen/Produkten in einzelne Phasen zu unterteilen, und zwar vor dem Hintergrund des möglichst effizienten Einsatzes des marketingpolitischen Instrumentariums von der ersten bis zur letzten Phase. In der authentischen Literatur befinden sich unterschiedliche Lebenszyklusphasen und -bezeichnungen; hier soll auf das **Vier-Phasen-Modell** eingegangen werden:

Merkmale	Phase I Einführung	Phase II Wachstum	Phase III Reife/ Sättigung	Phase IV Verfall (Degeneration)
Umsatz	langsames Wachstum	rasches Wachstum	Stagnation	Verfall
Produkterfolg	Verlust bzw. niedrig	hohe Gewinne	sinkende Gewinne	Verlust
Preiselastizität	niedrig	mittel/zunehmend	sehr hoch	niedrig
Zahl der Konkurrenten	wenige	zunehmend	viele	abnehmend

Abb. 3–17: Phasenmerkmale des Produkt-Lebenszyklus

Wie dargestellt, werden die einzelnen Lebenszyklusphasen durch bestimmte Phasenmerkmale charakterisiert. Natürlich sind die Phasen der Produktlebenszyklen ungleich. Während sog. **„Flops"** schon während der Einführungsphase aus dem Markt genommen werden, stehen dem Produkte bzw. ganze Leistungsbereiche gegenüber, die sich lange am Markt der Branche halten können (z.B. Wein, Dorfgasthaus). Wieder anders verhält es sich mit Leistungen, die trendbedingt am Markt auftauchen und ein erfolgversprechendes Verkaufssegment darstellen, ebenso schnell aber auch wieder nach der Phase III abbrechen und aus dem Markt zu nehmen sind (z.B. bestimmte Musikveranstaltungen, bzw. dazugehörige Räumlichkeiten oder sog. Modegetränke). Damit wird klar, dass ein gastronomischer Betrieb nur dann erfolgreich sein kann, wenn die von ihm angebotenen Produkte/Dienstleistungen sich lange genug in der Wachstums- bzw. Reifephase befinden, folglich also über einen ausreichenden Zeitraum hinweg für genügend Gäste interessant sind und damit ausreichenden Gewinn einbringen. Natürlich lässt sich eine derart erfolgsorientierte Leistungspolitik nur mit einem gut ausgebildeten und aufeinander abgestimmten Mitarbeiterteam realisieren.

Nicht zu vergessen ist, dass eine positive oder negative Entwicklung gastronomischer Leistungen davon abhängt, ob der richtige Produktname gewählt wurde. Letzterer dient dazu, die gastronomische Leistung von den Angeboten der Mitbewerber abzusetzen, das Produkt/die Leistung also zu „individualisieren", um sie soweit wie möglich als „einmalig" oder „einzigartig" für den Gast erscheinen zu lassen.

Bietet ein Restaurant unter einem bestimmten Namen ein Produkt an, z. B. „Heideglut", so soll dieser

- positive Assoziationen beim Gast hervorrufen,
- produkttypisch,
- werbewirksam,
- einprägsam,
- unverwechselbar sein,

aber auch soweit wie möglich als Imageträger fungieren.

Die Weiterführung des Gedankens der Namensgebung und das damit verbundene Herausstellen eines Produktes/einer Leistung führt zur sog. **Marke,** z. B. Asbach Uralt/Weinbrand *(vgl. Weis 1997, S. 217 ff.).*

Die Wutzschleife

NATUR · HOTEL · KULTUR

Während Produktname und -marke auf eine bestimmte Leistung bzw. einen gastgewerblichen Leistungsbereich eingehen, stellt das **Logo** (Firmenzeichen) ein ständig wiederkehrendes Erkennungszeichen, z. B. als Schriftzug oder Bild dar. In Verbindung mit der jeweiligen Marke kann sich auf diese Weise ein prestigeträchtiges Markenzeichen, das von allen potentiellen Gästen sofort erkannt wird, am Markt etablieren.

Zur Leistungspolitik gastgewerblicher Betriebe zählt auch die Qualitätspolitik.

3.3.3.2 Qualitätspolitik

Checkliste: Qualitätssicherung – Restaurant	Ja	Nein	Nicht zutreffend	Bemerkungen
Atmosphäre, Komfort und Instandhaltung:				
1. Die Räumlichkeiten haben die passende Atmosphäre	☐	☐	☐	____________
2. Die Beleuchtung bei den Mahlzeiten ist der Tageszeit angemessen	☐	☐	☐	____________
3. Die Temperatur im Raum und eventuelle Musik sind angenehm	☐	☐	☐	____________
4. Einrichtung und Ausstattung sind gepflegt und gut erhalten	☐	☐	☐	____________
5. Das Personal ist gepflegt, höflich und freundlich	☐	☐	☐	____________
6. Die Speisekarten werden ohne Aufforderung vorgelegt	☐	☐	☐	____________
7. Wein wird angeboten und es werden, sofern gewünscht, Vorschläge zur Auswahl gemacht. Der Wein ist richtig temperiert	☐	☐	☐	____________
8. Jede Speise wird prompt serviert, die Dessertkarte zur passenden Zeit präsentiert	☐	☐	☐	____________
9. Digestif wird angeboten	☐	☐	☐	____________
10. Während des Essens sind Oberkellner, Kellner und Commis aufmerksam, leeren die Aschenbecher aus, räumen das Geschirr nach jedem Gang gleich ab und achten darauf, dass Geschirr, Besteck und Gläser tadellos sind	☐	☐	☐	____________
11. Die Rechnung wird Ihnen auf Wunsch zügig überreicht und der Kellner bedankt sich für Ihren Besuch	☐	☐	☐	____________
Die Qualität der Speisen und Getränke:				
12. Das Angebot auf der Speisekarte ist vielfältig und sowohl für die lokalen Stammgäste als auch für die Hotelgäste ansprechend	☐	☐	☐	____________
13. Warme Speisen werden heiss und auf vorgewärmten Tellern serviert	☐	☐	☐	____________

(vgl. Schaetzing, Edgar, E.: Checklisten für das Hotel- und Restaurantmanagement – Landsberg/Lech 1996, S. 143 ff.)

Die **Qualitätspolitik** – als spezielle Richtung der Produkt- und Sortimentspolitik – ist in besonderer Weise zu betrachten, weil das Qualitätskriterium besonders schwierig zu beurteilen ist, denn es unterliegt permanent objektiven und subjektiven Kriterien.

In dem Begriff Qualität kommt die Produkteignung wie auch die Brauchbarkeit für bestimmte Zwecke zum Ausdruck. Damit ist also nicht nur die grundsätzliche Beschaffenheit einer Leistung/eines Produktes gemeint, sondern auch die Verwendung. So ist beispielsweise die chemische Imprägnierung von Tischdecken ein Beschaffenheitsmerkmal, welches in ein Qualitätsmerkmal umgewandelt wird, wenn die Funktion der Tischdecke als wasserundurchlässig gefordert wird. Qualität umfasst damit verschiedene Eignungseigenschaften. Die Beurteilungskriterien von Qualitäten liegen außerhalb der Leistungen/Produkte beim Käufer/Gast und bestimmen sich nach den Anforderungen, die diese an sie stellt *(vgl. Grothues 1997, S. 990)*. Daraus lässt sich ableiten, dass Qualität im Gastgewerbe durch permanente und konsequentes Erfüllen von Gästewünschen entsteht *(vgl. Schaetzing, Edgar, E.: Die kalkulierte Qualität im Gastgewerbe, in: Restaurant- und Hotelmanagement, 1995, Heft 2, S. 94)*.

Wenn in einem gastgewerblichen Unternehmen zuständige Mitarbeiter/-innen festlegen, welche Leistungen auf der Speisen-/Getränkekarte angeboten werden sollen, ist dann gleichzeitig über die Qualität des Angebotes entschieden, was wiederum in Abhängigkeit zum Einsatz des marketingpolitischen Instrumentariums zu sehen ist. Die auf die Leistung bezogene Qualität grenzt diese voneinander ab, macht sie verschieden und unvergleichbar, während Quantitäten Produkte oder Sortimente vergleichbar machen. Aufgrund dieser Bindung an ein konkretes Bezugssystem, sind Qualitäts- und Imagebeurteilung eng miteinander verzahnt. So wird beispielsweise ein Wein, der in einem gastronomischen Betrieb mit sehr hohem Qualitätsanspruch sich nach außen darstellt als herb oder fruchtig ausgewiesen; genau dieser Wein wird jedoch in einer Gaststätte in der Fußgängerzone einer Großstadt als „sauer, parfümiert" qualitativ beurteilt *(vgl. Kaub 1990, S. 188)*.

Wenn auch die Beurteilung der Qualität durch den Gast im Vordergrund steht, so sind die objektiven Kriterien im Rahmen des Erstellungsprozesses, z. B. von Speisen, nicht völlig zu übergehen. Während der Koch die Qualität der Speisen u. a. in den eingesetzten Zutaten, der Frische, der Herkunft, der Handelsklasse, der Sorgfalt bei der Lagerung usw. (= Input-Qualitäten) sieht, wird er versuchen, den Aufwand und die Qualität seiner Arbeit selbst einzuschätzen; er wird also zum Maßstab nehmen, wie er die jeweilige Speise zubereitet, zusammengestellt und angerichtet hat (= Prozess-Qualitäten).

Wird eines der vorstehend genannten Qualitätskriterien (z. B. Beilagen, Mengenverhältnisse, Portionierung usw.) verändert, ergibt das auch eine andere Speisenqualität; ob gleich bleibende Qualitätskriterien oder Änderungen sich positiv auswirken, hängt allein von der Beurteilung des Gastes ab (= Output-Qualität).

Zu den vom Gast ausgehenden **Qualitätskriterien** zählen vor allem:

- Sättigung = Portionsgröße, Nährwert, Ballaststoffe
- Gesundheit = Bekömmlichkeit, ernährungsphysiologische Merkmale, diätetische Eignung
- Genuss = sensorische Qualität (z. B. Aussehen, Geruch, Geschmack, Gefüge, Temperatur)
- Erlebnis = gedankliche Assoziation, Identifikation, Aktualität, Exotik, Symbolik, Prestige
- Ethik = moralische Bedenken, ökologische Vertretbarkeit, religiöse Tabus usw.

Wenn auch die Möglichkeit der Einflussnahme auf die Qualität von Seiten des jeweiligen Hauses bei den Speisen meistens über denen der Getränke liegt, weil letztere oftmals schon in verkaufsfähiger Form eingekauft werden, unterscheidet sich die Beurteilung aus Sicht der Gäste jedoch kaum von den Speisen. Es ist selbstverständlich, dass der Hotelier/Gastwirt seine im Angebot befindlichen Speisen und Getränke ständig an die wechselnden Gästebedürfnisse, aber auch die innerbetrieblichen Voraussetzungen anzupassen hat; natürlich geschieht dies immer im Hinblick auf die von ihm festgelegte angebotspolitische Zielsetzung. Für die Qualitäts- als auch die Sortimentspolitik stehen dem Gastronomen vom Grundsatz her vier Strategien zur Verfügung *(vgl. Poggendorf 1991, S. 56 f.)*:

	Qualitätspolitik	**Sortimentspolitik**
Modifikation	Qualität verändern: kann eine Verbesserung, aber auch ein Sparen an der Qualität sein – andere Zutaten – andere Zubereitung – andere Zusammenstellung – andere Anrichtweise	Sortiment verändern: durch Auswechseln von Speisen und Getränken Abwechslung bieten – täglich („Tagesgerichte") – zur neuen Saison – Cocktail des Monats
Differenzierung	Unterschiedliche Qualitäten für individuelle Wünsche, z. B.: – die Speise mit oder ohne Knoblauch – Steak rosa oder durchgebraten – Whisky mit oder ohne Eiswürfel	Mehr Auswahl (Karte wird länger!) – mehr Breite – mehr Tiefe – Speisen zum Menü zusammenstellen – Wahl der Komponenten offenlassen
Elimination	Qualitäten vereinheitlichen (Standards)	Auswahl beschränken (Karte wird kürzer!) Sortiment bereinigen, z. B. „Verlierer" von der Karte streichen
Innovation	Ganz neue Qualitäten entwickeln – neu in der Gastronomie – neu bei uns	Mit neuen Speisen und Getränken experimentieren – neu in der Gastronomie – neu auf unserer Karte

Abb. 3–18: Angebotspolitik in der Gastronomie

(Aus: Poggendorf, Armin, Gäste bewirten – Lebensgeister restaurieren, Hamburg 1991, S. 59)

Die vorstehende Übersicht der gastronomischen Angebotspolitik verdeutlicht die enge **Verzahnung der Produkt-, Sortiments- und Qualitätspolitik** sowie die Verbindung zur Konzeption des Produktlebenszyklus.

Die Gesamtqualität gastgewerblicher Betriebe lässt sich in verschiedene Komponenten einteilen:

Materielle Komponenten		**Immaterielle Komponenten**
funktionale	ästhetische	
Menagerie auf dem Tisch des Gastes scharfe Messer usw.	Dekoration Innenarchitektur Lichtgestaltung Luftqualität usw.	z. B. bequemes Sitzen rückengerechte Matratzen = körperliches Wohlbefinden persönliche Begrüßung durch den Wirt zurückhaltende, aber gezielte Umsorgung des Gastes = seelisches Wohlbefinden Hintergrundmusik zum Mittagstisch leichtes Unterhaltungsspрogramm in den Räumen der Bar = geistiges Wohlbefinden

(Nach: Meyer, Jörn-Axel; Hoffmann, Frank, Erfolgsfaktoren in der Gastronomie, Berlin 1997, S. 110)

Die gesamte Leistungspolitik und damit auch Qualitätspolitik wird jedoch nur erfolgreich sein, wenn die Gästewünsche und -erwartungen umgesetzt werden und der Gast den jeweiligen gastronomischen Betrieb zufrieden verlässt. Hier ist auch deutlich die **Verbindung zwischen** leistungspolitischer **Qualitätsgestaltung** und der **Kommunikationspolitik** des Gastronomen offenkundig. Der Weg zum Erfolg ist daher umfassende Qualität der angebotenen Leistung oder auf eine Formel gebracht: **Qualitätsüberbietung statt Preisunterbietung** *(vgl. DEHOGA [Hrsg.] 1992, S. 94).*

3.3.3.3 Komfortpolitik

Die **Komfortpolitik** von Beherbergung und Bewirtung in gastronomischen Betrieben umfasst alle materiellen Dinge, also alle Sachen, die dem Gast Bequemlichkeit, Behaglichkeit und Wohlbefinden sowie Anregung und Erlebnis verschaffen.

Definieren lässt sich **Komfort** damit als das Materielle, das dem Gast im Hotel/Restaurant zur Verfügung gestellt wird *(vgl. Poggendorf 1991, S. 63).*

Die zielgerichtete funktionale und gestalterische Formgebung des gastgewerblichen Betriebes i. R. der Komfortpolitik ist einer der Eckpfeiler gastronomischer Planung sowie operativer Praxis und damit des Erfolgs. Gestaltung und Qualität des Komforts wirken sich entscheidend auf die Realisierung der jeweiligen betrieblichen Konzeption bezüglich des inneren und äußeren Erscheinungsbildes aus *(vgl. Meyer/Hoffmann 1997, S. 111 und Kaub 1990, S. 192).*

Der Fakt, dass sich gastronomiespezifische Investitionen nicht oder nur mit einem sehr hohen Aufwand umkehren lassen, bedingt, dass die überwiegende Zahl der im Bereich der Komfortpolitik getätigten Investitionen langfristiger Art sind. Dies hat zur Folge, dass vor allem bei Fehlentscheidungen von kleineren oder mittelständischen gastronomischen Betrieben aufgrund des erheblichen Finanzaufwandes i. R. der Komfortpolitik sehr leicht wirtschaftlicher Misserfolg vorprogrammiert werden kann *(vgl. Meyer/Hoffmann 1997, S. 111).*

Damit wird es zur Selbstverständlichkeit, dass schon bei der frühesten Planung der späteren Realisierung gastronomischer Komfortpolitik deren Gestaltungselemente von besonderem Interesse im Rahmen des Gesamtmarketing sind. Dieses nicht zuletzt dadurch, dass die Komfortpolitik komplementären Charakters ist, denn sie steht in unmittelbarer Interdependenz zu den grundsätzlichen Entscheidungen, die aus der selektierten und gewichteten Bündelung der Marketinginstrumente Image-, Qualitäts-, Sortiments-, Gäste-, Service- und Preispolitik resultieren; damit wird die Komfortpolitik zum integrierten Bestandteil des Marketingmix eines jeden Betriebes *(vgl. Kaub 1990, S. 192 und Meyer/Hoffmann 1997, S. 111).*

Um die Komfortpolitik vollständig erfassen zu können und damit systematisch zu gestalten, ist nachstehend ein Überblick der vier wichtigsten Bereiche gegeben:

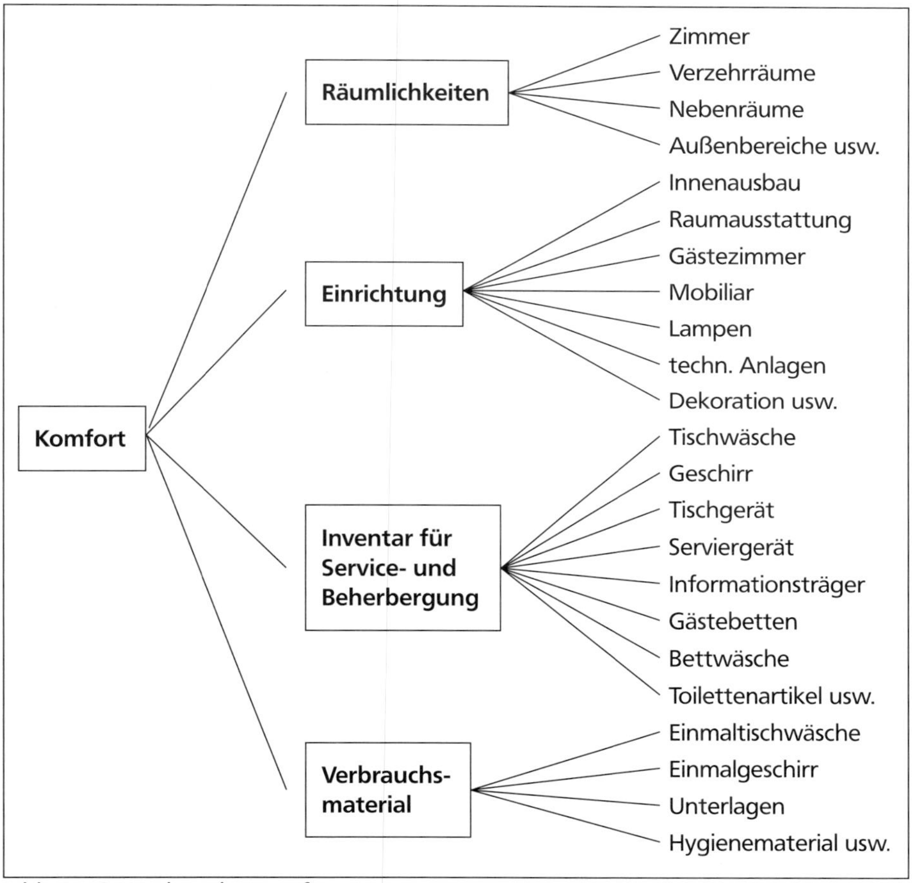

Abb. 3–19: Analyse des Komforts

(Nach: Poggendorf, Armin, Gäste bewirten – Lebensgeister restaurieren, Hamburg 1991, S. 67)

Bei der Auswahl, Beschaffung und der funktionsgerechten Integration vorstehend genannter Bestandteile der Komfortpolitik ist von seiten des Gastronomen natürlich auf die Qualität respektive Beschaffenheit der einzelnen Gegenstände besonders zu achten, z. B. Material, Verarbeitung, Form, Farbe, Oberflächenstruktur. Auch die Pluralität der Sachen, also Vollständigkeit bzw. ausreichende Anzahl an benötigtem Inventar sowie dessen Anordnung, Ausrichtung, Raumgliederung usw., ist ein zu beachtendes Kriterium *(Poggendorf 1991, S. 66).*

Komfortpolitik als spezieller Teil der gastronomischen Dienstleistung verlangt vom Gastronomen einerseits, sich den entstehenden Kosten sowie der einzuschätzenden Nutzenrelation zu stellen, also auf beschaffungsbegünstigende Faktoren zu achten; andererseits sind die vom Gast bevorzugten Faktoren (Wohlbefinden, Erlebnis) mit den eigenen Vorstellungen soweit wie möglich in Einklang zu bringen. Schließlich interessieren den Gast weniger die objektiven Daten (z.B. Preis des Mobiliars); vielmehr ist für ihn interessant, ob der angebotene Komfort seinen Bedürfnissen entgegenkommt (*Kaub 1990, S. 192; Meyer/Hoffmann 1997, S. 111 und Poggendorf 1991, S. 66*).

Der Gast hat seine eigenen Beurteilungskriterien für den von gastgewerblichen Betrieben angebotenen Komfort; dazu zählen:

- Funktion, z.B. Zweckmäßigkeit, Handlichkeit, Bequemlichkeit, Zuverlässigkeit, Sicherheit, Bewegungsfreiheit
- Ästhetik, z.B. Stil, Sauberkeit, Pflegezustand, Anmut, Harmonie
- Erlebnis, z.B. gedankliche Assoziation, Identifikation, Aktualität, Exotik, Extravaganz, Prestige

(*vgl. Poggendorf 1991, S. 66*)

An dieser Stelle ist zu ergänzen, dass die Komfortpolitik nicht in allen Punkten allein nach der vom Gastronomen vorgenommenen Zielsetzung bestimmt werden kann. Vor allem der Bereich der Räumlichkeiten und Einrichtungen engt oftmals die Entscheidungsfreiheiten ein.

So schreibt beispielsweise der Gesetzgeber für den Außenbereich in verschiedenster Hinsicht Einzelheiten vor, z.B. beim Parkplatz, beim Zugang oder bei der Terrasse; ähnlich verhält es sich bei den Nebenräumen, z.B. Vorschriften für Treppenhaus, Gänge, Toiletten, und im Innenbereich, z.B. vorgeschriebene Brandschutzeinrichtungen (Sprinkleranlagen für den Beherbergungs- und Bewirtungsbereich usw.).

Wie auch die Komfortpolitik mit der Strategie des jeweiligen gastronomischen Betriebes verbunden ist, haben im Zusammenspiel strategischer und operativer Planung sowie Realisierung der Komfortpolitik letztendlich die Gästewünsche Vorrang, so dass diesen soweit wie möglich entgegenzukommen ist.

3.3.3.4 Servicepolitik

Frühstücksbuffet

(Aus: Dettmer, Harald, u.a., Gastgewerbliche Berufe in Theorie und Praxis, 3. Aufl., Verlag Handwerk und Technik, Hamburg 1999, S. 115)

Servicepolitik umfasst alle Dienstleistungen (Funktionen, Tätigkeiten, Prozesse), die in der Gastronomie für den Gast auf unterschiedlichen Ebenen geleistet werden, und zwar

- physisch-materiell, z. B.
  eingießen, vorlegen, entgegennehmen, abräumen
- kaufmännisch-administrativ, z. B.
  reservieren, informieren, Bestellungen aufnehmen, registrieren, kassieren
- seelisch-geistig, z. B.
  grüßen, beraten, empfehlen, überzeugen, einfühlen, anerkennen, verabschieden

(*vgl. Poggendorf 1991, S. 71*).

Servicepolitik umfasst die Merkmale Zusätzlichkeit und Freiwilligkeit. Sie beschäftigt sich mit Fragen der Beherbergung und Bewirtung des Gastes und der Zusatz- und Nebenleistungen zum Hauptgeschäft. Servicepolitik gastgewerblicher Unternehmen ist nicht allgemeiner Dienstleistungspolitik gleichzusetzen, denn das Gastgewerbe bildet einen Teil des tertiären Sektors Dienstleistungen und kann sowohl Haupt- als auch Nebenleistungen umfassen (*vgl. Kaub 1990, S. 190*).

Schon während der Existenzgründungsphase gastgewerblicher Betriebe ist die Servicestruktur- sowie Serviceablaufpolitik im Management festzulegen. Im Rahmen der Servicestrukturpolitik ist das betriebstypenbezogene Serviceprogramm, das Serviceniveau, wie die Intensität des Services, aufzuarbeiten *(vgl. ebenda).*

Ergänzend zur Servicestrukturpolitik bestimmt die Serviceablaufpolitik die erwarteten und unerwarteten Aktivitäten gegenüber dem Gast.

Prinzipiell lässt sich der eine Vielzahl von Aktivitäten umfassende Service in zwei Phasen unterteilen:

1. **Mise-en-place.** Dabei handelt es sich um vorbereitende Arbeiten im Restaurant oder Office, um einen optimalen Serviceablauf – wenn der Gast die gewünschte Leistung abfragt – zu garantieren. Zu den umfangreichen Vorbereitungsarbeiten zählen u. a.
   - Polieren und Bereithalten von Geschirr und Bestecken
   - Reinigung von Tabletts, Tischwäsche
   - Instandhaltung
   - Funktionskontrolle
   - Reinigung und Pflege verschiedenster Servicegeräte.
2. **Service am Gast.** Dabei handelt es sich in erster Linie um die Dienste am Gast, d. h. die Servicefunktionen Bedienung und Betreuung.

Eine Analyse der Servicepolitik kommt in der nachstehenden Übersicht zum Ausdruck:

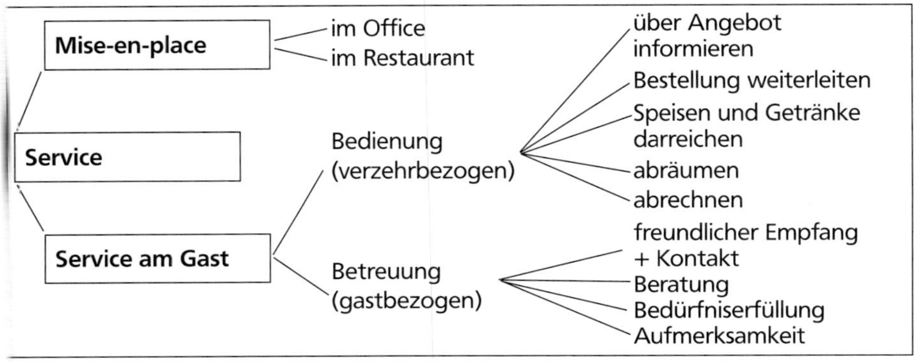

Abb. 3–20: Analyse des Service

(Nach: Poggendorf, Armin, Gäste bewirten – Lebensgeister restaurieren, Hamburg 1991, S. 75)

Ob die **Servicepolitik** tatsächlich erfolgreich ist, darüber entscheidet neben den materiellen Leistungen (z. B. Speisen und Getränke) vor allem auch der direkte **Gastkontakt** durch die Mitarbeiter. Durch nichts kann eine von dem Servicepersonal bzw. Management entgegengebrachte „Gastfreundschaft" ersetzt werden. Je weitgehender es dem gastronomischen Betrieb gelingt, Bedürfnisse und Vorstellungen seiner Gäste zu erfüllen, um so mehr setzt er sich qualitativ von seinen Mitbewerbern ab. Stets jedoch muss das gesamte Team des gastronomischen Betriebes bemüht sein, den Service am Gast zu verbessern; dieses bezieht sich vor allem auch darauf, den eigenen Standard an die aktuellen Entwicklungen anzupassen, z. B. Akzeptanz von „Electronic Cash". Besonders die Servicepolitik kann äußerst imagefördernd sein, z. B. durch die berühmte „Mund zu Mund Propaganda".

3.3.3.5 Preispolitik

Alter Speicher

Kartoffel- und Grillspezialitäten

Bad Harzburg

Herzog-Wilhelm-Str. 21

Telefon 05322 / 553372

Unsere Speisekarte zum Mitnehmen

Gratins und Aufläufe

Kartoffel-Käseauflauf	DM	10,50
Kartoffel-Spinatgratin mit Käsesauce und Putenbruststreifen	DM	16,50
Kartoffelauflauf mit Champignons und Tomaten	DM	13,50
Kartoffel-Gemüsegratin mit Schinken und Käse überbacken	DM	15,50
Kartoffel-Blumenkohlgratin mit Schinken und Käse überbacken	DM	16,50
Kartoffel-Spinatauflauf mit Garnelen und Käse überbacken	DM	18,50

Bunte Salate

Frischer Salat mit Käsestreifen und Kräuterquark	DM	6,50
Frischer Salat mit gebackenen Champignons	DM	12,50
Frischer Salat mit Mozzarellastangen	DM	12,50
Großer Salatteller mit Bratkartoffeln, Schinken-, Käsestreifen, Eierwürfeln und Cocktailsauce	DM	13,50

Bratkartoffeln

Speicherpfanne: Bratkartoffeln mit Rahmchampignons und Käse überbacken, dazu gegrillter Schinken	DM	15,50
Bratkartoffeln mit Sauerfleisch, Sc. Remoulade und Gewürzgurkenfächer	DM	16,50
Bratkartoffeln und Schweineschnitzel und frischen Rahmchampignons	DM	19,50
Bauernschmaus: Bratkartoffeln mit Speck und Rührei	DM	15,50
Bratkartoffeln mit Rumpsteak, Zwiebeln und Salatgarnitur	DM	23,50

Speisekarte des Restaurants „Alter Speicher", Bad Harzburg (Auszug)

Leistungs- und Preispolitik sind untrennbar miteinander verwoben, denn eine langfristige Existenzsicherung des gastronomischen Betriebes am Markt ist nur gewährleistet, wenn die erzielten Preise als Leistungsentgelt

- kostendeckend sind, also dem gastgewerblichen Betrieb durch Herstellung und Verkauf bezogene flüssige Mittel wieder zugeführt werden können;
- eine angemessene Rendite beinhalten, d. h. unternehmerische Leistung honoriert wird.

Das jeweilige Speisen- und Getränkeangebot, die Qualitätspolitik und die als Zielgruppe betrachtete Gästeschicht bestimmen eine entsprechend angepasste Preispolitik (*vgl. Kaub 1990, S. 189*).

Betrachtet man den Preis als Entgelt für die Leistungen eines gastronomischen Betriebes, die dieser dem Markt und damit den potentiellen Gästen zur Verfügung stellt, so sind unter der **Preispolitik** alle Entscheidungen des gastgewerblichen Unternehmens zu sehen, die Einfluss auf die Preisgestaltung nehmen bzw. diese durchsetzen *(vgl. Weis 1997, S. 247).*

Wenn auch dem Preis als Mittel der Einflussnahme auf das Marktgeschehen nicht mehr die marketingpolitische Bedeutung früherer Tage zukommt (da inzwischen eine gewisse Preisstarrheit bzw. preispolitisches Gleichverhalten eingetreten ist), hat der Preis weiterhin eine nicht zu unterschätzende Bedeutung (*vgl. Weis 1997, S. 248*).

Im Rahmen der Preispolitik stellen sich weiterhin folgende Fragen:

- In welchem **Preissegment** soll der gastronomische Betrieb den verschiedenen Zielgruppen in verschiedenen Marktsegmenten seine Angebotspalette differenziert offerieren?
- Sind die momentan vorliegenden Preise des betrachteten gastronomischen Unternehmens angemessen zu denen der Mitbewerber?

(*vgl. Weis 1997, S. 247 f.*).

Vorstehende Fragen zeigen auf, dass die **Preisbildung** gastgewerblicher Unternehmen von verschiedenen Einflussgrößen abhängig ist; diese ergeben sich aus

- den Marktverhältnissen aus Sicht des Gastes,
- den Daten der Mitbewerber,
- der kaufkraftrelevanten Nachfragestruktur,
- den markt-/ und faktorkombinationspolitischen Daten des jeweiligen gastgewerblichen Betriebes unter besonderer Berücksichtigung seiner Kostenstruktur (*vgl. Kaub 1990, S. 189*).

Preispolitik bzw. Preisgestaltung im Gastgewerbe ist also nicht nur ein kalkulatorisches Problem, sondern die verschiedensten auf den Preis Einfluss nehmenden Größen sind zu beachten bzw. in Einklang zu bringen:

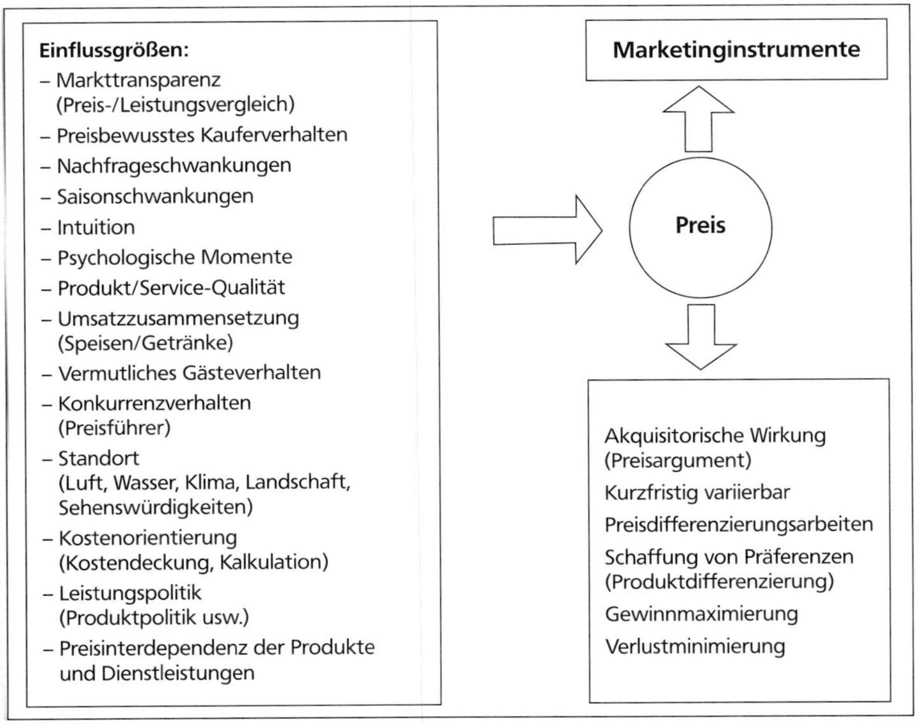

Abb. 3–21
(Nach: Schaetzing, Edgar E., Management in Hotellerie und Gastronomie, Frankfurt 1996, S. 92)

Natürlich sind mit der vorstehenden Darstellung nicht alle Faktoren genannt, die auf die Preisbildung Einfluss nehmen können; so spielt z.B. die Höhe des Wareneinsatzes eine Rolle bei der Kalkulation der Speisen- und Getränkekarte. Wichtiger als Basis der Kalkulation sind jedoch die Arbeitskosten pro Minute im jeweiligen gastronomischen Betrieb, denn sie stellen den größten Kostenblock im Gastgewerbe dar und wirken sich damit entscheidend auf Gewinn oder Verlust aus.

Auf Grund der **Preiseinflussgrößen** ergeben sich als bedeutsame Möglichkeiten praktischer Preisbildung

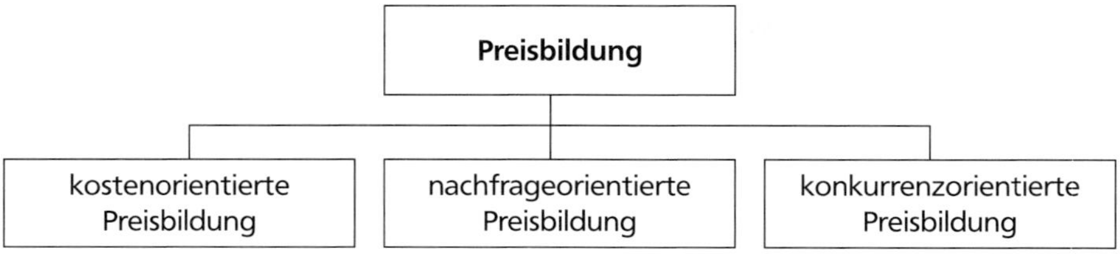

3.3.3.5.1 Kostenorientierte Preisbildung

Bei der kostenorientierten Preisbildung gilt es, den Preis zu ermitteln, den der jeweilige gastgewerbliche Betrieb aufgrund einer bestimmten Kostensituation erzielen muss. Der Preis kann dabei grundsätzlich auf Vollkosten- und/oder Teilkostenbasis ermittelt werden.

3.3.3.5.2 Preisbildung auf Vollkostenbasis

kombinierte Divisions- und Zuschlagskalkulation im Beherbergungsbereich	**Zuschlagskalkulation im Food- & Beverage-Bereich**
Grundlage: Selbstkosten je Übernachtung	Grundlage: Wareneinsatz
= Gesamtkosten der Beherbergung / Anzahl der Übernachtungen	+ Gemeinkosten
+ Gewinn	= Selbstkosten
= kalkulierter Preis	+ Gewinn
+ Umsatzsteuer	= kalkulierter Preis
= Inklusivpreis (Bruttoverkaufspreis)	+ Service
	= Nettoverkaufspreis
	+ Umsatzsteuer
	= Inklusivpreis (Bruttoverkaufspreis)

Abb. 3–22: Preisbildung auf Vollkostenbasis

(vgl. Dettmer, Harald [Hrsg.], Betriebswirtschaftslehre für das Gastgewerbe, Hamburg 1999, S. 199)

Das vorstehende **Kalkulationsschema** zeigt, dass bei der Preisbildung auf Vollkostenbasis die Selbstkosten die Grundlage der Preisforderung darstellen. An einem praktischen Beispiel verdeutlicht ergibt sich folgender Zusammenhang:

Ein Gast will anlässlich einer Familienfeier für das trockene Gedeck 140,00 DM ausgeben.

Kalkulation	%	%	DM
Wareneinsatz	100		35,92
+ Gemeinkosten	150		
= Selbstkosten	250	100	88,22
+ Gewinn		20	
= kalk. Betrag	100	120	105,86
+ U.-Betrag f. Service	15		
= Netto-VKP	115	100	121,74
+ USt		15	
= Inklusivpreis		115	140,00

Rechenweg:
von unten nach oben, also retrograd

$$\text{WE: } \frac{88{,}22 \times 100}{250} = 35{,}29$$

$$\text{SK: } \frac{105{,}86 \times 100}{120} = 88{,}22$$

$$\text{k.B.: } \frac{121{,}74 \times 100}{115} = 105{,}86$$

$$\text{N-VKP: } \frac{140{,}00 \times 100}{115} = 121{,}74$$

Abb. 3–23

Die in dem grundsätzlichen Beispiel der **Zuschlagskalkulation** dargestellte progressive Preisermittlung findet sich heute noch sehr häufig in der gastronomischen Praxis. Da sie jedoch die Preiselastizität der Nachfrage unberücksichtigt lässt, empfiehlt sich eher eine vom Marktpreis (= Inklusivpreis) ausgehende kostenorientierte **retograde Preisermittlung** (siehe vorstehendes Beispiel). Der ermittelte Preis garantiert zwar dem gastgewerblichen Betrieb die Rückerstattung aller Kosten und einen angemessenen Gewinn; dies gilt jedoch nur, wenn der Gast bereit ist, den kalkulierten Preis zu zahlen. Sollten jedoch bei sinkender Auslastung die Stückkosten steigen, müsste eine Preiserhöhung vorgenommen werden, wofür die Gäste wohl kaum Verständnis hätten und die Leistung weniger nachfragen würden. Einen Ausweg dieser Situation stellt die Teilkostenrechnung dar.

3.3.3.5.3 Preisbildung auf Teilkostenbasis

Im gastronomischen Betrieb fallen fixe und variable Kosten an. **Fixe (feste) Kosten** entstehen, sobald die Betriebsbereitschaft erstellt ist, unabhängig davon, wieviele Gäste diese Leistungen zu dieser Zeit in Anspruch nehmen (z. B. fest angestellte Mitarbeiter, Fremdkapitalzinsen). Derartige Kosten ändern sich also nicht mit der Höhe der Ausbringungsmenge. **Variable Kosten** hingegen verändern sich mit der Ausbringungsmenge und sind abhängig von der Anzahl der Gäste, für die Leistungen zu erbringen sind (z. B. Aushilfspersonal, Wareneinsatz, Energie). Erst wenn der Gesamterlös die Gesamtkosten, also die fixen + variablen Kosten, übersteigt, fällt für den jeweiligen Betrieb Gewinn an. Halten sich Gesamterlös und Gesamtkosten in etwa die Waage, so ist der **Break-Even-Point** = Gewinnschwelle erreicht. Damit der gastronomische Betrieb langfristig überleben kann, sind die Preise so festzulegen, dass sie dem Betrieb einen Erlös erbringen. Preise (= Erlöse) werden also danach beurteilt, ob nach Abzug der variablen Kosten noch ein Beitrag zur Deckung der fixen Kosten und zur Gewinnerzielung verbleibt **(= Deckungsbeitrag)** (*vgl. DEHOGA/SHV/SWV/ÖHV [Hrsg.] 1992, S. 132*).

Über das gesamte Geschäftsjahr betrachtet, ist es jedoch notwendig, dass die erzielten Preise die Gesamtkosten decken und damit Gewinn realisiert werden kann.

Nachstehend wird die **Break-Even-Analyse** zur Preisermittlung exemplarisch dargestellt:

Bsp.

Ein Hotel mit 200 Zimmern arbeitet mit fixen Gesamtkosten von 3 Mio. EUR pro Jahr, die variablen Kosten einer Übernachtung betragen 20,00 EUR je Zimmer.

Der beabsichtigte Zimmerpreis betrage 100,00 EUR pro Übernachtung.

Lösung:

$$
\begin{aligned}
U &= K \\
p \cdot x &= K_f + K_v \\
110\,x &= 3\,000\,000 + 20\,x \\
90\,x &= 3\,000\,000 \\
x &= \underline{\underline{33.333{,}3}}
\end{aligned}
$$

Kapazität (Mögliche Übernachtungen pro Jahr)

$= 360 \cdot 200 = 72\,000$

Belegungsquote bei Break-Even:

$$\frac{\text{Tatsächl. B.}}{\text{Kapazität}} = \frac{33.333{,}3}{72.000} \cdot 100 = \underline{\underline{46{,}3\%}}$$

Nach dieser Analyse käme das Haus ab einer Belegungsquote von 46,3 % in die Gewinnzone und könnte bei 46,3 % Belegung kostendeckend arbeiten.

Kurzfristig möglich wäre theoretisch jeder Übernachtungspreis über 20,00 EUR, da er über die Deckung der variablen Stückkosten hinaus einen Beitrag zur Deckung der Fixkosten bzw. evtl. zusätzlich zur Gewinnerzielung leistet. Ist bei dem Preis von 110,00 EUR keine Mindestbelegung von 46,3 % vorhanden, müssen preispolitische Konsequenzen erfolgen.

Grafisch stellt sich dieser Zusammenhang wie folgt dar:

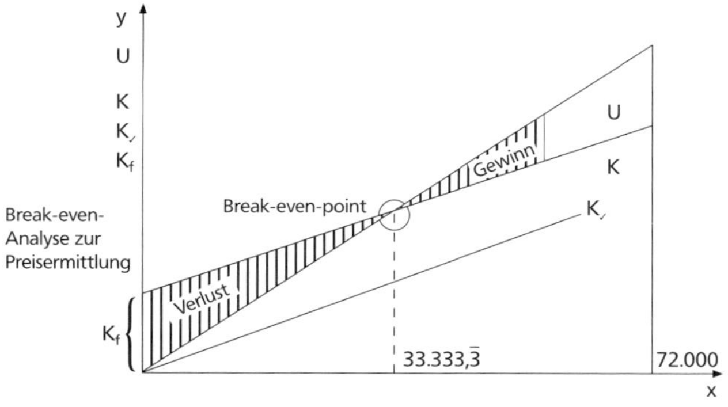

Abb. 3–24: Break-Even-Analyse zur Preisermittlung

(Nach: Grothues, Ulrich, Marketing im Hotel- und Gaststättengewerbe, Dortmund 1997, S. 1074 f.)

3.3.3.5.4 Nachfrageorientierte Preisbildung

Wenn auch preispolitische Entscheidungen und kostenrechnerische Überlegungen in Einklang zu bringen sind, hat sich der Preis an den potentiellen Gästen, also der jeweiligen Zielgruppe bzw. deren Ausgabebereitschaft, zu orientieren. Natürlich ist es eine sehr schwierige Aufgabe herauszufinden, welche Preisvorstellungen die Gäste von der Produktqualität haben, denn jeder Gast bildet sich eine eigene Meinung für den Nutzen und damit den Preis der Leistung. Nicht selten gilt auch die Qualitätseinschätzung durch den Gast für die Höhe des Preises und ist somit auch imagebildend. Damit verbunden ist auch die Einteilung der Preise in einzelne Preissegmente (unteres, mittleres oder oberes), denn sie entspricht den vorgegebenen Preisvorstellungen bzw. der Preisbereitschaft der jeweiligen Gästegruppe *(vgl. Dettmer [Hrsg.] 1996, S. 189).*

„Die erhöhte Markttransparenz (Durchschaubarkeit des Marktes) ermöglicht mehr denn je gezielte Preis- und Leistungsvergleiche für den Gast. Gerade hier versuchen viele Gastronomen, durch eine Politik der **Produktdifferenzierung** Referenzen für ihre Leistungsangebote zu erzeugen, um dann ein wenig autonomer in der Preisgestaltung vorgehen zu können. Mit einem bestimmten differenzierten Angebot versucht man, innerhalb gewisser Grenzen die Preise zu erhöhen, ohne eine negative Reaktion der Nachfrage befürchten zu müssen. Allerdings erfolgt die Reaktion der Gäste auf **Preisvariationen** häufig schneller als auf Produktdifferenzierungen. Von der saisonalen Preisdifferenzierung einmal abgesehen, bringt die Niedrigpreispolitik als Preiskampfmaßnahme am Markt mit Überkapazitäten langfristig gesehen erhebliche Nachteile mit sich" *(Schaetzing 1996, S. 92 f.).*

So kann man beispielsweise bei den Zimmerpreisen keine allzu großen Preisunterschiede bezogen auf das Volumen vornehmen, sondern sollte einen Preis gestalten, der für Gruppen und Tours einheitlich ist *(vgl. Schaetzing 1996, S. 93).*

3.3.3.5.5 Mitbewerberorientierte Preisbildung

Eine einfache und in der Praxis immer wieder anzutreffende Form der Preisbildung ist, wenn sich Hoteliers und Gastronomen einfach an das Preisgefüge der Mitbewerber anlehnen. So werden beispielsweise vergleichbare Getränke und Speisen auf der eigenen Karte nach den Preisen der Wettbewerber ausgezeichnet. Ebenso kostet das Einzelzimmer bei vergleichbarer Leistungsqualität den Preis des Mitbewerbers. Erhöhen die Mitbewerber ihre Preise, verringern sie diese oder geben sie Rabatte an bestimmte Zielgruppen, so wird die eigene Preispolitik danach ausgerichtet. Eine derartige Vorgehensweise hat natürlich zur Folge, dass man in eine gewisse Abhängigkeit zu den Wettbewerbern gerät und dadurch die eigene Preispolitik und Beeinflussungsmöglichkeit des Marktes von vornherein einschränkt *(vgl. Meyer/Hoffmann 1997, S. 118).*

Aufgrund attraktiver Leistungen mit einer starken Wettbewerbsstellung ergibt sich für den einzelnen gastronomischen Betrieb auch eine gewisse Selbstständigkeit in der Preisgestaltung. Dadurch ist es möglich, mit Hilfe von **Preisdifferenzierung** (Abstufung) jederzeit eine höchstmögliche Auslastung und damit optimalen Gewinn zu erzielen. Preisabstufung kann nach unterschiedlichen Kriterien erfolgen, z. B. nach dem Umsatzvolumen (Gruppentarife) nach der Aufenthaltsdauer oder unterschiedlichen Gästeschichten (Senioren, Kongressteilnehmer). Bestenfalls besteht für ein Hotel oder Restaurant eine derartig große Nachfrage, dass von allen Gästen immer die gleichen Preise verlangt werden können *(vgl. DEHOGA 1995, S. 135).*

Über die bisherigen Betrachtungen hinaus soll an dieser Stelle noch auf die **psychologische Preisgestaltung** hingewiesen werden. Als solche werden alle Maßnahmen bezeichnet, die darauf abstellen, Produkte oder Dienstleistungen für den Gast preiswerter erscheinen zu lassen, als sie tatsächlich sind. Gerade in der Gastronomie hat sich gezeigt, dass Preise, die unterhalb bestimmter Preisschwellen liegen, die jeweilige Dienstleistung „verkäuflicher" machen, z.B. liegt eine Preisschwelle für Speisen bei 10 Euro. Es ist daher günstiger, das Gericht auf der Karte mit 9,20 Euro auszuzeichnen *(vgl. Weis 1997, S. 274).*

3.3.3.6 Distributionspolitik

HOTELKOOPERATIONEN IN DEUTSCHLAND

Hotelkooperationen	Anzahl der Hotels in Deutschland
AKZENT-Hotelkooperation GmbH	123
BAYERWALD-Hotels	9
BEST WESTERN Hotels	121
BLATTL'S Hotel's	6
DEUTSCHE LUXUSHOTELS. Die Selection.	7
DISTINGUISHED Hotels of the World	7
EUROPEAN CASTLE Hotels & Restaurants	32
EURORING	17
FAMILOTEL Info-Service	13
FLAIR-HOTELS e.V.	86
FLORIAN/Top Inn Hotels	2
FREIBURGER PRIVATE CITY HOTELS	6
GERMAN INN HOTELS	–
GAST IM SCHLOSS e.V.	35
GOLDEN TULIP International	21
INTER-EUROPE-Hotels	32
KIEK IN	33
LANDIDYLL	55
MINOTELS Deutschland	67
MÜNCHNER HOTELVERBUND GmbH	20
POSTHOTELS	19
PRIMA HOTELS	10
RELAIS DU SILENCE/SILENCEHOTELS	49
RELAIS & CHATEAUX Deutschland	32
RINGHOTELS	152
ROMANTIK Hotels & Restaurants	78
SRS Steigenberger Reservation Service	90
THE LEADING HOTELS OF THE WORLD	21
TOP EURO KINDERHOTELS	44
TOP INTERNATIONAL Hotels	110
VERBAND CHRISTLICHER HOTELS	52
VIVATURA	5
WELLNESS-Hotels Deutschland	–

(Aus: DEHOGA [Hrsg.] 1997, S. 68)

Die Kapazität der Hotels, die sich einer Kooperation angeschlossen haben, ist deutlich angestiegen. Das **Kooperationshotel** weist im Durchschnitt 70 Zimmer und 127 Betten auf, die damit größer sind als der Durchschnitt aller Hotels in Deutschland (66 Betten) *(vgl. DEHOGA [Hrsg.] 1997, S. 68)*. Die Anzahl der in Hotelkooperationen zusammengeschlossenen Hotels ist größer als die von Hotelgesellschaften. Doch handelt es sich bei den Kooperationshotels um deutlich kleinere Häuser bezüglich der Zimmerzahl.

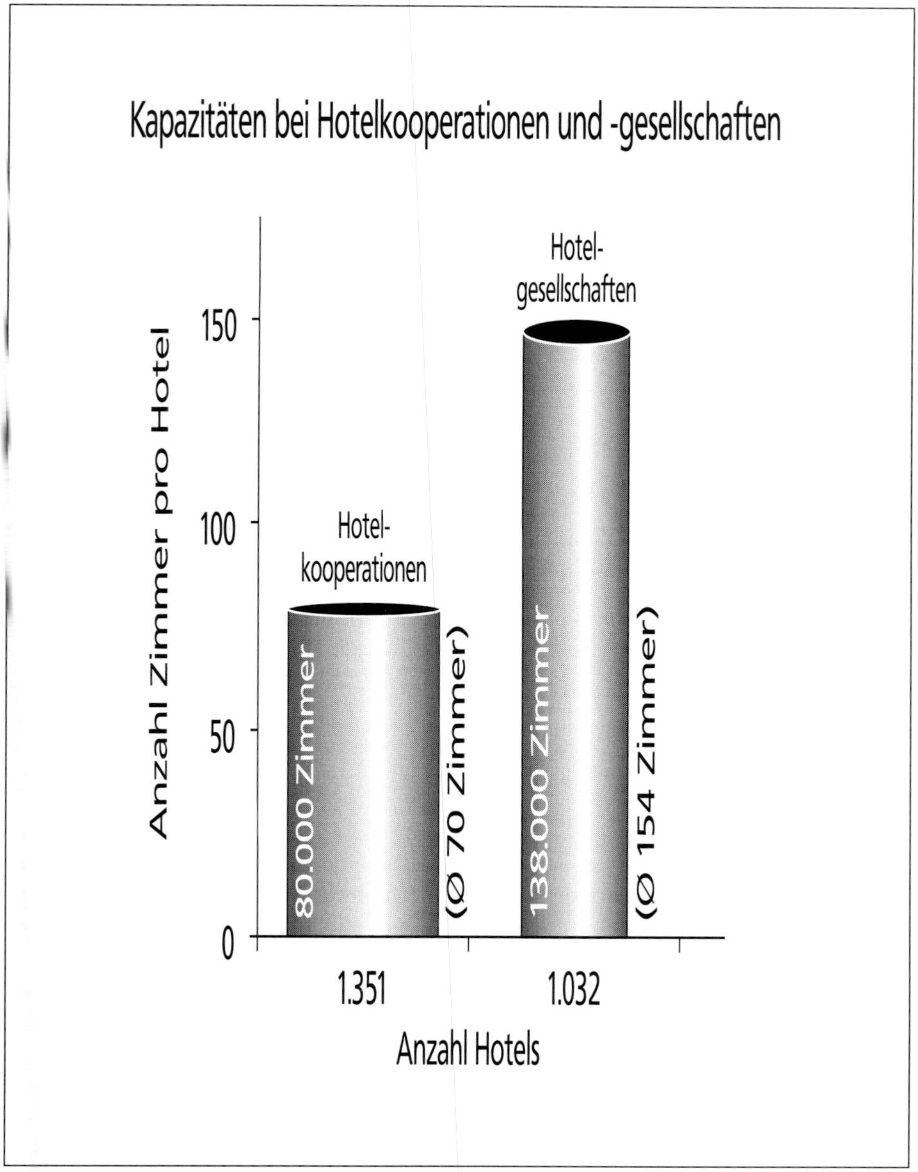

Abb. 3–25
(Aus: DEHOGA [Hrsg.] 1997, S. 69)

Alle im Zusammenhang mit dem Absatz von Dienstleistungen bzw. Produkten stehenden Entscheidungen zählen zur **Distributionspolitik** als Marketinginstrument des Gastgewerbes. Der jeweilige **Distributionskanal** (Absatzweg) kennzeichnet den Weg zwischen dem Verkauf einer Leistung durch den Gastronomen und dem Abnehmer bzw. Gast. Aufgrund dessen, dass die **Dienstleistungen des Gastgewerbes weder lager- noch transportfähig** sind, müssen sie am Ort der Leistungserstellung verbraucht werden.

Kanäle (Vertriebswege) überbrücken die Distanz zwischen dem Angebot des gastgewerblichen Unternehmens und dem Gast; einen Überblick der Wege vom Gast zum Hotel/Restaurant gibt nachstehende Übersicht:

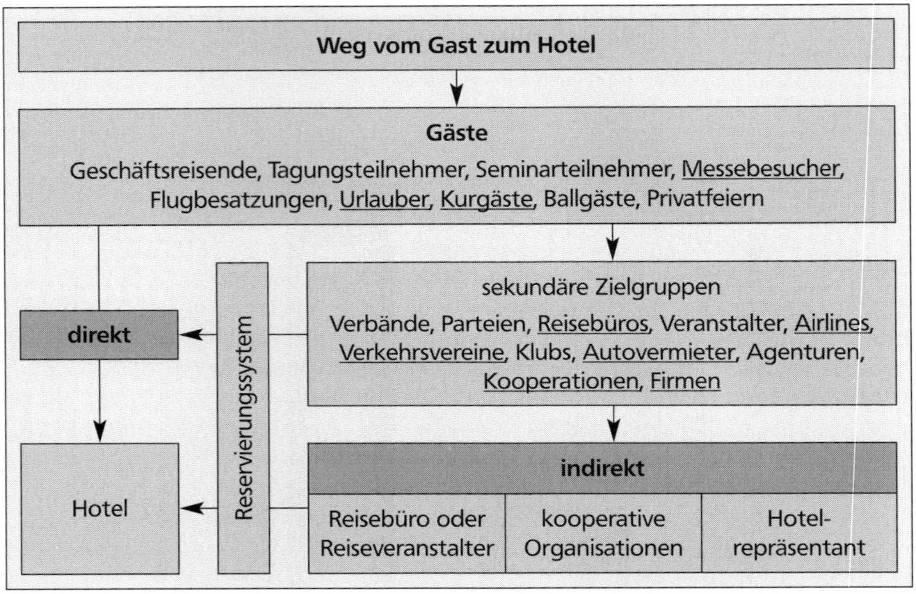

Abb. 3–26

(Aus: Dettmer, Harald [Hrsg.], Tourismus-Marketing-Management, München/Wien 1999, S. 237)

Während die Kooperationen von Hotels dem indirekten Absatzweg zuzuordnen sind, stellt das Franchising eine Sonderform der Distribution dar. Franchising gewinnt im Gastgewerbe immer mehr an Bedeutung, da es für Unternehmensgründer eine interessante Alternative darstellt, vor allem bei mittelständischen Betrieben.

„**Franchising** ist die entgeltliche Gewährung eines Nutzungsrechtes für Wettbewerbsvorteile an unabhängige Unternehmer, verbunden mit Weisungsrecht, Betreuung und Kontrolle" *(Kaub 1990, S. 23).*

Beim Franchising vereinbaren Franchisegeber (= Hersteller bestimmter Waren und/oder Dienstleistungen) und Franchisenehmer zu kooperieren; dabei bleibt letzterer rechtlich selbstständig, so dass er auch das Risiko trägt. Demgegenüber ist es für den Franchisegeber relevant, dass er seine Produkte über eigene Absatzwege vertreibt, ohne dass ihm die Mitbewerber diese streitig machen können, wobei die Kosten für den Franchisegeber niedriger liegen als bei eigenen Verkaufsniederlassungen.

Rechte und Pflichten beim Franchising	
Franchise-Geber (FG):	**Franchise-Nehmer (FN):**
• erteilt die Lizenz und räumt Alleinvertriebsrecht ein, • überlässt Namens- und Warenzeichen, • stellt voll entwickeltes Marketingkonzept zur Verfügung (Werbe- und Verkaufsförderungsaktionien, gleichartige Ausgestaltung der Verkaufsräume usw.), • überlässt FN das Know-how, • schult Personal des FN.	• bezahlt eine Gebühr für das Franchise-Paket[1]), die meist aus einem Prozentsatz vom Umsatz besteht, an den FG, • ist verpflichtet, die Leistungen des FG anzunehmen und nach dessen Vorstellungen anzuwenden, • lässt Kontrollen des FG zu.

1) Franchise-Paket umfasst – die Überlassung des Rechts, ein eingeführtes Waren- bzw. Dienstleistungssortiment anzubieten – eine eingeführte Marke zu führen – die Marketingkonzeption – das Know-how – Finanzierungshilfen sowie Personalschulungen.

(Dettmer, Harald: Wirtschaftslehre für Hotellerie und Gastronomie, Hamburg 1999, S. 139)

Das Franchise-System wird allerdings nur funktionieren, wenn ein Produkt/eine Dienstleistung mit Hilfe eines Marketingprogramms angeboten wird, für das eine Nachfrage am Markt besteht, also den Gästewünschen entspricht *(vgl. Dettmer 1999/1, S. 139).* Während anfänglich Franchising vor allem im Restaurationsbereich sich durchsetzte, suchen heute immer mehr Betriebe ihre Zukunft unter dem Dach einer starken Marke auch im Bereich der Hotellerie. Dieses nicht zuletzt dadurch, dass die Marktsituation immer enger geworden ist und zentrale Reservierungssysteme und Frachisepartner im Rahmen eines Gesamtsystems zur besseren Auslastung der Kapazitäten beitragen.

Relevante Vorteile für Franchisegeber und Franchisenehmer sind nachstehend aufgeführt:

Franchisegeber

1. schnellere Verbreitung möglich
2. Kontrollmöglichkeiten des Absatzsystems
3. keine Haftung für Schulden des Franchisenehmers
4. kein Konkursrisiko
5. Kostensenkung
6. umsatzabhängige Einnahmen
7. Unternehmenswachstum ohne Erweiterung des Filialnetzes
8. Gewinnung engagierter Unternehmen
9. Einbringung von Eigenkapital durch Franchisenehmer.

Franchisenehmer

1. weitgehende Selbstständigkeit im Rahmen des Vertrages
2. Unterstützung, Beratung sowie Schulung in der Betriebsführung der Franchisegeber
3. Teilhaber an dem Erfolg, dem Image und den Erfahrungen des Systems
4. Großeinkauf durch das System
5. Finanzierungshilfe
6. Verwendungsmöglichkeit eines dem Verbraucher bekannten Logos
7. Sparen von Marketingkosten, vor allem der Werbekosten
8. Minderung des Risikos
9. Betriebsvergleiche zu anderen Franchisebetrieben.

(Dettmer, Harald: Wirtschaftslehre für Hotellerie und Gastronomie, Hamburg 1999, S. 140)

3.3.3.7 Kommunikationspolitik

„Kommunikation ist keine Wissenschaft, sondern ein menschliches Bedürfnis. Zeichen der Liebe, der Sympathie oder Dankbarkeit kommen darum ohne Worte aus. Feldblumen in der Vase, Obst auf dem Teller, die Schokolade auf dem Kopfkissen, die umgeschlagene Bettdecke am Abend oder die Morgenzeitung vor der Tür sind eine weltweit verständliche Sprache. Und hier beginnen ihre kommunikativen Bemühungen – eben der gute Wille zur Verständigung" *(DEHOGA/SHV/SWV/ÖHV [Hrsg.] 1992, S. 169).*

Wenn ein gastronomischer Betrieb eine Botschaft an potentielle Gäste sendet, so kommuniziert er, d. h. er teilt etwas mit. Schließlich möchte der Gastronom, dass seine Leistungen nachgefragt werden bzw. seine Produkte gekauft werden, denn es genügt nicht, das Angebot marktgerecht zu gestalten; es ist vielmehr der Kontakt zu den potentiellen Gästen herzustellen, zu erhalten und zu vertiefen. Damit ist die Kernaufgabe jeglicher Kommunikationspolitik umschrieben. Sie umfasst also alle Bemühungen, die darauf gerichtet sind, die Dienstleistungen/Produkte mit Gewinn zu verkaufen. Die Marketingmaßnahmen, die zu diesem Zweck ergriffen werden, fördern entweder den unmittelbaren Verkauf, oder sie unterstützen als absatzfördernde Mittel die Verkaufsbemühungen.

Im Einzelnen kommen der **Kommunikationspolitik** nachstehende Aufgaben zu:

- die Gäste über das Angebot des gastronomischen Betriebes zu informieren und zu beraten,
- das Angebot verkaufswirksam zu präsentieren,
- die Gäste zum Kauf zu bewegen,
- die von den Gästen erteilten Aufträge/Bestellungen entgegenzunehmen und diese auszuführen *(vgl. Witt u. a. 1993, S. 81).*

Die im Rahmen der Kommunikationspolitik einzusetzenden Marketinginstrumente sind genau aufeinander abzustimmen; sie sollen eine **Informationsfunktion** (z. B. Anzeige von neuen Beherbergungsmöglichkeiten und Preisen) abgeben, aber auch eine **Funktion der Gästebeeinflussung** umfassen (z. B. Abheben von anderen gastronomischen Mitbewerbern). Zu den kommunikativen Marketinginstrumenten zählen:

- persönlicher Verkauf
- Werbung
- Verkaufsförderung (Salespromotion)
- Öffentlichkeitsarbeit (Public Relations oder PR).

Die genannten Marketinginstrumente prägen in besonderem Maße das Gesamtbild des gastronomischen Unternehmens, beispielsweise eines Hotels, das einer Kooperation angeschlossen ist, gegenüber den potentiellen Gästen bzw. der Öffentlichkeit. Aus diesem Grunde spricht man in diesem Zusammenhang auch von der **Corporate Identity** (= Unternehmensidentität). Sie beeinflusst koordinierend und integrierend alle Maßnahmen und das Verhalten, z. B. des vorstehend genannten Hotels, um dadurch ein positives Vorstellungsbild im Umfeld zu erzeugen. Bei einem Hotel einer Hotelkooperation könnte dieses durch die übereinstimmende Gestaltung des Briefpapiers, einer Gästezeitung oder eines bestimmten Displaymaterials sich erzielen lassen, um dadurch das innere und äußere Erscheinungsbild der Hotelkooperation zu unterstreichen *(vgl. Dettmer 1999/1, S. 273).*
Die **Basis der Kommunikationspolitik** gastgewerblicher Betriebe ist immer die Marketingstrategie. Sie entscheidet darüber, mit welcher Intensität die Kommunikationsinstrumente am Markt einzusetzen sind, denn dies hängt wesentlich von der Dringlichkeit des Bedarfs und der Schärfe des Wettbewerbs ab *(vgl. Witt u. a. 1993, S. 81).*

3.3.3.7.1 Werbung

Werbung im Gastgewerbe soll Bedürfnissen bei potentiellen Gästen bzw. Käufern wecken und damit Einfluss auf die freiwillige Kaufentscheidung für die Leistungen des werbenden gastronomischen Unternehmens ausüben. Als besonders relevante Anforderungen an die Werbung sind deren Wirksamkeit, Wahrheit und Wirtschaftlichkeit zu stellen; eine derartige Definition setzt voraus, dass ein konkludentes Konzept der gastronomischen Sachmittelwerbung auszuarbeiten ist. Für den Bereich der klein- und mittelständischen Gastronomie steht damit die Frage im Vordergrund: „Mit welchen Werbemitteln erreicht der gastronomische Betrieb am wirtschaftlichsten und spürbarsten die von ihm in der Gästepolitik festgelegten Zielgruppen?" *(vgl. Meyer/Hoffmann 1997, S. 124 und Weis 1997, S. 361).*

Bevor diese Frage beantwortet werden kann, sind zunächst die Aufgaben der Werbung sowie das Werbeziel zu umreißen.

Werbung

Bedürfnisweckung | Kundengewinnung | Produktinformation | Kundenerhalt

Im ersten Moment erscheint das **Werbeziel** für den Gastronomen immer gleich zu sein, nämlich den Umsatz und Gewinn zu steigern. Wenn auch alle Werbemaßnahmen die Ertragssteigerung zum Ziel haben, so ist die Zielsetzung der einzelnen Werbemaßnahmen nicht immer gleich dem langfristigen Unternehmensziel. So kann beispielsweise bei einem gastronomischen Betrieb in der Existenzgründungsphase das Werbeziel in erster Linie darin liegen, den Bekanntheitsgrad so schnell wie möglich zu steigern. Ganz anders kann es sich verhalten, wenn ein starker Mitbewerber in der näheren Umgebung auftritt, so dass es darum geht, den Gästestamm zu halten und ggf. ein Abwandern soweit wie möglich auszuschließen. Wieder anders kann das Werbeziel sein, wenn nach einer umfassenden Renovierungsphase ganz neue Gästekreise angesprochen werden sollen. Damit hat sich exemplarisch gezeigt, dass ein Werbeziel immer von den betriebswirtschaftlichen Erkenntnissen und Überlegungen abhängt und sich auf ein ganz spezielles Objekt bezieht; dabei ist allerdings die Corporate Identity, die Gesamtidee des Unternehmens, immer zu berücksichtigen *(vgl. DEHOGA [Hrsg.] 1996, S. 9 f.).*

Wie in allen anderen Unternehmensbereichen auch, so sind die **Kosten der Werbung** zu planen und nach ihrer Durchführung auf ihren Erfolg zu überprüfen. Langfristig gesehen lohnt sich auch für den gastronomischen Betrieb Werbung nur, wenn dadurch eine bessere Ertragslage erwirtschaftet wird. Eine grundsätzliche Orientierungsgröße für gastronomische Betriebe wie hoch sich der Werbeetat belaufen sollte, kann nicht gegeben werden. Trotz der verschiedenen Für und Wider, soll jedoch hier als Grundlage für das Erstellen eines Werbeetats der Umsatz als Richtgröße genannt werden. Als Orientierungswert lässt sich für gastgewerbliche Betriebe ein Wert von 1 bis 2 % des Jahresumsatzes, der für Werbung angesetzt werden kann, hier benennen. Natürlich sind dieses nur Orientierungswerte und die verschiedenen Betriebsarten und Betriebsformen haben unterschiedliche Absatzmärkte, Zielgruppen und damit sicher auch andere Werbekonzeptionen *(vgl. DEHOGA [Hrsg.] 1996, S. 11 ff.).* Aufgrund der finanziellen Vorgabe ist es dem Gastronomen bzw. der Werbeabteilung oder dem beauftragten Unternehmen damit möglich, einen Werbeplan für das jeweilige Unternehmen aufzustellen; diesem liegt der Grundsatz der „Wirksamkeit und Wirtschaftlichkeit" zugrunde. Im Folgenden ist zusammengestellt, was die Werbeplanung zu bedenken hat:

wer	Gastronom/Hotelier oder Werbeagentur
sagt was	Werbeinhalt
wann	Werbezeit (günstigster Zeitpunkt)
wem	umworbener Personenkreis (= Zielgruppe)
wo	z. B. Anzeigen des Hotels in der Tageszeitung
wie	Werbemitteleinsatz (einzeln oder kombiniert)
mit welchen Mitteln?	zur Verfügung stehendes Geld (= Werbebudget)

Abb. 3–27

(Aus: Dettmer, Harald, Wirtschaftslehre für Hotellerie und Gastronomie, Hamburg 1999/1, S. 275)

Eng miteinander verwoben sind das Werbeobjekt (im gastgewerblichen Bereich, also der jeweilige Betrieb) sowie die Werbebotschaft. Letztere lässt sich nur folgerichtig erarbeiten, wenn die anzusprechenden Zielgruppen feststehen. Jedes Restaurant, jedes Hotel hat seine spezielle Zielgruppe herauszufinden und mit der adäquaten Werbung anzusprechen. Immer ist derjenige zu umwerben, der Bedarf an den Leistungen des jeweiligen Gastronomiebetriebes (z. B. Beherbergung oder Speisen) hat. Dieses können Urlauber, Vereine, Geschäftsleute, vor allem jedoch der typische Verbraucher von Speisen und Getränken sein, die sich im Angebot des jeweiligen Betriebes befinden. Nachdem die Zielgruppe feststeht, kann sich der Gastronom überlegen, für welche Teile seiner Leistungspalette er Werbung betreiben will, das Räumliche, das Sachliche oder das Personelle, wobei selbstverständlich niemals die Ware im Gastgewerbe allein zu sehen ist, sondern immer in gegenseitiger Abhängigkeit zum Gastraum bzw. dem Ambiente. Diese Tatsache bestimmt auch, dass nicht grundsätzlich für den Gesamtbetrieb zu werben ist, weil beispielsweise bei Beherbergung und Bewirtung unterschiedliche Gäste anzusprechen sind und damit natürlich auch unterschiedliche Werbemittel mit unterschiedlicher Streuung usw. zum Einsatz gelangen. Bei der Werbekonzeption ist zu beachten, dass das personelle Angebot (also im Wesentlichen die Gästebetreuung) und das sachliche Angebot (z. B. die Speisen und Getränke) untrennbar mit dem räumlichen Angebot verbunden bleiben *(vgl. DEHOGA [Hrsg.] 1996, S. 14 ff.)*.

Nachdem im Rahmen der Werbeplanung die Zielgruppe und das Werbeobjekt festgelegt worden sind, geht es jetzt darum, die **Werbebotschaft** (inhaltlich und formell) zu übermitteln. Dabei soll die Werbung die eigenen Leistungen eindeutig von denen der Mitbewerber abgrenzen (= Basisbotschaft) sowie den Zielpersonen einen besonderen Nutzen anbieten (= Nutzenbotschaft). Ob die Werbung dann erfolgreich ist, hängt nicht nur davon ab, was gesagt wird, sondern auch in welcher Form die Werbebotschaft präsentiert wird (also akustisch, grafisch, farblich usw.). Nachdem der Gastronom sich für eine bestimmte Werbebotschaft entschieden hat, gilt es, die einzusetzenden Werbemittel auszuwählen *(vgl. Weis 1997, S. 374 f.)*.

Einen Überblick im Gastgewerbe einzusetzender bedeutsamer **Werbemittel und Werbeträger** (= Sachmittelwerbung) zeigt die nachstehende Aufstellung:

Werbemittel	Werbeträger	Zielgruppe	Kommentar
Werbebrief	Versand an Postadresse mit oder ohne Beilage von Drucksachen oder Objekten	Gäste, Unternehmen, Kollektive, Beeinflusser/Meinungsführer, Lieferanten, Freunde, Bekannte	Preiswertes, je nach Botschaft wenig aufwendiges Medium, persönliche, daher wirkungsvolle Ansprache möglich, individuell einsetzbar, flexibel, nur erfolgreich, wenn der Leser in den ersten Sekunden gepackt wird
Prospekte (Restaurant oder Menükarten)	Persönlich überreichen, Versand, ausgelegt in Verkehrs- oder Kurvereinen, in Reisebüros, Hotels, Messen etc., beigelegt zu Korrespondenz, Drucksachen etc.	Bestehende und neue potentielle Gäste der näheren Umgebung, Hotel-, Kur- oder Tagungsgäste	Persönliche und wirkungsvolle Selbstdarstellung, vielfältig verwendbares Werbemittel, starke Profilierung ohne hohe Kosten, vom Gast als interessantes Informationsmittel betrachtet
Außenwerbung	Wirtshausschilder, Hinweisschilder, Plakate (an Haltestellen, Bahnhöfen, Litfaßsäulen, Hotels etc.), Schautafeln, Preisübersicht	Gäste und Passanten, das Plakat im Straßenaushang richtet sich an jedermann	Am eigenen Betrieb, je nach Typ, eingesetztes, höchst wirkungsvolles Medium, besitzt signalisierenden Charakter, Gefahr großer Fehlstreuung im Straßenaushang (Plakat), typisches Medium für Erinnerungswerbung
Anzeigen	In Tages- und Wochenzeitungen, in Zeitschriften (z. B. Stadtmagazinen), in Fachzeitschriften	Stammgäste, Gäste und potentielle Gäste, Beeinflusser (Reisebüro etc.)	Teures Medium für unbekannte, direkt nicht erreichbare Zielgruppen (Streuverluste gering halten!), „Anzeigenfriedhöfe" vermeiden, treffsicheres Medium zum Erreichen von Neigungsgruppen, (Führungskräfte o. Ä.), im direkten Kontakt Werbeerfolgskontrolle möglich
Telekommunikation (Telefon, Telefax, Bildschirmtext)	Alle diese Kommunikationsmittel sind keine typischen Werbemittel, können aber zum Transport von Werbebotschaften benutzt werden	Jede mit den erwähnten Mitteln erreichbare Art von Gästen	Telefon-/Telefaxmarketing gehören zu den weniger beliebten Medien auf der Empfängerseite (enge rechtliche Grenzen!), solange der Dialog über die Netze ausbleibt, ist die Nutzung dieser Mittel mit Anzeigen oder der Präsenz in Verzeichnissen vergleichbar
TV-Werbung (auch Radio- und Filmwerbung)	Werbespots, Dias	Zielgruppen in den regionalen Sendegebieten	Radiowerbung eignet sich besser für aktuelle Angebote als für die Profilierung, nur klare und verständliche Ansagen prägen sich ein, Film- und Fernsehwerbung findet in der Individualgastronomie nur wenig Anwendung (zu hohe Kosten)
Andere Wege (Geschenke, Souvenirs etc.)	Persönlich überreicht, per Post versandt, anderweitig erhältlich	Stammgäste, jede Art von Zielgruppen, die erfreut oder belohnt werden	„Geschenke und Souvenirs erhalten die Freundschaft, wenn sie vom Herzen kommen", man kann sich dank einer passenden Idee von den Mitbewerbern abheben, originelle, aber unbrauchbare Gags leben nicht lange

Abb. 3-21

(Aus: Meyer/Hoffmann, Berlin 1997, S. 125 und DEHOGA [Hrsg.], Marketing der Gastfreundschaft, Bonn 1992, S. 234).

Welche Werbemittel vom Gastronomen ausgewählt werden sollen, richtet sich in erster Linie nach den Werbeobjekten und der anzusprechenden Zielgruppe, aber die Mitbewerber und der/die Werbeträger beeinflussen häufig das jeweilige Werbemittel. Die Tageszeitung bleibt trotz aller modernen Medien im Gastgewerbe der wichtigste **Werbeträger.** Das Gesamtkonzept des Werbemitteleinsatzes (Mediastrategie) innerhalb eines festgelegten Zeitraumes bestimmt, wie die ausgewählten Werbeträger zu kombinieren sind, und zwar

- möglichst wirtschaftlich
- mit der notwendigen Kontaktfrequenz
- zur rechten Zeit
- die Zielgruppen personell und räumlich abzudecken (*vgl. Dettmer [Hrsg.] 1999, S. 212*).

Unabhängig von den sogenannten klassischen Werbemitteln bzw. Werbeträgern sind im Rahmen der Mediastrategie die heute immer wichtiger werdenden neuen Medien des Directmarketing für den Einsatz im Gastgewerbe zu berücksichtigen. Unter **Directmarketing** soll hier verstanden werden, dass durch den Einsatz kommunikationspolitischer Marketinginstrumente ein unmittelbarer, individueller Kontakt zwischen dem Gastronom und dem potentiellen Gast hergestellt wird.

Neben der

- Direktwerbung, z.B. Werbebriefe,
- dem persönlichen Verkauf,
- dem Telefonverkauf,
- der direkten Sales Promotion,
- der direkten Publik Relations

zählen vor allem neue Kommunikationsformen wie Bildschirmtext, Bildplatte, Telex, Telefax usw. zu den modernen Kommunikationsformen.

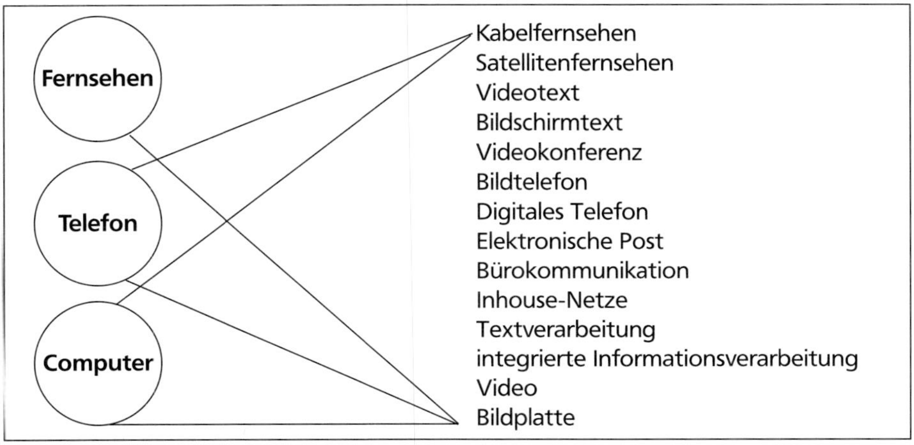

Abb. 3–29: Neue Medien

(*Aus: Dettmer, Harald; Hausmann, Thomas; Kloss, Ingomar; Meisl, Helmut; Weithöner, Uwe, Tourismus-Marketing-Management, München und Wien 1999, S. 473*)

Das Werbekonzept des jeweiligen gastronomischen Betriebes entscheidet darüber, welche der verschiedenen Werbearten im jeweiligen Fall zur Anwendung gelangen sollen. Dadurch wird a priori auch ein Schwergewicht für oder gegen den Einsatz eines bestimmten Werbeträgers oder Werbemittels festgelegt. Es sind zu unterscheiden:

- **Einführungs-/Eröffnungswerbung**, die also bei Existenzgründungen oder nach längeren Umbauarbeiten usw. in Frage kommt
- **Erhaltungswerbung**, also eine das ständige Verkaufsgeschäft begleitende Aktion
- **Informationswerbung**, aktuelle und verkaufsplanbezogene Bekanntmachungen, z.B. über spezielle Angebotswochen oder zeitlich begrenzte Produkt- und Sortimentsangebote
- **Erinnerungswerbung**, hierunter fallen u.a. persönliche Briefe an ehemalige Gäste.

Im Rahmen der Einführungs-/Eröffnungswerbung wird gern auf regionale Tages- oder Stadtteilzeitungen bzw. Stadtmagazine zurückgegriffen. In dieser Phase des Lebenszyklus eines gastronomischen Betriebes gilt es, durch optimale **Mediaselektion** (= Reichweite bzw. Kontakthäufigkeit der Medien in der Zielgruppe) einen möglichst großen Bekanntheitsgrad zu erringen. Ganz anders verhält es sich im fortgeschrittenen Stadium des Lebenszyklus eines Gastronomiebetriebes, indem ohne weiteres auch eine Stagnation der Gästenachfrage eintreten kann; hier kommt die o.g. Erinnerungswerbung, also die gezielte Sachmittelwerbung zur Geltung, um Gäste/Nachfrager zu reaktivieren bzw. die Nachfrage zu forcieren (*vgl. Meyer/Hoffmann 1997, S. 126*).

Wenn dem Gastronomen (in mittelständischen Betrieben ist Werbung Chefsache) nun bekannt ist, welche Leistungen, zu welchen Preisen, auf welchen Wegen potentieller Kundschaft näher zu bringen ist, muss er trotzdem bei jeder anstehenden Realisierung einer Werbekampagne entscheiden, wer das erarbeitete Werbekonzept (also die tragende Idee der Werbung) durchführt. Dafür gibt es grundsätzlich drei Wege:

- der Gastronom erarbeitet und führt die Werbeaktion selbst durch,
- der Gastronom/der gastgewerbliche Betrieb entschließt sich, die konzeptionellen Vorüberlegungen selbst zu erstellen, die Durchführung der Werbeaktionen jedoch einer Werbeagentur zu übertragen oder
- eine Werbeagentur erhält von dem Gastronomiebetrieb von vornherein den Auftrag, die Werbung durchzuführen.

In dem mittelständisch strukturierten Gastgewerbe wird oftmals eine Werbeaktion nach dem folgenden Schema durchgeführt:

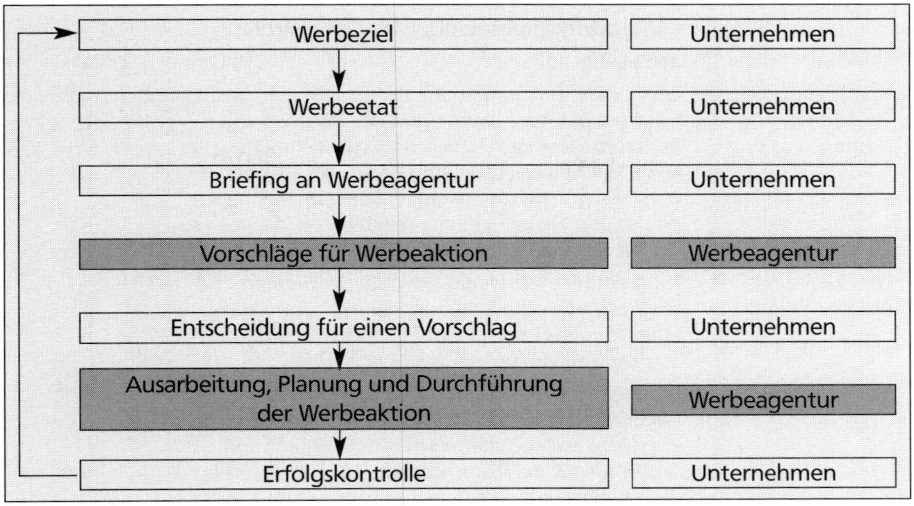

Abb. 3–30
(Aus: Dettmer, Harald [Hrsg.], Betriebswirtschaftslehre für das Gastgewerbe, Hamburg 1999, S. 231)

Zu welchem Zeitpunkt bzw. über welchen Zeitraum die Werbung für den gastronomischen Betrieb stattfinden bzw. sich erstrecken soll, ist ein nicht zu unterschätzender Erfolgsfaktor. Für das **Timing** hat der Gastronom/die Werbeagentur die nachstehenden Möglichkeiten:

- einmalige, zeitlich begrenzte intensive Werbeaktionen,
- kontinuierliche Werbeaktionen (pro Tag, pro Woche, pro Monat usw.),
- intermittierende Werbeaktionen (z. B. kurze intensive Werbeaktionen in unregelmäßigen Zeitabständen) oder
- die vorstehenden Möglichkeiten zu kombinieren.

Da in der gastgewerblichen Branche saisonale Einflüsse von besonderer Bedeutung sind, sollten auch die Werbeaktivitäten in unterschiedliche **Werbeperioden** verteilt werden, und zwar in:

- **prosaisonale Werbung** (= Werbeaktionen werden entsprechend der verstärkten Gästenachfrage durchgeführt)
- **antisaisonale Werbung** (= Werbeaktionen werden zum Ausgleich von Umsatzschwankungen bzw. Nachfragerückgängen durchgeführt). Dieses bietet sich im Gastgewerbe z. B. für Eiscreme oder Erfrischungsgetränke an, um eine Ausdehnung der Saison zu erreichen *(vgl. Weis 1997, S. 402 f.).*

In Bezug auf Qualität lässt sich die Werbung anhand der folgenden Checkliste kontrollieren:

Werbung qualitätsorientiert gestalten			
Merkmal	Bedingung	erfüllt	
		ja	nein
Einfachheit Klarheit	Das Angebot muss einfach und klar fomuliert sein, es dürfen keine intellektuellen Wortspiele oder Fremdwörter verwendet und keine ungenauen Darstellungen platziert werden. Dem Kunden muss präzise und werbewirksam dargestellt werden, was ihn bei der gebotenen Dienstleistung erwartet.		
Ehrlichkeit und Aufrichtigkeit	Nicht mit Hilfe hemmungsloser Übertreibungen, falscher Versprechungen oder gewollt missverständlicher Formulierungen werben, sondern ehrlich und aufrichtig anbieten.		
Menschlichkeit	Der Mensch bzw. Urlauber sollte im Mittelpunkt der Werbung stehen. Palmenstrände, Luxushotels, Flugzeuge oder Schiffe treten in den Hintergrund. Grundlage für die Menschlichkeit in der Werbung ist die „richtige" Einstellung der Mitarbeiter zum Kunden, d. h. nicht von Kunden als Paxe, Buchungsvorgänge oder Beförderungseinheiten sprechen, sondern den Kunden als Mensch in den Mittelpunkt auch der Alltagskommunikation stellen.		
Harmonie	Werbung und Angebot müssen stets in Harmonie mit den Erwartungen und dem Zeitgeist der Zielgruppe stehen (z. B. Auswahl des Bildmaterials etc.). Harmonie bedeutet aber auch, dass die geweckten Erwartungen der Zielgruppe erfüllt werden. Die Mitarbeiter müssen das zu leisten bereit und imstande sein, was in der Werbung versprochen wird.		
Auffälligkeit	Werbung darf nicht langweilig sein, sondern muss auffallen. Dabei gilt gerade im Tourismus, wo es um die „schönsten Wochen des Jahres geht", dass dieses Auffallen angenehm sein muss. Ebenso bedeutet Auffälligkeit auch, dass Qualitätsverbesserungsmaßnahmen entsprechend kommuniziert werden, da der Kunde diese Neuerungen sonst nicht in seine Qualitätsbeurteilung integrieren kann.		
Beharrlichkeit	Die Erscheinungsform der Anzeigen oder Prospekte darf nicht ständig geändert werden, sondern es muss Kontinuität herrschen. Slogans und Grundfarben, ebenso wie das Schriftbild oder die Machart der Texte, dürfen nicht laufend gewechselt werden.		

Abb. 3–31

(Aus: Heller, Markus, Das Management der Dienstleistungsqualität im Reisebüro, München 1996, Blatt 40)

3.3.3.7.2 Persönlicher Verkauf

Beim Verkauf von Dienstleistungen/Produkten im Gastgewerbe handelt es sich um einen zwischenmenschlichen Prozess, in dem der Gast vom Personal des jeweiligen Betriebes über dessen Angebot informiert und beraten wird, um einen Vertrag (= Bewirtungs- oder Beherbergungsvertrag) abzuschließen (*vgl. Weis 1997, S. 434*).

Der **persönliche Verkauf** zählt zum Bereich der Verkaufsförderung in der Gastronomie (wird aber aufgrund seiner eigenständigen Relevanz hier extra behandelt) und spielt sich in erster Linie an der Rezeption und im Service ab. Die persönliche Kommunikation mit dem Gast kann durch ihre Kreativität entscheidend den Verkaufserfolg beeinflussen. Um den Gast zur Annahme der Dienstleistung zu veranlassen, hat das Personal – z. B. im Service – über umfassende Kenntnisse des Speisen- und Getränkeangebots sowie die Möglichkeiten von Zusatzverkäufen zu verfügen. Darüber hinaus für erfolgreiche **Verkaufsgespräche** notwendig:

- der richtige Gästeempfang,
- Einfühlungsvermögen,
- Sensibilität,
- taktvolles Beobachten des Gastes und Reagieren auf seine Wünsche,
- situationsgerechte Frage- und Angebotstechnik,
- Drang zur Selbstbestätigung, also Abschlüsse zu tätigen.

Einen nicht zu unterschätzenden Einfluss auf den Dialog zwischen Verkäufer und Gast hat zusätzlich die **Körpersprache,** z. B. Blickkontakt, Gestik, Körperhaltung usw. Durch die verbale und nonverbale Kommunikation wird also die gesamte Verkaufs-/Gesprächsatmosphäre geprägt.

Ein **konstruktives Verkaufsgespräch** durchläuft im Allgemeinen vier Phasen, und zwar

- die Gesprächseröffnung,
- die Bedarfsanalyse und Vertrauensphase,
- die Angebotsphase sowie
- die Abschlussphase.

Während des gesamten Verkaufsgespräches ist von den jeweiligen Mitarbeiterinnen/Mitarbeitern des gastgewerblichen Betriebes darauf zu achten, dass die nachstehenden Verkaufshinweise beachtet werden:

- dem Gast ist niemals mehr zu versprechen, als vom Haus gehalten werden kann;
- bei jedem Verkauf ist an das Wiederholungsgeschäft zu denken;
- niemals den Gast übervorteilen;
- es ist besser, ein überzeugendes Verkaufsargument vorzubringen als viele Worte zu machen;
- einzig wichtige Person ist der Gast, also niemals die eigene Position in den Vordergrund spielen;
- den Gast während des Verkaufsgespräches weder unterbrechen noch belehren;
- nicht versuchen, das Verkaufsgespräch zu beherrschen oder sich auf ein Streitgespräch einzulassen;
- nicht abfällig über die Mitbewerber sprechen, sondern besser treffende Verkaufsargumente einbringen;
- bei Empfehlungen über Speisen oder Getränke ist nicht zu übertreiben;
- während des Gespräches mit dem Gast keine negativen oder unpersönlichen Ausdrücke verwenden (*vgl. Schaetzing 1997, S. 85*).

Bei allen Marketinginstrumenten steht die Qualität der Dienstleistung im Vordergrund. Sie bestimmt entscheidend über das positive Erscheinungsbild des jeweiligen Hauses im Sinne der **Corporate Identity.** Natürlich lassen sich Gewinne nicht nur durch freundliches

Auftreten erzielen, sondern alle Verkäufe in der Hotellerie/Gastronomie sind im Rahmen der Umsatzplanung, Budgetierung und Kontrolle mit den Zielsetzungen soweit wie möglich in Einklang zu bringen. Die Verkaufstätigkeit des Personals lässt sich z. B. durch elektronische Abgabesysteme (Theken) wie Kassensysteme, z. B. im Restaurant, überprüfen bzw. bewerten. Die Mitarbeiter/-innen sollten dieses jedoch nicht nur als Kontrolle, sondern auch als Motivation sehen, wenn die eigenen Leistungen mit Hilfe von Kennzahlen beurteilt werden (*vgl. Schaetzing 1997, S. 86*).

3.3.3.7.3 Verkaufsförderung Sales-Promotion

Abb. 3-32 „Kulinarischer Aktionsführer"

Der persönliche Verkauf und die Verkaufsförderung sind zwar in organisatorischer Hinsicht eng miteinander verbunden, bei letzterer erfolgt die Kommunikation jedoch nicht persönlich.

Verkaufsförderung und **Sales-Promotion** werden im Marketing weitgehend übereinstimmend ausgelegt.

Verkaufsförderung		
– umfasst alle Maßnahmen, die Gastronomen durchführen, um durch zusätzliche und außergewöhnliche Anreize bei den Gästen den Kaufentscheid auszulösen. – soll durch persönliche und individuelle Betreuung, durch Qualität und herausragenden Service, durch ein gastgerechtes Ambiente und Imageverbesserung neue Gäste ansprechen.	– soll auf Mitarbeiter/-innen im Sinne des Absatzprozesses motivierend hinzuwirken – hat eine Koordinationsfunktion zwischen Werbung und Verkauf	– soll die Leistungspalette zielgruppengerecht und fachlich einwandfrei präsentieren, um den Erwartungen der Gäste soweit wie möglich zu entsprechen.

(*vgl. Schaetzing 1997, S. 100 und Dettmer [Hrsg.] 1999, S. 236*)

Aufgrund dessen, dass in der Verkaufsförderung durch den persönlichen Kontakt der Gast aus der Anonymität der Zielgruppe heraustritt, gewinnt diese zunehmend an Bedeutung.

Zur Sales-Promotion gehören:

- das Verkaufsgespräch im gastronomischen Betrieb, auf Verkaufsreisen, Messen oder Ausstellungen;
- das Schaffen günstiger Bedingungen, z. B. das Gestalten der eigenen Verkaufsflächen, die Organisation der Verkaufsadministration sowie das Erstellen von Verkaufshilfen, z. B. Displays.

Findet Verkaufsförderung im eigenen Hause statt, so spricht man von **In-House-Promotion,** außerhalb des Hauses von **Out-House-Promotion.**

Zur Verkaufsförderung **im Haus** zählen u. a.:

- verkaufsaktive Warenpräsentation,
- Einsatz von Verkaufshilfen wie Anbringen von Plakaten, Auslegen von Prospekten oder Fotos, Hinweis auf Aktionstage/-wochen.

Zur Verkaufsförderung **außer Haus** zählen u. a.:

- unmittelbare Kontaktpflege des Gastronomen oder seiner Mitarbeiter, z. B. durch Gästezeitung, Auftreten bei Messen, Versenden von Mailings usw.
- mittelbare Maßnahmen, wie die Inanspruchnahme von Reisemittlern, deren Aktivitäten unterstützt und gefördert werden.

Eine besondere Chance und Herausforderung gleichermaßen ist es, die Leistungen direkt unter den Augen des Gastes zu erbringen. Der Ort der Leistungserstellung, z. B. das Frühstücksbuffet, ist identisch mit dem Verkaufspunkt, dem sogenannten **Point of Sale (POS)** (*vgl. DEHOGA [Hrsg.] 1992, S. 180*).

Zu den neuen Formen der Verkaufsförderung zählen das Sponsoring sowie das Product-Placement. Beim Sponsoring stellt der Sponsor (z. B. ein Likörfabrikant) dem Gesponserten, also dem Gastronomen, Geld und/oder Sachmittel, z. B. eine Lieferung Likör, zur Verfügung. Das **Sponsoring** kann sich wie im vorhergehenden Beispiel gestalten, ebenso können auch Hotels oder Restaurants als Sponsoren für lokale oder regionale Anlässe,

z. B. Sportveranstaltungen, auftreten, um dadurch ihr Image positiv zu beeinflussen, also zusätzliche Verkaufskontakte herzustellen.

„Sponsoring eignet sich für die Verfolgung einer Vielzahl von Zielen. Im Vordergrund stehen die kommunikativen Zielsetzungen

- **Erhöhung des Bekanntheitsgrades** und die
- **Beeinflussung von Images.**

Für beide Zielsetzungen erfüllt der Tourismusbereich als Gesponserter sehr gute Voraussetzungen. Der Tourismus besetzt positive Begriffe wie Erholung, Gesundheit, Entspannung, Freizeit, Kultur, trifft auf eine breite Öffentlichkeit und kann damit attraktive Gegenleistungen für einen Sponsor erbringen" *(Dettmer, H.; Hansmann, T.; Kloss, J.; Meisl, H.; Weithöner, U., 1999, S. 428).*

Unter **Product-Placement** ist die auffällige, werbe- und imagewirksame Plazierung von Markenprodukten, z. B. bestimmten Porzellan, im eigenen Leistungsangebot zu verstehen. Product-Placement bietet dem Gastronomen den Vorteil, z. B. das vorstehend genannte Geschirr günstiger einzukaufen, um in die Kommunikationspolitik des Herstellers einbezogen zu werden (*vgl. DEHOGA [Hrsg.] 1992, S. 180*).

Das **Ziel des Product-Placement** ist in erster Linie der Aufbau bzw. die Verstärkung von **Images,** seltener die Steigerung der **Bekanntheit.** Ein Wirkungseffekt beim Product Placement ist vor allem durch Wiedererkennbarkeit eines Markenartikels erzielbar, d. h. ein Mindestmaß an Bekanntheit des plazierten Produktes ist für ein Placement Voraussetzung. Je höher die Bekanntheit eines Markenartikels, desto größer ist die Wahrscheinlichkeit, dass er wiedererkannt wird *(ebenda, S. 448).*

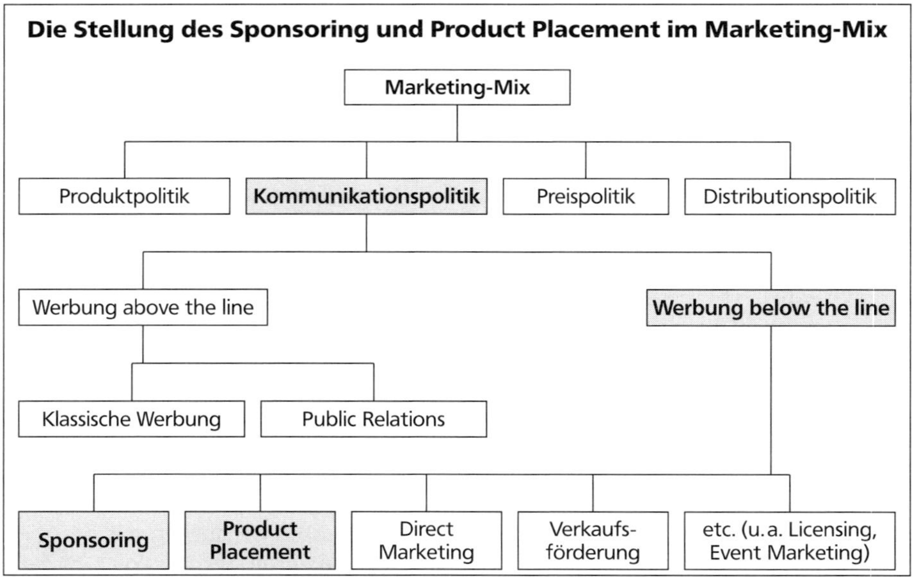

Abb. 3-33 (Dettmer, H.; Hansmann, T.; Klass, J.; Meisl, H.; Weithöner, U., Tourismus-Marketing-Management, München/Wien 1999, S. 446)

3.3.3.7.4 Public Relations

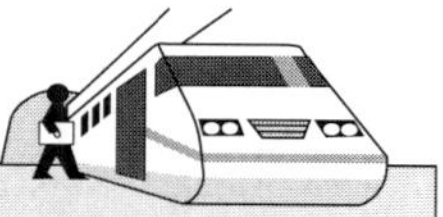

„Wenn ein junger Mann ein Mädchen kennenlernt und ihr erzählt, was für ein großartiger Kerl er ist, so ist das Reklame.

Wenn er ihr sagt, wie reizend sie aussieht, so ist das Werbung.

Wenn sie sich aber für ihn entscheidet, weil sie von anderen gehört hat, er sei ein feiner Kerl, so ist das Public Relations" (A. Münchmeyer).

„Auch die Public Relations zählen zu den klassischen Werbeformen und damit zur ‚Werbung Above the line'. Ganz allgemein ist unter **Public Relation (PR)** die Öffentlichkeitsarbeit eines Unternehmens zu verstehen. Allerdings wird der alte PR-Grundsatz ‚Tue Gutes und rede darüber', den Inhalten einer modernen Öffentlichkeitsarbeit nicht mehr gerecht. Vielmehr ist PR heute im Rahmen einer integrierten Kommunikation zu betrachten. Darin kommt der PR die komplexe Aufgabe des Managements der Kommunikationsbeziehungen eines Unternehmens nach innen und außen zu" (*Dettmer/Hausmann/Kloss/Meisl/Weithöner 1999, S. 360*).

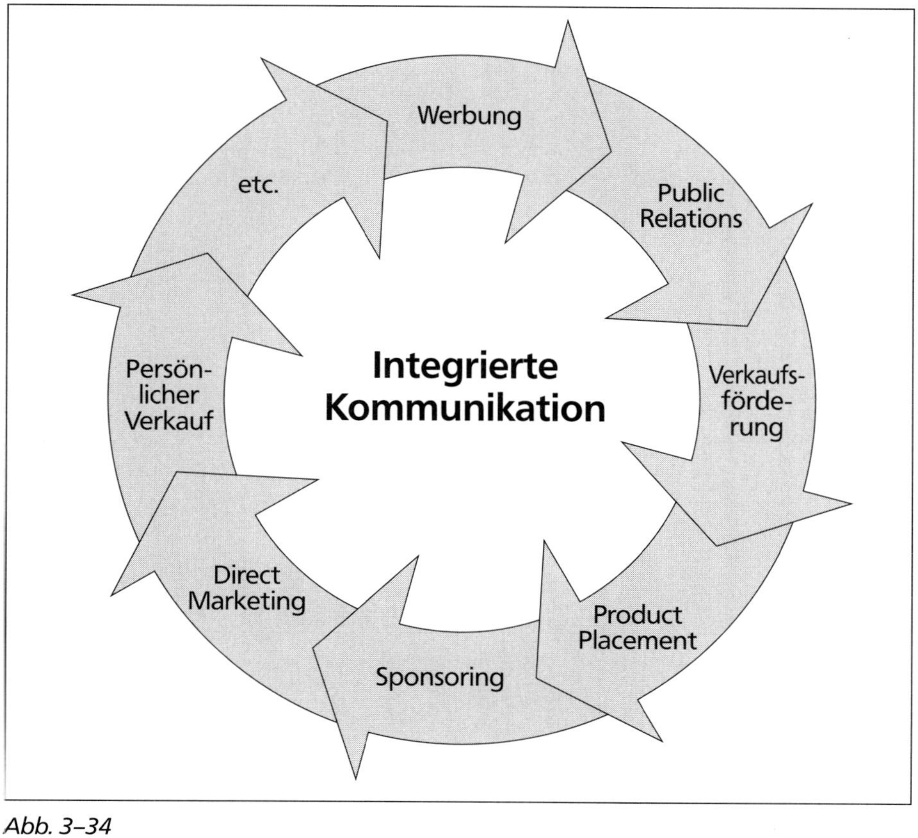

Abb. 3–34

(Aus: Dettmer, Harald; Hausmann, Thomas; Kloss, Ingomar; Meisl, Helmut, Tourismus-Marketing-Management, München/Wien 1999, S. 360)

Ziel der Public-Relations-Arbeit ist es, Verständnis, eine positive Einstellung und vertrauensvolle Haltung der Gäste für das jeweilige Leistungsprogramm des gastronomischen Betriebes zu fördern, denn jeder Gastronom will im innerbetrieblichen und außerbetrieblichen Bereich das Ansehen, den guten Ruf, das Image sowie die Transparenz des Unternehmens in der Öffentlichkeit steigern; außerdem soll eine Identifikation des gastronomischen Betriebes mit den unternehmensspezifischen SEP oder USP erreicht werden. Erfolgreiche Öffentlichkeitsarbeit ist immer auf das persönliche Engagement des gastgewerblichen Betriebes, d.h. des Gastronomen und seiner Mitarbeiterinnen und Mitarbeiter zurückzuführen; Fachwissen, Kommunikationsfähigkeit, Kontaktstärke, Redegewandtheit sowie die Sympathie, die auf Personen oder Gruppen der Öffentlichkeit ausstrahlt, sind von entscheidender Bedeutung (*vgl. Meyer/Hoffmann 1997, S. 122*).

Eine Übersicht der **Inhalte und Themen zur PR-Arbeit** findet sich nachstehend:

Themenkreise/ Stichworte	Anlässe (Beispiele)	Zielgruppen (Szenen)	Empfohlene Medien und Instrumente
1. Grundbedürfnisse befriedigen (Essen/Trinken, Segmentierung, Genuss und Erlebnis, Kommunikation)	Woche des Südeseefisches, Eröffnung einer Weinstube, Karaoke-Musik-Menü, Single-Stamm-Tische/Stehtische	potentielle Stammgäste, Lieferanten, Mitarbeiter, Touristen, Alleinbleibende, Geschäftsleute	Speisekarte, Aushang, Presse, Einladungen an Freunde und Bekannte, Reise- und Publikumspresse, Hörensagen
2. Besonderheiten herausstellen (SEP's, z.B. Spezialitäten der Küche, Lage, Stadtviertel, USP, z.B. Sonntags-Jazz-Brunch)	Prominenten-Kochen Tag des Küchenchefs, Familien- und Nachbarparty	Gäste, Mitarbeiter, Beeinflusser, Stammgäste, selektierte Gästegruppen	Mund zu Mund-Werbung, regionale Presse, Tourismus- und Reisepresse
3. Mitarbeiter motivieren (Sozialleistungen, Betriebsklima, Aus- und Weiterbildung)	Beteiligungsmodelle, Mitarbeiter-Klausur, Mitarbeiter-Exkursion	potentielle Mitarbeiter, Angehörige, Behörden, Gewerkschaften und Verbände	Veranstaltungen, Fachexkursionen, Mitarbeiterbriefe, Seminare, regionale Presse und Gastronomie
4. Spezialbedürfnisse decken (Kultur und Kunst, Fitness und Sport, Minderheiten [Behinderte, Kinder, Nichtraucher], Prominenz)	Sponsoring, Kunstschüler, Wettbewerbe, Auszeichnung der besonderen Räume/Sitzmöglichkeiten, Film- und Theaterpremieren, Computer	Mitarbeiter, Stammgäste, Gäste der jeweiligen Zielgruppe, Handwerker, Lieferanten, Prominente, Stipendiaten	Mund zu Mund-Werbung, Informationsbriefe, regionale Presse, Spezialisten, Einladungen, Telefonakquisition
5. Wirtschaftsfaktoren herausstellen (Arbeitsplätze sichern, Steuerzahler, Einkaufspolitik)	Vorstellung der arbeitsmarktpolitischen Bedeutung, Bilanz-Pressekonferenzen, Lieferantenbeziehungen	Mitarbeiter, Gesellschafter, Banken, Lieferanten, Behörden, Wirtschaftsvereinigungen und Kammern	Exklusiveinladungen, selektierte regionale und Fachpresse, Fachreferenten
6. Mitbürgerliches Engagement zeigen (Nachbarschaftliche Beziehungen, Verbandsmitarbeit, Umweltschutz)	Neubau-Diskussionen, gemeinsames Einwirken auf soziales Verhalten, Sicherheit, „Ruf" der Gegend	Mitarbeiter, Mitbürger, Nachbarn, Gäste, örtliche Behörden, Umweltschutzexperten	Informationsbriefe, persönlicher Kontakt, regionale Presse, Aushänge, Expertenauftritte, Wettbewerbsauftritte
7. Berufsständische Pflichten einlösen (Tarifpolitik, Mittelstandspolitik betrieben, Verbandsaufgaben übernehmen)	Aktive Mitarbeit in Tarifkommissionen, Lobbyveranstaltungen mit Mittelstandspolitikern, ehrenamtliche Mitwirkung an PR-Kampagnen für Gastfreundschaft, an Aufgaben bei DEHOGA, BTM etc.	Leitende Mitarbeiter, Kollegen, Politiker, Wettbewerber, Gäste	Exklusiveinladungen, Mund zu Mund-Werbung, regionale Presse, meinungsbildende Fachpresse, Protokolle, Wettbewerbsversuche, ERFA-Gruppen

Abb. 3–35
(Aus: Meyer/Hoffmann 1997, S. 123 und DEHOGA 1992, S. 248)

Die Zusammenarbeit mit der Presse, Rundfunk- und Fernsehsendern kann als **Kernstück der Medienarbeit** bezeichnet werden. Es ist darauf zu achten, dass die den Vertretern der Medien übergebenen Meldungen und Berichte von allgemeinem Interesse, aktuell und glaubwürdig sind. Aus der Sicht des Gastronomen eignen sich dafür besonders **Themen,** die die

- Stärken seines Betriebes herausstellen,
- einen Wettbewerbsvorsprung aufzeigen.

Als Beispiele für die **Kontakte** mit den Medien lassen sich anführen:

- das Präsentieren origineller Fotos mit prominenten Gästen;
- Neu-, Erweiterungs- oder Umbauten des gastronomischen Betriebes;
- Maßnahmen zum Umweltschutz;
- ein neues Leistungsangebot (z. B. Partyservice);
- Eigentumsveränderungen,
- Personalwechsel führender Mitarbeiterinnen/Mitarbeiter;
- gastronomische Auszeichnungen;
- Jubiläen usw.

Die Planung, Organisation und Durchführung der PR-Arbeit sollte dem Top-Management gastronomischer Unternehmen vorbehalten bleiben. Bei kleineren und mittleren Unternehmen kann die Öffentlichkeitsarbeit, z. B. zusammen mit anderen Unternehmen (nicht mit unmittelbaren Wettbewerbern) durchgeführt werden, sie kann aber ohne weiteres auch einer PR-Agentur übergeben werden (*vgl. Dettmer [Hrsg.], Hamburg 1999, S. 227 f.*).

Public-Relations-Arbeit zählt zu den kommunikativen Marketinginstrumenten und wird durch die Corporation-Identity-Politik koordiniert, deren Leitstrategie die Unternehmensidentität ist.

Eine Übersicht der Kommunikationsfunktion der Public-Relations-Arbeit auf der Grundlage der **CI** leitet sich wie folgt ab:

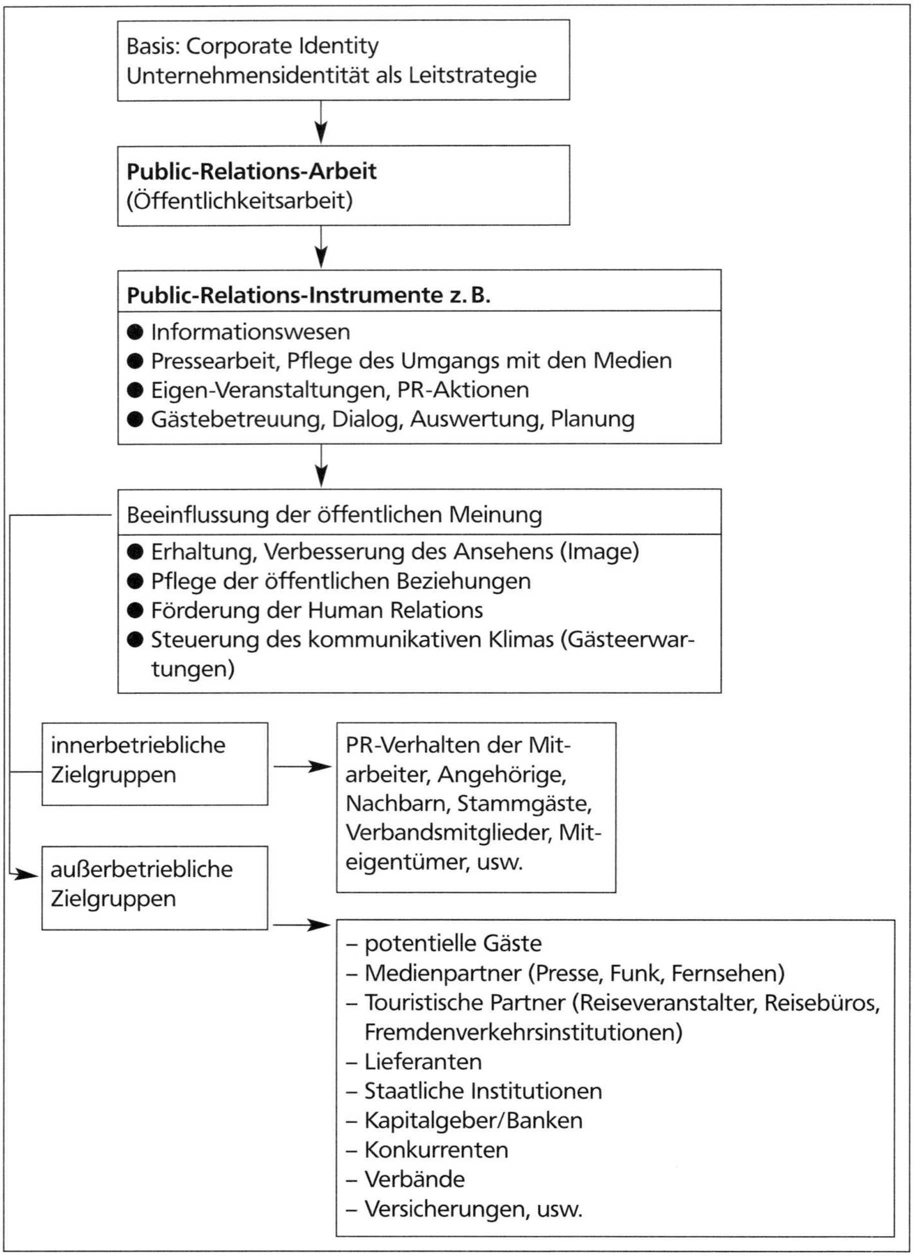

Abb. 3–36: Kommunikationsfunktion der Public-Relations-Arbeit

(Aus: Schaetzing, Edgar E.: Qualitätsorientierte Marketingpraxis in Hotellerie und Gastronomie, Stuttgart 1997, S. 105)

Natürlich lässt sich Öffentlichkeitsarbeit nicht immer zum Nulltarif erreichen. Deswegen ist es notwendig, für die PR-Arbeit ein Jahresbudget zu erstellen, welches die Ausgaben, z.B. für Personal, Verwaltung, Kommunikationsmittel, Porti, Reisen, Spesen, Bewirtung, Aktionen usw. enthält. Die bisherige Praxis hat gezeigt, dass die Grenze für ein PR-Budget bei 0,5 % vom Umsatz liegen sollte *(Dircks 1992, S. 145 ff.).*

Die vorstehenden Ausführungen haben gezeigt, dass die **Grenzen** zwischen Werbung oder Verkaufsförderung einerseits und der PR-Arbeit andererseits oftmals fließend sind. So benutzen PR und Werbung beispielsweise die gleichen Medien, aber in unterschiedlicher Art und Weise. So kann PR auch breit streuende Medien benutzen, um Images für Urlaubsregionen aufzubauen. Ähnlich verhält es sich bei Anzeigen, wo oftmals nur graduelle Unterschiede zwischen Werbung und PR festzustellen sind. Trotzdem bleibt festzuhalten, dass die Zielsetzung der PR-Arbeit von der der anderen kommunikativen Instrumente abweicht. Werbung will die Einstellung der Angehörigen der Zielgruppen beeinflussen, demgegenüber will die PR die Einstellungen gegenüber dem Unternehmen ändern *(vgl. Dettmer/Hausmann/Kloss/Meisl/Weithöner 1999, S. 362).*

„PR zielt auf Vertrauen und Verständnisbereitschaft in der Öffentlichkeit. Beides steht und fällt mit der Glaubwürdigkeit, mit der das Unternehmen nach innen und außen agiert. Ein Unternehmen, das über ein Goodwill in der Öffentlichkeit verfügt, kann mit einer größeren Toleranz gegenüber Fehlentscheidungen und bei anfallenden Problemen, z.B. unvermeidbaren Wartezeiten oder Reparaturen, rechnen" *(ebenda, S. 362).*

3.3.3.7.5 Erfolgskontrollen der Kommunikationspolitik

Erfolgskontrollen der Kommunikations- bzw. Informationspolitik, zu der vornehmlich auch die Werbung zählt, werden von kleinen oder mittelständischen gastronomischen Betrieben kaum durchgeführt. Ganz im Gegensatz dazu steht die Systemgastronomie bzw. Kettenhotellerie, die in ihren eigenen Marketingabteilungen umfangreiche Werbeerfolgskontrollen durchführen, was einen nicht zu unterschätzenden finanziellen Aufwand mit sich bringt. Dies soll jedoch nicht heißen, dass der ungeplante, spontane Einsatz von Instrumenten der Kommunikationspolitik durch die mittelständisch geprägten Betriebe nicht planvoll und zielgerichtet festgelegt wird, um eventuelle finanzielle Misserfolge so gering wie möglich zu halten. Es gilt jedoch, in Werbung, Verkaufsförderung, Public-Relations usw. investierte Beträge unbedingt zu erfassen und so weit wie möglich mit Hilfe eines Werbekosten-/Gliederungsschemas aufzufächern. Mit dieser Aufwandskontrolle einher geht die Kontrolle der Wirkung, d.h., es gilt jede Reaktion auf die durchgeführten kommunikativen Maßnahmen soweit wie möglich zu erfassen.

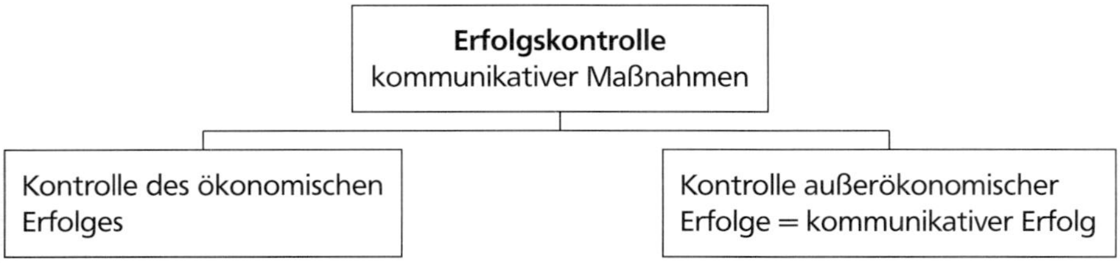

Alle kommunikativen Maßnahmen haben die Aufgabe, eine Botschaft zum Empfänger zu leiten, um diesen im Sinne des Kommunikationspolitik betreibenden gastronomischen Betriebes zu beeinflussen. Der Erfolg der kommunikativen Maßnahmen ist vom Werbeziel abhängig und bringt den Grad der Aufmerksamkeit und Wirkung zum Ausdruck, den die Kommunikation erfährt.

Recht brauchbare und bekannte Methoden der Erfolgskontrolle kommunikativer Maßnahmen sind:

- Anzeigen in Zeitschriften, die der Gast ausschneiden und ausgefüllt an das werbende Unternehmen zurücksenden kann bzw. im Restaurant abgibt,
- Werbeaktionen mit einem Preisausschreiben zu koppeln, um auf Grund der Teilnehmerzahl auf den Erfolg der Werbung schließen zu können,
- persönliche Gespräche mit Gästen zu führen (z. B. zu Fragen, woher sie das Hotel/Restaurant kennen; aus welchem Grund sie dieses Haus besucht haben usw.),
- einen Wechsel der Identität vorzunehmen (z. B. Gast im eigenen Hause zu sein).

Nicht zuletzt bietet es sich an, die einzelnen Kosten und Resultate der Kommunikations-/Informationspolitik in einem Erfolgsrechnungsschema gegenüberzustellen, um mit Hilfe von Schlüsselkennzahlen (z. B. Kosten pro neuem Gast, Anteil der Werbekosten an den Gesamtkosten usw.) eine Erfolgskontrolle der Kommunikationspolitik realisieren zu können *(vgl. Dettmer 1998, S. 283 und Meyer/Hoffmann 1997, S. 126).*

3.3.3.8 Gästepolitik

(Aus: Poggendorf, Armin, Gäste bewirten – Lebensgeister restaurieren, Hamburg 1991, S. 99)

Wenn die Gästepolitik hier als letztes marketingpolitisches Instrument dargestellt wird, so vor allem deswegen, weil dieses Instrument nicht zu denen zählt, die in das klassische Marketing-Mix eingehen, sondern eine nur für die Gastronomie typische Erweiterung des Marketing-Mix darstellt. Auch ist die Gästepolitik ein untypisches Element für allgemeingültige Marketingkonzepte, nicht jedoch im Gastgewerbe. Im Gegenteil, die **Gästepolitik** bildet den Anfang und das Ende eines jeden Leistungsprozesses dieser Branche.

Da Beherbergungs- oder Bewirtungsleistung ohne den Gast nicht möglich ist, lässt sich der **Gast** betriebswirtschaftlich als **zusätzlicher Produktionsfaktor** darstellen, denn er ist am Produktionsprozess einmal als Objekt und einmal als Subjekt beteiligt. Damit spielt der Gast eine Doppelrolle, nämlich einmal als Marketinginstrument „Publikum", gleichzeitig aber auch als „Konsument", um den sich alle Aktivitäten im Gastgewerbe drehen;

er ist eine unverzichtbare Größe bei der Leistungserstellung, denn jede Dienstleistung wird schließlich für ihn erstellt (= Objektfunktion). Andererseits ist der Gast Kooperationspartner und wichtigster Mitgestalter des Leistungsprozesses. Schließlich kann eine Bewirtung oder Beherbergung nur zustande kommen, wenn sie vom Gast gewünscht wird. Da letzterer mit dem Service des jeweiligen Hauses sich in einem ständigen Dialog befindet, der also mit ihr kooperiert, stellt der Gast auch eine der wichtigsten Faktoren dar, die die Atmosphäre des Hotels/Restaurants schaffen. Dieses **Phänomen der sozialen Kommunikation** sowie des Status- und Rollenspiels unterstreicht die **duale Stellung des Gastes** einerseits als Käufer der angebotenen Leistungen/Dienste, andererseits bringt er sich selbst und die anderen Gäste in einem engen Beziehungszusammenhang in Form eines guten oder schlechten, interessanten oder langweiligen Publikums. Damit entsteht eine weitere Ebene, die marketingpolitisch von äußerster Relevanz ist, nämlich die imagebestimmende, die mit der eigentlichen Beherbergungs- oder Bewirtungsleistung nicht in unmittelbarem Zusammenhang steht. Dieses Image kann einen gastgewerblichen Betrieb nach außen als „langweilig", „schick", „interessant", „bürgerlich" usw. darstellen, was sicher nicht ohne Auswirkung auf den Erfolg des jeweiligen gastronomischen Anbieters bleibt. Damit einher geht die typenspezifische Segmentierung des potentiellen Gästekreises mit Hilfe der Bestimmungsfaktoren des Zielpublikums; diese spiegelt den realen Gästekreis in seiner Struktur, Qualität und dem Niveau wider. Dadurch wird das Bestimmen des Zielpublikums in seiner instrumentalen Bedeutung und seinen ertragsbezogenen Auswirkungen ebenso wichtig, wie das Speisen- und Getränkeangebot oder die Einrichtung und Atmosphäre des jeweiligen gastgewerblichen Betriebes. Eine dem gewählten Ambiente entsprechende, rechtzeitige Wahl und Aktivierung des gewünschten Gästekreises, stellt auch einen entscheidenden Baustein im Rahmen des Überlebensprozesses vor allem kleinerer gastronomischer Betriebe dar. Dieser vorstehend genannte Prozess wird von den meisten Gastronomen unbewusst betrieben und differenziert das Publikum in sogenannte Hauptzielgruppen und Komplementärgruppen. Während die Hauptzielgruppen in ihren demographischen, sozialen und ökonomischen Merkmalen sich bestimmen resp. geographisch lokalisieren lassen, erlaubt das Konzept der **Komplementärgruppen** darüber hinaus das Erfassen kleinerer, interessanter Publikumssegmente, die ansonsten kaum ins Gewicht fallen würden (z.B. Künstler, Prominenz, Stars von Funk und Fernsehen, Pressevertreter, Sportler usw.). Ertragspolitisch nicht zu unterschätzen sind aber auch nur zu bestimmten Zeiten nachfragewirksame Gruppen, z. B. Kinder, Jugendliche *(vgl. Kans 1990, S. 189, und Meyer/Hoffmann 1997, S. 115).*

Nicht zu vergessen sind in diesem Zusammenhang die sogenannten externen Beeinflusser. Diese von den gastgewerblichen Betrieben unabhängigen Personen nehmen im Rahmen der Werbung, die in der Individualgastronomie vorrangig indirekt als Mund-zu-Mund-Werbung existiert, eine zentrale Rolle ein. Hierzu zählen u. a. die Stammgäste des jeweiligen Hotels/Restaurants, Bekannte und Verwandte der Mitarbeiter/-innen, Pressevertreter/-innen, Bus- oder Taxifahrer, Sekretärinnen der im Einzugsgebiet sich befindenden Wirtschafts- und Verwaltungsbetriebe usw. Von den letztgenannten sind die sog. Meinungsführer (Opinion Leader) auf Grund ihrer Persönlichkeitsstruktur, aber auch durch deren Ausstrahlungseffekt im Rahmen der marketingpolitischen Wirkung äußerst relevante Vertreter, ihnen ist eine multiplikative Funktion immanent *(vgl. ebenda).*

Die vorherigen Ausführungen unterstreichen also den dualen Charakter des Gastes. Es verbleibt jedem Gastronomen/gastronomischen Betrieb, die sozialen Komponenten des Hauses zu beeinflussen. Das bedeutet allerdings auch, dass dem Beherbergungs- oder Bewirtschaftungsangebot zunehmend sekundärer Erfolgscharakter zukommt, während das durch die Gäste selbst gestaltete Ambiente zu einem entscheidenden **Erfolgsfaktor in der Gastronomie** avanciert.

Wesentlich ist in diesem Zusammenhang natürlich, dass der Gastronom die Voraussetzungen für das richtige **Ambiente** schafft. Dabei sind hier mit Ambiente sowohl Service als auch Komfort und Atmosphäre gleichermaßen angesprochen.

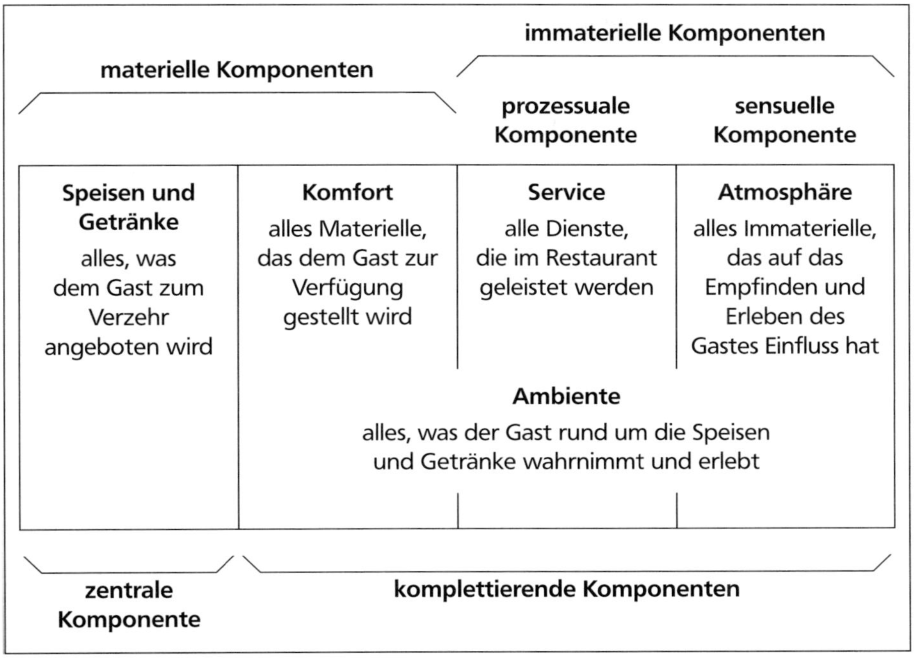

Abb. 3–37: Komponenten der Bewirtungsleistung

(Aus: Poggendorf, Armin, Gäste bewirten – Lebensgeister restaurieren, Hamburg 1991, S. 98)

Ein zukunftsbezogener, erfolgreicher Gastronom wird sich also gleichermaßen um Ambiente wie Beherbergung und Bewirtung bemühen. Dieses zu einem harmonischen Gleichklang des Leistungsangebotes zu bringen, bedeutet, Stil und Ästhetik mit Funktion und Nutzen zu einer stilistischen Einheit zu vereinen. Gelingt es, dem Hause eine individuelle Note zu geben, so wird der Gast dieses durch seine immer wiederkehrende Anwesenheit belohnen; denn der Gast von Morgen sucht das Besondere, Einmalige und Unverwechselbare (*vgl. Poggendorf 1991, S. 97 f., 101 ff.; Kaub 1990, S. 188 f.; Meyer/Hoffmann 1997, S. 115 f.*).

3.3.4 Realisierung von Marketingplanung und -konzeption

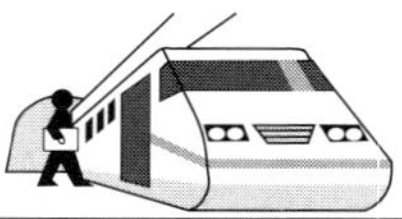

Aktivität	Marktsegment	verantwortlich	angestrebtes Abschlußdatum	tatsächliches
Januar:				
Mailing	Tours	Herr Weingold	15.01.2000	30.01.2001
Planung Tennis-Turnier	Packages	Herr Weingold	15.01.2000	30.01.2001
Druck von 1500 Angebotsseiten- für Reiseveranstalter	Tours	Herr Weingold Herr Thale	15.01.2000	30.01.2001
Versendung Newsletter	VKBs	Herr Thale	15.01.2000	30.01.2001
Tennis-Turnier Prospekt erstellen	Packages	Herr Weingold	15.01.2000	30.01.2001
Pressemitteilung Jonny Logan	Regionaler Markt	Herr Weingold	03.01.2000	05.01.2001
Pressemitteilung ZKN		Herr Weingold	26.01.2000	01.02.2001

Abb. 3–36: Monatlicher Aktivitätenplan/Zusammenfassung

„Die **Marketingplanung** legt in den meisten Unternehmen die Umsatz-, Gewinn-, Marktanteils-, Image-, Qualitäts- und Saisonziele fest, aus denen sich die Vorgaben ableiten lassen. Dadurch wird es möglich, dem Verkauf genaue Soll-Werte vorzugeben, die gleichzeitig eine wirkungsvolle Absatzkontrolle darstellen" (*vgl. Dettmer 1999, S. 269*).

Verkaufspläne sollen in klarer und knapper Form ihre wichtigsten Strategien für das kommende Jahr beinhalten. Dazu gehören:

1. Ziele: Wichtig hierbei ist, dass die Messbarkeit der angegebenen Ziele gewährleistet ist.
2. Strategie: Von der kompetenten Mitarbeiterin/dem kompetenten Mitarbeiter ist kurz und prägnant die Strategie für das entsprechende Marktsegment zu beschreiben.
3. Zielgruppe: Hier sind vor allem die Buchungsquellen anzugeben (z.B. Organisation, Geschäftspartner), welche das jeweilige Geschäft bringen/vermitteln.
4. Aktionen: Es sind die wichtigsten Aktivitäten aufzuzählen, mit denen das Erreichen der gesetzten Ziele geplant wird, und zwar basierend auf der o.g. Strategie für die unterschiedlichen Zielgruppen. Da die Aktionen selbstverständlich verkaufs-

	fördernd sein sollen, sind hier keine festen Zeitpunkte anzugeben, da diese erst in der monatlichen Aktivitätenplanung enthalten sind.
5. Externe Unterstützung:	Im Rahmen der Zielerreichung ist immer zu überlegen, welche Ereignisse oder Personen/Organisationen dabei behilflich sein können.

Beispiele zu vorstehend genannten Punkten 1 bis 5:

zu 1.: Verbesserung des Durchschnittspreises von 100 auf 110 Euro; Belegungsrate halten und versuchen, durch neue Außenwerbung auf das Hotel aufmerksam zu machen bei einer Preiserhöhung um 3 Euro gegenüber dem Vorjahr.

zu 2.: Durch den Einsatz des Yield-Managements, geschickte Schulung des Front-Office-Personals, das Aufzählen der Vorteile des Unique-Selling-Points sollten feste Buchungen am Frontdesk erzielt werden; ebenso durch mehr Leistung z. B. den Messebesucher besser ans Haus binden (Angebot von Sushi für Japaner, allabendliche „Get Together Fair Events").

zu 3.: Es ist zu versuchen, Seminare mit längerer Aufenthaltsdauer zu akquirieren; Reiseveranstalter, Busunternehmen, Vereine sind zu bewerben.

zu 4.: Schalten von Anzeigen in Tagungsmagazinen; Schaffen aktueller Werbeflächen innerorts; Durchführen von Promotion-Tours.

zu 5.: Beteiligung an Tourismus-Messen, soweit dieses erfolgversprechend und kostenmäßig zu vereinbaren ist; Herausgabe eines eigenen Hoteljournals.

So wie die Marketingplanung mit der Unternehmensplanung in Einklang stehen muss, so sind auch die Einzelpläne innerhalb des Marketings aufeinander abzustimmen, z. B. die vorstehende Verkaufsplanung. Beim Aufstellen des Gesamtmarketing-Planes wie der Einzelpläne sind alle verfügbaren Vergangenheitsdaten (z.B. Menüstatistiken) sowie die Zukunftserwartungen, u. a. die Leistungsfähigkeit des jeweiligen gastronomischen Betriebes, dessen finanzielle Mittel, die marketingpolitischen Instrumente, die Umsätze der Branche, aber auch die allgemeine Wirtschaftsentwicklung zu berücksichtigen. Natürlich ist die Marketingplanung mit den anderen betrieblichen Teilplänen, z. B. dem Finanzplan, genau abzustimmen. Weiterhin ist zu berücksichtigen, dass der Gesamtmarketing-Plan so aufbereitet werden sollte, dass er nicht nur für interne Zwecke (z. B. die Gesellschafter), sondern auch für externe Vorlagen (z. B. Bankgeschäfte) verwendbar ist. Die im Marketingplan genannten Ziele sowie die daraus hervorgehenden Erkenntnisse und Empfehlungen sind daher für das Management von besonderer Bedeutung.

Natürlich ist eine Marketingplanung immer mit Alternativplänen zu versehen und so aufzubauen, dass aus der lang- bzw. mittelfristigen Perspektivplanung die kurzfristige Aktivitätenplanung sich konkludent ableiten lässt. Jedes Hotel soll auf monatlicher Basis einen aktualisierten Marketingplan für die nächsten 3 Monate sowie eine Übersicht mit den abgeschlossenen Aktivitäten für den vergangenen Monat in der ersten Woche des neuen Monats an das Verkaufs- bzw. Marketingmanagement – sowie den Regionaldirektor bei Großhotels/Kettenhotels – einreichen. Damit wird routinemäßig der jeweils gültige Aktivitätenplan auf einer fortlaufenden Basis für die einzelnen Monate weitergeführt und kann wie in der Eingangssituation dargestellt aussehen.

Ergänzend zu dem monatlichen Aktivitätenplan sind von den zuständigen Mitarbeitern alle geplanten Aktivitäten, vom Verkaufskontakt bis zur Messeteilnahme, von der Promotion-Aktion bis zur Drucksachen- und Werbemittelproduktion in gesonderten Arbeitslisten zu erfassen. Sind beispielsweise Verkaufsaktivitäten für das Hotel geplant, (z.B. Verkaufsbesuch, Verkaufsreise, „Salesblitz"-Aktion, telefonisches Verkaufsgespräch), so ist

Voraussetzung, dass die Initiative von dem zuständigen Mitarbeiter/der Mitarbeiterin ausgegangen ist und nicht von der Gästeseite gekommen ist. Derartige **Verkaufskontakte** werden ebenfalls in adäquaten Listen erfasst:

Monat	KW	VK Gebiet nach PLZ/Land	Zielgruppe	Gesamt-Anzahl Kontakte	Besuche	Telefon	im Hotel	Wieder-vorlage	Zuständige Person/ Kosten
		wird ausschließlich durch Hoteldirektion durchgeführt und kann nur in Anlehnung der Hotelbelegung geschehen							
01		2,3	Groups Meeting Package Transient	23	4	15	4	10	Herr Weingold ca. 25–50 Euro
02		4,5,3	Groups Meeting Package	35	5	20	10	10	Herr Weingold ca. 25–50 Euro
03		1,2,3	Groups Meeting Package Corporate	37	9	18	10	8	Herr Weingold ca. 25–50 Euro
04		1,3,7,6	Groups Meeting Package	30	4	18	8	10	Herr Weingold ca. 25–50 Euro
05		3,4,5,6	Groups Meeting Package	23	5	10	8	9	Herr Weingold ca. 25–50 Euro
06		3,8,9	Groups Meeting Package Transient	29	6	18	5	8	Herr Weingold ca. 25–50 Euro
07		1,2,3	Groups Meeting Package	19	7	8	4	10	Herr Weingold ca. 25–50 Euro
08		1,2,3,9	Groups Meeting Package	22	10	8	4	101	Herr Weingold ca. 25–50 Euro
09		1,2,3	Groups Meeting Package Transient	31	10	15	68	9	Herr Weingold ca. 25–50 Euro
10		3,4,5	Groups Meeting Package Corporate	35	10	15	10	9	Herr Weingold ca. 25–50 Euro
11		3,4,5	Groups Meeting Package	40	10	20	10	10	Herr Weingold ca. 25–50 Euro
12		1,3,4	Groups Meeting Package	50	20	20	10	10	Herr Weingold ca. 25–50 Euro

Abb. 3–39: Verkaufskontakte

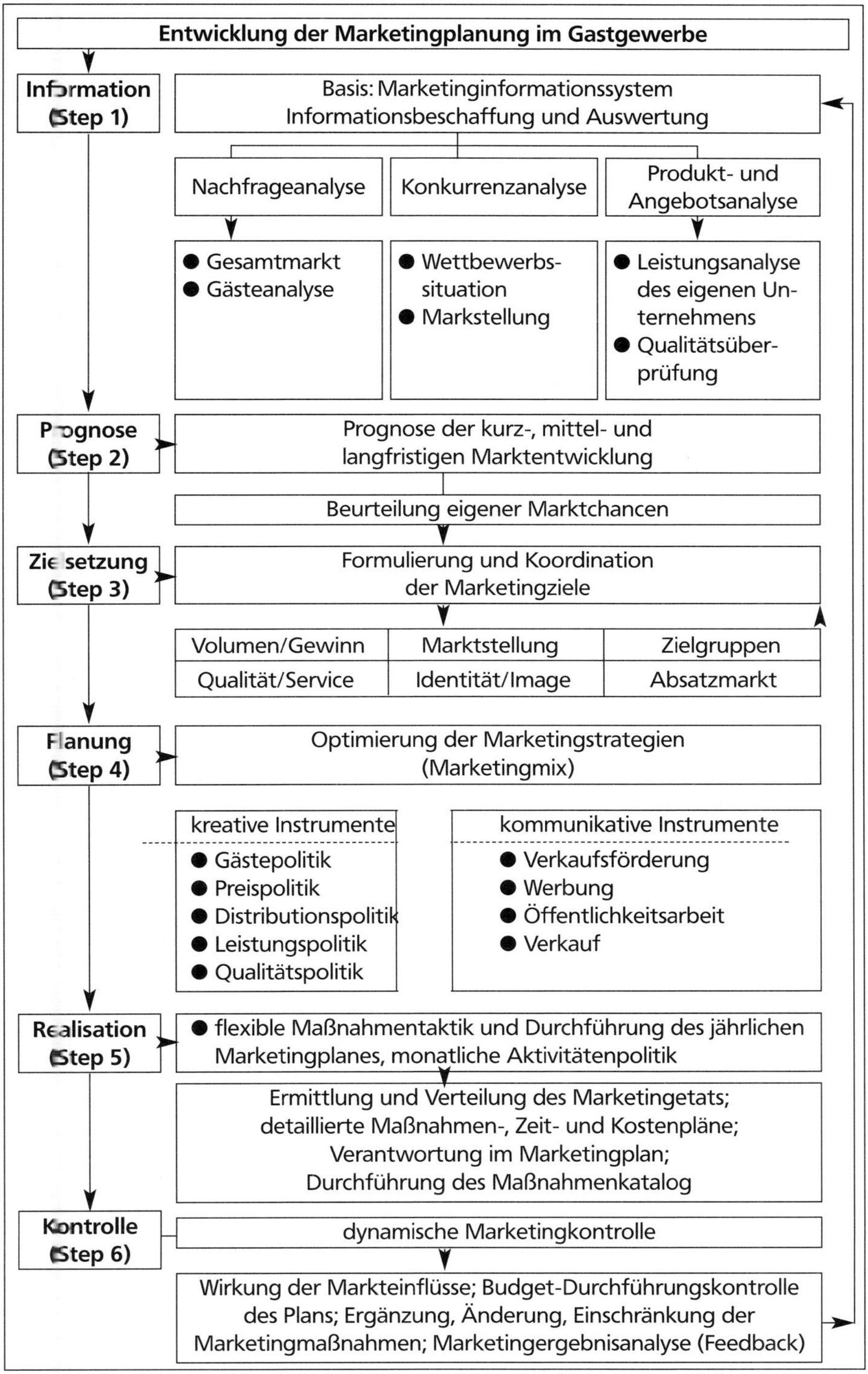

Abb. 3–40: Entwicklung eines Marketing-Planes im Gastgewerbe
(Nach: Dettmer, Harald [Hrsg.], Betriebswirtschaftslehre für das Gastgewerbe – managementorientiert –, Hamburg 1999, S. 173 und Schaetzing, Edgar E., Qualitätsorientierte Managementpraxis in Hotellerie und Gastronomie, Stuttgart 1997, S. 32)

Zwischen der prozessualen Marketingplanung im Gastgewerbe, der Marketingkonzeption und deren Realisation mit Hilfe der Marketinginstrumente gibt es kein festgeschriebenes Schema; oberster **Grundsatz** ist die **flexible Anpassung an das Marktgeschehen.** Soll beispielsweise der stagnierende Umsatz eines Beherbergungsbetriebes konzeptionell/planungsmäßig aktualisiert werden, so ist natürlich nicht nur vom Status quo auszugehen, sondern weiterführende Konzeptideen, z.B. Einbau einer Nachtbar oder Eröffnung eines internationalen Restaurants sind in die Marketingüberlegungen einzubeziehen. Von besonderer Relevanz ist jedoch, dass das Marketingkonzept bzw. die Marketingplanung permanent auf ihre Gültigkeit und Marktkonformität überprüft wird, und zwar bis hin zu den einzelnen Aktionsplänen.

Wie die Entwicklung der Marketingplanung und -realisation einschließlich deren Kontrolle im Ablauf aussehen könnte, ist vorstehender Grafik zu entnehmen.

Alle Ausführungen zum Marketing im Gastgewerbe sollen in interdependenter Form praktische und theoretische Hinweise für die Arbeit in dieser Branche geben. Letztendlich muss sich jedoch jeder Gastronom immer wieder die Frage stellen, ob er nach wie vor mit seinem Leistungsprogramm zur rechten Zeit, am richtigen Ort, zu einem marktgerechten Preis, auf dem geeigneten Verkaufsweg, unter Einsatz wirksamer Marketinginstrumente, die richtige Zielgruppe und damit den potentiellen Gast anspricht und im Sinne einer zukunftsträchtigen Gästepolitik langfristig auf Grund angemessener Erträge am Markt existent sein kann.

3.3.5 Marketing mit neuen Medien – Internet und Electronic Commerce

Modernes Marketing bedeutet die Arbeit mit „Neuen Medien". Nachfolgend soll ein Instrument an die Hand gegeben werden, welches hilft, sich durch den „Multimedia-Dschungel" zu finden.

Zunächst wird auf das Internet und seine Nutzungsmöglichkeiten für die internationale Hotellerie sowie Gastronomie eingegangen, anschließend werden Möglichkeiten zur Erlangung von Wettbewerbsvorteilen durch den Einsatz von Electronic-Marketing-Instrumenten aufgezeigt.

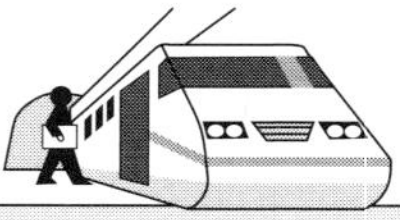

Interessante E-Mail-Programme für die Mail-Kommunikation

Programm	**Infos unter Web-Adresse:**
PostMe	http://www.postme.de
Pegasus	http://www.pegasus.usa.com
Eudora Pro	http://www.eudora.com
Outlook Express	http://www.microsoft.de
Messenger	http://www.netscape.de
Calypso	http://www.mcsdallas.com
Phoenix Mail	http://www.highq.com/Jon/phoenix
AK-Mail	http://www.akmail.com
Mail Control	http://www.transsoft.com

Multimedia: ein neues Zauberwort hat in die Marketingabteilungen des Gastgewerbes Einzug gehalten. Es bedeutet nichts anderes, als dass viele unterschiedliche (= lat. multi) Informationsträger (= Medien) zur Informationsspeicherung, -wiedergabe sowie -übertragung eingesetzt werden *(vgl. Gruner, in: Tourismus Jahrbuch, 1999, Heft 1, S. 233).*

Das **Internet** als weltweiter Verbund von Rechnersystemen ist für jeden frei zugänglich und grundsätzlich nicht kommerziell. Der Nutzer benötigt lediglich einen Computer, eine Zugangssoftware (Browser), ein Modem und einen Telefonanschluss.

Ursprünglich entstand das Netz durch das Projekt ARPANET 1969 im Auftrag des US-Verteidigungsministeriums. Es sollte die Kommunikation zwischen den wissenschaftlichen Einrichtungen der Vereinigten Staaten von Amerika im Falle eines Nuklearkrieges sicherstellen. 1977 wurde das Netz der Öffentlichkeit zugänglich gemacht *(vgl. Reinhardt, 1999, S. 90).*

*Mit dem Begriff **Electronic Commerce** (elektronischer Handel) werden alle Aktivitäten bezeichnet, bei denen zwei oder mehr Personen über elektronische Telekommunikationsmedien Geschäftsprozesse abwickeln.*

„Electronic Marketing bezeichnet die innovative Nutzung der neuen, interaktiven, digitalen Informations- und Kommunikationsmedien im Marketing" (vgl. Wamser 1997, S. 17).

3.3.5.1 Demographie der Online-Nutzer in Deutschland

Zur Zeit sind in Deutschland ca. 6 bis 7 Millionen Menschen online. Die Nürnberger Gesellschaft für Konsumforschung (GFK) befragte von November 1997 bis Januar 1998 telefonisch 10.000 Menschen im Alter zwischen 14 und 59 Jahren. Die Ergebnisse der Befragung sind in den folgenden Tabellen dargestellt. Überraschend war, dass die meisten Befragten in der Zeit zwischen 18 und 22 Uhr surfen. Diese Überschneidung mit der Hauptsendezeit des Fernsehens bestätigten neben Web-Befragungen auch internationale Studien.

Wer nutzt in Deutschland das Internet?

GESCHLECHT	
Männer	75 %
Frauen	25 %
ALTER	
14 bis 19	11 %
20 bis 29	32 %
30 bis 39	29 %
40 bis 49	17 %
50 bis 59	13 %
BILDUNG	
Hauptschule	13 %
Mittlere Reife	31 %
Abitur	27 %
Studium	28 %
Stellung im Beruf	
Selbstständig	13 %
Freie Berufe	2 %
Einfache Angestellte	9 %
Mittlere Angestellte	10 %
Leitende Angestellte	31 %
Beamte	7 %
Arbeiter	5 %
PERS. NETTOEINKOMMEN IM MONAT	
Keines	13 %
Unter 1000,- DM	9 %
1000,- bis 1999,- DM	10 %
2000,- bis 2999,- DM	14 %
3000,- bis 3999,- DM	12 %
4000,- bis 4999,- DM	7 %
5000,- bis 5999,- DM	5 %
6000,- DM und mehr	8 %

Abb. 3–41: Demographie der Online-Nutzer in Deutschland

(Aus: Tourismus Jahrbuch, 1998, Heft 1, S. 164; Durchschnittswerte aus Erhebungen von Infratest, Gfk/Online-Monitor 1/98 und W3B)

Wie wird das Internet laut der Erhebung genutzt?

E-Mails versenden/empfangen	38 %
Suche nach kostenlosen Infos	32 %
Im Web surfen	32 %
Herunterladen von Dateien	24 %
Online-Banking	23 %
Spiele	7 %
Unterhaltung	6 %
Newsgroups	6 %
Gesprächsforen	5 %
Chat	5 %
TV-Nutzung über PC	3 %
Online-Shopping	2 %

Abb. 3–42: Nutzung des Internet in Deutschland

(Aus: Tourismus Jahrbuch, 1998, Heft 1, S. 164; Gfk/Online-Monitor 1/98)

3.3.5.2 Zukunft des Internet

Die Zahl der regelmäßigen Internet-Nutzer ist weltweit im Jahr 1999 auf 147 Millionen Websurfer angestiegen. Gegenüber 1996, als es noch 61 Millionen waren, bedeutet dies fast eine Verdreifachung der Online-Gemeinde. Zu diesem Ergebnis gelangt eine Studie des Marktforschungsunternehmens Computer Industry Almanac CIA (www.c-i-a.com).

Nach Angaben des Instituts surfen in den USA derzeit 76,5 Millionen Menschen. In Japan sind es 9,75 Millionen, in Großbritannien 8,1 Millionen, in Deutschland 7,14 Millionen und in Kanada 6,49 Millionen Onliner (Stand 2/1999).

Für das Jahr 2000 prognostizieren die CIA-Marktforscher eine Gesamtzahl von 320 Millionen Internet-Surfern. Damit sind sie deutlich optimistischer als das US-Consultingunternehmen Computer Economics, das im Januar voraussagte, erst im Jahr 2005 würde die Nutzerzahl auf 346 Millionen Onliner ansteigen *(vgl. Yahoo! Schlagzeilen, 18. Februar 1999, 13:00 Uhr).*

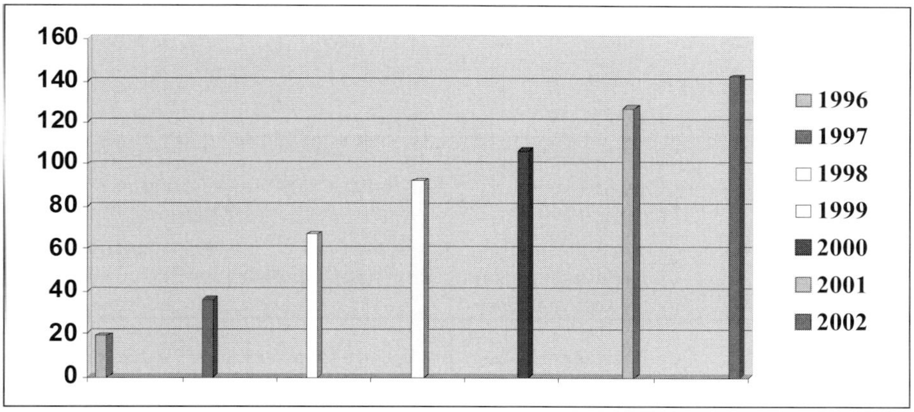

Abb. 3–43: Die weltweite Entwicklung der Internet-Nutzerzahlen (in Millionen) (Aus: eStats, http://www.estats.com/estats/welcome.html)

Auch wenn die Schätzungen der Zukunftsforscher bezüglich der Anzahl der momentanen und zukünftigen Internet-Nutzer auseinandergehen, so zeigen die Wachstumszahlen doch einen deutlichen Trend zur multimedialen Gesellschaft. Insbesondere wurde das Marketing revolutioniert. Der Unternehmer steht vor der Frage, welche multimedialen Anwendungen kurz-, mittel- und langfristig zum Einsatz kommen sollen. Dies gilt es, vor dem Hintergrund der spezifischen Rahmenbedingungen seines Unternehmens zu überprüfen.

3.3.6 Revolution des traditionellen „Marketing-Mix"

Das **Marketing,** das heißt, das auf bestimmte Zielgruppen ausgerichtete und damit marktgerechte Handeln eines Unternehmens, hat sich in den vergangenen Jahren durch die neuen Medien grundlegend verändert.

Waren es zunächst die großen Konzerne – durch das Internet erzielte die nordamerikanische Marriott-Hotelkette 1996 1,5 Mio. Dollar, 1997 16 Mio. Dollar und 1998 30 Mio. Dollar Umsatz *(vgl. fvw Fachreport vom 30.04.98)* – sind es nun auch in zunehmendem

Maße privat geführte Hotels, die das Internet und andere neue Medien als innovative Marketinginstrumente einsetzen.

Das Münchner Hotel Nymphenburg – 80 Betten – ist seit 1997 online. Der Hotelier Mathias van der Kemp erzielt seitdem durch Internetbuchungen einen durchschnittlichen Mehrumsatz von 10%. Er kooperiert u. a. mit dem GDS (General Distribution System)-Anbieter ATEL, Paris, der einen Anschluss an die Reservierungssysteme AMADEUS, ABACUS, APOLLO, AXESS, GALILEO, SABRE; SITA, SYSTEM ONE und WORLDSPAN ermöglicht. Grundlage für die Gebühren ist der erzielte Beherbergungsumsatz, von dem 10% für das buchende Reisebüro und 10% für die Dienste von ATEL berechnet werden. Auch mit dem Unternehmen HRS, Köln (www.hrs.de) hat er sehr gute Erfahrungen gemacht. HRS stellt 10% vom Umsatz für seine Serviceleistungen als Online-Hotel-Datenbank in Rechnung.

Die vier traditionellen Marketinginstrumente Product, Price, Place und Promotion sind, das zeigen die Erfahrungen, zukünftig um den Einsatz multimedialer Technologien zu erweitern. Das moderne gastgewerbliche Unternehmen wird von der unaufhaltsamen **Globalisierung der Märkte** nur dann profitieren, wenn es nicht auf den Einsatz der innovativen **Electronic-Marketing-Instrumente** verzichtet *(vgl. Gruner, in: Tourismus Jahrbuch 1, 1999, S. 233 f.).*

ELECTRONIC PRODUCT POLICY = Produkt- und Leistungspolitik	**ELECTRONIC PRICING POLICY = Preis- und Konditionenpolitik, Zahlungsverkehr**	**ELECTRONIC DISTRIBUTION POLICY = Standort- und Distributionspolitik**	**ELECTRONIC COMMUNICATION POLICY = Kommunikations-politik**
• Multimedia als Produktbestandteil oder Ergänzung (z. B. Online-Office-Zimmer, Räume mit der Möglichkeit für Videokonferenzen, E-Mail-Service über die Rezeption, Internet-Fernseher)	• Online-Zahlungs-verkehr (Electronic Cash) • Offline-Zahlungs-verkehr (Electronic Purse) • Virtuelle Agenten	• Internet-Shops und -Malls • POS-Terminals (Point of sale T.) • POI-Terminals (Point of information T.) • POE-Terminals (Point of enter-tainment T.)	• Homepages • Virtuelle Themen-parks • Werbung im Netz • Videopräsentatio-nen im Netz • CD-ROM-Kataloge und -Präsentationen • Gewinnspiele

Abb. 3–44: Der Electronic-Marketing-Mix und dessen Anwendungsmöglichkeiten (Quelle: eigene Darstellung mit Bezugnahme auf Wamser/Fink, 1997, S. 31)

3.3.7 Nutzen der neuen Technologien

Vorweg – nicht für jedes gastgewerbliche Unternehmen lohnt sich ein Internetauftritt, die Installierung von POS-Terminals oder eine CD-ROM-Präsentation. Der schnelle Zugang zu Informationen und die Gewissheit, durch die Beschäftigung mit den neuen Technologien nicht den Anschluss zu verlieren, sollten jedoch für alle Unternehmer Grund genug sein, sich mit dem Thema zu befassen *(vgl. Gruner, in Tourismus Jahrbuch 1, 1999, S. 235).*

Die Mindestvoraussetzung zur Nutzung des Internet

- Ein PC (mind. 100 MHz, 16 MB RAM)
- Ein Analog-Modem/ISDN-Karte (Anschlussgerät an den Computer, mit dem die Kommunikation über Telekommunikationsleitungen gewährleistet wird.)
- Eine Telefonverbindung (möglichst ISDN)
- Der Zugang zum Internet durch einen Online-Dienst (= Provider, z. B. T-Online, America Online, CompuServe)

Das Internet als Marketinginstrument

Soll die Nutzung über den Einsatz als Medium zur Informationsgewinnung hinausgehen, muss sich der Unternehmer folgende Fragen stellen:

- Welche Bedürfnisse haben meine aktuellen und potentiellen Gäste und wie kann ich diese mit Hilfe der neuen Technologien besser befriedigen als die Konkurrenz?
- Zahlt es sich für das Unternehmen aus, in das Netz zu gehen? Wenn nicht aus kommerziellen Gründen, dann evtl. aus Imagegründen.
- Habe ich die Zeit, mich um die detaillierte Vorbereitung des Internetauftritts zu kümmern?
- Stehen die eingesetzten Kosten im gesunden Verhältnis zum angestrebten Ziel? (Anm.: Ein Internetauftritt, ohne komplizierte Effekte, ist bereits ab ca. 1500 Euro möglich.)
- Kann sich jemand im Unternehmen neben dem Tagesgeschäft um die Pflege der Online-Präsenz und die Beantwortung der E-Mails kümmern? (Anm.: Eine E-Mail sollte innerhalb von 24 Std. beantwortet werden, um dem Medium gerecht zu werden; können eingehende Anfragen oder Buchungen ohne Personalmehraufwand bearbeitet werden?)
- Haben Sie Zukunftsvisionen? Können Sie sich vorstellen, dass Ihr Angebot für nationale und internationale Gäste von Interesse sein könnte, die durch das Internet auf Sie aufmerksam werden *(vgl. Gruner, in: Tourismus Jahrbuch 1, 1999, S. 235)?*

Möglichkeiten der Internetpräsenz für gastgewerbliche Betriebe

Das Internet unterliegt rasanten Veränderungen. Aus diesem Grund können an dieser Stelle selbstverständlich nur die technischen Möglichkeiten zum Zeitpunkt des Verfassens des Beitrages wiedergegeben werden. Die Hinweise auf Unternehmen, die Dienstleistungen für einen effektiven Internetauftritt anbieten, dürfen nicht als verstecktes Productplacement verstanden werden, sondern dienen der Gewährleistung des Praxisbezugs.

Die **Vorteile des Marketing per Internet** sind hauptsächlich in der attraktiven, weltweit abrufbaren Präsentationsmöglichkeit zu sehen, die durch computeranimierte, audiovisuelle Effekte eine Darstellung des Unternehmens ermöglicht. Dies ist mit klassischen Werbeträgern kaum realisierbar. Darüber hinaus erhält man durch das Medium Internet den Zugang zu einem Angebot nahezu unbegrenzter Informationsmengen zu den verschiedensten Themenbereichen *(vgl. Wamser/Fink, 1997, S. 33).*

Der Internetauftritt

Die komplexe und zeitaufwendige Umsetzung eines erfolgreichen Online-Auftritts sollte der meist technisch wenig versierte Gastronom einem darauf spezialisierten Unternehmen überlassen. Das Unternehmen TWINWAVE aus Frankfurt stellt die typische Vorgehensweise bei der **Umsetzung eines Internetauftritts** wie folgt dar:

1. Die Entwicklung des Kommunikationskonzeptes
   (wen will das Unternehmen im Internet mit welchen Informationen wie ansprechen?)
2. Die Erstellung der Navigationsstruktur
   (das Festlegen der Schwerpunkte der Internet-Präsenz und deren einfache Erreichbarkeit)
3. Die Entwicklung des grafischen Designs
   (passend zur Corporate Identity)
4. Die Umsetzung
   (Programmierung der Seiten, Anschluss von Datenbanken, Schnittstellen zu internen Systemen)
5. Die Installation im Netz
   (Anschluss der Seiten an das Internet)
6. Die Pflege der Seiten
   (durch den Internet-Dienstleister oder mit einem Tool = ein Programm, mit dem der Nutzer selbst Daten auf seiner Web-Seite verändern kann)
7. Die Kontrolle des Internet-Auftritts
   (wer war wann auf der Homepage, woher kommen die Besucher, wie lange bleiben sie, was schauen sie sich an?)

Folgendes gilt es zu beachten, wenn die Web-Präsenz von einem Internet-Dienstleister vorbereitet, auf einem Server installiert und kommuniziert wird:

⇨ Die Seiten müssen frei von Urheberrechten Dritter sein (z. B. fremdes Bildmaterial).

⇨ Der Internet-Dienstleister muss sich vertraglich verpflichten, die Urheberrechte am Internetauftritt des Kunden freizugeben.

⇨ Der Kunde ist für die Inhalte der Domain (Internet-Adresse eines Unternehmens) verantwortlich; d. h. auch für Links (Wegweiser zu weiteren Dokumenten des Unternehmens) oder Hyperlinks (Links zu Dokumenten anderer Unternehmen) zu anderen Seiten, die beispielsweise rechtsradikale Inhalte aufweisen könnten.

⇨ Preise sind lt. Gesetzgeber inkl. MwSt. anzugeben, da „Öffentlichkeit gegeben ist".

⇨ Die Allgemeinen Geschäftsbedingungen müssen für den Kunden im Netz bereitgehalten werden; sinnvoll ist es, sich bei Vertragsabschluss diese durch den Wortlaut „ich akzeptiere die AGB's" bestätigen zu lassen. Beim Angebot von hochpreisigen Wirtschaftsgütern ist eine zusätzliche schriftliche Vertragsbestätigung sinnvoll, da manche Gerichte dem Medium Internet die Möglichkeit der eindeutigen Beweiskraft absprechen.

Der richtige Provider für den Internetauftritt

Unter einem **Provider** versteht man den Anbieter von Online-Diensten zur Teilnahme am virtuellen Verkehr, z. B. die Zur-Verfügung-Stellung einer E-Mail-Adresse, die Möglichkeit des Internet-Zugangs oder das Herunterladen von Dateien (Download).

Bei der **Auswahl eines Anbieters** gilt es folgendes zu beachten:

⇨ Die Nähe zum Provider (ist die Kommunikation zum Ortstarif möglich?)

- Serviceleistungen (steht der Anbieter auch abends und am Wochenende für evtl. Probleme zur Verfügung?)
- Geschwindigkeit der Datenübertragung (wie schnell baut sich eine Web-Seite auf?)
- Art und Höhe der Kosten und Tarife (wünschenswert wäre der Ortstarif)
- Datenmenge für E-Mails (es gibt Anbieter, die nur eine bestimmte Datenmenge zulassen?)
- Besteht die Möglichkeit, den Domain-Namen bei einem Providerwechsel mitzunehmen? (Domain-Namen auf das eigene Unternehmen registrieren lassen).
- Es sollte ein „echter" Domainname zugeteilt werden (z. B. www.hyatt.com oder www.lindner.de) und kein „falscher" Name (z. B. www.providername/Firma).

Die meisten Unternehmen, die sich auf den erfolgreichen Auftritt im Netz spezialisiert haben (z. B. das Unternehmen Serenata Intraware, München mit dem Angebot „Design-Hotel") stellen Komplettlösungen zur Verfügung. Das genannte Produkt kostet ca. 2040 Euro und stellt die Bereiche Lage, Zimmer, Preise, Kontakt, Prospekt- sowie Buchungsanfrage in einer festen Menüleiste dar. Die englische Sprachwahl und E-Mail-Funktion sind serienmäßig installiert. Der Beherbergungsbetrieb kann seine Präsentation modular um die Bereiche Tagungen, Business, Gastronomie und Events sowie Sport und Freizeit mit Bildern, Slogans, Text und Logo erweitern. Im Angebot ist der Eintrag in die wichtigsten Suchmaschinen enthalten.

Optional werden technische Raffinessen wie 3D-Panorama-Technologien zur verkaufsfördernden Präsentation angeboten. Bei Komplettlösungen ist wichtig, dass die volle Internet-Integration in ein Front-Office-System wie beispielsweise Micros-Fidelio oder HOGATEX gewährleistet ist *(vgl. Top hotel 11/98, S.120 f.)*.

Abb. 3-45: Homepage des Hotels Nymphenburg, München, 1999

Einer von vielen weiteren Anbietern ist das Unternehmen Euro-Nett aus Titz, das für das Erstellen einer Homepage inklusive drei Info-Seiten, das Einrichten einer eigenen Domain (eigenständige WWW-Adresse) und einer E-Mail-Adresse ca. 510 Euro berechnet. Der Eintrag in die wichtigsten Suchmaschinen ist kostenlos. Die Kosten für die Datenpflege betragen jährlich zusätzlich ca. 230 Euro *(vgl. Gruner, in: Tourismus Jahrbuch 1, 1999, S. 236).*

Reservierungssysteme im Internet

Im Internet gibt es die unterschiedlichsten Möglichkeiten, ein gastgewerbliches Unternehmen durch einen Hotelführer oder Buchungssystem zu vermarkten.

Eine gewisse Markttransparenz bietet eine Studie der Fachzeitschrift Top hotel, die im Juni und Juli 1998 eine Umfrage durchgeführt hat, deren Ergebnis an dieser Stelle wiedergegeben wird.

Zunächst wurden in der o. g. Untersuchung die Anforderungen an ein effizientes **Online-Buchungssystem** festgelegt:

1. Für die angeschlossenen Hotels muss die Möglichkeit bestehen, regelmäßig ihre Verfügbarkeitsdaten im Internet zu aktualisieren.
2. Zimmerkontingente sollten für bestimmte Zeiträume hinterlegt werden können.
3. Es muss die Möglichkeit bestehen, dem Gast sofort nach dem Absenden der Buchungsanfrage eine garantierte Reservierungsbestätigung zuzustellen.

Folgende Anbieter erfüllen laut der Studie die genannten Kriterien:

- www.ehotel.de (FAO Travel GmbH)
- www.eurotel-online.com (Eurohotel-Online GmbH)
- www.reconline.com (Reconline AG)
- www.hotels.or.at (Hotel OnlineAustria & Vienna)
- www.hrs.de

Die Leistungen der oben genannten Anbieter:

- www.ehotel.de

⇨ Buchung von Hotels

⇨ Flüge und Mietwagen unter www.reiseservice.de

⇨ eHotel-Disk

⇨ Eigenes Call-Center

Zielgruppe dieses Systems sind ausschließlich Geschäftsreisende. Insgesamt sind 47000 Hotels interaktiv buchbar. Es wird auf die Daten von Amadeus zugegriffen, was voraussetzt, dass die Häuser bereits im Amadeus-System gelistet sind. Der Geschäftsführer des Unternehmens Louis Arnitz ist der Meinung, dass sich erst für ein Hotel ab 50 Zimmer ein Eintrag in ein Airline/GDS-System lohnt. Für Beherbergungsbetriebe, die nicht über GDS buchbar sind, bietet das Unternehmen ein separates „Freesale Agreement". Die Seiten können in drei Sprachen abgerufen werden: in Deutsch, Englisch und Französisch.

Kosten entstehen dem Hotelier je Buchung in Höhe einer handelsüblichen Reisebüroprovision sowie der GDS-Transaktionsgebühren.

www.eurohotel-online.com oder auch unter **www.eurohotel.de**

⇨ Hotels sind über ein Reservierungsformular buchbar, das als E-Mail-Anfrage an die Häuser weitergeleitet wird. Weitere Möglichkeiten sind direkte Online-Buchung mit Verfügbarkeitsabfrage oder Buchung über GDS.

⇨ Fidelio-Front-Office-Programmanbindung ist möglich.

Das Buchungssystem ist auf ganz Europa ausgerichtet, führt allerdings momentan unter 220 Hotels nur zehn nicht deutsche Häuser auf.

Für die Listung auf den Seiten von Eurohotel entstehen dem Hotelier zur Zeit Kosten von einmalig ca. 300 Euro und monatlich ca. 51 Euro. Möchte das Hotel online buchbar sein, so werden nochmals ca. 82 Euro monatlich berechnet. Für die Verbindung direkt zum Fidelio Hotelprogramm werden von Eurohotel Online keine zusätzlichen Gebühren erhoben, das entsprechende Interface (Schnittstelle) kostet jedoch ca. 2550 bis 5100 Euro.

- www.reconline.com

⇨ Reservierung kann online getätigt werden.

⇨ Bei sechs Hotel-Software-Herstellern (u. a. Fidelio und Hogatex) kann momentan die Direktanbindung erfolgen.

⇨ Es besteht eine Verbindung zu den GDS von Sabre, Amadeus und Galileo, so dass alle gelisteten Hotels über diese Airline-Systeme buchbar sind.

⇨ Die Beherbergungsbetriebe präsentieren sich mit Foto.

Das Unternehmen mit Sitz in Zermatt listet momentan 130 Hotels aus der Schweiz, Österreich und Deutschland.

Die einmalige Bereitstellungsgebühr beträgt zur Zeit ca. 970 Euro. Je nach Zimmeranzahl entstehen weitere Kosten von ca. 400 Euro bis ca. 1150 Euro pro Jahr. Von den Front-Office-Software Anbietern werden bei einer direkten Verbindung ins Hotelprogramm teilweise Extragebühren für die Schnittstelle verlangt.

- www.hotels.or.at

⇨ Ermöglicht die Buchung per E-Mail und direkt.

⇨ Jedes Hotel kann in seinen Belegungskalender direkt online Daten (Preise, Belegungsstatus etc.) eingeben.

Das System hat ca. 330 Hotels in ganz Österreich gelistet, wovon sich ein Großteil in Wien befindet.

Die Kosten für den Anschluss und Unterhalt belaufen sich auf umgerechnet rund 33 Euro im Monat.

Da sich in Zukunft das Angebot an Hotel-Buchungssystemen vergrößern wird, stellt sich die Frage, ob es Sinn macht, in mehreren Systemen Kontingente zu pflegen. EDV-Berater empfehlen, ein Online-Buchungssystem sehr sorgfältig auszuwählen und dann in das Zentrum aller Marktauftritte zu stellen (*vgl. Dold, in: Top hotel 7/98, S. 46 f.*).

Videopräsentationen gastgewerblicher Unternehmen im Internet

Das **Internet-Video** bietet dem Unternehmer die Möglichkeit, den Betrieb mit all seinen Leistungsmerkmalen darzustellen. Viele Beherbergungs- und Bewirtungsbetriebe verfügen bereits über entsprechendes Bildmaterial, das für Präsentationen oder Messen angefertigt wurde. Für die Darstellung im Internet muss der fertige VHS-Film nur digitalisiert und in ein webgerechtes Format komprimiert werden. Danach wird der Film auf einem Server platziert.

Die Kosten für einen drei-Minuten-Spot liegen bei ca. 255 Euro. EDV-Berater geben zu bedenken, dass der Einsatz eines Hotelvideos im Internet durch das anfallende Datenvolumen die Kosten beim Service Provider in die Höhe treibt. Ein durchschnittlicher Spot hat eine Datenmenge von etwa zwei Megabyte. Lädt sich ein Gast das Video auf seine Festplatte, zahlt am Ende der Hotelier nicht nur für das Bereitstellen des physikalischen Webspace, sondern auch für anfallende Übertragungsgebühren. Deshalb sollte sich der Unternehmer vor dem Einsatz dieser Technik beim Service Provider über die anfallenden Kosten informieren.

Von entscheidender Bedeutung ist auch die Wahl des richtigen Dateienformates. Man unterscheidet zwischen a) Streaming- und b) Download-Dateien.

a) Streaming-Dateien werden bereits abgespielt, wenn auch nur Teile des Videos aus dem Internet übertragen wurden. Das hat den Vorteil, dass der Zuschauer schon zu Beginn des Films darauf aufmerksam wird, was er zu sehen bekommt und während der Übertragung entscheiden kann, ob er sich das vollständige Video anschauen möchte. Das bekannteste Streaming-Format heißt RealVideo und wird von dem Unternehmen RealNetworks (http://www.real.com) angeboten.

b) Download-Dateien werden erst abgespielt, wenn die ganze Datei auf den Rechner übertragen wurde. Der Vorteil bei dieser Variante ist darin zu sehen, dass die Datei dann beliebig oft angesehen oder auf Diskette oder CD-ROM gespeichert werden kann (*vgl. Top hotel 6/98, S. 151*).

Einen virtuellen Ausblick vom Selliner Cliff-Hotel Rügen können Internet-Surfer unter http://cliff-hotel.de per Livecam genießen. Das Hotel ist mit seinem Online-Auftritt mehr als zufrieden: Im ersten Jahr wurden via Internet für rund 55 000 Euro Buchungen registriert.

Abb. 3–46: Videopräsentation des Cliff-Hotels Rügen, 1999
(Aus: Fachzeitschrift Top hotel, 12/98, S.84)

Zahlungsverkehr im Internet

Beim Bezahlen von gastgewerblichen Leistungen, die durch das Internet gebucht wurden, unterscheidet man grundsätzlich drei Zahlungszeitpunkte:

a) **Prepayment:** Der Gast begleicht seine Rechnung, bevor er die Leistung des gastgewerblichen Betriebes in Anspruch nimmt (A conto Zahlung).

b) **Pay-now:** Der Gast bezahlt seine Rechnung wenn er die Leistung in Anspruch nimmt; beispielsweise wenn er im Hotel eincheckt.

c) **Pay-later:** Der Gast bezahlt die Rechnung, wenn er die Leistung in Anspruch genommen hat.

Alle drei Zahlungsverpflichtungen können bei der Buchung über das Internet auf konventionellem Wege (bar, halbbar sowie unbar) oder elektronisch erfüllt werden.

Ein Online-Buchungssystem steht und fällt mit sicheren Zahlungsmodalitäten. Das Gästemisstrauen gegenüber der Nennung von Kreditkartendaten im Internet ist enorm. Nur fünf Prozent der Nutzer haben keine Bedenken, wenn sie ihre Kreditkarte zum Online-Einkauf benutzen. Dass die Bedenken gerechtfertigt sind, zeigt ein aktueller Test der Fachzeitschrift „InternetWorld". Die Redaktion stellte fest, dass die meisten deutschen Betreiber von Online-Shops gänzlich auf eine Verschlüsselung der Daten verzichten. Dabei ist die Auswahl an Techniken groß, die eine möglichst lange, qualitativ hochwertige Verschlüsselung bieten.

⇨ Die wichtigsten Web-Browser beherrschen SSL, eine rudimentäre Variante mit vergleichsweise wenig Schutz. SSL besitzt eine Länge von 48 Bit und war noch bis vor kurzem sicher. Durch den technischen Fortschritt sind Hacker inzwischen aber auch in der Lage, längere Codes innerhalb eines Tages zu knacken.

Der aktuelle Stand der Sicherheitstechnik liegt bei Schlüsseln mit einer Länge von 1024 Bit. Einer der Anbieter dieser Technik ist ein Münchner Internet-Provider, der ein System mit dem Namen „Wirecard" (Infos unter: www.wirecard.de) vertreibt. Das Produkt dient nicht nur der Verschlüsselung der Daten, sondern beinhaltet auch die Abrechnung mit Kreditkarteninstituten. Ab ca. 120 Euro Monatsgebühr kann der Betreiber eines Buchungssystems den kompletten Sicherheitsbereich an Securitas Internet Systems auslagern und zudem die Rabatte der Kreditkartenfirmen für bestimmte Mengen abgewickelter Transaktionen über Visa, Mastercard Diners oder American Express kumulieren *(vgl. Top hotel 11/98, S. 125).*

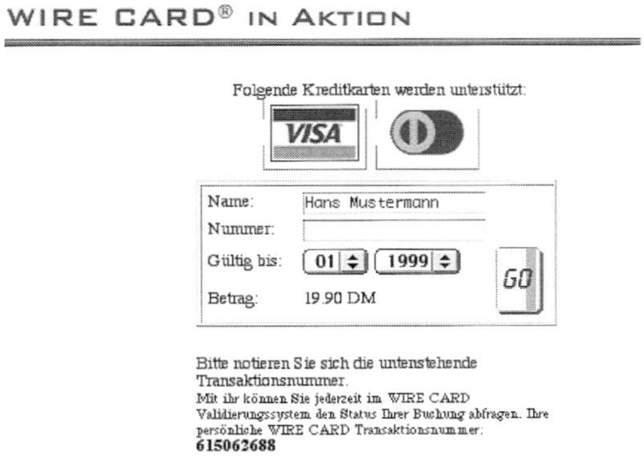

Abb. 3–47: Kreditkartenzahlungen im Netz mit „Wire Card"
(Aus: Fachzeitschrift Top hotel, Landsberg, 11/98, S. 125)

Zusätzliche Nutzungsmöglichkeiten des Internet

Da die Anwendungsbreite des Internet nahezu grenzenlos ist, kann an dieser Stelle nur auf einige wenige Nutzungsmöglichkeiten eingegangen werden.

⇨ Nutzung eines zentralen Branchen-Marktplatzes, auf dem branchenspezifische Produkte und Dienstleistungen angeboten werden können (z. B. www.hotel.de).

- Die Suche nach Firmen, Produkten und Dienstleistungen erleichtert die Suchmaschine „Wer liefert was?", eine Datenbank mit Informationen zu mehr als 220.000 Unternehmen (www.wlwonline.de).
- Nutzung einer Gastronomie-Pachtbörse, bei der Verpächter und potentielle Pächter zueinander finden (www.gastronomie-report.de).
- Der DEHOGA bietet Mitgliedern und anderen Interessenten seine Informationen auch online an (www.dehoga.de).
- Zur Feststellung von Gästewünschen oder zum Austausch unter Kollegen bieten sich sogenannte Newsgroups an. Sie werden oft als die „schwarzen Bretter" des Internet bezeichnet, die öffentlich sind und auf denen jeder seine Meinung per E-Mail äußern kann. So entsteht ein weltweites Diskussionsforum im Internet. Durch Eingabe von „news://" anstelle von „http://" im Browser und der Adresse des Servers, auf dem die gewünschte Gruppe gespeichert ist, kann man mit der gewünschten Newsgroup Verbindung aufnehmen.
- Eine Möglichkeit den Bekanntheitsgrad zu steigern bietet das Hamburger Unternehmen Netzpiloten, das sich darauf spezialisiert hat, Internet-Gewinnspiele zu konzipieren und Gewinnspiele aus dem Internet auf einer Seite zu zentralisieren (www.gewinnspiele.de).
- Stellenangebote veröffentlichen und abrufen ist im Internet zum Teil kostenlos möglich (www.arbeitsamt.de; www.tophotel.de) (*vgl. Gruner, Internet und Gastgewerbe, in: BWL für das Gastgewerbe, 1999, S. 365 ff.).*

3.3.8 Weitere Multimedia-Marketing-Instrumente

Die Vielfalt der **Electronic-Marketing-Anwendungen** nimmt mit rasantem Tempo zu; außer dem Internet bieten beispielsweise CD-ROM-Präsentationen, POS-Terminals und interaktive Fernsehgeräte dem Hotelier die Möglichkeit, neue Märkte und Einnahmequellen zu erschließen.

Die klassischen Marketinginstrumente Produkt-, Preis-, Standort- und Kommunikationspolitik haben sich mit der Entwicklung der Kommunikationsindustrie entscheidend verändert. Die folgende Auflistung veranschaulicht weitere innovative Möglichkeiten der neuen Medien.

3.3.8.1 Produkt- und Leistungspolitik/Electronic Product Policy

Die Produkt- und Leistungspolitik umfasst in der Hotellerie und Gastronomie alle Aktivitäten des gästeorientierten Handelns. Es gilt, einzigartige Leistungen (Unique Selling Propositions) zu erbringen, die das Unternehmen klar von der Konkurrenz abheben. Insbesondere die neuen Medien eignen sich momentan zur Schaffung „nichtaustauschbarer Leistungen", die den Gast zum Wiederkommen veranlassen. Multimediale Anwendungen bieten momentan für schnell reagierende Unternehmen die einzigartige Möglichkeit, sich durch schnelles Handeln klar von der Konkurrenz abzuheben, bevor aus der „USP Multimedia" eine Basisfähigkeit wird.

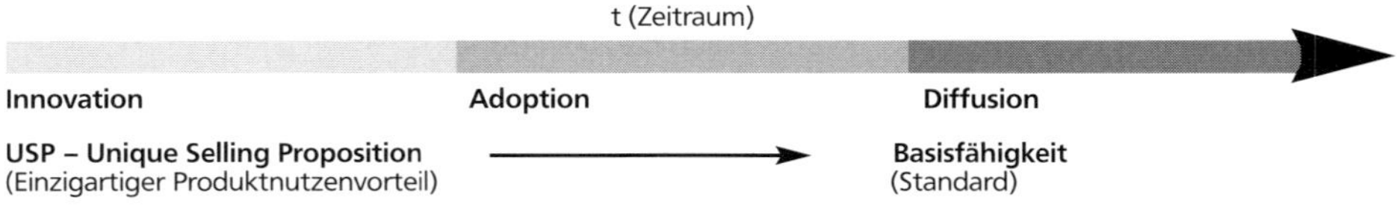

Abb. 3–48: Wettbewerbsvorteile durch neue Technologien Quelle: eigene Darstellung

Wenn in wenigen Jahren die Mehrheit der gastronomischen Unternehmen über einen multimedialen Angebots- und Marketingmix verfügt, wird der Gast ganz selbstverständlich nach einem Zimmer oder Tagungsraum mit digitalem Modemanschluss verlangen. Wer dann diesem Standard nicht gerecht wird, wird unweigerlich vom Markt verdrängt werden.

Die innovative Düsseldorfer Lindner Hotels AG (www.lindner.de) bietet beispielsweise spezielle Online-Office-Zimmer an, ausgestattet mit Multimedia-PC, High-Speed-Standleitung, MS-Office-Paket inklusive E-Mail-Option, Drucker und Faxgerät mit individueller Faxnummer. Alle Zimmer des Lindner Hotels New Media Frankfurt sind mit Internet-Fernseher und Integrated Services Digital Network (ISDN) ausgestattet. In der Lobby kann kostenlos im Internet gesurft werden, die Rezeption bietet E-Mail-Service und im Bedarfsfall können sich die Hotelgäste kostenlos ein Notebook leihen. Des weiteren können im Hotel Videokonferenzen abgehalten werden.

Darüber hinaus bietet sich durch die neuen Medien die Möglichkeit, unternehmensexterne Informationsquellen für innovative Produktideen zu nutzen. Der Einsatz im Bereich des konkurrenzorientierten Benchmarking und die Kommunikation mit Kooperationspartnern (innerhalb von Hotelketten und -kooperationen, Tourismusverbänden etc.) bietet sich geradezu an.

Auch bei der Neueinführung von Produkten leistet das Internet gute Dienste, da Produktideen im Rahmen von Diskussionsforen „virtuell" präsentiert und dann mit potentiellen Gästen diskutiert und bewertet werden können. Auf diese Weise kann der Unternehmer Informationen über einen subjektiv wahrgenommenen Gästenutzen, über mögliche Konkurrenzprodukte oder bestehende Kaufbarrieren gewinnen.

3.3.8.2 Preis- und Konditionenpolitik/Electronic Pricing Policy

Die Preispolitik umfasst im gastgewerblichen Unternehmen alle Entscheidungen, die im Zusammenhang mit der Festlegung der Konditionen für Unternehmensleistungen stehen. Die **neuen Medien erhöhen die Preistransparenz** entscheidend.

So genannte „virtuelle Agenten" ermöglichen es potentiellen Käufern, aus Angeboten, die sie über das Netz erhalten, das günstigste zu wählen. Die erhöhte Angebots- und Preistransparenz hat eine strategische Bedeutung für die Gestaltung der Preispolitik auf der Anbieterseite. Für Unternehmen im Niedrigpreissegment wird es zunehmend schwieriger, ihre Strategie zu verfolgen. Die Position des günstigsten Anbieters wird immer umkämpfter. Beherbergungs- und Bewirtungsbetriebe werden im klassischen Marketing große Anstrengungen unternehmen müssen, um durch eine entsprechende Produktdifferenzierung direkte Preisvergleiche zu erschweren bzw. unmöglich zu machen.

Die neuen Medien bieten aber ebenso Ansatzpunkte für eine innovative Ausgestaltung der Preispolitik. Hotels können beispielsweise in Zeiten mit schwacher Belegung Online-Versteigerungen initiieren, bei denen sich potentielle Gäste gegenseitig überbieten. Durch den direkten Nachfragerwettbewerb kann versucht werden, die erzielbaren Preise zu optimieren.

Entscheidend für die Wahl des Internets als Vertriebssystem ist sicherlich auch die Möglichkeit, Vermittlerprovisionen – beispielsweise von Reisebüros – zu umgehen, was zu direkten Kostenvorteilen führt.

Die Möglichkeit der Preisdifferenzierung sollte in jedem Unternehmen individuell geprüft werden. Denkbar wäre es beispielsweise, Leistungen (Übernachtung, Heimlieferservice etc.) im Rahmen eines Online-Angebotes preiswerter anzubieten und so die reduzierten

Overheadkosten an die Käufer weiterzugeben. Je nach Preisbereitschaft könnten die Produkte aber ebenso zu einem höheren Preis angeboten werden, wenn die Konsumenten die Möglichkeit der Online-Bestellung als zusätzlichen Service wahrnehmen *(vgl. Wamser, 1997, S. 29 ff.)*.

3.3.8.3 Standort- und Distributionspolitik/Electronic Distribution Policy

Ziel der Distributionspolitik ist es, dafür Sorge zu tragen, dass die für den Markt bestimmten Produkte und Dienstleistungen diesen auch erreichen. Die neuen Medien eröffnen auch in diesem Bereich neue Möglichkeiten. Die gastgewerblichen Leistungen können auf unterschiedlichste Art und Weise zum Verkauf angeboten werden. Zum einen kann die Buchung direkt über die eigene Homepage erfolgen. Darüber hinaus wird der Zimmer- und Veranstaltungsverkauf in den privaten oder geschäftlichen Räumlichkeiten des Gastes möglich. Ausgestattet mit einem Mobiltelefon und einem Notebook, präsentiert der Verkaufsrepräsentant multimedial das Angebot (Hotelzimmer, Veranstaltungsräume, Leistungspalette des Partyservice, mögliche Locations etc.) des Dienstleisters offline via CD-ROM. Zum Zeigen oder Buchen des aktuellen Angebots kann er mittels des Notebooks und eines Mobiltelefons direkt auf die WWW-Datenbank oder das Reservierungssystem des gastgewerblichen Unternehmens zugreifen *(vgl. Gruner, Internet und Gastgewerbe, in: BWL für das Gastgewerbe, 1999, S. 367 f.)*.

Auch die sogenannten *Electronic Malls* (Mall, Shopping Mall) sind eine zunehmend beliebte Variante eines elektronischen Zusammenschlusses verschiedener Anbieter von Produkten und Dienstleistungen. Sie eignen sich hervorragend für die Präsentation von Beherbergungsbetrieben. Eine Electronic Mall lässt sich am besten mit einer Einkaufspassa-

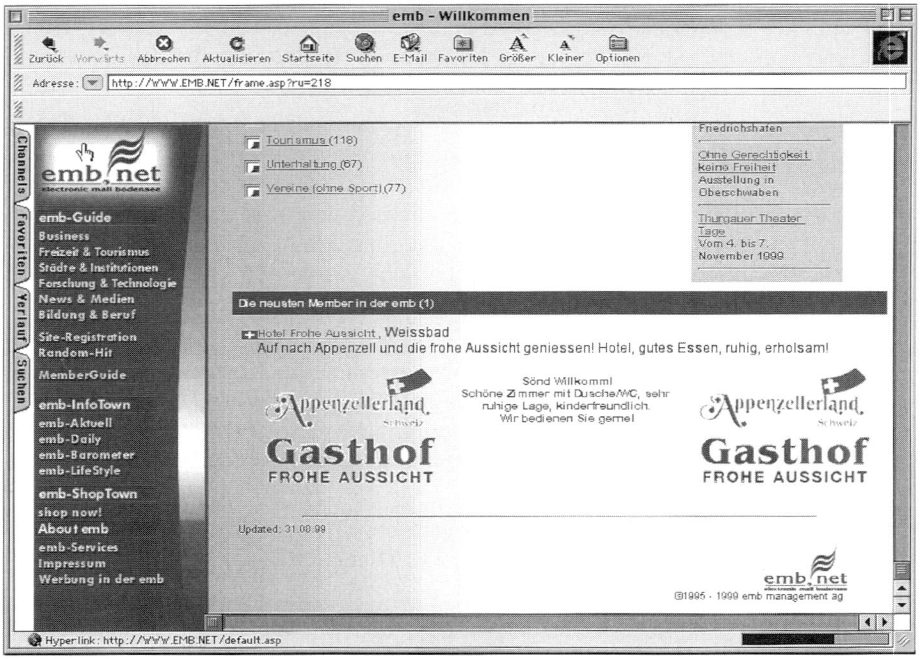

Abb. 3–49: Bodensee-Mall (www.emb.net)

ge oder einem Geschäftszentrum vergleichen, in dem unterschiedliche Leistungen angeboten werden. Durch den gemeinsamen Auftritt lässt sich der Gesamtaufwand erheblich reduzieren. Die Präsentation unterschiedlicher Anbieter auf einer Webseite gewährleistet dem Kunden den Zugriff auf ein breit gefächertes Angebot. Die Unternehmen profitieren von Synergieeffekten. Die Werbung, die Pflege und das Design der Websites wird vom Betreiber übernommen. Die dafür anfallenden Kosten werden proportional unter den Anbietern aufgeteilt (*vgl. Reinhardt, 1999, S. 55 f.*).

Von zunehmender Bedeutung für die Darstellung der gastgewerblichen Leistung sind die interaktiven Marketing-Terminals, sogenannte Kiosksysteme. Unter einem **Kiosk** versteht man in diesem Zusammenhang ein öffentliches Terminal für den Zugang zum Internet oder Intranet (unternehmensinterne Vernetzung). Solche Terminals sind meistens mit wasserabweisender Tastatur oder berührungssensitivem Bildschirm (Touchscreen) ausgestattet. Sie stehen in der Regel in öffentlich zugänglichen Bereichen (Flughafen, Bahnhof, Lobby von Großhotels, Tourismusämter usw.) um Informationen, Produkte oder Dienstleistungen anzubieten (*vgl. Reinhardt, 1999, S. 96*).

Die Zellmer Multimedia GmbH aus Hasselroth gilt als einer der innovativen Vorreiter in diesem Bereich, da sie die drei Arten von Kiosksystemen erstmals in einem Gerät integriert. So kann sich der Informationssuchende nicht nur per Internet über ein Hotel informieren; er hat zusätzlich die Möglichkeit, sich durch das einfache Abheben des Telefonhörers telefonisch mit dem Beherbergungsbetrieb in Verbindung zu setzen. Des Weiteren kann der Terminal zum Faxen, für Informationen aller Art sowie Werbepartner genutzt werden *(vgl. Gruner, Internet und Gastgewerbe, in: BWL für das Gastgewerbe, 1999, S. 367 f.).* Man unterscheidet drei **Kategorien von Kiosksystemen**

⇨ **Informationssysteme POI (Point Of Information)**

Sie dienen der schnellen Orientierung. Beispiele sind: Hotel-Infotafel, Ankunft- und Abflugtafel, elektronisches Stadt-Infoterminal, elektronisches Flughafen-Infoterminal usw.

⇨ **Verkaufssysteme POS (Point Of Sale)**

Es wird unterschieden zwischen Dienstleistungen und Warenverkauf. Beispiele sind: Münz- und Kartentelefon, Service-Telefon, öffentliche Internet-Terminals, Check-in-Terminals, Mietwagenreservierung usw.

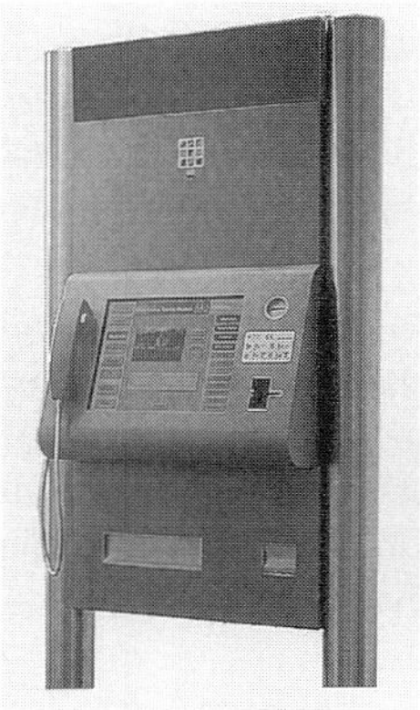
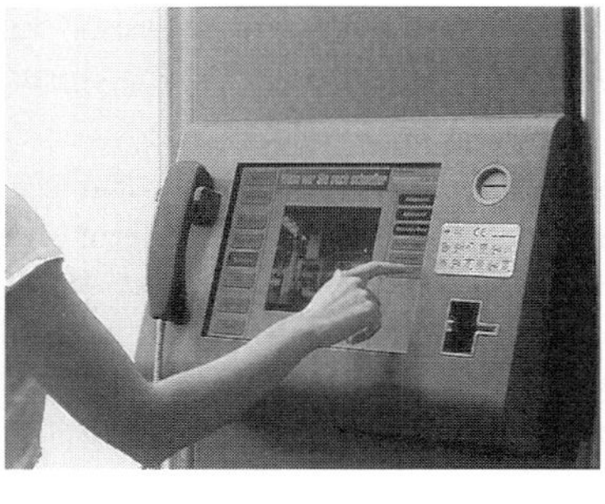
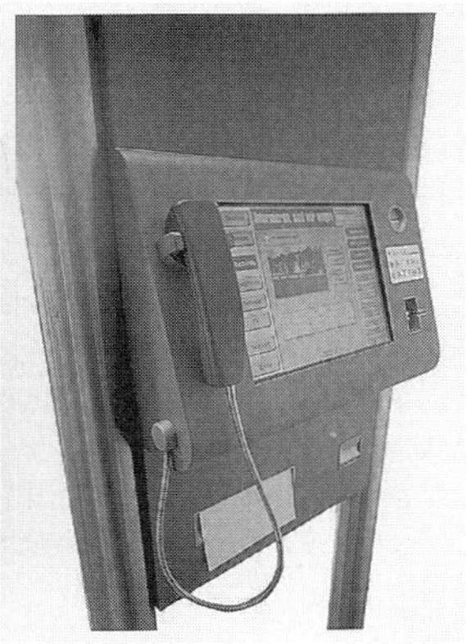

Abb. 3–50: Kiosksystem (CI-Terminal, Communication-Information-Terminal (Quelle: Zellmer Multimedia GmbH)

- **Unterhaltungssysteme POE (Point Of Entertainment)**

  Sie dienen zur Unterhaltung. Beispiele: Kinderkino, Public TV, Fernsteuerbare Kameras von Aussichtsplattformen, Hoteldächern usw.

Innovative Kiosksysteme sind in folgende Service-Bereiche unterteilt:

- Telefon
- Telefax
- Internet
- Information
- Handel
- News

Sie bieten eine Vielzahl von Möglichkeiten für Unternehmen unterschiedlicher Branchen, gemeinsam zu werben und Dienstleistungen bzw. Produkte anzubieten. Die Kosten für die Aufstellung des Kiosks trägt das Multimedia-Unternehmen; die in Anspruch genommenen Leistungen können vom Kunden/Gast mit Münzen, GeldKarte oder Kreditkarte bezahlt werden.

Als die fünf wichtigsten Faktoren für eine **Refinanzierung eines Kiosksystems** nennt das Unternehmen Zellmer Multimedia GmbH folgende Punkte:

- Kontaktzahlen
- Klientel
- Verweildauer, Reaktionszeit
- Möglichkeiten der Kontaktaufnahme
- Kosten/Einnahmen pro Kontakt.

3.3.8.4 Kommunikationspolitik/Electronic Communication Policy

Die traditionellen Medien produzieren täglich eine unüberschaubare Menge von mehr oder weniger brauchbaren Informationen, die um die Aufmerksamkeit der jeweiligen Zielgruppe konkurrieren. Daraus resultiert eine zunehmende Informationsüberlastung der potentiellen Gäste. Werbung im traditionellen Sinne ist für das Gastgewerbe – so zeigt die Erfahrung – nur dann sinnvoll, wenn es darum geht, für Sonderaktionen zu werben oder wenn eine Hotelkette oder -kooperation bestrebt ist, eine „Marke zu machen" **(Branding).** Mund zu Mund Propaganda oder redaktionelle Beiträge in Zeitschriften sowie Zeitungen sind in den meisten Betrieben der Schlüssel zum Unternehmenserfolg. Ist die Zielgruppe jedoch internationaler Art, so blieb bisher nur die Anbindung an Reservierungssysteme, die Präsenz auf Messen oder die Inanspruchnahme von Reisemittlern.

Die Entwicklung und Ausbreitung der neuen Medien hat die Kommunikations- und Informationsstrukturen unserer Gesellschaft in einem ganz entscheidenden Maße verändert. **Multimediale Kommunikation** unterscheidet sich grundlegend von der klassischen Kommunikation. Durch die Internetpräsenz wird plötzlich aus dem räumlich eingeschränkten Markt ein Weltmarkt. Die Möglichkeit der Interaktivität und die Dialogfähigkeit der Anwendungen macht aus der Einweg- eine Zweiweg-Kommunikation.

Zwar tragen die neuen Medien zu einer weiteren Informationsflut bei, durch ihre interaktiven Nutzungsmöglichkeiten kann der potentielle Gast jedoch die für ihn relevanten Informationen durch die gegebenen Selektionsmöglichkeiten gezielt auswählen.

Die Möglichkeiten der **Werbung mit neuen Medien** sind vielfältig. Die eigene Homepage stellt durch eine innovative, informative Darstellung die beste Möglichkeit der Präsentation dar. Die Pull-Wirkung und damit die Kontaktzahl kann durch das sogenannte **Webvertising** erhöht werden. Mit Webvertising wird die Plazierung von Werbebotschaften sowie von Hyperlink-Verbindungen zu anderen Homepages bezeichnet. Eine weitere Methode, um die eigene Homepage bekannter zu machen, ist das **„Keyword-Advertising"**, bei dem bestimmte Begriffe (z.B. Hotel, Wellness) in Suchmaschinen gesponsert werden. Recherchiert ein Nutzer mit einem belegten Suchbegriff, wird automatisch das werbende Unternehmen genannt.

Neben den verschiedenen Varianten der Online-Werbung gibt es ebenso die Möglichkeit der Nutzung von Offline-Medien. Die CD-ROM kann beispielsweise zusätzlich zum Prospekt oder als Ersatz Verwendung finden. Die Möglichkeit, Werbefilme oder interaktive Werbespiele anzuschauen erhöht die Wirkung beim potentiellen Gast.

Die Vorteile der multimedialen Kommunikationspolitik bestehen zum einen in den attraktiven Präsentationsmöglichkeiten. Computeranimierte audiovisuelle Darstellungen ermöglichen Effekte, die mit klassischen Werbeträgern kaum zu realisieren sind. Darüber hinaus bieten die neuen Medien die Gelegenheit eines grenzenlosen, übersichtlichen Angebotes quasi unbegrenzter Informationsmengen. Der direkte Dialog mit der Zielgruppe, die erhöhte Kontaktintensität, die verbesserten Präsentationsformen, die Möglichkeit eines umfangreichen aber dennoch individuellen Informationsangebotes führen in der Summe zu einer – gegenüber den klassischen Medien – deutlich verbesserten Kontaktqualität (*vgl. Wamser, 1997, S. 30 ff.*).

Aufgaben

1. Von welcher Sichtweise sollte der Hotelier/Gastronom im mittelständischen Gewerbe ausgehen, um das Marketing in seinem Betrieb zu realisieren?
2. Welche Vorteile hat der Hotelier/Gastronom durch den Einsatz des Marketing?
3. Definieren Sie den Begriff „Marketing"
4. Nennen Sie die Ziele, die durch Marketing im Betrieb erreicht werden sollen und gehen Sie kurz auf die Ausrichtung der Unternehmenspolitik ein.
5. Erläutern Sie die strategischen Zielsetzungen im Rahmen der gastgewerblichen Unternehmenspolitik.
6. Erklären Sie den Zusammenhang zwischen Unternehmenspolitik und Marketing.
7. Weshalb sind strategische Erfolgspositionen insbesondere für gastgewerbliche Unternehmen von existentieller Bedeutung? Nennen Sie mögliche SEP.
8. Was sind Unique Selling Propositions? Erläutern Sie diese anhand von Beispielen und stellen Sie den Unterschied zu den SEP heraus.
9. a. Was sollte die Marketing-Konzeption beinhalten?
   b. Welche Aufgaben hat eine Marketing-Konzeption?
10. Erläutern Sie die Notwendigkeit von Marktinformationen und stellen Sie den Prozess der Informationsgewinnung auf dem Markt dar.
11. Führen Sie die Vor- und Nachteile der Nutzung von bereits vorhandenem Datenmaterial auf.

12. Nennen Sie die Kriterien für eine Marktsegmentierung.
13. Was ist unter dem Informations- und Manipulationssektor einer Marketing-Konzeption zu verstehen?
14. Welche strategischen Grundfragen sollten mit einer Portfolio-Analyse beantwortet werden?
15. Geben Sie eine ausführliche Erklärung des Begriffes „Marketing-Strategie" ab.
16. Welche Ziele werden mit der Angebotspositionierung verfolgt? Erläutern Sie diese an einem Beispiel.
17. Nennen Sie die Möglichkeiten, wie ein gastgewerblicher Betrieb sich von Mitbewerbern durch Leistungspolitik abgrenzen kann. Finden Sie Beispiele dazu.
18. Erklären Sie den Produktlebenszyklus mittels des 4-Phasen-Modells.
19. Nehmen Sie eine Differenzierung von Input- und Output-Qualität anhand von Beispielen vor.
20. Nennen Sie Qualitätskriterien, mit denen ein Gast einen gastgwerblichen Betrieb bewertet.
21. Stellen Sie den Zusammenhang von Qualitäts- und Sortimentspolitik anhand von Beispielen dar.
22. Was sind materielle und immaterielle Komponenten der Gesamtpolitik eines gastgwerblichen Betriebes?
23. Definieren Sie den Begriff „Komfortpolitik".
24. Nennen Sie die vier Bereiche der Komfortpolitik.
25. Welche Beurteilungskriterien hat der Gast in Bezug auf den Komfort?
26. Definieren Sie den Begriff „Servicepolitik".
27. Erklären Sie die zwei Phasen des Services anhand von Beispielen.
28. Nennen Sie Einflussfaktoren, die auf die Preispolitik wirken.
29. Beschreiben Sie die drei Arten der Preisbildung ausführlich.
30. Erläutern Sie die Begriffe „Distributionspolitik" und „Distributionskanal".
31. Definieren Sie „Franchising" und erklären Sie die Beziehung zwischen Franchisegeber und -nehmer.
32. Welche relevanten Vorteile entstehen für die Franchisepartner?
33. Definieren Sie die „Kommunikationspolitik" und erklären Sie deren Kernaufgaben.
34. Nennen Sie die kommunikativen Marketing-Instrumente und erläutern Sie deren Zusammenhang mit der Corporate Identity.
35. Beschreiben Sie die Aufgaben der Werbung und das übergreifende Werbeziel.
36. Erklären Sie Einflussfaktoren auf die Werbeplanung anhand von Beispielen.
37. Nennen Sie einige Werbemittel mit den dazugehörigen Werbeträgern und die Zielgruppe, die mit der speziellen Werbung angesprochen werden sollte.
38. Erläutern Sie Werbearten im Gastgewerbe.
39. Zeigen Sie die Phasen eines Verkaufsgespräches auf und stellen Sie wichtige Hinweise heraus, die die Mitarbeiter eines gastgwerblichen Betriebes während eines solchen Verkaufsgespräches zu beachten haben.
40. Welche Aufgaben hat die Verkaufsförderung?

41. Wie lässt sich die Verkaufsförderung einteilen und welche Werbemöglichkeiten hat der Gastronom in beiden Teilbereichen?
42. Erläutern Sie Sponsoring sowie Product-Placement im Zusammenhang mit der Verkaufsförderung.
43. Welche Unternehmensziele werden mit der Public Relations (PR)-Arbeit verfolgt und welche Themenkreise kommen für die PR-Arbeit in Frage.
44. Erklären Sie die Methoden der Erfolgskontrollen kommunikativer Maßnahmen.
45. Beschreiben Sie die duale Rolle des Gastes in Hotellerie und Gastronomie.
46. Wie ist ein Verkaufsplan aufgebaut? Geben Sie die Inhalte anhand von Beispielen wieder.
47. **Fallstudie:**
    a) Annica Helfrich und Matthias Neumann haben nach ihrer Ausbildung zum Hotelkaufmann und einer eineinhalb- bzw. zweijährigen Praxis in verschiedenen Hotelkonzernen die einmalige Chance, im neu zu eröffnenden Ferienpark IVC (International Vacation Club) die Marketingabteilung aufzubauen und zu leiten. Da sie beide während ihrer Praxis mit den Aufgaben des Marketing bereits konfrontiert wurden, sind ihnen die Grundbegriffe sowie die Zielsetzung bekannt.

       Beschreiben Sie mit einem Satz die Aufgaben (den Begriff) des Marketings.
    b) Um die Unternehmenspolitik des Ferienparks IVC umzusetzen, haben Annica und Matthias einen Zeitraum von 5 Jahren.

       Welche Ziele und Realisierungen sollen in dieser Zeit angestrebt und verwirklicht werden?
    c) Selbstverständlich sind sich Annica und Matthias nicht immer einig, wenn es um die Umsetzung von der Idee zur Tat geht. In diesem Zusammenhang gebrauchte Annica einmal folgende Aussage, um Matthias das Problem zu verdeutlichen: „Der Wurm muss dem Fisch schmecken, nicht dem Angler.“

       Welche Aufgaben innerhalb der Marketingkonzeption hat Annica damit angesprochen?
    d) Um innerhalb des budgetierten Zeitraums das optimale Ergebnis zu erreichen, haben sich Annica und Matthias so oft als möglich für Aufgabenteilung entschieden. So kam es, dass Annica im Rahmen der Marketinganalyse den Informationssektor erforschte und Matthias den Manipulationssektor untersuchte.

       Worin unterscheiden sich die genannten Sektoren?
    e) Annica und Matthias lagen mit ihrer Aufgabenerfüllung innerhalb des pre openings gut im Plan. Eines jedoch beschäftigte die beiden mehr als ihnen lieb war – der Marketingmix. Während Annica meinte, dass die Leistungs-, Qualitäts- und Komfortpolitik im Vordergrund zu stehen haben, bestand Matthias darauf, dass die Service-, Preis- und Verkaufspolitik den höheren Stellenwert genießen.

       Geben Sie je ein Beispiel für die einzelnen Politiken des Marketingmixes.
    f) Außer Frage steht, das sehen auch Annica und Matthias so, dass die Preispolitik, die Preisbildung eine entscheidende Rolle für die spätere Auslastung der Zimmer und der Restaurantplätze spielt. Da bei der Neuerstellung eines Hotels mit Restaurant keine Erfahrungswerte vorliegen, muss man sich bei den An-

gebotspreisen auf andere Hilfsmittel stützen. Hier gibt es zwei Möglichkeiten der Preisbildung, die Annica und Matthias zur Wahl stehen. Dies sind die nachfrageorientierte und die mitbewerberorientierte Preisbildung.

Nennen Sie die spezifischen Merkmale der a) nachfrageorientierten und b) mitbewerberorientierten Preisbildung.

g) Eine Sonderform der Distribution ist das Franchising. Annica und Matthias haben sich auch damit befasst und erwägen nun im Sportbereich der IVC Einrichtungen, Know-how, Name und Absatzwege gemeinsam mit einem namhaften Franchisegeber zu realisieren.

Welche Vorteile für sie als Franchisenehmer haben bei Annica und Matthias diesen Entschluss herbeigeführt? Geben Sie sieben Beispiele an.

h) Ein besonderes Augenmerk legten Annica und Matthias auf die Corporate Identity. Auch in diesem Bereich nahmen sie eine Aufgabenteilung vor. Annica beschäftigte sich mit den Service- und Zimmerbereichen. Matthias nahm sich die Büro-, Werbe- und Front-Office-Abteilungen vor. Helfen Sie den Beiden.

Nennen Sie für jede Abteilung fünf Möglichkeiten, wo und wie Corporate Identity realisiert werden kann.

i) Zur Unterstützung der Verkaufsaktivitäten bedarf es einer umfangreichen Verkaufsförderung, der sog. Sales-Promotion. Annica und Matthias haben sich dieser Aufgaben gründlich gewidmet und ein umfangreiches Programm in Bewegung gebracht. Annica hat sich um die Verkaufsförderung innerhalb der Gebäude und Matthias um dieselbe außerhalb der Hotelanlagen und Verkaufseinrichtungen gekümmert.

Welche unterstützenden Maßnahmen für den Waren-, Zimmer- und Dienstleistungen-Verkauf werden die beiden einsetzen? Nennen Sie je 7 Beispiele.

j) Neben dem pre opening haben sich Annica und Matthias auch noch mit dem soft opening und dem hard opening zu beschäftigen.

Erklären Sie die Begriffe soft opening und hard opening und welche besonderen Leistungen (Vorarbeiten) müssen für soft- und hard opening erbracht werden? Geben Sie je 3 Beispiele.

48. Nennen Sie mindestens 5 Vorteile, die Online-Medien im Vergleich zu den herkömmlichen Medien als Werbeinstrument bieten.

49. Zusätzlich zum Hausprospekt soll für den multimedialen Auftritt eines Hotels eine CD-ROM hergestellt werden. Auf welche Punkte sollte bei der Produktion insbesondere geachtet werden?

50. Welche Trends deuten darauf hin, dass POS, POI sowie POE-Terminals in den nächsten Jahren entscheidend an Bedeutung gewinnen werden?

51. Was bedeuten die folgenden Begriffe:

a. Domain	g. Attachment
b. Download	h. Alias
c. Electronic Mall	i. Binäre Dateien
d. E-Mail	j. ISP/Provider
e. Intranet	k. Mailingliste
f. Server?	

52. Neue Medien eröffnen neue Chancen und Risiken. Welche Fragen sind insbesondere von Bedeutung für die zukünftige Entwicklung multimedialer Technologien als Absatzinstrument?
53. Erläutern Sie die nachstehende Graphik.

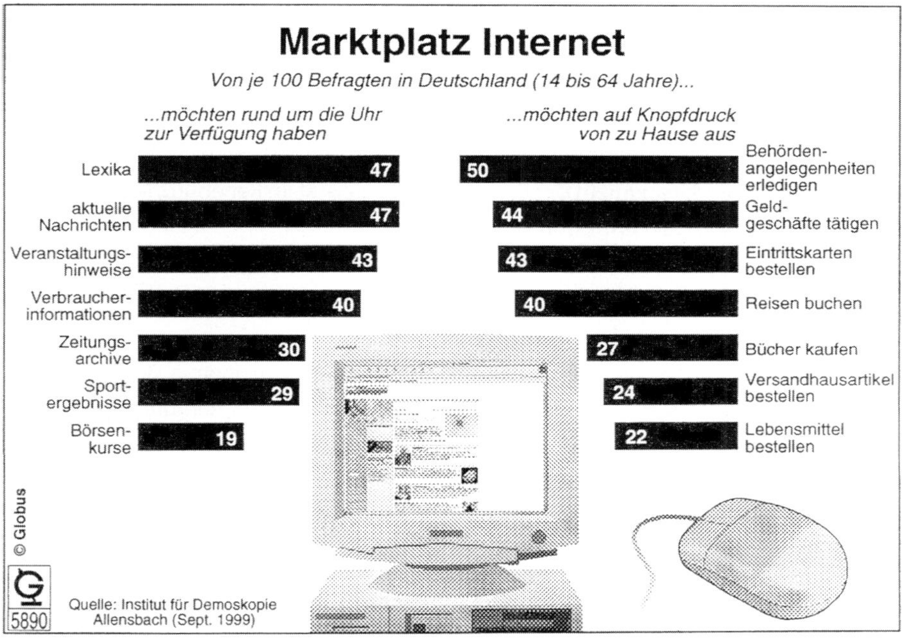

Quellen und weiterführende Literatur

Allgemeine Hotel- und Gaststättenzeitung (AHGZ), Nr. 32, Stuttgart 1999

Barth, Klaus/Benden, Sabine/Theis, Hans-Joachim: Hotel-Marketing, Wiesbaden 1998

Brüggemann, J. und Menke, O.: Neue Medien im Marketing-Mix der Tourismuswirtschaft, in: Tourismus Jahrbuch 1, Limburgerhof 1998

DEHOGA (Hrsg.): Jahresbericht 1996/97 u. 1996/98, Bonn 1997/98

DEHOGA (Hrsg.): Werben um den Gast von Morgen, Gastgewerbliche Schriftenreihe, Nr. 78, Bonn 1996

DEHOGA/SHV/SWV/ÖHV (Hrsg.), Marketing der Gastfreundschaft, Bonn 1992

Dettmer, Harald (Hrsg.): Betriebswirtschaftslehre für das Gastgewerbe, Hamburg 1999

Dettmer, Harald; Hausmann, Thomas; Kloss, Ingomar; Meisl, Helmut; Weithöner, Uwe: Tourismus-Marketing-Management, München und Wien 1999

Dettmer, Harald: Wirtschaftslehre für Hotellerie und Gastronomie, Hamburg 1999

Dircks, Karin: Einblick, Durchblick, Frankfurt 1992

Dold, M.: Hotelführer im Internet, in: Top hotel, Landsberg/Lech 7/98

eStats Institut: http://www.estats.com/estats/welcome.html), 1999

FVW Fachreport, Hamburg 1998

Grothues, Ulrich: Marketing im Hotel- und Gaststättengewerbe, Band 1 + 2, Dortmund 1999

Gruner, A.: Internet und Gastgewerbe, in: Dettmer, Harald (Hrsg.) Betriebswirtschaftslehre für das Gastgewerbe, Hamburg 1999

Gruner, A.: Neue Medien im Marketingmix der Hotellerie und Gastronomie, in: Tourismus Jahrbuch, Heft 1, Limburgerhof 1999

Hausmann, Thomas: Tourismusmarketing, in: Dettmer (Hrsg.): Tourismus 1, Tourismuswirtschaft, Köln 1998, S. 131–166

Hausmann, Thomas: Informationsgewinnung im Tourismus, S. 560–576; in: Dettmer, Harald u. a.: Tourismus-Marketing-Management, München und Wien 1999

Heller, Markus: Das Management der Dienstleistungsqualität im Reisebüro, München 1996

Kaub, Erich: Erfolg in der Gastronomie, Frankfurt 1990

Kirchner, G.: Do-it-your-self-Marketing und Werbung, Wiesbaden 1990

Kotler, Philip: Marketing, Stuttgart 1989

Meffert, H.: Marketing, Wiesbaden 1998

Meyer, Jörn-Axel; Hoffmann, Frank: Erfolgsfaktoren in der Gastronomie, Berlin 1997

Poggendorf, Armin: Gäste bewirten – Lebensgeister restaurieren, Hamburg 1991

Reinhardt, W.: Electronic Commerce von A-Z, Würzburg 1999

Schaetzing, Edgar E.: Checklisten für das Hotel- und Restaurantmanagement – Landsberg/Lech 1996

Schaetzing, Edgar E.: Die kalkulierte Qualität im Gastgewerbe, in: Restaurant- und Hotelmanagement, 1995, Heft 2

Schaetzing, Edgar E.: Management in Hotellerie und Gastronomie, Frankfurt 1996

Schaetzing, Edgar E.: Qualitätsorientierte Marketingpraxis in Hotellerie und Gastronomie, Stuttgart 1997

TOP HOTEL, Rubrik: Wegweiser durchs Internet, Landsberg/Lech 1998/99

Wamser, Chr., Fink, D.: Marketing-Management mit Multimedia, Wiesbaden 1997

Weis, Hans Christian: Marketing, Ludwigshafen (Rhein) 1997

Witt, Jürgen; Hoffmann, Klaus; Tippkemper, Herbert; Schulte, Peter: Modernes Marketing-Management, Bad Homburg v. d. Höhe 1993

3.4 Personalmanagement

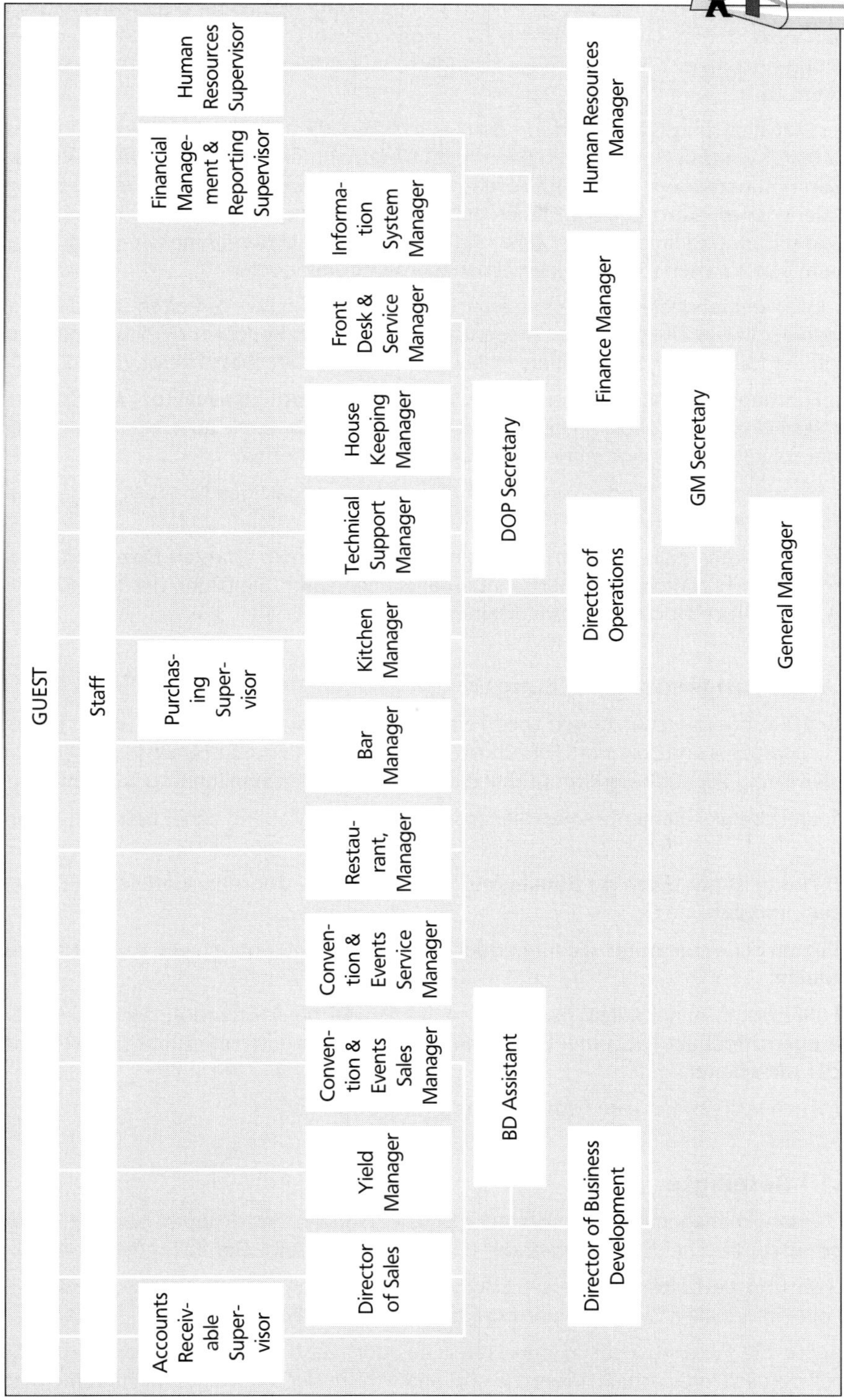

(Nach: Führung auf der Fläche, in: First Class, 10/98, S. 22)

Zentrales **Element der Personalführung** ist der Mensch. Alle Prozesse, in denen die Mitarbeiter eines Unternehmens in gegenseitiger Beziehung zueinander oder Abhängigkeit voneinander stehen, sind betriebliche Führungsprozesse. Die praktische Gestaltung dieser Führungsprozesse entscheidet letztendlich, wie erfolgreich ein Unternehmen am Markt auftritt.

In der Dienstleistungsbranche erfährt die menschliche Arbeit ihre höchste Bedeutung. Die Mitarbeiter werden zum größten Kapital des Unternehmens **(Human Capital)** und das **Personalmanagement zur Hauptaufgabe der Unternehmensführung.** Gerade in den Hotellerie- und Gastronomiebetrieben der Touristikbranche ist es ganz besonders wichtig, die mittel- und langfristigen Ziele und Strategien der Unternehmensführung in geeignete Maßnahmen i. R. des Personalmanagements umzusetzen.

Die Unternehmensziele können nur erreicht werden, wenn das Verhalten und die Leistungen der Mitarbeiter auf diese ausgerichtet sind. Führen bedeutet demnach, das Verhalten der Mitarbeiter zielorientiert zu beeinflussen (*vgl. Olfert/Steinbuch 1993, S. 173*).

Jede Führungskraft muss die heutige Bedeutung des „Produktionsfaktors Arbeit" kennen. Wer Führungsaufgaben in den Betrieben der Touristikbranche übernimmt, muss hinter der folgenden Aussage stehen und danach handeln können:

„Die Mitarbeiter sind mindestens so wichtig wie ein einzigartiges Angebot, hohe Qualität und zufriedene Gäste."

Aber Führen kann man nicht lernen, man muss es in der Praxis erfahren. Dazu sind theoretische Grundlagen des Personalmanagements unerlässlich. Sie bilden die Basis für den erfolgreichen Umgang mit den Mitarbeitern.

3.4.1 Führungsvoraussetzungen

Unter Führungsvoraussetzungen sollen die Elemente verstanden werden, die in jedem Führungsprozess und bei jedem Führungsverhalten existent sind. Sie haben immer Einfluss auf den Erfolg der Führungskraft und sind deshalb für die Personalführung so wichtig.

Die folgenden vier Elemente sollen hier erwähnt und anschließend näher betrachtet werden:

- ⇨ Führung ist nur durch die **Beteiligung von Personen** – Führungskraft und Mitarbeiter – möglich.
- ⇨ Führen bedeutet immer die mehr oder weniger starke Ausübung von **Autorität und Macht**.
- ⇨ Führen ist in seiner idealtypischen Form immer auf die **Motivation** der Mitarbeiter ausgerichtet bzw. hat immer Einfluss auf die Motivation und die Leistungsbereitschaft der Mitarbeiter.
- ⇨ Führen setzt immer eine Form der **Kommunikation** voraus.

3.4.1.1 Beteiligte

Am Personalmanagement sind entweder Einzelpersonen oder Gruppen beteiligt. Diese lassen sich unterscheiden in „Führende" (Führungskräfte) und „Geführte" (Mitarbeiter).

Das **Führungsverhalten** und dessen Erfolg werden bestimmt durch die Persönlichkeiten und die individuellen Ziele der Führungskräfte und deren Mitarbeiter.

Auch für die Führungskraft in den Hotellerie- und Gastronomiebetrieben wird sehr schnell deutlich, dass sich die Wünsche und Bedürfnisse der Mitarbeiter nicht immer mit

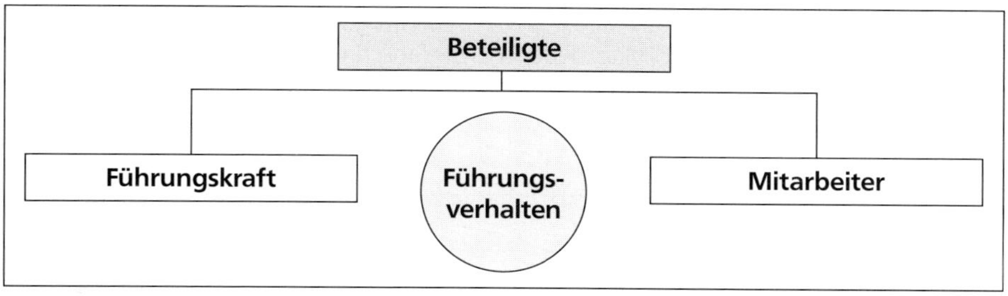

Abb. 3–51

(Nach: Olfert/Steinbuch, Personalwirtschaft, Ludwigshafen/Rhein 1993, S. 176)

den Unternehmenszielen decken (z.B. der Wunsch nach geregelter Arbeits- und Freizeit bei einer Vorgabe von 365 Öffnungstagen mit entsprechender Sonn-, Feiertags- und Nachtarbeit).

Die Überwindung derartiger Zielkonflikte ist Aufgabe der Führungskraft. Dazu ist es Voraussetzung, dass sie die Bedürfnisse der Mitarbeiter kennt und sie mit den Zielen des Unternehmens in Einklang bringt. Gelingt ihr dies nicht, vernachlässigt sie automatisch einen der beiden Zielbereiche.

Das nachfolgende **Verhaltensgitter (Managerial Grid)** zeigt die möglichen Führungsformen im Spannungsfeld zwischen den Unternehmenszielen (Aufgabenorientierung) und den Bedürfnissen der Mitarbeiter (Mitarbeiterorientierung):

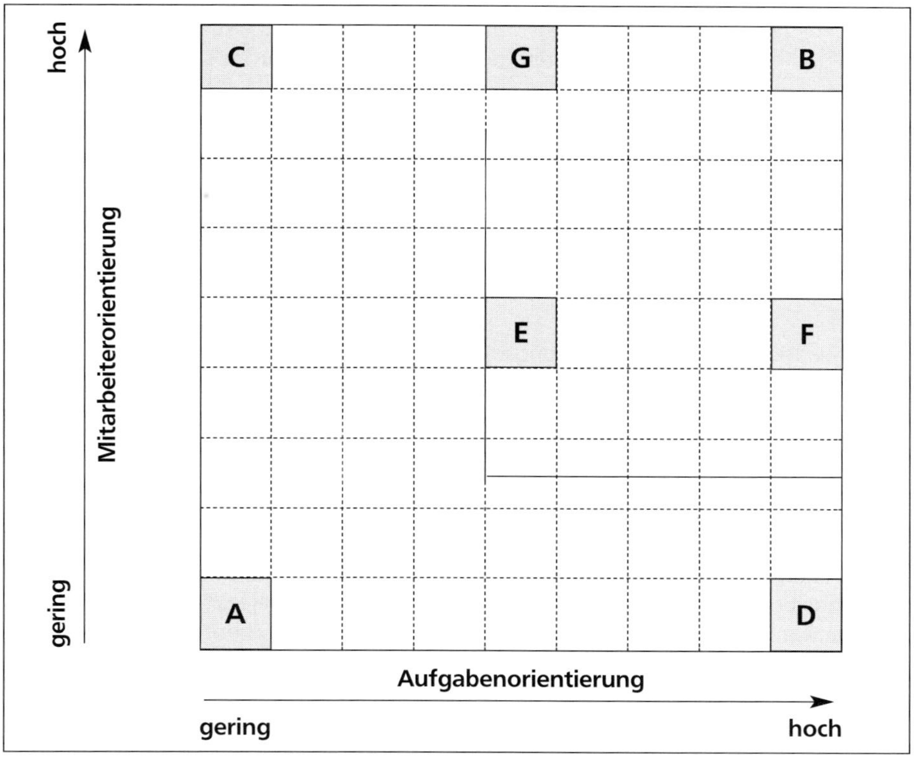

Abb. 3–52

(Nach: Stopp, Betriebliche Personalwirtschaft, Stuttgart 1992, S. 132)

Die 81 Felder des Quadrates stellen eine Vielzahl von möglichen Führungsformen mit unterschiedlicher Aufgaben- und Mitarbeiterorientierung dar. Am Beispiel der Extrempositionen sollen die Unterschiede des Führungsverhaltens verdeutlicht werden *(vgl. Jung 1995, S. 419):*

Führungsform	Beschreibung
A **Überlebens-Management**	Weder Aufgaben- noch Mitarbeiterorientierung, sowohl starke Distanz zwischen Führungskraft und Mitarbeiter als auch geringe Einwirkung auf das Erreichen der Unternehmensziele. Man kann kaum von Führung sprechen, die Führungskraft ist in allen Belangen unfähig.
B **Team-Management**	Diese Führungsform überwindet den Zielkonflikt zwischen den Unternehmenszielen und den individuellen Zielen der einzelnen Mitarbeiter. Sie ist nur realisierbar, wenn beide Zielgruppen identisch sind. Dieser Idealzustand ist in der Praxis nur schwer erreichbar.
C **Glacehandschuh-Management**	In dieser Führungsform handelt die Führungskraft ausschließlich mitarbeiterorientiert, d.h. die Ziele und Bedürfnisse der Mitarbeiter stehen im Vordergrund. Die Erfüllung der Unternehmensziele wird diesen Zielen untergeordnet.
D **Befehl-Gehorsam-Management**	Die Führungskraft handelt immer aufgabenorientiert und lässt neben den Unternehmenszielen keine weiteren Interessen zu. Die Belange der Mitarbeiter finden keine Beachtung, da sie mit den Interessen des Betriebes unvereinbar sind. Die Mitarbeiter sind lediglich Mittel zum Zweck (Erreichung der Unternehmensziele).
E **Organisations-Management**	Diese Führungsform ist durch ihre hohe Kompromissfähigkeit gekennzeichnet. Die Führungskraft findet ein Mittelmaß zwischen Aufgaben- und Mitarbeiterorientierung.

Abb. 3–53

Da die ideale Kombination von aufgaben- und mitarbeiterorientiertem Handeln (Führungsform B) in der Praxis nur schwer zu realisieren ist, sollte die Führungskraft versuchen, eine Führungsform in dem Viereck E – G – B – F zu erreichen. Ob dabei mehr aufgaben- oder mehr mitarbeiterorientiert zu führen ist, ist auch von der Führungssituation im Einzelfall abhängig.

Persönlichkeit und Handlungsorientierung der Führungskräfte führen dazu, dass man eine Reihe von verschiedenen Führungstypen kategorisiert (*vgl. Olfert/Steinbuch 1993, S. 177*):

Führungstyp	Eigenschaften
Strenge Führungskraft	Tendenz zu autoritärem Führungsverhalten. Führung basiert auf dem Respekt und häufig auf der Angst der Mitarbeiter.
Sachliche Führungskraft	Führt nach Vorgaben, Richtlinien, Dienstanweisungen und Gesetzmäßigkeiten mit einem Hang zur Bürokratie und zum Formalismus.
Muntere Führungskraft	Führt durch Begeisterung und Ansporn, die häufig durch die rhetorischen Fähigkeiten der Führungskraft erzeugt werden. Fühlt sich selbst als Motivationskünstler und kann meist schlecht zuhören.
Kritische Führungskraft	Ist bei Veränderungen und Verbesserungsvorschlägen häufig misstrauisch und prüfend, ist dagegen selbst kritikanfällig. Lob und Aufmunterung finden nicht statt, die Führungskraft hat ihre Existenzberechtigung in der permanenten Kontrolle der Mitarbeiter.
Ehrgeizige Führungskraft	Leistung geht über alles. Der menschliche Bereich hat kaum Bedeutung. So werden auch Fehler nicht geduldet und bestraft.
Humane Führungskraft	Tendenz zu kooperativem Führungsverhalten. Motiviert durch ein hohes Maß an Verständnis für die Mitarbeiter. Geht Problemen und Auseinandersetzungen aus dem Wege.
Hektische Führungskraft	Hat nie Zeit für die Probleme der Mitarbeiter, da sie ständig unter Zeit- und Termindruck steht. Setzt sich voll für die Ziele des Unternehmens ein.
Nachlässige Führungskraft	Vernachlässigt die Führungsaufgaben und überlässt die Mitarbeiter häufig sich selbst. Ist als Führungskraft deshalb nicht anerkannt und leidet unter Autoritätsverlust.
Souveräne Führungskraft	Führt durch viel Überzeugungskraft. Nutzt das komplette Potential der Mitarbeiter optimal aus und wird durch seine Fähigkeiten geschätzt und anerkannt.

Abb. 3–54

Keine dieser Führungstypen kann als optimal angesehen werden. Die ideale Führungskraft muss fähig sein, zu führen, d. h. sie muss Führungsfähigkeit besitzen.

Und **Führungsfähigkeit** heißt:

„In jeder Situation das individuell richtige Führungsverhalten erkennen und anwenden können."

Führungsfähigkeit ist ein Zusammenspiel von notwendigen Persönlichkeitsmerkmalen *(vgl. Schaetzing: Führungstechnik oder Führungspersönlichkeit, in:* Hotel- und Restaurantmanagement) und Qualifikationen (*vgl. Dettmer [Hrsg.] 1998, S. 127*):

Notwendige Persönlichkeitsmerkmale
Individualität
Belastbarkeit
Standfestigkeit, Sicherheit
Seelische Kraft
Durchhaltevermögen, Zähigkeit
Effektivität, Urteilskraft
Mobilisierungskraft
Gesprächsfähigkeit
Aufgeschlossenheit
Mitmenschliche Qualitäten

Notwendige Qualifikationen
Interdisziplinäres Denken und Handeln
Konzeptionelle Gesamtsicht
Menschenführung und Motivation
Kommunikationsfähigkeit und -bereitschaft
Marktorientierung
Sachkompetenz
Wirtschaftliches Grundverständnis
Kreativität für neue Lösungen
Lernfähigkeit und Flexibilität
Entscheidungsfähigkeit
Kooperations- und Kompromissfähigkeit
Organisationsfähigkeit
Technologieverständnis
Methodenwissen
Verantwortungsbewusstsein

Abb. 3–55

Selbstverständlich müssen von einer Führungskraft neben diesen überfachlichen Persönlichkeitsmerkmalen und Qualifikationen auch Fachkenntnisse gefordert werden. Diese sind vom Aufgabengebiet abhängig und in einem Hotellerie- und Gastronomiebetrieb sehr unterschiedlich (z. B. fachliche Kenntnisse eines Küchenchefs im Gegensatz zu denen eines Restaurantdirektors).

Wie die Führungskräfte beeinflussen auch die Mitarbeiter den Erfolg der Personalführung. Dabei sind von **besonderer Bedeutung:**

- ⇨ die Persönlichkeit (Charakter),
- ⇨ die Leistungsfähigkeit und -bereitschaft sowie
- ⇨ die persönlichen Interessen und Ziele der Mitarbeiter.

Unabhängig vom Ausbildungs- und Leistungsstand können die Mitarbeiter in verschiedene Kategorien eingeteilt werden. Diese lassen sich von den Führungskräften eines Unternehmens nicht verändern und spielen in den Hotellerie- und Gastronomiebetrieben eine beachtliche Rolle (*vgl. Olfert/Steinbuch 1993, S. 179*):

jüngere Mitarbeiter	⟷	ältere Mitarbeiter
weibliche Mitarbeiter	⟷	männliche Mitarbeiter
inländische Mitarbeiter	⟷	ausländische Mitarbeiter
behinderte Mitarbeiter	⟷	nicht behinderte Mitarbeiter

Weitere Auswirkung auf den Führungserfolg hat die Tatsache, dass in jedem touristischen Unternehmen Gruppen von Mitarbeitern gebildet werden **(formelle Gruppen)** oder sich Gruppen unbewusst bilden **(informelle Gruppen).**

Die Gruppenbildung wird notwendig, wenn die betriebliche Leistung nur durch das Zusammenwirken mehrerer erreicht werden kann. Darüber hinaus haben auch die einzelnen Individuen ein Interesse an der Bildung von Gruppen, denn die Bedürfnisse nach Kontakt und sozialer Anerkennung lassen sich nur in der Gemeinschaft befriedigen.

Jede **Gruppe** führt ein Innenleben und hat eine besondere Dynamik, welche auf das Leistungsverhalten der Gruppe, aber auch jedes einzelnen Auswirkungen hat. Die Kräfte, die in Gruppen wirken, können sachlicher oder emotionaler Natur sein. So bilden sich in jeder Gruppe spezielle Merkmale, mit denen sich die verschiedenen Gruppen voneinander abheben. Gruppenmitglieder, die sich den speziellen Merkmalen nicht anpassen, geraten in eine Konfliktsituation. Gruppendruck und Gruppennormen können damit massive Wirkung auf die Gruppenmitglieder ausüben. Eine Führungskraft muss diese gruppendynamischen Vorgänge erkennen und zu Gunsten des Unternehmens steuern können *(vgl. Dettmer [Hrsg.] 1998, S. 140).*

3.4.1.2 Macht und Autorität

Die zielgerichtete Beeinflussung der Mitarbeiter gelingt nur, wenn die Führungskräfte die Möglichkeit besitzen, ihren Willen und ihre Interessen – notfalls auch gegen den Willen der Mitarbeiter – durchzusetzen **(= Macht).**

Dazu muss die – häufig auch freiwillige – Bereitschaft der Mitarbeiter vorhanden sein, sich dem Willen der Führungskräfte unterzuordnen **(= Autorität).**

Macht und Autorität sind die Grundlagen einer funktionierenden Personalführung und können einer Führungskraft entweder übertragen oder von ihr selbst erlangt werden.

Je nach Grundlage der Macht können folgende Typen unterschieden werden (*vgl. Jung 1995, S. 404*):

Machttyp	**Beschreibung und Beispiele**
Macht durch Legitimation	Die Macht wird auf die Führungskraft durch ihre Stellung im Betrieb übertragen. Sie ist damit nicht personen-, sondern positionsabhängig. Hauptsächlich in hierarchisch gegliederten Unternehmen ist dieser Machttyp existent. Aber auch das Familienoberhaupt in vielen gastgewerblichen Betrieben verfügt über eine derartige Legitimationsmacht. Weitere Beispiele sind: General Manager, Küchenchef, Restaurantdirektor.
Macht durch Bestrafung	Meist ist mit der Macht durch Legitimation verbunden, dass die Führungskraft die Möglichkeit hat, die Mitarbeiter bei Fehlverhalten zu bestrafen. Dieses Recht bzw. die Bereitschaft zu dessen Anwendung erlauben eine Steuerung des Mitarbeiterverhaltens. Beispiele: Einteilen zum Wochenend- oder Nachtdienst, Übertragen von ungeliebten Aufgaben, Abmahnungen, Entlassungen.
Macht durch Belohnung	Führungskräfte, die über die Macht zur Bestrafung verfügen, besitzen i. d. R. auch die Macht zur Belohnung. Sie können das Mitarbeiterverhalten durch positive Anreize beeinflussen und lenken. Beispiele: Gratifikationen und Prämien, Weiterbildungsmaßnahmen, (Be-)Förderungen.

Machttyp	Beschreibung und Beispiele
Macht durch Identifikation	Übernimmt der Mitarbeiter Verhaltensweisen, Normen und Werte der Führungskraft, entsteht die Macht durch Identifikation. Die Führungskraft wird zur Bezugsperson und erhält Vorbildfunktion. Die Macht ist somit nicht positions-, sondern personenbezogen. Dies eröffnet große Chancen, birgt aber auch große Risiken, da eine Abhängigkeit von der Person der Führungskraft aufgebaut wird. Beispiele: Starköche, Pop- und Fußballstars.
Macht durch Sachkenntnis	Besitzt die Führungskraft einen Vorsprung in Fähigkeiten und Fertigkeiten gegenüber den Mitarbeitern, kann sie diese Sachkenntnis zur Beeinflussung der Mitarbeiter einsetzen. Die Macht erstreckt sich aber nur auf den fachlichen Bereich, d. h. nur auf den Bereich, in dem die Führungskraft Experte ist. Beispiele: Küchen-, Restaurant-, Hotelmeister.
Macht durch Information	Alle Führungskräfte verfügen über einen Informationsvorsprung gegenüber den Mitarbeitern. Geben sie einen Teil des Vorsprungs ab, d. h. geben sie Informationen an ihre Mitarbeiter weiter, haben sie die Möglichkeit, das Verhalten der Mitarbeiter zielgerichtet zu beeinflussen.

Abb. 3–56

In der Praxis basiert das Führungsverhalten nicht nur auf einem Machttyp. Der Chef einer Küchenbrigade könnte im Extremfall von der Macht durch Legitimation bis zur Macht durch Information alle Machtgrundlagen auf sich vereinigen. Selbst personen- und positionsbezogene Machttypen schließen sich gegenseitig nicht aus.

Auch wird sich das situationsgerechte Führungsverhalten auf eine ständig wechselnde Machtgrundlage stellen. Belohnung und Bestrafung ergänzen sich dabei genauso wie die Macht durch Legitimation und die Macht durch Sachkenntnis.

Wie bereits erwähnt, ist die Ausstattung der Führungskraft mit Macht nur eine Seite der Personalführung. Neben der Macht muss auch ein gewisses Maß an Autorität vorhanden sein. Wehrt sich der Mitarbeiter gegen die Einflussnahme der Führungskraft, d. h. nutzen alle Machtgrundlagen nichts, um den Mitarbeiter zielgerichtet zu beeinflussen, versagt die Führung.

Der Mitarbeiter muss sich führen lassen, er muss sich unterordnen und mit der Steuerung seines Verhaltens einverstanden sein. Dies kann nur schwer erzwungen werden, vielmehr setzt es eine freiwillige Anerkennung der Führungskraft und deren Kompetenzen voraus.

Die Bereitschaft zur Unterordnung bzw. die Verstärkung der freiwilligen Anerkennung der Führungskraft basiert auf verschiedenen **Autoritätsformen** *(vgl. Jung 1995, S. 405):*

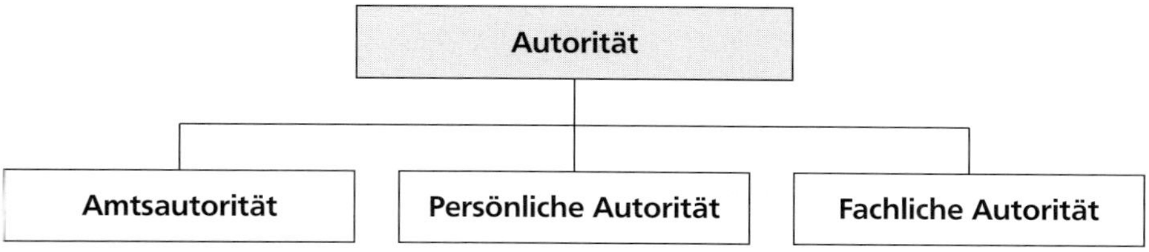

➢ Amtsautorität

Die Amtsautorität leitet sich aus der Existenz hierarchischer Strukturen ab. Erkennt der Mitarbeiter diese Strukturen als zweck- und rechtmäßig an, erlangt die Führungskraft dank der ihr übertragenen Position (Stelle) Amtsautorität. Wie auch bei der Macht durch Legitimation handelt es sich bei der Amtsautorität um eine positionsbezogene Führungsgrundlage.

Die Fähigkeiten und Fertigkeiten sowie der Charakter der Führungskraft besitzen eine untergeordnete oder gar keine Bedeutung. Der General Manager eines Hotels z. B. erlangt diese Autorität ausschließlich durch seine Position, nicht durch seine Person. Die Mitarbeiter erkennen an, dass es an der Spitze des Hotels jemanden geben muss, der die Gesamtverantwortung übernimmt und deshalb Weisungen an alle Mitarbeiter erteilen darf.

➢ Persönliche Autorität

Persönliche Autorität basiert auf den Charaktereigenschaften einer Führungskraft und steht in enger Beziehung zur Macht durch Identifikation. Unabhängig von der jeweiligen Position werden Eigenschaften wie Ehrlichkeit, Gerechtigkeit, Integrität, Zuverlässigkeit, etc. von den Mitarbeitern als positiv angesehen und anerkannt.

Persönliche Autorität kann aber auch von Personen erlangt werden, denen keine Führungsverantwortung übertragen wurde. Meist werden diese Mitarbeiter durch ihre Persönlichkeit zu Führern in informellen Gruppen (informelle Führer).

➢ Fachliche Autorität

Fachliche Autorität entsteht aus der Anerkennung der Führungsfähigkeit einer Person. Sie beruht auf den fachlichen Fähigkeiten und Fertigkeiten sowie der Führungserfahrung. Obwohl häufig mit einer bestimmten Position in Verbindung gebracht (z. B. Küchenmeister und Küchenchef), ist sie eng verbunden mit der Macht durch Sachkenntnis und ausschließlich personenbezogen.

Das Beispiel des Küchenchefs zeigt, dass gegenüber einer Person verschiedene Formen von Autorität entgegengebracht werden können. Bestenfalls besitzt der Küchenchef neben der positionsbezogenen Amtsautorität auch die personenbezogene fachliche und die persönliche Autorität. Dieses Höchstmaß an Anerkennung erlaubt ihm dann situationsgerecht und erfolgreich zu führen.

3.4.1.3 Motivation

Wenn junge Führungskräfte eine neue Position anstreben, haben sie genaue Vorstellungen, was der Arbeitsplatz bieten soll. Drei Merkmale stehen dabei im Vordergrund: Aufgabenvielfalt, persönlicher Freiraum und das Betriebsklima. Wichtig sind darüber hinaus Weiterbildungsangebote, Chancen für eigene Ideen, die Möglichkeit, Verantwortung zu übernehmen sowie Identifikation mit dem Unternehmenszweck. Einkommen und Freizeit dagegen sind nachrangig. *Merker*

Jedes menschliche Verhalten im privaten und im beruflichen Bereich wird durch individuelle Motive (Bedürfnisse materieller und ideeller Art) gesteuert. Die Befriedigung oder Nichtbefriedigung dieser Bedürfnisse zieht ein positives oder negatives Verhalten nach sich *(vgl. Stopp 1992, S. 137).*

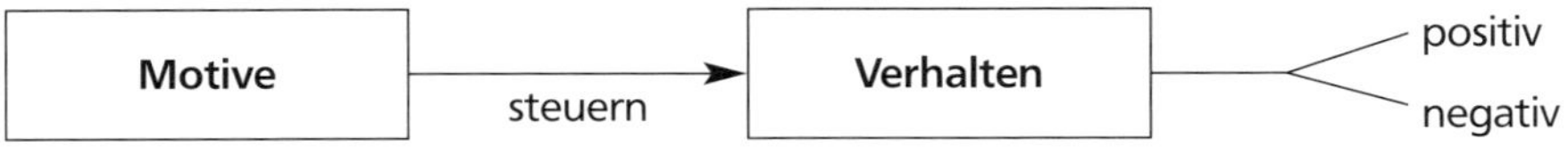

Mit dem Personalmanagement soll erreicht werden, dass die Mitarbeiter ihr Verhalten auf die Unternehmensziele ausrichten. Dies gelingt der Führungskraft nur, wenn sie in das Zusammenspiel von Motiven und Verhalten bewusst eingreift. Zwar lässt sich die Motivauswahl der Mitarbeiter nur schwer beeinflussen, jedoch kann die Führungskraft durch gezielte Schaffung von Anreizen zur Bedürfnisbefriedigung und damit zum positiven Verhalten der Mitarbeiter beitragen.

Die Verwendung von Leistungsanreizen in der Personalführung wird Motivation, der gesamte Prozess der Bedürfnisbefriedigung Motivationsprozess genannt *(vgl. Jung 1995, S. 360).*

Aufgabe der Motivation ist es, die Leistungsanreize so gezielt und effektiv einzusetzen, dass im Idealfall die Unternehmensziele als Motive der Mitarbeiter angesehen werden:

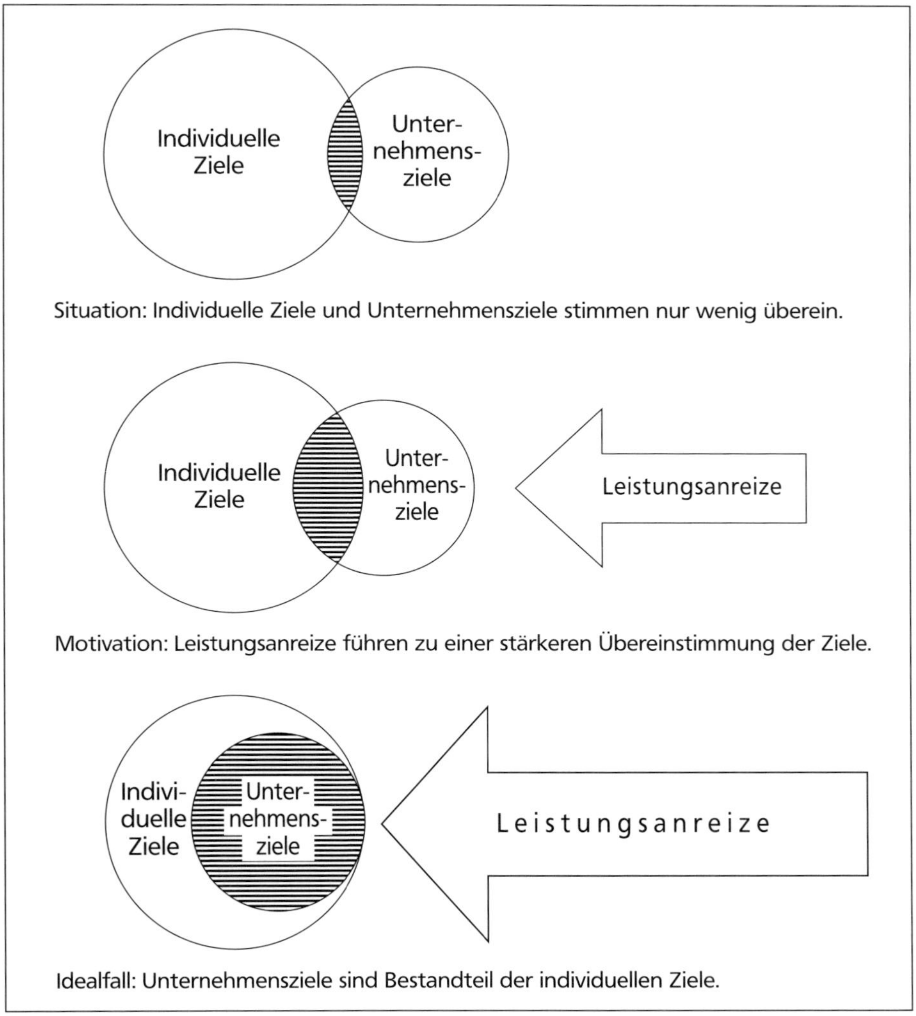

Abb. 3–57

Grundlegende Voraussetzung für eine erfolgreiche Motivation ist das Erkennen der individuellen Bedürfnisse der Mitarbeiter. Denn Leistungsanreize wirken nur, wenn sie die Motive des Mitarbeiters verstärken und ein bestimmtes Verhalten nach sich ziehen. Ein Koch z. B., dessen Motive ausschließlich materieller Art sind, kann durch eine Prämie oder eine Lohnerhöhung motiviert werden. Die Anerkennung seiner Leistung durch Lob oder ein einfaches „Dankeschön" hat in diesem Fall nur geringe motivierende Wirkung.

Um als Führungskraft motivieren zu können, müssen zwei Voraussetzungen erfüllt sein:

- **Menschenkenntnis** (mindestens die Fähigkeit, die individuellen Bedürfnisse der Mitarbeiter zu erkennen)
- **Kenntnis des Bedürfnisspektrums** (der möglichen Hauptmotive der Mitarbeiter)

Empirische Untersuchungen und Befragungen unterschiedlicher Mitarbeitergruppen (siehe auch Situation) haben ergeben, dass sich alle Bedürfnisse in sechs Kategorien einteilen lassen *(vgl. Stopp 1992, S. 139 und Jung 1995, S. 363):*

Abb. 3–58

Die Erkenntnis, dass die Existenz eines Motivs in Verbindung mit dem richtigen Anreiz ein bestimmtes Verhalten auslöst, hat in der Forschung zur Entwicklung verschiedener Motivationstheorien geführt. Derartige Theorien (z. B. die Bedürfnispyramide von Maslow oder die Zwei-Faktoren-Theorie von Herzberg, *vgl. Jung 1995, S. 374 ff.)* haben zum Ziel, wiederkehrende Zusammenhänge (Gesetzmäßigkeiten) zwischen einzelnen Motivgruppen, den Anreizen und dem menschlichen Verhalten aufzuzeigen. Bis heute ist es nicht gelungen, eine einheitliche Theorie zu entwickeln. Für ein Studium der theoretischen Ansätze wird an dieser Stelle auf die weiterführende Literatur verwiesen.

3.4.1.4 Kommunikation

Jeder Prozess der Personalführung in einem Unternehmen setzt die Kommunikation zwischen Führungskraft und Mitarbeiter voraus. Die zielgerichtete Beeinflussung der Mitarbeiter – der Ausdruck von Macht und Autorität, die Motivation – gelingen nur, wenn die Führungskräfte mit ihren Mitarbeitern kommunizieren.

Autorität erlangen, Motive erkennen und Anreize schaffen stellen nur eine Seite effektiver Führung dar. Die soziale Interaktion (Wechselbeziehung zwischen Führungskraft und Mitarbeiter), die Weitergabe von Informationen und das Vermitteln der Anreize sind ebenso elementare Bestandteile moderner Führungsarbeit *(vgl. Anton/Wieland 1993, S. 141 ff.).*

Alle verfügbaren Kommunikationsmittel werden damit zu Hilfsmitteln der Mitarbeiterführung – sie werden zu Führungsmitteln (s. S. 161). Die Fähigkeit zum Einsatz derartiger verbaler und nonverbaler Mittel wird zur Voraussetzung für alle Führungskräfte (Kommunikationsfähigkeit, s. S. 140) und für den Erfolg eines Führungsprozesses.

3.4.2 Führungsprozess

Die Mitarbeiterführung beinhaltet **zwei wesentliche Managementaufgaben.** Einerseits ist der Einfluss auf die Mitarbeiter dergestalt auszuüben, dass sie veranlasst werden, ihren Beitrag zur Realisierung der Unternehmensziele zu erbringen (Leistungsaspekt). Andererseits ist aber auch dafür zu sorgen, dass die Mitarbeiter ihre individuellen Ziele erreichen können, was zu relativer Zufriedenheit führt und sich dann wiederum leistungsfördernd auswirkt. Die gesamte Führungsaufgabe im Unternehmen ist daher als komplexer Prozess anzusehen. Die sich dabei ergebenden Führungstätigkeiten sind für den gesamten Führungsprozess notwendig *(vgl. Dettmer [Hrsg.] 1998, S. 103).*

Stellt man die Beziehung der einzelnen Führungsaufgaben symbolisch dar, enthält man den Führungs- oder Managementkreis *(vgl. Jung 1995, S. 434):*

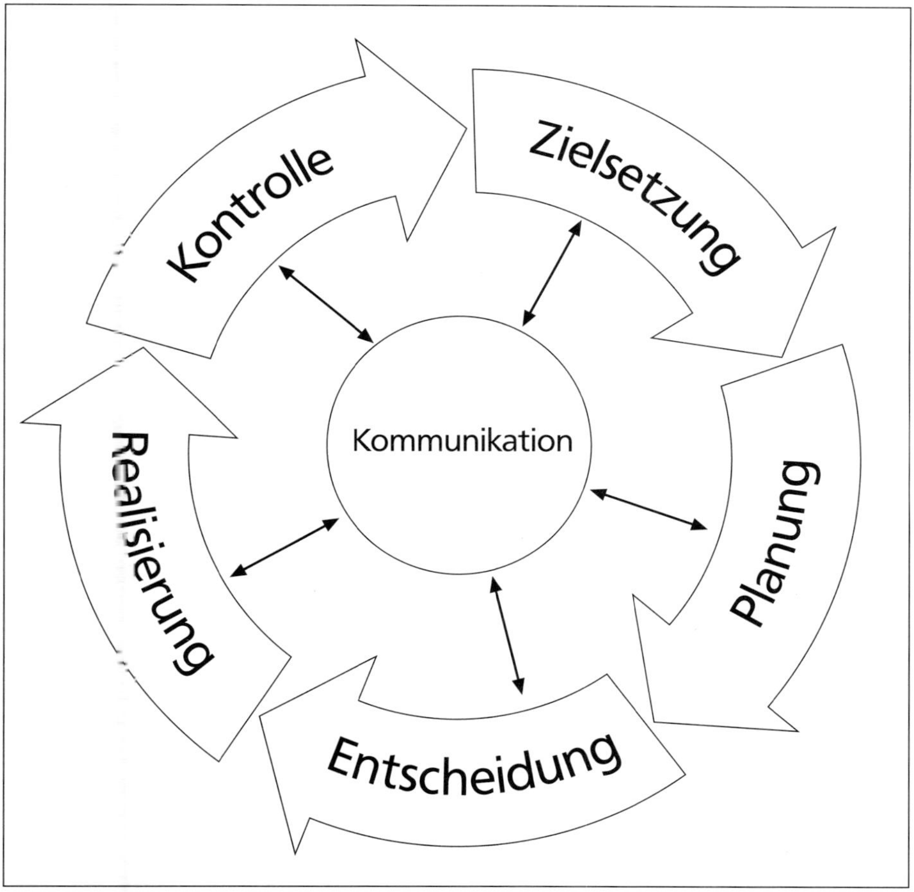

Abb. 3–59

3.4.2.1 Zielsetzung

Das Führen von Mitarbeitern, d. h. der zielgerichtete Einfluss auf deren Verhalten, setzt voraus, dass die Führungskraft zu Beginn des Führungsprozesses Ziele festlegt oder in Kooperation mit anderen vereinbart.

Entscheidendes Kriterium bei der Zielsetzung ist die Formulierung der Ziele. Nur bei konkret definierten, d. h. eindeutigen Zielen, ist es im Fortgang des Führungsprozesses möglich, zu planen, zu entscheiden, zu realisieren und zu kontrollieren.

Geeignete Zielformulierungen sind gegeben, wenn folgende Elemente eindeutig festgelegt werden *(vgl. Jung 1995, S. 435):*

- Zielinhalt (was soll erreicht werden)
- Zielausmaß (wie viel soll erreicht werden)
- Zeitpunkt (bis wann soll es erreicht werden)
- Räumlicher Geltungsbereich (wo soll das Ziel Gültigkeit haben)

Beispiele:

Zielinhalt	Zielausmaß	Zeitpunkt	Geltungsbereich
Senkung des Wareneinsatzes …	… um 22 % …	… im nächsten Kalenderjahr …	… im Getränkebereich.
Umsatzsteigerung …	… um 50.000 EUR …	… im 1. Halbjahr 2000 …	… im Restaurant.
Erhöhung der Auslastung …	… auf 72 % …	… bis 30.09.2000 …	… in der Zimmerkategorie „Lifestyle".

Unpräzise Ziele, hervorgerufen z. B. durch unvollständige Formulierungen, stellen unweigerlich den Erfolg des gesamten Führungsprozesses in Frage.

„Verbesserung der Qualität" kann als Ziel nur eine grobe Richtung vorgeben, es kann nur Leitlinie sein. Um das Verhalten der Mitarbeiter darauf auszurichten und zu kontrollieren, müssen präzisere, ergänzende Angaben gemacht werden. Dies wird besonders deutlich, wenn sich die Frage nach dem Erfolg, d. h. nach der Zielerreichung stellt. Statt „Verbesserung der Qualität" müsste das Ziel wie im folgenden Beispiel formuliert werden: „Rückgang der Gästebeschwerden um mindestens 50 % in den nächsten 6 Monaten in allen Hotelbereichen".

3.4.2.2 Planung

Die Planung umfasst die gesamte gedankliche Vorarbeit zur Umsetzung der gesetzten Ziele. Sie bereitet die Führungsentscheidungen systematisch vor und trägt dazu bei, dass das Risiko einer Zielverfehlung minimiert wird.

Aufgabe der Planung ist es, die Unsicherheiten in der zukünftigen Situation des Gastronomie- oder Hotelbetriebes durch eine zielorientierte Vorausschau zu beschränken. Je nach Zeithorizont dieser Vorausschau lassen sich unterscheiden:

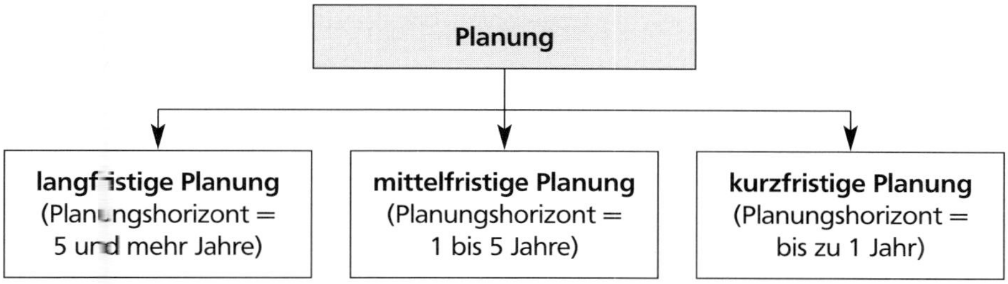

Abb. 3-60

(Aus: Dettmer, H., Wirtschaftslehre für Hotellerie und Gastronomie, Hamburg 1999, S. 58)

Mit zunehmendem Zeithorizont nehmen die Feinheit und die Zuverlässigkeit der Planungen ab *(vgl. Dettmer [Hrsg.] 1998, S. 14).* Langfristige Planungen sind Grobplanungen mit meist strategischer Bedeutung und werden vom Top-Management der Branche getroffen (z. B. Planungen über Veränderungen in der Gesellschaftsstruktur oder in der Personalstruktur, Ausweitung der Bettenkapazität, Fusionen, etc.).

Für die tägliche Führungsarbeit ist die kurzfristige Planung entscheidend. Sie ist i. d. R. auf das **operative Geschäft** ausgerichtet und wird von den Führungskräften aller Ebenen durchgeführt (z. B. Dienstplan der Servicebrigade für die nächste Woche). Trotz ihrer Kurzfristigkeit und ihrer relativen Planungssicherheit läuft der Planungsprozess nach dem gleichen Schema wie bei der mittel- oder langfristigen Planung ab *(vgl. Jung 1995, S. 437):*

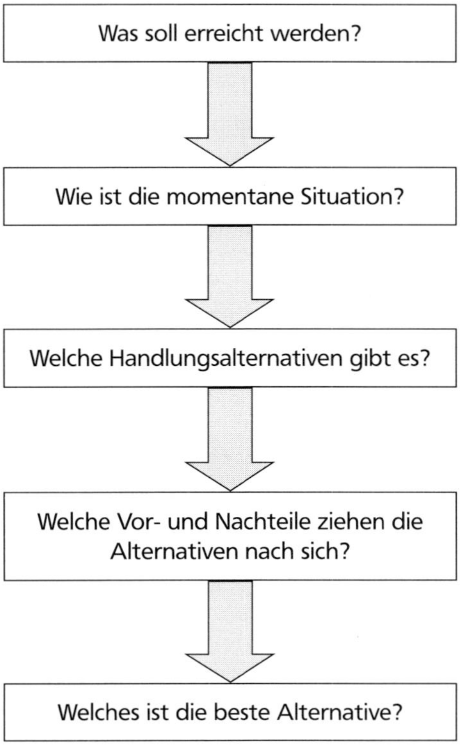

Abb. 3-61

Mit der Beantwortung der letzten Frage endet der Planungsprozess und geht in die Führungsentscheidung über.

3.4.2.3 Entscheidung und Realisierung

Die Auswahl der optimalen Alternative und der Entschluss, diese Alternative in konkrete Maßnahmen umzusetzen, wird als Entscheidung im Führungsprozess bezeichnet.

Alle Entscheidungen sind zukunfts- und zielorientiert und beinhalten ein gewisses Maß an Risiko. So entstehen leichte, d.h. einfache Entscheidungen mit relativ geringem und schwere Entscheidungen mit relativ hohem Risiko zur Fehlentscheidung. Bei der Vielzahl der täglichen Entscheidungen werden den Führungskräften meist nur die schweren Entscheidungen richtig bewusst (z.B. eine Veränderung im Personalbestand der Servicebrigade). Der Führungsprozess und damit auch die einfache Entscheidung bei Routineangelegenheiten läuft häufig im Unterbewusstsein ab (z.B. der täglich wiederkehrende Service beim Abendmenü).

Nach der Entscheidung für eine Handlungsalternative werden die in der Planung festgelegten Maßnahmen realisiert. Aufgabe der Führungskräfte ist es dabei nicht, die Tätigkeiten zur Erreichung der Ziele selbst auszuführen, sondern vielmehr die Voraussetzungen zu schaffen, damit die Mitarbeiter den Plan verwirklichen können *(vgl. Jung 1995, S. 438).*

Wichtigste Voraussetzung für die Realisierung der festgelegten Ziele ist die **Organisation.** Sie schafft ein System von dauerhaften, d.h. generellen Regelungen, mit dem es möglich wird, die Ausführung von bestimmten Tätigkeiten (hauptsächlich von Routinetätigkeiten) vom Entscheidungsträger zu trennen. Alle organisatorischen Maßnahmen werden in größeren Unternehmen, z.B. in Hotelketten, in so genannten **Organisationsrichtlinien** (Organisationshandbüchern) zusammengefasst und dadurch dem einzelnen Mitarbeiter zugänglich gemacht *(vgl. Dettmer [Hrsg.] 1998, S. 4).*

Die **Aufgabe der Organisation** besteht darin,

- die Menschen und die Mittel zur betrieblichen Leistungserstellung einander möglichst zweckmäßig zuzuordnen und
- Systeme zu schaffen, die die Arbeitsabläufe planen, steuern und zeitlich überwachen.

Beispiele für **generelle Regelungen** sind:

- ➢ Organigramm (Struktur) des Gastronomie- oder Hotelbetriebes,
- ➢ Stellenbeschreibungen,
- ➢ Dienstpläne,
- ➢ Arbeitsanweisungen,
- ➢ Verhaltensrichtlinien gegenüber dem Gast, etc.

Neben der Organisation des betrieblichen Aufbaus und der Organisation des Ablaufs der Arbeitsprozesse, wird die Realisierung der Ziele durch das unmittelbare Einwirken der Führungskräfte auf die Mitarbeiter erreicht. Nur so ist es möglich, dass neben Routinetätigkeiten auch nicht alltägliche Aufgaben realisiert werden und der Führungsprozess zielgerichtet gesteuert wird.

3.4.2.4 Kontrolle

Kontrolle als Managementfunktion ist das Element, das den Führungsprozess zum Kreis werden lässt. Durch das Überprüfen und Feststellen von Zielabweichungen werden wieder neue Führungsprozesse ausgelöst, d. h. es werden notfalls die Zielvorgaben korrigiert, neue Planungen und Entscheidungen initiiert.

Mit Hilfe der **Kontrolle** werden nicht nur die Mitarbeiter überwacht, sondern das gesamte Betriebsgeschehen analysiert. Kontrolle ist ein Feedback über die tatsächlichen Auswirkungen der getroffenen Entscheidungen und den Stand der Realisierung. Sie läuft grundsätzlich in drei Phasen ab *(vgl. Olfert/Steinbuch 1993, S. 196):*

1. Phase:	Festlegung der Kontrollstandards (Messlatte für die Kontrolle, d. h. Festlegung was, wie überprüft werden soll)
2. Phase:	Soll-Ist-Vergleich (Gegenüberstellung von tatsächlich erreichtem Ergebnis und Planvorgabe)
3. Phase:	Abweichungsanalyse (Ursachen für die Differenzen zwischen Soll- und Ist-Zustand)

Die Ergebnisse der Abweichungsanalyse können zu einem sofortigen, korrigierenden Eingreifen in den Betriebsprozess führen oder einen komplett neuen Führungsprozess auslösen. Dies ist abhängig vom Ausmaß der Abweichung und der Möglichkeit, mit einer Korrektur das Ziel doch noch zu erreichen.

In der gastronomischen Praxis laufen viele Führungsprozesse sehr schnell ab. Die kurze Zeit für Zielsetzung, Planung, Entscheidung, Realisierung und Kontrolle verlangt von den Führungskräften ein hohes Maß an Entscheidungsfähigkeit und Durchsetzungsvermögen. Gerade bei nicht alltäglichen Führungsaufgaben zeigen sich so die unterschiedlichen Qualitäten von Führungskräften.

3.4.3 Führungsstile und Führungstechniken

Der tägliche Umgang mit den Mitarbeitern fördert oder hemmt deren Kreativität. Die folgenden zehn Verhaltensweisen zeigen Beispiele, mit denen die Führungskraft die Kreativität ihrer Mitarbeiter blockiert:

1. Die Führungskraft betrachtet jede von den Mitarbeitern kommende Idee mit Misstrauen und lehnt sie deshalb ab.
2. Sie besteht darauf, dass Mitarbeiter, die ihrer Zustimmung zu einer Handlung benötigen, auch die Zustimmung mehrerer höherer Ebenen einholen.
3. Sie fordert Abteilungen und einzelne Mitarbeiter auf, ihre Vorschläge gegenseitig zu kritisieren, um so leichter entscheiden zu können.
4. Kritik und Lob stehen nicht im angemessenen Verhältnis zueinander. Viel Kritik hält die Mitarbeiter unter Druck.
5. Das Erkennen von Problemen durch die Mitarbeiter ist nicht erwünscht, da dies als Kritik an der Führungskraft verstanden wird.
6. Kontrolle ist wesentliche Aufgabe der Führungskraft.
7. Entscheidungen zur Reorganisation eines Aufgabenbereichs werden heimlich getroffen und immer kurzfristig bekanntgegeben.
8. Die Weitergabe von Informationen wird sorgfältig überprüft und nur bei entsprechender Begründung durchgeführt.
9. Nur unangenehme Aufgaben werden an nachgeordnete Positionen weitergegeben (delegiert).
10. Die Führungskraft muss einen Wissens- und Informationsvorsprung gegenüber den Mitarbeitern besitzen.

(Nach: Personalentwicklung/Effektivitätssteigerung, in: AHGZ, Nr. 35, 1993, S. 15)

Die richtige Zielsetzung, eine effektive Planung und die Entscheidung für die optimale Handlungsalternative schaffen in einem Führungsprozess nur die Basis für eine erfolgreiche Führungsarbeit. Die Umsetzung, d. h. die Realisierung der geplanten Maßnahmen zur Erreichung der Ziele ist ein wesentlicher Aspekt der Managementtätigkeit. Sie wird beeinflusst von der Persönlichkeit und dem Verhalten der Führungskräfte und der Mitarbeiter. Besonders in der überwiegend mittelständisch organisierten Gastronomie und Hotellerie prägt der Unternehmer mittels seiner Persönlichkeit das Verhalten aller anderen Mitarbeiter *(vgl. Dettmer [Hrsg.] 1998, S. 104).*

Dabei kann die sachliche und persönliche Beziehung zwischen Führungskraft und Mitarbeiter individuell so verschieden sein, dass das unterschiedliche Führungsverhalten eher erfolgshemmend statt erfolgsfördernd wirkt. Mit zunehmender Unternehmensgröße wird so der Bedarf nach einer geregelten, möglichst einheitlichen Führungskonzeption immer deutlicher. Es macht Sinn, neben den Organisationsrichtlinien (s. S. 150) auch Führungsrichtlinien zu entwickeln, die nach innen und nach außen ein einheitliches Bild der Unternehmensführung und -kultur präsentieren (= corporate identity, *vgl. Jung, 1995, S. 26).*

Aus der direkten, persönlichen Beziehung zwischen Führungskraft und Mitarbeiter müssen in den Führungsrichtlinien Antworten auf folgende zwei Fragen gegeben werden:

Mit welchem Führungsverhalten setzt die Führungskraft ihre Ziele bei den Mitarbeitern durch?	⇒	**Führungsstil**
Wie bewältigt die Führungskraft ihre Führungsaufgaben?	⇒	**Führungstechnik**

3.4.3.1 Führungsstile

Der **Führungsstil** ist die Art und Weise, wie die Führungskraft mit ihren Mitarbeitern umgeht. Er beschreibt ein von der Person der Führungskraft abhängiges Verhaltensmuster, welches in den unterschiedlichen Führungssituationen einmal mehr oder einmal weniger erfolgreich ist *(vgl. Olfert/Steinbuch 1993, S. 197).*

Die Vielzahl der individuellen Persönlichkeiten der Führungskräfte schafft eine Vielzahl von Führungsstilen. Sie unterscheiden sich häufig nur durch Nuancen voneinander und können alle im Einzelnen nicht erläutert werden. Um die Unterschiede im Führungsverhalten und deren Auswirkungen auf die Motivation der Mitarbeiter besser erklären zu können, werden nur extrem gegensätzliche Führungsstile beschrieben.

Diese Gegensätzlichkeit (Bipolarität) wird geschaffen, indem entscheidende Merkmale im Führungsverhalten festgelegt und das Führungsverhalten daran gemessen werden. Solche Merkmale können z. B. sein

- die Ausstattung der Mitarbeiter mit Mitwirkungs- und Entscheidungsbefugnissen oder
- die Orientierung der Führungskraft an Aufgaben oder Mitarbeitern.

Es entstehen so Führungsstilpaare mit sich extrem voneinander abgrenzenden Verhaltensmustern. In den obigen Beispielen erhält man auf der einen Seite einen Führungsstil, bei dem den Mitarbeitern keinerlei Mitbestimmungs- und Mitwirkungsrechte eingeräumt werden, auf der anderen Seite einen Führungsstil mit vollen Mitbestimmungs- und Mitwirkungsrechten der Mitarbeiter. Oder man erhält einen aufgabenorientierten Führungsstil im Gegensatz zum mitarbeiterorientierten Führungsstil *(s. a. managerial grid, S. 137).*

An den durch die Bipolarität geschaffenen Führungsstilen lassen sich die Vor- und Nachteile der extremen Verhaltensweisen genau erläutern. Die praktizierten Führungsstile liegen alle irgendwo zwischen den bipolaren Extremfällen und mischen die Vor- und Nachteile der beiden Randpositionen.

Am Beispiel des für viele Mitarbeiter so wichtigen Merkmals „Mitbestimmungs- und Mitwirkungsrechte" *(vgl. Situation, S. 160)* sollen hier zwei Führungsstile genauer beschrieben werden – der autoritäre und der kooperative Führungsstil *(vgl. Olfert/Steinbuch, 1993, S. 200 ff.).*

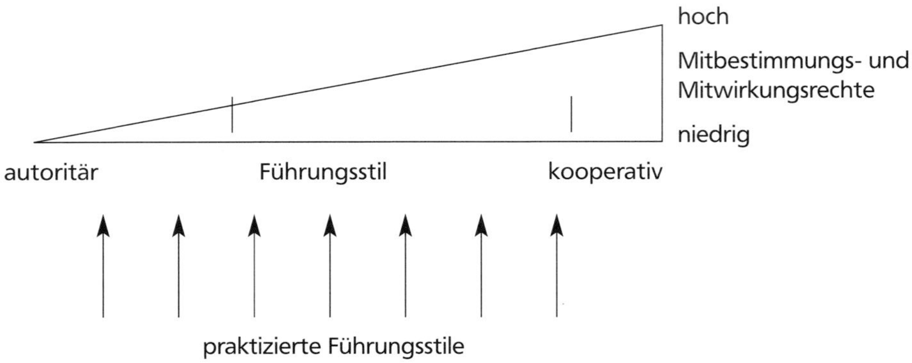

Abb. 3–62

Die Gegenüberstellung der wichtigsten Merkmale beider Führungsstile, ihre Vorteile (Vorteile des einen Führungsstils sind die Nachteile des anderen und umgekehrt) und ihre Voraussetzungen soll die folgende Tabelle verdeutlichen *(vgl. Stopp 1992, S. 156):*

	Autoritärer Führungsstil	**Kooperativer Führungsstil**
Beschreibung	● Keine Beteiligung der Mitarbeiter an Zielsetzung, Planung, Entscheidung und Kontrolle. ● Die Führungskraft sieht keine Notwendigeit, ihre Entscheidungen gegenüber den Mitarbeitern zu rechtfertigen. ● Kritik durch die Mitarbeiter ist nicht erlaubt. ● Die Entscheidungen haben Befehlscharakter und erfordern den Gehorsam der Mitarbeiter. ● Das Verhältnis zwischen Führungskraft und Mitarbeiter ist distanziert. ● Die 100%ige Kontrolle der Mitarbeiter und die Macht zur Bestrafung sichern den Erfolg der Führung. ● Die Führungskraft gibt keine weiterführenden Informationen an die Mitarbeiter. ● Statussymbole unterstützen die Machtstellung der Führungskraft.	● Die Mitarbeiter werden am gesamten Führungsprozess beteiligt. ● Führungskraft und Mitarbeiter wirken bei allen betrieblichen Aktivitäten zusammen. ● Kritik durch die Mitarbeiter ist erwünscht. ● Kontrolle wird als Erfolgskontrolle durchgeführt, die Mitarbeiter kontrollieren sich weitgehend selbst. ● Die Führungskraft informiert die Mitarbeiter umfassend. ● Die Führungskraft überträgt Verantwortung auf die Mitarbeiter (Delegation). ● Die Führungskraft kommt ohne Statussymbole aus. ● Der Erfolg der Führung wird duch die Identifikation der Mitarbeiter mit den Unternehmenszielen erreicht (Motivation der Mitarbeiter).

	Autoritärer Führungsstil	Kooperativer Führungsstil
Vorteile	● Die Entscheidungen sind einheitlich, d. h. es wird eine eindeutige Richtung vorgegeben. ● Unangenehme Tätigkeiten lassen sich besser durchsetzen. ● Schnelle Entscheidungen (keine Diskussionen, etc.) ● Die Aufgaben sind klar verteilt.	● Hohe Motivation und geringe Fluktuation der Mitarbeiter. ● Geringes Risiko für Fehlentscheidungen. ● Selbstständige und mitdenkende Mitarbeiter, denen jederzeit Führungsverantwortung übertragen werden kann. ● Entlastung der Führungskräfte von Routine- und Kontrollaufgaben. ● Zufriedenheit der Mitarbeiter und folglich auch Zufriedenheit der Gäste.
Anforderungen an die Führungskräfte	● Fachkompetenz ● Persönlichkeit, Selbstsicherheit, Durchsetzungsvermögen ● Kontrollfähigkeit und Selbstkontrolle ● Entscheidungsfähigkeit ● Organisationsfähigkeit (Vorausschau auf das Ziel) ● Verantwortungsbewusstsein	● Muss auf Rechte verzichten und Macht abgeben können. ● Delegationsfähigkeit und -willigkeit (Aufgaben abgeben können und wollen). ● Vertrauen in die Mitarbeiter ● Menschenkenntnis ● Aufgeschlossenheit gegenüber Vorschlägen der Mitarbeiter.
Anforderungen an die Mitarbeiter	● Anerkennung der Führungskraft und deren Kompetenz als alleinige Führungsinstanz. ● Muss sich in allen Belangen unterordnen können.	● Fachkompetenz ● Verantwortungsbewusstsein (-fähigkeit und -willigkeit) ● Team- und Kooperationsfähigkeit ● Fähigkeit zur Selbstkontrolle

Abb. 3–63: Führungsstile

Die Tatsache, dass es für beide Führungsstile Vorteile gibt, verhindert die Existenz eines optimalen, d. h. richtigen Führungsstils. Wie eingangs erwähnt, sind Führungsstile personenbezogen und können je nach Situation mehr oder weniger erfolgreich sein. Auch wenn der autoritäre Führungsstil auf den ersten Blick als ungeeignet erscheint, gibt es praktische Situationen, in denen er mehr Erfolg verspricht als der kooperative Führungsstil.

- Aufgaben unter starkem Zeitdruck, bei denen Diskussionen den Erfolg gefährden (Bankett)
- Gefahrensituationen (Feuer, Erste Hilfe bei Unfällen in der Küche)
- Leistungsgefälle zwischen Vorgesetzten und Mitarbeitern ist sehr groß (z. B. Küchenmeister ↔ Auszubildender)
- Betriebsneueröffnungen (Pre-Openings), um in der Anfangszeit die neuen Mitarbeiter mit ihren unterschiedlichen Erfahrungen und Kenntnissen auf eine einheitliche Vorgehensweise einzustimmen.
- Häufiger Mitarbeiterwechsel
- Unangenehme Tätigkeiten
- Bei Versagen des kooperativen Führungsstils

Der **Erfolg eines Führungsstils ist situationsabhängig.** Damit hat die Führungskraft die größten Erfolgsaussichten, die ihren Führungsstil an die jeweilige Situation, an die Ansprüche, Qualifikationen, Kompetenzen und Erfahrungen der Mitarbeiter sowie an die Art der sozialen Beziehungen in der Gruppe anpassen kann. Wenn man überhaupt einen geeigneten Führungsstil finden will, dann ist dies der situationsgerechte Führungsstil.

Alle weiteren, in der Literatur beschriebenen, Führungsstile (z. B. Laissez-faire-Führungsstil oder Patriarchalischer Führungsstil, *vgl. Gabler 1988, Spalte 1933 ff.*) sind Mischformen aus autoritärem und kooperativem Führungsstil mit der Betonung eines ganz bestimmten Verhaltensmerkmals. Auf sie soll hier nicht näher eingegangen werden.

3.4.3.2 Führungstechniken

In einer gesamtunternehmerischen Führungskonzeption mit einheitlichen Führungsrichtlinien besitzen die **Führungstechniken** (oder -prinzipien) eine große Bedeutung. Führungstechniken dienen der Beseitigung von einzelnen Schwachstellen im Führungsprozess und behandeln bestimmte Teilaspekte der Führung (vgl. Jung 1995, S. 488). Sie bilden das Dach für die individuellen Führungsstile der Verantwortlichen und sind selbst Teil eines komplexen Führungsmodells (s. S. 163).

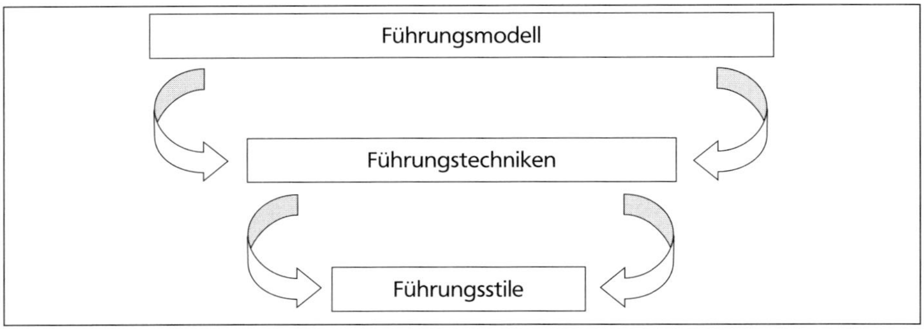

Abb. 3–64

Die meisten Führungstechniken werden heute als „Management by . . .“-Techniken bezeichnet, von denen die wichtigsten hier beschrieben werden sollen (*vgl. Olfert/Steinbuch 1993, S. 208*).

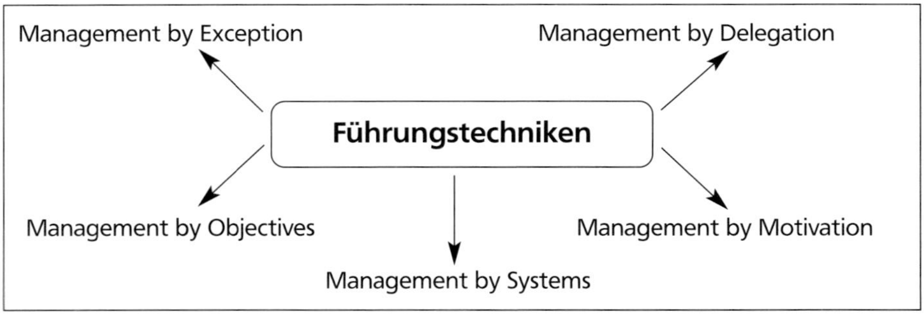

Abb. 3–65

	Management by Exception
Beschreibung	Führungskräfte und Mitarbeiter teilen sich die Entscheidungsbefugnis. Die Mitarbeiter treffen in allen Normal- oder Routinefällen die Entscheidung selbst. Die Führungskräfte greifen nur in Ausnahmefällen ein. So identifizieren sich die Mitarbeiter mit ihrem Verantwortungsbereich und können ihre Aufgaben durch die Nähe zum Gast und zur Sache kompetent bewältigen.
Voraussetzungen	● Delegation der Aufgaben an die Mitarbeiter ● Abgrenzung von Routine- und Ausnahmefällen ● Festlegung des Verhaltens in Ausnahmefällen ● Schaffung eines geeigneten Systems zur Information der Führungskräfte in Ausnahmefällen
Vorteile	● Entlastung der Führungskräfte von Routineaufgaben ● Selbstständiges Handeln der Mitarbeiter in einem bestimmten Rahmen ● Verbesserung von Organisation und Kommunikation im Unternehmen
Nachteile	● Geringe Motivation der Mitarbeiter durch Beschränkung der Verantwortung auf Routineaufgaben ● Nicht alle Führungsaufgaben lassen sich in Normal- und Ausnahmesituationen trennen ● Festlegung der Abweichungsbereiche gestaltet sich i. d. R. schwierig ● Gefahr der Rückdelegation von Aufgaben an die Führungskraft
Beispiel	Die Sales-Managerin darf bei Preisverhandlungen einen Preisnachlass von max. 25 % gewähren. Der Küchenchef darf Warenbestellungen bis zu 30.000,– EUR pro Monat selbstständig und ohne vorherige Genehmigung durchführen.

Abb. 3–66: Management by Exception (Führung durch Abweichungskontrolle)

	Management by Delegation
Beschreibung	Die Führungskräfte übertragen Aufgaben und die entsprechende Verantwortung in angemessenem Umfang auf die Mitarbeiter. Diese entwickeln so Eigeninitiative, Leistungsmotivation und Verantwortungsbereitschaft in ihrem Bereich.
Voraussetzungen	● Delegation von Aufgaben und Verantwortung ● Verbot der Rück- und Weiterdelegation von Aufgaben ● Festlegung von Ausnahmeregelungen ● Verbot des Eingreifens der Führungskraft bei richtigem Verhalten der Mitarbeiter ● Pflicht zum Eingreifen der Führungskraft bei Fehlern der Mitarbeiter ● Übernahme der Führungsverantwortung durch Führungskräfte ● Regelung des Informationsflusses
Vorteile	● Entlastung der Führungskräfte ● Motivation der Mitarbeiter durch Übernahme von Verantwortung ● Schnelle, sachgerechte Entscheidungen, die dort geschaffen werden, wo sie sich als notwendig erweisen
Nachteil	● Ressortdenken wird verstärkt, d.h. abteilungsübergreifende Beziehungen werden vernachlässigt ● Gefahr der Delegation von ausschließlich unangenehmen Aufgaben ● Festlegung der Hierarchie ● Mitarbeiter werden in strategische Entscheidungen nicht einbezogen ● Anweisungen und Regelungen für die Delegation von Aufgaben (z. B. Stellenbeschreibung) engen die Freiheiten der Mitarbeiter ein
Beispiel	Dem Küchenchef wird die Durchführung und die Verantwortung für die Personalauswahl in seinem Bereich übertragen.

Abb. 3–67: Management by Delegation (Führung durch Aufgabenübertragung)

	Management by Objectives
Beschreibung	Die Führungskräfte geben den Mitarbeitern Ziele vor oder vereinbaren diese mit ihnen. Dazu erhalten die Mitarbeiter alle Aufgaben und die Verantwortung, um die Ziele in ihrem Bereich umzusetzen. Damit identifizieren sich die Mitarbeiter nicht nur mit ihren Aufgaben, sondern auch mit den Zielen.
Voraussetzungen	● Zielorientierte Organisation und Handlungsabläufe ● Delegation von Aufgaben und Verantwortung ● Hoher Ausbildungsstand der Mitarbeiter ● Verantwortungsbereitschaft der Mitarbeiter ● Eindeutige Zielformulierungen (s. S. 148)
Vorteile	● Entlastung der Führungskräfte ● Hohe Leistungsbereitschaft und Motivation durch Identifikation mit den Zielen ● Geringes Risiko für Fehlentscheidungen ● Chancen für Verbesserungsmöglichkeiten ● Selbstständiges Handeln der Mitarbeiter ● Leistungsgerechte, an den Zielen orientierte Entlohnung der Mitarbeiter möglich
Nachteile	● Gefahr, dass nur zahlmäßig kontrollierbare und kaum qualitative Ziele gesetzt werden ● Hoher Leistungsdruck
Beispiel	In der Jahreszielplanung legen die Abteilungsleiter zusammen mit der Geschäftsleitung den Umsatz in den Bereichen Logis, Food, Beverage und Sonstiges auf insgesamt 4,32 Mio. EUR fest.

Abb. 3–68: Management by Objectives (Führung durch Zielvereinbarung)

	Management by Systems
Beschreibung	Computergestütztes Management-Informations-System, bei dem einzelne Regelkreise die innere Struktur des Unternehmens festlegen
Voraussetzungen	● Management-Informations-System ● Festlegung von Regelkreisen
Vorteile	● Entlastung der Führungskräfte ● Schnelle Wirksamkeit der Führungsfunktion ● Systematische Führung
Nachteile	● Kaum anzuwenden in den Dienstleistungsbetrieben der Hotellerie- und Gastronomiebranche ● Abhängigkeit von der Technik und deren Zuverlässigkeit ● Rückgang der zwischenmenschlichen Kontakte ● Motivationsverluste ● Hohe Kosten ● Hohe Anforderungen an Führungskräfte und Mitarbeiter
Beispiel	Management-Informations-System (MIS) Kybernetische Systeme

Abb. 3–69: Management by Systems (Führung durch Systemsteuerung)

	Management by Motivation
Beschreibung	An den Bedürfnissen der einzelnen Mitarbeiter ausgerichtete Führungstechnik, bei der die Leistungsgrenze im Mittelpunkt stehen. Die individuelle Motivation ist das Kernstück der Personalführung
Voraussetzungen	● Kenntnis der individuellen Bedürfnisstruktur der Mitarbeiter ● Ständige Motivationsbereitschaft der Mitarbeiter ● Anreizsystem ● Koordination von Unternehmenszielen und individuellen Bedürfnissen der Mitarbeiter
Vorteile	● Hohe Motivation und Zufriedenheit der Mitarbeiter ● Hohe Leistungsbereitschaft ● Gutes Betriebsklima
Nachteile	● Es wird vorausgesetzt, dass sich die Mitarbeiter immer wieder neu motivieren lassen ● Bei falschen Anreizen versagt die Führungstechnik
Beispiel	Die Rezeptionsmitarbeiterin erhält die Möglichkeit einer Fortbildung zur Hotelmeisterin.

Abb. 3–70: Management by Motivation (Führung durch Leistungsanreize)

Wie auch bei den Führungsstilen gibt es bei den Führungstechniken keine optimale Lösung. Für den Erfolg eines Unternehmens ist es heute besonders wichtig, dass die Führungsverantwortlichen flexibel und offen für Umgestaltungsprozesse sind. So rasant wie sich unsere Gesellschaft verändert, so rasant müssen sich Führungsstile und Führungstechniken diesen Gegebenheiten anpassen. Sucht man in der gastronomischen Praxis nach bestimmten Techniken, wird man feststellen, dass sich die oben beschriebenen Prinzipien weiterentwickelt haben und weiterentwickeln werden.

3.4.4 Führungsmittel und Führungsmodelle

Im Hotel „Hillstett" wird weiter an einem neuen, einheitlichen Führungskonzept gearbeitet. Die Abteilungsleiter haben sich die Vor- und Nachteile einzelner Führungsstile und Führungstechniken bewusst gemacht. In einem gemeinsamen Meeting sind sie zu der Erkenntnis gelangt, dass nur ein kooperativer Führungsstil mit umfangreichen Mitwirkungsmöglichkeiten der Mitarbeiter in Frage kommt und dass die Führung auf der gemeinsamen Vereinbarung von Zielen erfolgen soll. Im Verlauf des Meetings möchte die leitende Hausdame wissen, in welcher Form die Mitwirkungsmöglichkeiten der Mitarbeiter gestaltet und wie die gemeinsame Zielvereinbarung durchgeführt werden sollen. Bevor sich nun die Runde Gedanken über die Hilfsmittel der Führung macht, gibt der Küchenchef noch zu bedenken, dass die Mitwirkungsmöglichkeiten der Mitarbeiter, die gemeinsame Zielvereinbarung und die Hilfsmittel zusammenpassen müssen.

Die direkte, persönliche Beziehung zwischen Führungskraft und Mitarbeiter findet ihren Ausdruck in den Führungsstilen und Führungstechniken. In einer Führungsrichtlinie

(= Führungsmodell), die nach innen und nach außen eine einheitliche Unternehmenskultur (= corporate identity) darstellen soll, müssen zusätzlich die Hilfsmittel festgelegt werden, mit denen die Führungskräfte ihren Stil und ihre Technik umsetzen.

Das Ziel einer unternehmenstypischen Kultur in der Personalführung lässt sich nur erreichen, wenn abschließend die beiden folgenden Fragen beantwortet werden:

Frage		
Welche Hilfsmittel werden bei der Führung eingesetzt?	→	**Führungsmittel**
Wie können Führungsstile, Führungstechniken und Führungsmittel zu einer Führungsrichtlinie zusammengefasst werden?	→	**Führungsmodell**

3.4.4.1 Führungsmittel

In der täglichen Praxis der Führungsstile und Führungstechniken braucht die Führungskraft geeignete Hilfsmittel, um die Ziele gemeinsam vereinbaren und durchsetzen zu können. Diese Führungsmittel sind häufig Ausdruck der notwendigen Kommunikation zwischen Führungskraft und Mitarbeitern *(vgl. Dettmer [Hrsg.] 1998, S. 117).*

Neben den eigentlichen kommunikativen Führungsmitteln, die alle auf der verbalen Kommunikation basieren, lassen sich noch informative (Weitergabe von Information auf nonverbaler Basis) und partizipative Führungsmittel (Teilnahme der Mitarbeiter an der Entscheidungsvorbereitung) unterscheiden *(vgl. Olfert/Steinbuch 1993, S. 215 ff.).*

Führungsmittel

Informative F.	**Kommunikative F.**	**Partizipative F.**
➢ Richtlinien	➢ Mitarbeitergespräch	➢ Quality Circle
➢ Stellenbeschreibung	➢ Kritikgespräch	➢ Lernstatt
➢ Aushang	➢ Beurteilungsgespräch	➢ Work-Shop
➢ Schriftliche Dienstanweisung	➢ Meeting	➢ Brainstorming
	➢ Mündliche Dienstanweisung	➢ Betriebliches Vorschlagswesen
	➢ Verhandlung	➢ Weiterbildung
	➢ Kontrolle	

Abb. 3–71

Richtlinien sind immer gültige Verhaltensvorschriften und erleichtern den Führungskräften die tägliche Führungsarbeit. Sie werden den Mitarbeitern meist am 1. Arbeitstag in schriftlicher Form ausgehändigt und nur in seltenen Fällen geändert (z.B. allgemeine Verhaltensvorschriften über Dienstkleidung, Rauchen am Arbeitsplatz oder spezielle Richtlinien über das Verhalten der Front Office-Mitarbeiter gegenüber dem Gast).

Die **Stellenbeschreibung** ist eine schriftliche Zusammenfassung der Ziele, Aufgaben, Kompetenzen und besonderen Befugnissen, die mit einer bestimmten Stelle im Gastronomie- und Hotelleriebetrieb verbunden sind *(vgl. Dettmer [Hrsg.] 1998, S. 33)*. Sie ist Organisations- und Führungshilfsmittel zugleich und wird den Mitarbeitern häufig bereits während des Personalbeschaffungsprozesses ausgehändigt.

Über den **Aushang** an einer zentralen Stelle im Haus (z. B. Schwarzes Brett im Personalaufenthaltsraum) geben die Führungskräfte allgemeine Informationen, die keiner weiteren Erklärung bedürfen, an alle oder eine bestimmte Gruppe von Mitarbeitern weiter (z. B. Urlaubsplan).

Die **schriftliche Dienstanweisung** versorgt die Mitarbeiter mit Informationen über spezielle Vorhaben (z. B. Ablauf der Weihnachtsfeiertage und des Jahreswechsels). Sie wird mindestens bis in die Abteilungen, häufig sogar an jeden Mitarbeiter verteilt und bei Bedarf in einem Meeting besprochen.

Mitarbeiter-, Kritik- und Beurteilungsgespräch sind die klassischen Führungsmittel, bei denen die Führungskraft den Mitarbeiter unter vier Augen persönlich informiert, kritisiert, motiviert, an- oder einweist, etc.. Dabei ist auch der Mitarbeiter gleichberechtigter Gesprächspartner und hat die Möglichkeit, Probleme, Konflikte, Beschwerden, Kritik u. a. vorzubringen.

Unter einem **Meeting** versteht man ein meist regelmäßiges Treffen bestimmter Führungsebenen oder Personen eines Hotels. Mit den Besprechungen sollen die Umsetzung der Unternehmensziele koordiniert und Probleme über die Abteilungsleiterebene hinaus gelöst werden (z. B. monatliches Abteilungsmeeting).

Die **mündliche Dienstanweisung** kann in Auftragsform („Frau Meier, Sie übernehmen heute die Station 3"), in Form eines Zweiergesprächs oder eines Meetings durchgeführt werden. Im Gegensatz zur schriftlichen Anweisung hat die Führungskraft hier die Möglichkeit, einzelne Punkte zu erläutern und Fragen der Mitarbeiter zu beantworten (z. B. bei der praktischen Einweisung in die Serviceform während des Mise en place).

In einer **Verhandlung** wird versucht, aus den unterschiedlichen Standpunkten (Interessen, Zielen) zweier oder mehrerer Personen einen Kompromiss zu finden. Dieses Streitgespräch oder die Diskussion können auch in Abwesenheit der Führungskräfte erfolgen.

Mit der Art und Weise der **Kontrolle** der Mitarbeiter übt die Führungskraft eine gewisse Macht auf die Mitarbeiter aus. Die Kontrolle ist meist die Vorstufe für Mitarbeiter-, Kritik- und Beurteilungsgespräche und für die Personalführung sehr wichtig. Sie kann offen oder verdeckt, permanent oder situativ, motivierend oder demotivierend, streng oder milde durchgeführt werden.

Quality Circle (Qualitätszirkel), **Lernstatt, Workshop** und **Brainstorming** sind freiwillige Treffen von Mitarbeitern eines Organisations-, Aufgaben- oder Problembereichs (z. B. Küche) während der Arbeitszeit oder bezahlt außerhalb dieser. Bei den Treffen werden Qualitätsprobleme analysiert und den Führungskräften Vorschläge zur Beseitigung von Schwachstellen unterbreitet. Diese Führungsmittel haben hohe motivierende Wirkung, weil die Mitarbeiter die Arbeitsprozesse kreativ mitgestalten und sich im Unternehmen selbst verwirklichen können.

Mit dem **betrieblichen Vorschlagswesen** werden den Mitarbeitern Anreize (meist materieller Art) angeboten, die sie zu Verbesserungsvorschlägen in allen Arbeitsabläufen animieren sollen.

Die **Weiterbildung** der Mitarbeiter kann als Anreiz zur Motivation der Mitarbeiter eingesetzt werden. Zusätzlich besteht bei zweckmäßiger Auswahl der Weiterbildung die Möglichkeit, den Mitarbeiter für neue oder höherwertige Aufgaben zu qualifizieren.

Alle Führungsmittel können in der Praxis kombiniert werden und schließen sich gegenseitig nicht aus. Die Wahl und der Einsatz des richtigen Führungsmittels ist Teil der Führungsfähigkeit aller Führungskräfte.

3.4.4.2 Führungsmodelle

Auszug aus der Unternehmensphilosophie des Hotels „Hillstett":

„Das Hotel Hillstett arbeitet nach gemeinsam im Team erarbeiteten mittelfristigen und kurzfristigen Zielen in allen Bereichen. Die Erreichung dieser Ziele ist unternehmerische Hauptaufgabe des gesamten Betriebes. Durch Leistungsbereitschaft und Fachwissen arbeiten alle am Erfolg des Unternehmens und haben entsprechend daran Anteil.

Die Entfaltung der eigenen Persönlichkeit und das Selbstwertgefühl jedes Teammitglieds haben Bedeutung. Die Qualifikationen im beruflich-fachlichen sowie im persönlich-menschlichen Bereich sind von hohem Anspruch und werden durch ständige Weiterbildung erworben, verfeinert und vertieft. Alle am Erfolg des Betriebes Beteiligten erreichen ihre eigenen persönlichen, privaten und beruflichen Ziele im Einklang mit der gemeinsamen geplanten und erarbeiteten Zielsetzung des Teams.

Das Hotel Hillstett hat klar gegliederte Verantwortungsbereiche im Unternehmen. Dadurch wird ein breiter Verantwortungs- und Entscheidungsspielraum ermöglicht, welcher hohe schöpferische Kreativität fördert. Jeder darf Fehler machen, mit dem Ziel, sie nicht zu wiederholen. Der Umgangs- und Führungsstil ist geprägt von Vertrauen, Freundschaft, Hilfe, Zuneigung und gegenseitigem Verständnis."

Führungsmodelle schaffen die Verbindung von Führungsstilen, Führungstechniken und Führungsmitteln. Sie fassen alle Elemente der Personalführung zu einem ganzheitlichen Konzept von Handlungsempfehlungen für Führungskräfte zusammen *(vgl. Jung 1995, S. 488)*. So wird gewährleistet, dass die Personalführung als zentrales Element der Unternehmensführung in eine einheitliche Unternehmenskultur (corporate identity) eingebracht werden kann.

Mit den in der Literatur beschriebenen Modellen wird versucht, aus den praktischen Erkenntnissen der Personalführung ein Führungskonzept zu beschreiben, welches in vielen Unternehmen eingesetzt werden kann. Die folgenden drei ganzheitlichen Konzepte sollen hier exemplarisch dargestellt werden:

	Harzburger Modell
Beschreibung	Zentrales Element des Harzburger Modells ist die Führungstechnik Management by Delegation. Basierend auf einer strikten Trennung von Führungsverantwortung (Führungskraft) und Handlungsverantwortung (Mitarbeiter) regelt das Modell mit über 300 Organisationsrichtlinien die Weitergabe von Aufgaben und Verantwortung, das Zusammenwirken von Führungskräften und Mitarbeitern, die Handhabung von Richtlinien, den Beschwerdeweg, die Abwicklung von Einzelaufträgen, den Einsatz von Teams, etc. Wichtiges Führungsmittel dabei sind Stellenbeschreibungen. Dort werden die delegierten Aufgaben festgelegt, die Kompetenzen klar abgegrenzt und die Unternehmensstruktur transparent gemacht. Hinzu kommt ein Verbot der Rück- und Weiterdelegation der Aufgaben (s. S. 158), welches die Funktionsfähigkeit des Modells gewährleistet. Der Umgang der Führungskräfte mit den Mitarbeitern ist eher kooperativ, d. h. die Führungskraft muss den Mitarbeitern die Kompetenzen und die Handlungsfreiheit in ihrem Aufgabenbereich zugestehen. Eingeengt wird der Führungsstil jedoch durch die oben erwähnte Anzahl von Organisationsrichtlinien.
Vorteile	➢ Keine Übertragung von Einzelaufträgen, sondern von gesamten Aufgabenbereichen, d. h. die Mitarbeiter denken und handeln im Sinne der Aufgabe ➢ Selbstständiges Handeln der Mitarbeiter ➢ Motivation der Mitarbeiter durch die Übernahme von Verantwortung ➢ Entlastung der Führungskräfte ➢ Keine Kompetenzstreitigkeiten ➢ Klare Organisationsstruktur des Unternehmens
Nachteile	➢ Organisationsregeln führen zu einer Beschneidung von notwendigen Freiräumen und zu einer Bürokratisierung der betrieblichen Abläufe. ➢ Ressortdenken („Zuständigkeitsdenken") wird verstärkt ➢ Hierarchiedenken wird verstärkt („oben-unten"), während die horizontale Kommunikation und Koordination vernachlässigt wird. ➢ Teamarbeit kommt selten vor, da die Mitarbeiter in ihren Aufgabenbereichen meist „einsame" Entscheidungen treffen. ➢ Es fehlt der kreative Einsatz der Mitarbeiter, vor allem in der Planung und Entscheidungsvorbereitung. ➢ Der praktizierte Führungsstil erscheint den Mitarbeitern durch die Organisationsrichtlinien und die mangelnde Kommunikation und Teamarbeit eher autoritär.

Abb. 3–72: Harzburger Modell (nach R. Höhn)
(Vgl. Dettmer [Hrsg.] 1998, S. 116)

	St. Galler Modell
Beschreibung	Das St. Galler Modell ist ein vernetztes Informations-Entscheidungs-System und basiert auf dem schrittweisen Übergang vom Allgemeinen zum Besonderen. Ausgangspunkt in dem so entwickelten Regelkreis sind unternehmerische Analysen, die zum Unternehmensleitbild, zur Unternehmenskultur und letztendlich zu deren praktischen Umsetzung führen. Als ganzheitliches Modell kommt dieses Konzept der Führungstechnik Management by Systems sehr nahe.
Vorteile	➢ Ganzheitliche Betrachtung der Unternehmensführung
Nachteile	➢ In der Praxis fehlen die Gesetzmäßigkeiten von Steuerungs- und Regelvorgängen. ➢ Das Modell ist lediglich Bezugsrahmen, d.h. es muss unternehmenspezifisch ausgefüllt werden.

Abb. 3-73: St. Galler Modell (nach H. Ulrich)
(Vgl. Jung 1995, S. 498)

	Teamorientiertes Modell
Beschreibung	Kernstück des teamorientierten Modells ist die Teamarbeit. Die hierarchieunabhängige Zusammensetzung von Teams mit Spezialisten aller Abteilungen soll die Qualität von Entscheidungen, die Leistungsfähigkeit und die Kommunikation verbessern. Im Teamkonzept werden die positiven Auswirkungen von gruppendynamischen Prozessen genutzt und Interessenskonflikte zwischen Abteilungen und anderen klassischen Organisationseinheiten abgebaut. Teams entstehen durch besondere Aufgabenstellungen und Herausforderungen und werden i.d.R. nach Zielerreichung wieder aufgelöst (z.B. Team zur Vorbereitung und Durchführung des Silvesterabends). Der Teamleiter wird nicht als Vorgesetzter, sondern eher als Organisator verstanden, der die Koordination der Teamarbeit durchführt und auch ausgewechselt werden kann. Als Führungsstil kommt nur der kooperative in Betracht, geeignete Führungsmittel sind neben den kommunikativen die partizipativen (s. S. 161).
Vorteile	➢ Hohe Leistungsfähigkeit durch Einsatz von Spezialistenteams ➢ Hohe Motivation der Mitarbeiter durch Kommunikation im Team ➢ Durch die Übertragung von Aufgaben an Teams statt an Einzelpersonen entstehen keine „einsamen" Entscheidungen (siehe Harzburger Modell)
Nachteile	➢ Richtige Zusammensetzung der Teams ist oft schwierig ➢ Spezialisten müssen während der Teamarbeit von ihrer „normalen" Arbeit entbunden werden ➢ Teamfähigkeit muss bei allen Teammitgliedern vorausgesetzt werden

Abb. 3–74: Teamorientiertes Modell (nach R. Likert)
(Vgl. Stopp 1992, S. 164)

Die **Entwicklung eines einheitlichen und unternehmensspezifischen Führungskonzepts** ist für die Betriebe der Hotellerie und Gastronomie unerlässlich. Mit zunehmender Betriebsgröße müssen die Elemente des Personalmanagements zusammengefasst und der Führungsvorgang standardisiert werden. Unterlässt man dies, werden die Mitarbeiter und auch die Gäste irritiert und die gastronomische Leistung in Frage gestellt.

Aufgaben

1. Beschreiben Sie die betriebswirtschaftlichen Produktionsfaktoren und deren unterschiedliche Bedeutung für Hotellerie und Gastronomie.
2. Als Personalchef des Hotels „Bayerwald" wollen Sie die Voraussetzungen für eine Verbesserung der Personalführung schaffen.

   Zeigen Sie auf, welche Elemente grundlegenden Einfluss auf die Personalführung ausüben.
3. Der Küchenchef des Hotels „Stadt Cham" steht im Spannungsfeld zwischen mitarbeiter- und aufgabenorientierter Führung.

   Beschreiben Sie kurz, wie dieses Spannungsfeld entsteht und welche Möglichkeiten zur Überwindung gefunden werden können.
4. Beschreiben Sie das Führungsverhalten G und F im managerial grid auf Seite 137.
5. Im Hotel „Frankenwald" soll die Position des Restaurantdirektors neu besetzt werden. Um einen geeigneten Bewerber zu finden, sollen zunächst allgemeine Qualifikationen einer Führungskraft ermittelt werden.

   Zählen Sie diese notwendigen Qualifikationen auf.
6. Welche wichtigen Persönlichkeitsmerkmale setzen Sie bei einer Führungskraft voraus?
7. Nach Ihrer Einarbeitungszeit als Hausdame im Hotel „Tettauer Hof" stellen Sie fest, dass sich in Ihrem Verantwortungsbereich zwei rivalisierende Gruppen gebildet haben.

   Welche Ursachen können für diese Gruppenbildung vorliegen?
8. Unterscheiden Sie die Begriffe „Macht" und „Autorität" an je einem Beispiel aus der gastronomischen Praxis.
9. Der junge Auszubildende zum Restaurantfachmann hat Probleme im Berufsschulunterricht. Um seine Leistungen zu verbessern, hat ihm der Restaurantdirektor seine Hilfe angeboten. Bei der gemeinsamen Arbeit stellt der Auszubildende fest, dass der Restaurantdirektor die gestellten Aufgaben auch nicht lösen kann.

   Beurteilen Sie diese Situation hinsichtlich Macht und Autorität des Restaurantdirektors.
10. Führen bedeutet zielgerichtetes Beeinflussen der Mitarbeiter.

    Beschreiben Sie kurz, wie Motivation diesen Prozess beeinflusst.
11. Um die Leistungen der Mitarbeiter im Hotel „Hillstett" zu verbessern, soll ein einheitliches Anreizsystem geschaffen werden.

    Zählen Sie die möglichen Motivkategorien auf und geben Sie je ein Beispiel aus der gastronomischen Praxis.
12. Welche Voraussetzungen muss eine Führungskraft erfüllen, um motivieren zu können?
13. Spaltet man die Managementtätigkeiten in ihre zeitlichen Abschnitte, so entsteht der Führungs- oder Managementkreis.

    Nennen Sie die einzelnen Abschnitte und erklären Sie, warum es zu einer Kreisbildung kommt.

14. Im Restaurant „Am Weiher" wurde in einem Meeting vereinbart, dass die Betriebskosten gesenkt werden sollen.

    Erläutern Sie kurz, warum dieses Ziel schlecht formuliert ist. Verbessern Sie die Zielformulierung exemplarisch.
15. Im Hotel „Rosenhügel" wurde ein Controller eingestellt. Ziel ist es, die Kontrolle in den betrieblichen Abläufen zu verbessern.

    Beschreiben Sie die Vorgehensweise des Controllers für diese Aufgabe.
16. Der Empfangschef eines großen Hotels will zur Beseitigung von Schwachstellen Workshops durchführen. Dabei sollen die Mitarbeiter eigenverantwortlich Lösungsvorschläge erarbeiten, die anschließend diskutiert und umgesetzt werden.

    Welches Führungsstils und welcher Führungstechnik bedient sich der Empfangschef?
17. Zeigen Sie die Vor- und Nachteile des Führungsstils aus Aufgabe 16. auf.
18. Geben Sie Beispiele, bei denen dieser Führungsstil höchstwahrscheinlich versagt.
19. Die Führungstechnik Management by Objectives ist seit einigen Jahren in der Gastronomie und der Hotellerie sehr beliebt.

    Wie erklären Sie sich diesen Sachverhalt aus der Sicht des Unternehmens?
20. Im Restaurant „Frankenwald" steht die Durchführung einer großen Hochzeitsveranstaltung bevor. Aus diesem Anlass hat die Restaurantleitung alle betroffenen Mitarbeiter zu einem Meeting eingeladen, um die Einzelheiten zu besprechen und noch offene Fragen zu diskutieren.

    Welche Führungsmittel sind alternativ in der Vorbereitung der Veranstaltung noch möglich?
21. Zeigen Sie an einem praktischen Beispiel, warum partizipative Führungsmittel eine hohe motivierende Wirkung auf die Mitarbeiter ausüben.
22. In Ihrer Hotelkette soll das Harzburger Modell aus Führungsmodell eingeführt werden. Kritisieren Sie dieses Vorhaben.
23. Welche Vorteile hat ein eher teamorientiertes Modell gegenüber dem Harzburger Modell?

Quellen und weiterführende Literatur

Dettmer, Harald (Hrsg.): Personalwirtschaft für das Gastgewerbe – managementorientiert, Hamburg 1998

Dettmer, Harald (Hrsg.): Organisation/Datenverarbeitung für das Gastgewerbe, Hamburg 1998

Dettmer, Harald (Hrsg.): Betriebswirtschaftslehre für das Gastgewerbe, Hamburg 1999

Dettmer, Harald: Wirtschaftslehre für Hotellerie und Gastronomie, Hamburg 1999

Führung auf der Fläche, in: First Class 10/98

Gabler Wirtschaftslexikon, Wiesbaden 1988

Golas, Heinz G.: Der Mitarbeiter, Berlin 1995

Hentze, Joachim: Personalwirtschaftslehre, Band 1 u. 2, Bern 1997

Jung, Hans: Personalwirtschaft, München 1995

Olfert, Klaus; Steinbuch, Pitter A.: Personalwirtschaft, Ludwigshafen 1993

Schaetzing, Edgar E.: Führungstechnik oder Führungspersönlichkeit, in: Hotel und Restaurantmanagement

Stopp, Udo: Betriebliche Personalwirtschaft, Stuttgart 1992

3.5 Finanzmanagement in Hotellerie und Gastronomie

Die Hotel GmbH, Dessau, bildet als Holdinggesellschaft das Dach einer Unternehmensgruppe mit horizontaler Konzernstruktur, d.h. das mehrgliedrige Unternehmen stellt einen Zusammenschluss von Betrieben mit einheitlicher wirtschaftlicher Leistung (Hotels) dar.

Die Obergesellschaft erfüllt bei dieser Konstellation Geschäftsführungsaufgaben und hat eine Finanzhoheit, die z.B. darin besteht, den Konzernunternehmungen Kapital zuzuweisen. Aus den Aufgaben einer strategischen Gesamtplanung, der Reaktion auf Planabweichungen und den finanziellen Aktivitäten erwächst dem zentralen Finanzmanagement eine besondere Koordinations-/Steuerungs- und Kontrollverantwortung.

Allgemein wird unter **Management** die Führung eines Unternehmens oder einer Organisation verstanden *(vgl. Staehle 1990, S. 66)*.

Das Finanzmanagement im Gastgewerbe hat die konkrete Aufgabe, sich mit finanzwirtschaftlichen Größen und Inhalten der Unternehmensführung zu befassen und eine zielorientierte Steuerung aller Zahlungen bzw. Zahlungsströme eines gastgewerblichen Unternehmens zu erreichen *(vgl. Chmielewicz/Schweitzer (Hrsg.) 1993, Sp. 613)*.

Die zielgerichtete Steuerung der betrieblichen Finanzwirtschaft beinhaltet die

- Planung der Kapitalbeschaffung,
- Versorgung des Unternehmens mit Kapital (Kapitalbeschaffung),
- Gestaltung des Zahlungs- und Kreditverkehrs im Unternehmen (Kapitalverwaltung),
- Nutzung des Kapitals im Unternehmen (Kapitalverwendung/-steuerung),
- Kontrolle von Erfolgs- und Risikopositionen des Unternehmens (Kapitaleffizienzkontrolle) *(vgl. Dettmer/Hausmann 1998, S. 8; Süchting 1995, S. 1 und 7)*.

3.5.1 Entscheidungsprozesse im Phasenmodell

Die Aufgabeninhalte der finanziellen Führung verdeutlichen die Breite und Tiefe des Entscheidungsfeldes, in dem sich das Finanzmanagement bewegt und seine Urteile, Maßnahmen und Vereinbarungen treffen muss.

Dieses Entscheidungsfeld lässt sich durch folgende Darstellung vereinfacht untergliedern:

1. Schritt: Entscheidungsvorbereitung (Willensbildung)	
Anregungsphase	In der Anregungsphase wird das Problem festgestellt und mit Hilfe einer Ursachenanalyse geklärt. Dabei gilt es, • das Problem zu erkennen, • die Ausgangssituation zu analysieren, • die Unternehmensziele festzustellen, • die Unternehmensziele zu beachten, • die Entscheidungsaufgabe zu präzisieren, • die Entscheidungsaufgabe festzulegen.
Suchphase	Die Suchphase umfasst die Vorbereitung der Entscheidung mit den Maßnahmen: • Entscheidungskriterien bestimmen, • alternative Lösungsmöglichkeiten suchen, • alternative Lösungsmöglichkeiten ausarbeiten, • Konsequenzen alternativer Lösungen ermitteln, • Konsequenzen alternativer Lösungen beurteilen.
Entscheidungsphase	Die Entscheidungsphase baut auf den Erkenntnissen aus der Suchphase auf und schließt die Willensbildung ab, indem • die Lösungsalternativen beurteilt werden, • eine Rangfolge der Alternativen vorgenommen wird, • vorteilhafte Lösungen verglichen werden.
2. Schritt: Entscheidungsdurchführung (Willensrealisierung)	
Entschluss	Der Entschluss erfolgt nach Beendigung der Entscheidungsphase, d.h. nach erfolgter Willensbildung; er beinhaltet die für den/die Entscheidungsträger vorteilhaften Lösungsalternativen.
Ausführungsbestimmung	Auch das Bestimmen der Ausführung eines Entschlusses ist eine immens wichtige Station in der Entscheidungsdurchführung; daher sollten die von der Entscheidung betroffenen Personen zur Erleichterung des Realisierungsprozesses frühzeitig eingebunden werden.
3. Schritt: Entscheidungskontrolle (Kontrolle der Willensrealisierung)	
Erstellen des Kontrollstandards	Es müssen Kontrollstandards erstellt werden, die messbar sind, z. B. 5 % Gewinnsteigerung oder ein Umsatz von 2 Mio. EUR.
Soll-Ist-Vergleich	Die geplanten Werte werden mit den tatsächlich eingetretenen Werten verglichen.
Abweichungsanalyse	Plan-Korrekturentscheidungen werden vorbereitet und die Gründe für Abweichungen der Ist-Werte von den Soll-Werten sind offenzulegen.

Abb. 3–75 Entscheidungsprozesse im Phasenmodell

(Nach: Dettmer, H.; Hausmann, Th.; Jung, H.; Knabner, F.; Steffens, K., Personalwirtschaft für das Gastgewerbe – managementorientiert, Hamburg 1998, S. 129)

3.5.2 Entscheidungsarten und -ebenen

Je nach Differenzierungsmerkmalen lassen sich bestimmte Typen von Entscheidungen bilden, wobei eine Entscheidung in aller Regel mehreren **Entscheidungsarten** zugeordnet werden kann *(vgl. Abb. 3–76)*.

Die Vielfalt der Entscheidungserfordernisse des Finanzmanagements lässt sich in eine **dispositive, operative und strategische Entscheidungsebene** unterteilen.

Dabei umfasst die dispositive Entscheidungsebene

- die Cash-Planung,
- das Cash-Management,
- die Valutierungsoptimierung,
- die Liquiditätsplanung (den täglichen Liquiditätsstatus) und
- sonstige liquiditätsschaffende oder -sichernde Maßnahmen.

Die operative Entscheidungsebene beinhaltet

- die Finanzplanung,
- die Finanzierungsmixplanung,
- die Emissionsplanung,
- das Beständecontrolling und
- das Forderungscontrolling (einschließlich Factoring).

Zur strategischen Entscheidungsebene gehören

- der Kapitalbindungsplan,
- die Kapitalflussrechnung und
- die strategische Vermögens- und Kapitalstrukturplanung auf der Basis von Finanzkennzahlen

(vgl. Busse 1993, S. 403).

Entscheidung nach			
Verlauf des Entscheidungsprozesses	**Tragweite**	**Anzahl zu berücksichtigender Ziele**	**Sicherheitsgrad der Informationen**
a) **Sukzessive Entscheidungen**; hier werden in einem Unternehmen Teilentscheidungen wie Absatz-, Leistungs-, Investitions- und Finanzierungsentscheidungen nacheinander getroffen. Diese in der Praxis häufig angewandte Entscheidungsart bedingt allerdings i.d.R. einen zusätzlichen Anpassungsprozess. Beispiel: Ein Absatzplan muss nach Erstellung der darauf aufbauenden weiteren Teilpläne korrigiert werden, da der Finanzplan erweist, dass beispielsweise der Investitionsplan nicht finanziert werden kann. b) **Simultane Entscheidungen**; wurden alle Entscheidungsvariablen gleichzeitig ermittelt bzw. festgelegt, sind die Prämissen geschaffen, simultane Entscheidungen zu treffen. In der Praxis gestalten sich korrekte simultane Entscheidungen jedoch höchst kompliziert, da in der betrieblichen Realität nicht rechenbare Interdependenzen aufeinandertreffen.	a) **Konstitutive Entscheidungen**; sie prägen das Entscheidungsfeld eines Unternehmens für längere Zeit. Solche Entscheidungen werden beispielsweise in der Gründungsphase eines Unternehmens getroffen, z. B. Rechtsform, Leitbild, Auf- und Ablauforganisation der finanzwirtschaftlichen Abteilung. b) **Operative Entscheidungen**; dabei handelt es sich um Entscheidungen, die laufend in dem Rahmen getroffen werden, den die konstitutiven Entscheidungen gesteckt haben, z. B. Investitions- und Fremdfinanzierungsentscheidungen.	a) **Entscheidungen aufgrund einer Einfachzielsetzung**; wird bei der Durchführung eines Entscheidungsprozesses nur ein einziges Ziel verfolgt, z. B. eine möglichst hohe Eigenkapitalquote zu realisieren, so liegt eine Entscheidung auf der Grundlage einer Einfachzielsetzung vor. b) **Entscheidungen aufgrund einer Mehrfachzielsetzung**; hier erfolgt eine Entscheidung durch die Orientierung an mehreren Zielen gleichzeitig oder nacheinander, z. B. möglichst hohe Eigenkapitalquote, Kostenminimierung und Umsatzmaximierung.	a) **Entscheidungen mit Risiko**; sie haben die Eigenschaften, dass mit einer bestimmten Wahrscheinlichkeit negative Konsequenzen eintreten, die aus solchen Entscheidungen resultieren. b) **Entscheidungen mit Sicherheit**; hier kann der Entscheidungsträger davon ausgehen, dass eine Entscheidung zu bestimmten und eindeutigen Ergebnissen führen wird. Eine Entscheidung unter Sicherheit liegt beispielsweise vor, wenn aufgrund einer Investitionsentscheidung ein ein geplanter Gewinn mit einer auszurechnenden, hohen Wahrscheinlichkeit auch eintreffen wird. c) **Entscheidungen mit Unsicherheit**; diese haben die Eigenschaft, dass die Wahrscheinlichkeit unbekannt ist, mit der ein bestimmtes, geplantes Ergebnis eintritt.

Anzahl der Entscheidungsträger	Geltungsbereich	Fristigkeit	Struktur der Entscheidungen
a) **Individualentscheidungen**; sie sind dadurch gekennzeichnet, dass insbesondere der eigentliche Entscheidungsakt nur von einer dafür autorisierten Person ausgeführt wird. b) **Kollektiventscheidungen**; diese sind dadurch gekennzeichnet, dass sie von einer Gruppe von Personen vollzogen werden, die in ihrer Gesamtheit i.d.R. am kompletten Entscheidungsprozess - von der Entscheidungsvorbereitung bis zur -kontrolle - beteiligt ist.	a) **Gesamtbetriebsentscheidungen**; diese wirken sich direkt auf alle betrieblichen Funktionsbereiche aus. So betrifft die Entscheidung für ein integriertes Datenverarbeitungskonzept alle Bereiche und Abteilungen eines gastgewerblichen Unternehmens. b) **Funktionsentscheidungen**; im Gegensatz zur Gesamtbetriebsentscheidung wirkt sich eine Funktionsentscheidung nur auf einen betrieblichen Funktionsbereich direkt aus. Entscheidungen dieser Art sind z. B. Finanz-, Leistungsprogramm- und Absatzentscheidungen.	Bei dieser Entscheidungsart wird nach der Geltungsdauer einer Entscheidung bzw. nach der Länge eines Planungshorizontes differenziert. Für die Länge dieser Zeiträume oder Fristen gibt es jedoch keine für alle Planarten einheitlichen und absoluten Längen: a) **Entscheidungen mit kurzfristiger Geltungsdauer**; Beispiel: Die Geltungsdauer eines kurzfristigen Finanzplans liegt bei Tagen oder Wochen. b) **Entscheidungen mit mittelfristiger Geltungsdauer**; Beispiel: Der Planungshorizont eines mittelfristigen Finanzplans liegt bei einem oder mehreren Monaten. c) **Entscheidungen mit langfristiger Geltungsdauer**; Beispiel: Die Geltungsdauer eines langfristigen Finanzplans beträgt mehrere Jahre.	a) **Strukturierte Entscheidungen**; diese liegen vor, wenn • die Anzahl der Entscheidungsalternativen bzw. Lösungsmöglichkeiten bestimmt ist, • alle erforderlichen Informationen über die Konsequenzen der einzelnen Alternativen vorliegen, • die Ziele klar formuliert sind, • Lösungsalgorithmen für die Auswahl der optimalen Entscheidungsalternativen vorliegen. b) **Unstrukturierte Entscheidungen**; fehlt mindestens eine der vorgenannten Prämissen, liegt eine unstrukturierte Entscheidung vor, was leider häufig der Realität entspricht. Verantwortlich dafür sind • nicht quantifizierbare Entscheidungskriterien und • das Fehlen der Kenntnis exakter Lösungsverfahren.

Abb. 3-76: Entscheidungsarten

(Nach: Hausmann, Th., Grundlagen und Bedeutung des Finanzmanagements; in: Dettmer, H.; Hausmann, Th.; Rothlauf, J.; Zdrowomyslaw, N., Finanzmanagement, Band II – Problemorientierte Darstellung, München und Wien 1997, S. 13 f.)

3.5.3 Bedeutung des Finanzmanagements für die Unternehmenssicherung

Während Investitionspolitik grundsätzlich langfristig ausgerichtet ist, besitzt die **Finanzpolitik** und damit das finanzpolitische Instrumentarium eher mittel- und kurzfristigen Entscheidungscharakter. Vor allem in wirtschaftlicher Krisenzeit (Rezession) ist oft die unternehmerische Zahlungsfähigkeit und damit die Existenz des Unternehmens gefährdet. Oberstes Ziel der Unternehmensführung muss die langfristige Erhaltung der Überlebensfähigkeit sein. Vor dem Hintergrund der Existenzsicherung kann der Liquidität als Teilziel in der Zielhierarchie des Unternehmens die „höchste" Priorität beigemessen werden *(vgl. Abb. 3-77)*. Die **Liquidität** als Zeitpunktgröße ist insofern unabdingbare Nebenbedingung zur Realisierung weiterer Unternehmensziele.

Überleben	Endziel
↑	↑
Liquidität	Teilziel
↑	↑
Gewinnstreben	Teilziel
↑	↑
Wirtschaftlichkeit	Teilziel
↑	↑
Produktivität	Teilziel

Abb. 3-77: Zielhierarchie/Ziele des gastgewerblichen Unternehmens
(Aus: Hausmann, Th., Grundlagen und Bedeutung des Finanzmanagements, in: Dettmer, H.; Hausmann Th.; Rothlauf, J.; Zdrowomyslaw, N., Finanzmanagement, Band II, München und Wien 1997, S. 15)

In der zeitlichen Dimension gilt zwar, dass Liquidität vor Rentabilität geht, dies bedeutet jedoch nicht, dass gastgewerbliche Unternehmen gegründet werden, um liquide zu sein. Aus mittel- und langfristiger Sicht stellt der Erfolg (Ergebnis/Gewinn) die zentrale Zielgröße der Unternehmenssteuerung dar. „Während die **Liquidität** die entscheidende Zielgröße bei der Abwicklung aller **finanzwirtschaftlichen** Unternehmensprozesse darstellt, tritt neben sie der **Erfolg** als relevante Zielgröße **leistungswirtschaftlicher** Unternehmensprozesse. In Unternehmen wird heute vielfach neben den leistungswirtschaftlichen Prozessen ein reges (teils spekulatives) Geschäft mit Finanzanlagen (Wertpapiere wie Aktien, Anleihen, Derivaten, Festgeld) betrieben. Für diese Geschäfte ist auch wiederum der Erfolg die maßgebliche Zielgröße, die dann als Finanzergebnis bezeichnet wird" *(Hoitsch 1995, S. 7)*. Unter Beachtung der Voraussetzung, dass Liquidität und Rentabilität meist gegensätzliche Ziele sind, gilt es, „das **Cash-Vermögen** so zu **disponieren** (anzulegen bzw. umzuschichten), **dass die Rentabilität** des Unternehmens **maximiert wird"** *(Kralicek 1995, S. 161)*.

Gewöhnlich wird die Krise eines gastgewerblichen Unternehmens durch eine Vielzahl von Ursachen hervorgerufen (Multikausalität), die selten nur einer Abteilung zuzurechnen sind (Multilokalität). Außerdem bestehen i. d. R. interdependente Ursache-/Wirkungszusammenhänge *(vgl. Abb. 3-78)*. Dennoch kann festgehalten werden, dass der Finanzierungsbereich eines gastgewerblichen Unternehmens in der Unternehmenskrise eine besondere Stellung einnimmt. Zum einen können auch hier Krisenursachen begründet liegen, zum anderen wird die Unternehmenskrise i. d. R. von einer Störung des finanzwirtschaftlichen Gleichgewichts in Form einer drohenden Illiquidität oder Überschuldung des Unternehmens begleitet. Diese Krisensymptome können ohne geeignete Gegenmaßnahmen zum Ende der Unternehmenstätigkeit führen *(vgl. Steiner 1994, S. 226)*.

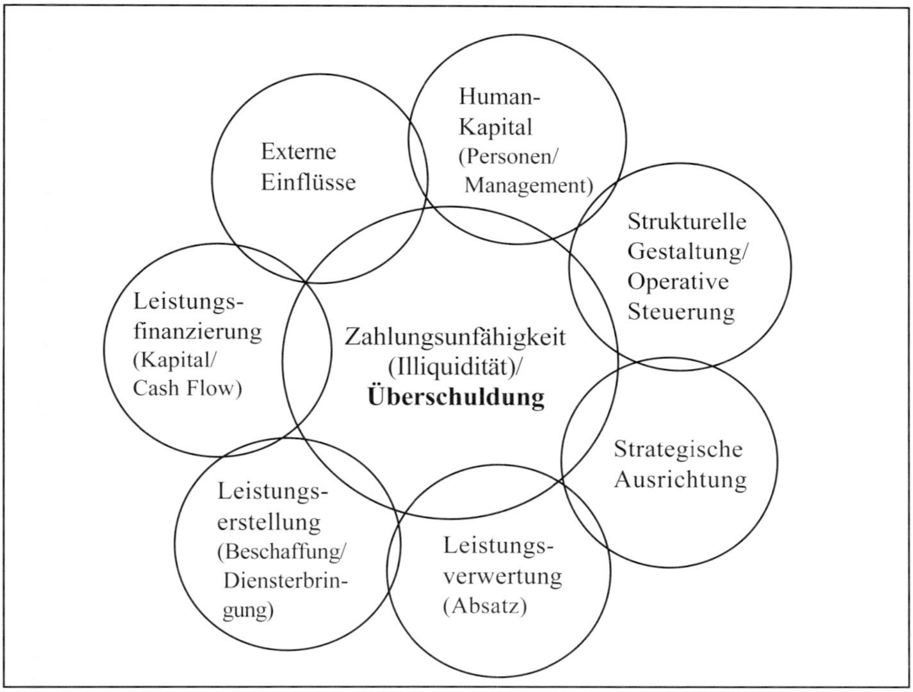

Abb. 3–78: Systematisierung von Ursachenkomplexen einer Unternehmenskrise (nach: Steiner, M., Unternehmensfinanzierung in Krisensituationen, in: Berndt, R. [Hrsg.]; Management-Qualität contra Rezession und Krise, Berlin u. a. 1994, S. 225)

3.5.4 Funktionaler Aspekt des Finanzmanagements

Das Finanzmanagement hat über die zielgerichtete Steuerung der betrieblichen Finanzwirtschaft die vorgenannten Grundsatzaufgaben der finanziellen Unternehmensführung (spezifische Managementfunktionen) zu erfüllen; diese charakterisieren den funktionalen Aspekt des Finanzmanagements.

3.5.4.1 Interne Ausgangssituation

In der betriebswirtschaftlichen Praxis bestehen Interdependenzen zwischen den Funktionen des Finanzmanagements und den Funktionen der Bereiche

- Beschaffung,
- Vertrieb,
- Produktion und Leistungserstellung.

(vgl. Eilenberger 1994, S. 57 f.; Marx 1993, S. 47 f.).

Der betriebliche Prozess von Beschaffung, Vertrieb bis Produktion (Küche) und Leistungserstellung findet seinen Niederschlag in Güter-/Leistungsströmen; der durch das Finanzmanagement induzierte und verantwortete Prozess mündet dagegen in Zahlungsströmen, wobei Güter-/Leistungsströme und Zahlungsströme in entgegengesetzte Richtungen fließen. Das Erfüllen von Funktionen der finanziellen Führung hat Auszahlungen zur Folge, der Vertrieb von Gütern und/oder Leistungen führt dagegen zu Einnahmen.

Die durch das Finanzmanagement veranlassten Zahlungsströme *(vgl. Abb. 3-77)* lassen sich in zwei Kategorien einteilen:

a) Ausgaben durch Kapitalverwendung für den direkten betrieblichen Leistungsprozess (Investitionen) sowie
b) Ausgaben durch Kapitalverwendung ohne direkten Bezug zum betrieblichen Leistungsprozess, jedoch mit Einfluss auf denselben (z. B. Wertpapierkauf, Gewinnausschüttung).

Die letztgenannte Kategorie der durch das Finanzmanagement veranlassten Zahlungsströme wird durch die nachstehenden Ausführungen zu **Nominalgütern** und am folgenden Beispiel einer zu kritisierenden Gewinnausschüttungspolitik konkretisiert:

Eine Gewinnausschüttung, die dazu führt, dass dem gastgewerblichen Unternehmen nicht genügend Mittel zur Substanzerhaltung oder zur Durchführung von Rationalisierungs- oder Erweiterungsinvestitionen verbleiben, wirkt negativ auf den betrieblichen Leistungsprozess; insbesondere in Zeiten steigender Preise kann eine überhöhte Gewinnausschüttung eine Stagnation oder einen Rückgang der betrieblichen Leistung verursachen *(vgl. Marx 1993, S. 47 f.; Wöhe/Bilstein 1994, S. 1).*

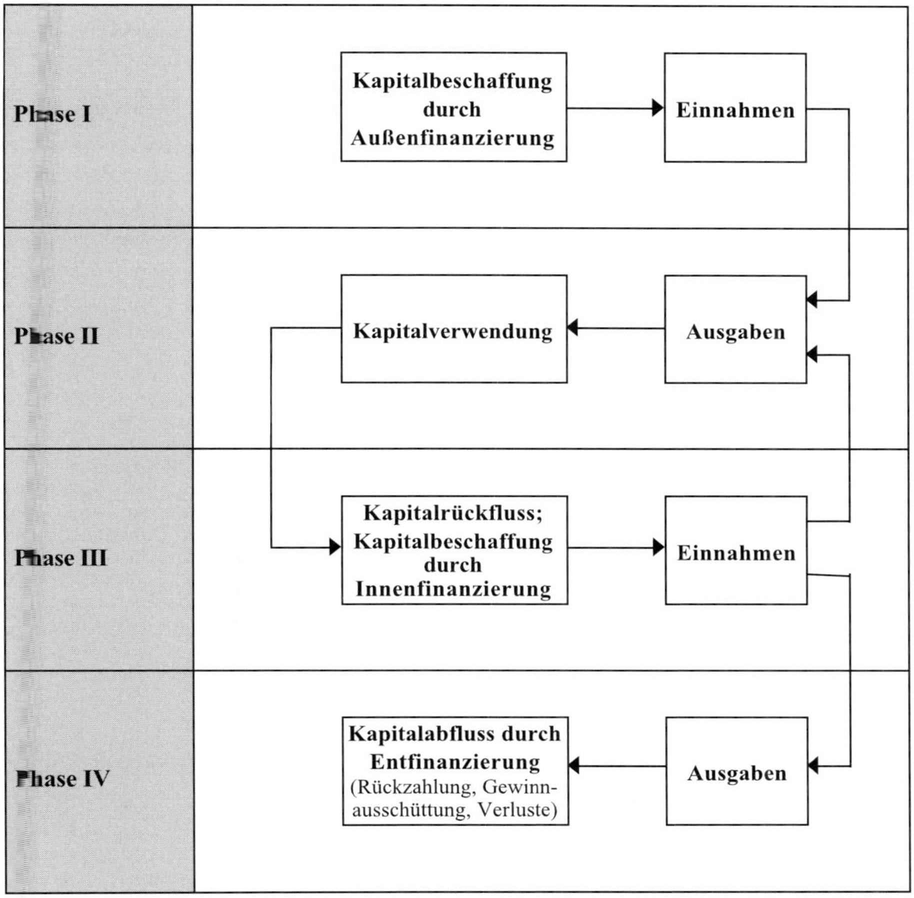

Abb. 3–79: Schematisches Beispiel der Beziehungen zwischen Güter-/Leistungsströmen und Zahlungsströme

(nach: Wöhe, G.; Bilstein, J., Grundzüge der Unternehmensfinanzierung, München 1994, S. 5)

Folglich erfordert die zielorientierte Ausübung der Managementfunktionen, die Zusammenhänge der betrieblichen Finanzwirtschaft sowie Interdependenzen zwischen der Abteilung „Finanzwirtschaft" und den übrigen Bereichen des Unternehmens (= interne Zusammenhänge) zu erfassen, zu analysieren und betriebswirtschaftlich nutzbar zu machen.

Analoges gilt zusätzlich für die externen Beziehungen, also für das Geflecht aus der betrieblichen Finanzwirtschaft und der übrigen unternehmensinternen Bereiche mit der relevanten Umwelt.

3.3.4.2 Ausgangssituation unter Einbeziehung der externen Verbindungen

Die **relevante Umwelt** umfasst die Elemente, deren Berücksichtigung erforderlich ist, um strukturierte und möglichst simultane Entscheidungen treffen zu können. Qualifizierte Entscheidungen setzen somit Analysen voraus, deren Anwendungsbereiche sich schematisch wie folgt darstellen lassen:

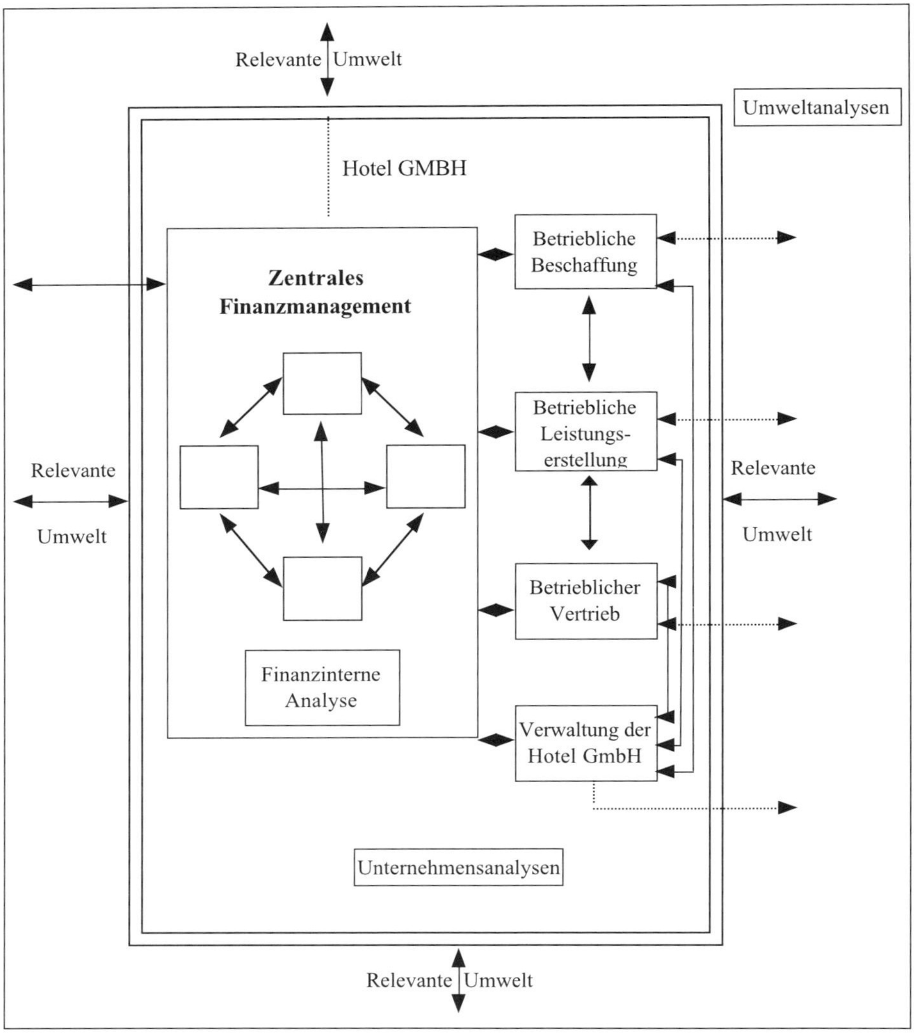

Abb. 3–80: Anwendungsbereiche interner und externer finanzwirtschaftlicher Analysen (Nach: Eilenberger, G., Betriebliche Finanzwirtschaft, München und Wien 1994, S. 61)

Die folgende Abbildung zeigt in vereinfachter Form die **Umweltbeziehungen** auf, die sich grundsätzlich als relevant erweisen:

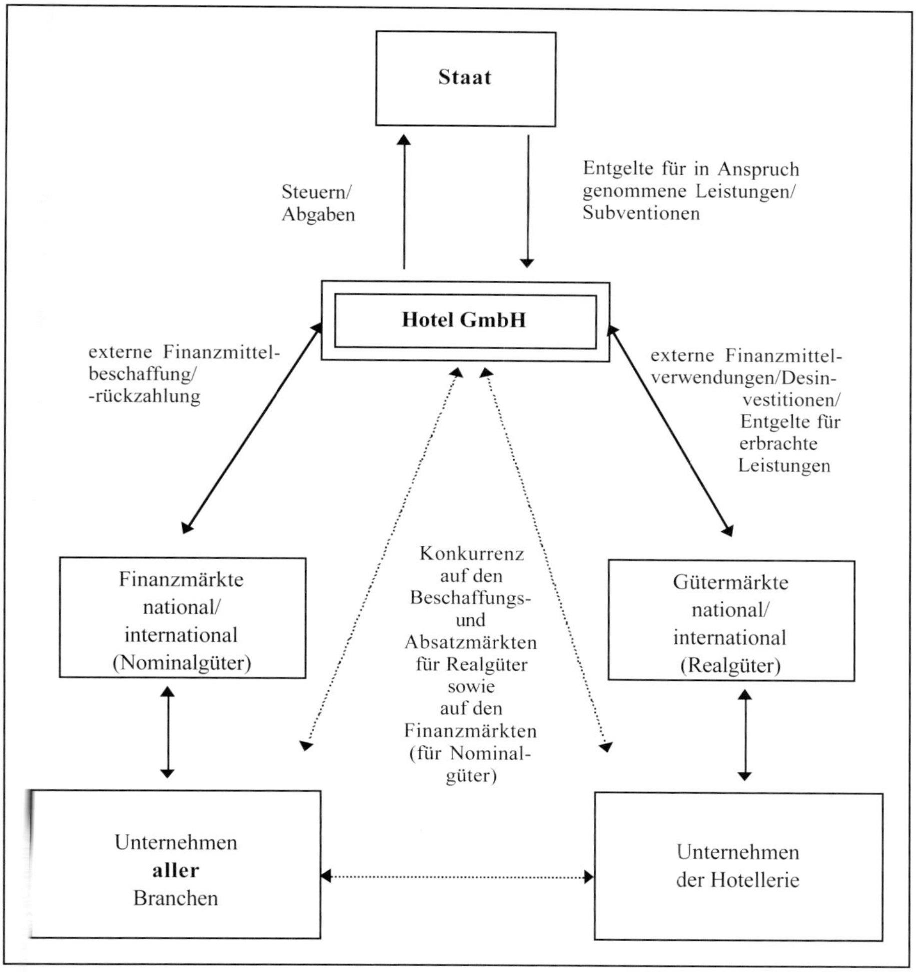

Abb. 3–81: Netz relevanter Umweltbeziehungen eines gastgewerblichen Unternehmens unter Berücksichtigung der Konkurrenzverhältnisse als Basis finanzwirtschaftlicher Analysen

(Nach: Eilenberger, G., Betriebliche Finanzwirtschaft, München und Wien 1994, S. 62)

Abbildung 3-81 verdeutlicht u.a. die Relevanz einer **Nominalgüterversorgung** für das Finanzmanagement.

Zur Nominalgüterversorgung zählen

a) die kurz- bis mittelfristige Überlassung von Nominalgütern gegen Bezahlung auf der einen Seite und deren Nutzung gegen Entgelt auf der anderen Seite, z.B.

- Vergabe kurz- bis mittelfristiger Kredite an andere Unternehmen aller Branchen[1]),

1) u.a. kurzfristige Geldgeschäfte zwischen Unternehmen zum Ausgleich von Liquiditätsüberschüssen und -defiziten (= Konzern-Clearing) oder sonstige Gewährung von kurz- bis mittelfristigen Krediten ohne Zusammenhang mit Realgütervorgängen, also keine Lieferantenkredite *(vgl. Bestmann (Hrsg.) 1989, S. 59 und Eilenberger 1994, S. 203)*

- Erwerb kurzfristiger Geldmarktpapiere *(vgl. Dettmer/Hausmann 1998, S. 184),*
- Spekulationsgeschäfte sowie

b) die Emission mittel- bis langfristiger Finanztitel einerseits und die Verwendung von Finanzmitteln für deren Erwerb andererseits, z. B.

- Ausgabe junger Aktien zur Beteiligungsfinanzierung,
- Erwerb festverzinslicher Wertpapiere mit mittel- bis langfristiger Laufzeit

(vgl. Dettmer/Hausmann 1998, S. 121 ff. und 182 ff.).

Die Anlage in **Nominalgüter** dient dabei der Kapitalvermehrung oder -erhaltung. Sowohl der Erwerb als auch die Schaffung von Nominalgütern kennzeichnen den monetären Entscheidungsbereich eines gastgewerblichen Unternehmens. Einen zweiten Entscheidungssektor bildet die Umwandlung von vorhandenen Nominalgütern in **Realgüter.** Letztere haben keinen direkten Bezug auf den finanziellen Aspekt; sie unterscheiden sich untereinander wie folgt:

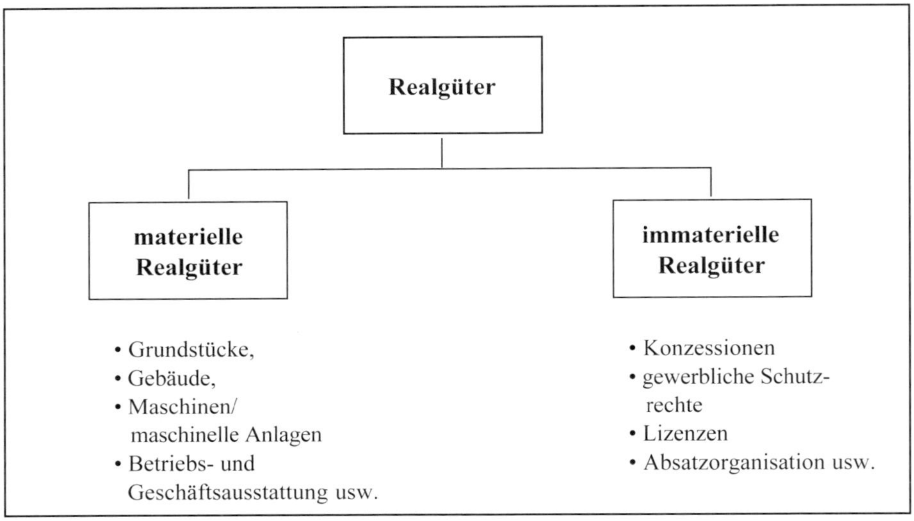

Abb. 3–82
(Nach: Eilenberger, G., Betriebliche Finanzwirtschaft, München und Wien 1994, S. 126)

Realgüter sind im Gegensatz zu Nominalgütern im engen Sinne betriebsnotwendig, da sie unmittelbar einer Durchführung der Betriebsprozesse dienen *(vgl. S. 176).*

Unter Berücksichtigung der

- staatlichen Funktionen,
- Nominal- und Realgütermärkte,
- Konkurrenzbeziehungen

erweist sich die Hotel GmbH im Gesamtzusammenhang der Abb. 3–81 als Teilsystem übergeordneter, marktwirtschaftlicher Systeme (Weltwirtschaft, EU-Wirtschaft, Volkswirtschaft, Branchen und Branchenzweig).

Bei einer Analyse der Hotel GmbH als Teilsystem zeigt sich, dass dieses wiederum aus mehreren Subsystemen besteht *(vgl. Abb. 3–80),* die entsprechend ihrer organisatorischen Gestaltung funktional – wie in Abb. 3–80 dargestellt – oder divisional nach Objekten (Angebote/Angebotsgruppen) abgegrenzt werden können *(vgl. Eilenberger 1994, S. 61).*

Fazit: Die Funktionen des Finanzmanagements sind sowohl im betrieblichen Bereich mit den Funktionen von Beschaffung, Vertrieb, Produktion (Küche) und Leistungserstellung als auch im überbetrieblichen Bereich mit den Funktionen des Staates, der Märkte und aller anderen Unternehmungen verquickt. Die Berücksichtigung der hier vereinfacht dargestellten Kreisläufe bildet demzufolge die Basis betriebs- und umweltbezogener Analysen durch das Finanzmanagement. Fundierte Analysen sind wiederum Voraussetzung für eine adäquate Aufgabenbewältigung, welche die Funktionen **Finanzplanung, -disposition** und **-kontrolle** umfasst.

3.5.4.3 Funktionen des Finanzmanagements

Die **Finanzplanung** ist als Kernstück des Finanzmanagements zu bezeichnen *(vgl. Perridon/Steiner 1997, S. 599).* Gegenstand der Finanzplanung sind die in Abb. 3-81 dargestellten Geld- und Kreditströme. Die Geldströme beinhalten demzufolge die Einnahmen und Ausgaben *(vgl. auch Abb. 3–79),* die Kreditströme umfassen die Forderungs- und Schuldenbewegungen. Die Geld- und Zahlungsplanung sowie die Forderungs- und Schuldenplanung führen als Ergebnis zu den Finanzplänen. Finanzplanung ist demnach eine Rechnung mit erwarteten Geld-, Forderungs-, Schuldenbewegungen und -beständen. Die Planzahlen sind in systematischer Weise so zu bilden, dass sich alle Finanzierungsgrößen in die angestrebte Ordnung einfügen. So aufgestellt, enthalten Finanzpläne adäquate, als Normzahlen vorgegebene Planzahlen für den Finanzbereich eines gastgewerblichen Unternehmens *(vgl. Büschgen 1976, S. 547 und Marx 1993, S. 97).*

Die **Finanzdisposition** baut auf den Erkenntnissen der Finanzplanung auf und ist damit die zweite Funktion des Finanzmanagements.

Gegenstand der Finanzdisposition ist das Treffen von Entscheidungen, falls

- eine Abweichung vom Finanzplan zu erwarten ist (= voraussichtliche Störung des finanziellen Gleichgewichts in Form einer Über- oder Unterdeckung),
- die Finanzierungsziele nicht mit den qualitativen Aspekten der Kapitalstruktur (Kosten, Fristigkeit, Unabhängigkeit) korrespondieren, auch wenn kein quantitativer Kapitalbedarf besteht

  (vgl. Bestmann [Hrsg.] 1989, S. 97).

Demzufolge lässt sich die Finanzdisposition in Hotellerie und Gastronomie als Überwachung und Steuerung unmittelbar bevorstehender Zahlungsströme eines gastgewerblichen Unternehmens charakterisieren *(vgl. Amann 1993, S. 193).* Die Überwachung erfolgt auf Grundlage der Finanzplanung; die Steuerung kann exemplarisch über nachstehende Maßnahmen realisiert werden:

- Bei **Unterdeckung** durch
  - Mehrung der Einnahmen mittels Kapitalerhöhungen und Fremdkapitalaufnahme

  und/oder
  - Minderung der Ausgaben mittels einer Reduzierung der Gewinnausschüttung und
  - Ausschöpfung der Lieferantenkredite.
- Bei **Überdeckung** durch
  - Senkung der Einnahmen, indem Lieferantenkredite gewährt werden

  und/oder

- Erhöhung der Ausgaben mittels Kapitalherabsetzungen, Kapitalanlagen und vorzeitige Kredittilgungen.
- Bei **mangelhafter Kapitalstruktur** durch Umfinanzierung.

Die **Finanzkontrolle** als letzte Funktion des Finanzmanagements setzt nach der Finanzierungsentscheidung bereits in der Realisationsphase einer Finanzierung an; sie erstreckt sich zum einen auf die gesamte Dauer der Finanzierung der einzelnen Objekte und zum anderen auf die Effizienz der Finanzplanung *(vgl. Eilenberger 1994, S. 315).*

Werden Störungen festgestellt, bieten die Informationen der Finanzkontrolle über einen Rückkopplungsprozess eine wesentliche Grundlage für Analysen hinsichtlich möglicher Konsequenzen, die daraus für das gastgewerbliche Unternehmen entstehen könnten. Wenn die vorhandenen finanziellen Mittel nicht zur Deckung des ermittelten Kapitalbedarfs ausreichen, oder wenn die Liquidität in der Planungsperiode nicht gewährleistet ist, müssen Anpassungsmaßnahmen zum Ausgleich des Finanzplans ergriffen werden; solche Maßnahmen können sowohl auf der finanzwirtschaftlichen als auch auf der güter-/leistungswirtschaftlichen Seite (quantitatives Angebot und Preise) ansetzen *(vgl. Bestmann [Hrsg.] 1989, S. 103 und Perridon/Steiner 1997, S. 638).*

Voraussetzung einer effektiven Ausführung der Kontrollfunktion des Finanzmanagements ist eine regelmäßige Kontrolldurchführung nach festgelegten Rhythmen. Methoden sind Soll-Ist-Vergleiche, also Vergleiche der Ist-Werte mit den geplanten Werten sowie sich anschließende Abweichungsanalysen.

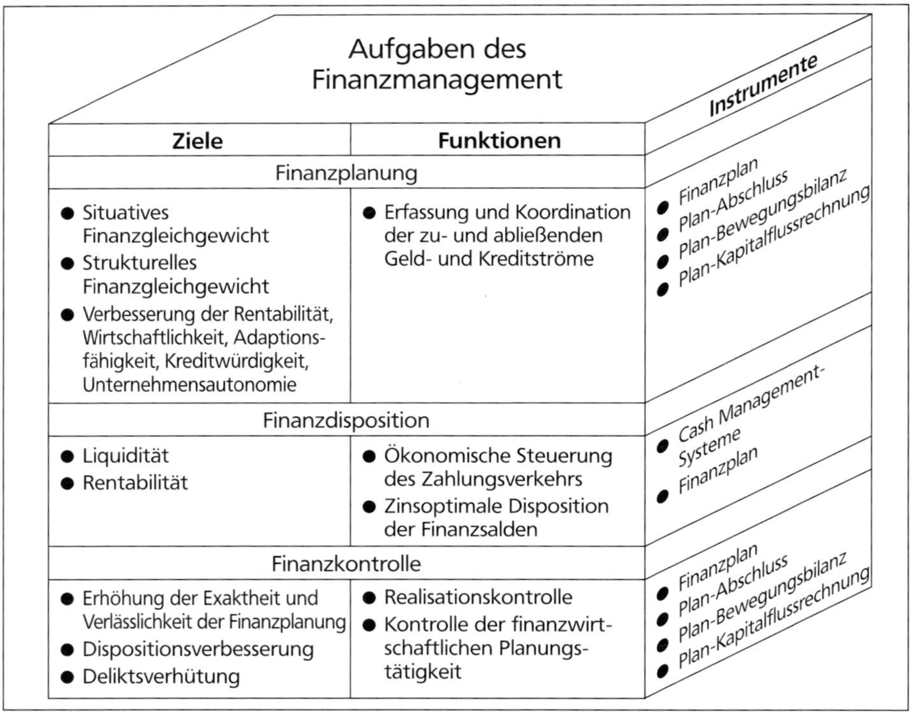

Abb. 3–83: Aufgaben des Finanzmanagements

(Aus: Marx, M., Finanzmanagement und Finanzcontrolling im Mittelstand, Ludwigsburg und Berlin 1993, S. 56)

Die Aufgaben des Finanzmanagements umfassen der vorstehenden Abbildung zufolge die erfolgreiche Zukunftsgestaltung im gesamten Geld- und Kapitalfluss eines Unternehmens von der Mittelherkunft über die -verwendung bis zum Kapitalrückfluss und der Verwendung des rückgewonnenen Kapitals. Mittelständische Unternehmen betrachten das Finanzmangement häufig als eine Aufgabe von Großunternehmungen; da die o.g. Aufgaben grundsätzlich auch in mittelständischen Unternehmungen existieren, ist das Finanzmanagement tatsächlich jedoch ein betriebsgrößenindifferentes Anliegen *(vgl. Marx 1993, S. 56 f.).*

Was die Lösung finanzwirtschaftlicher Probleme betrifft, ist unter Betrachtung des Hintergrundes der vorstehenden Diskussion zu konstatieren, dass die Wege der Konfliktbewältigung bei einem kleineren und weniger komplexen gastgewerblichen Unternehmen einerseits meist einfacher sind – auf der anderen Seite jedoch aufgrund schlechterer Möglichkeiten der Informationsbeschaffung und -verarbeitung schwieriger sein können, als z. B. in den vielen mittelständischen Unternehmen des Gastgewerbes *(vgl. Hausmann 1997, S. 10 ff.).*

Aufgaben

1a. Die finanzielle Führung eines gastgewerblichen Unternehmens hat spezifische Managementfunktionen zu erfüllen. Führen Sie prägnant auf, welche Grundsatzaufgaben die zielgerichtete Steuerung der betrieblichen Finanzwirtschaft beinhaltet.

1b. Leiten Sie aus den Grundsatzaufgaben einer zielgerichteten Steuerung der betrieblichen Finanzwirtschaft ab, bei welchen Funktionen es sich um Finanzierung im engeren Sinne und bei welchen es sich um Investition handelt.

2. Erläutern Sie die Entscheidungsprozesse im Phasenmodell verbal.

3. Stellen Sie in Form eines Schaubildes die Differenzierung von Entscheidungen nach Entscheidungsarten anschaulich dar.

4. In der Praxis sind sukzessive Entscheidungen die Regel.
   a) Definieren Sie diese Entscheidungsart.
   b) Wie würde dagegen das Idealmodell eines Entscheidungsprozesses verlaufen?

5. Realgüter lassen sich untereinander nach materiellen und immateriellen Realgütern differenzieren. Führen Sie eine entsprechende Differenzierung der genannten Realgüter durch:

a) materielle Realgüter b) immaterielle Realgüter	1 Grundstücke und Gebäude 2 gewerbliche Schutzrechte 3 Absatzorganisation 4 Betriebs- und Geschäftsausstattung 5 Lizenzen 6 Konzessionen 7 Küchenmaschinen

6. Ein Jungunternehmer benötigt für die Gründung und die anschließende Betreibung eines Hotels Kapital. Für welche Bereiche oder Zwecke wird Kapitalbedarf erwachsen?
7. Beurteilen Sie die Bedeutung der Finanzplanung im Rahmen der Funktionen des Finanzmanagements und schildern Sie in wenigen Worten den Ablauf der Finanzplanung.
8. Welchen Stellenwert hat die Finanzdisposition für das Finanzmanagement?
9. Wie sollte das Finanzmanagement die Finanzkontrolle aus Ihrer Sicht einsetzen?

Quellen und weiterführende Literatur

Amann, K., Finanzwirtschaft, Stuttgart u.a. 1993

Bestmann, U. (Hrsg.), Finanzlexikon, 2. Auflage, München 1989

Büschgen, H. E. (Hrsg.), Handwörterbuch der Finanzwirtschaft, Stuttgart 1976

Busse, F.-J., Grundlagen der betrieblichen Finanzwirtschaft, 3. Auflage, München und Wien 1993

Chmielewicz, K.; Schweitzer, M. (Hrsg.), Handwörterbuch des Rechnungswesens, 3. Auflage, Stuttgart 1993

Dettmer, H.; Hausmann, Th., Finanzmanagement, Band I – Problemorientierte Einführung, München und Wien 1998

Dettmer, H.; Hausmann, Th.; Jung, H.; Knabner, F.; Steffens, K., Personalwirtschaft für das Gastgewerbe – managementorientiert, Hamburg 1998

Dettmer, H. (Hrsg.), Betriebswirtschaftslehre für das Gastgewerbe – managementorientiert, 2. Auflage, Hamburg 1999

Dettmer, H. (Hrsg.), Lösungen zu Betriebswirtschaftslehre für das Gastgewerbe, Hamburg 1999

Eilenberger, G., Betriebliche Finanzwirtschaft, 5. Auflage, München und Wien 1994

Guttenberger, S., Finanzwirtschaftliche Entscheidungsprozesse, Rinteln 1995

Hausmann, Th., Grundlagen und Bedeutung des Finanzmanagements, in: Dettmer, H.; Hausmann, Th.; Rothlauf, J.; Zdrowomyslaw, N., Finanzmanagement, Band II – Problemorientierte Darstellung, München und Wien 1997, S. 10–25

Hoitsch, H.-J., Kosten- und Erlösrechnung: eine controllingorientierte Einführung, Berlin u.a. 1995

Hummel, T. R., Controlling. Grundlagen und Instrumente, Heidelberg 1995

Kralicek, P., Kennzahlen für Geschäftsführer, Wien 1995

Marx, M., Finanzmanagement und Finanzcontrolling im Mittelstand, Ludwigsburg und Berlin 1993

Olfert, K., Finanzierung, Ludwigshafen (Rhein) 1994

Perridon, L.; Steiner, M., Finanzwirtschaft der Unternehmung, München 1997

Staehle, W.H., Management: eine verhaltenswissenschaftliche Perspektive, München 1990

Steiner, M., Unternehmensfinanzierung in Krisensituationen, in: Berndt, R. (Hrsg.): Management-Qualität contral Rezession und Krise, Berlin u.a. 1994

Süchting, J., Finanzmanagement. Theorie und Politik der Unternehmensfinanzierung, Wiesbaden 1995

3.5 Qualitäts- und Umweltmanagement

3.5.1 Qualitätsmanagement

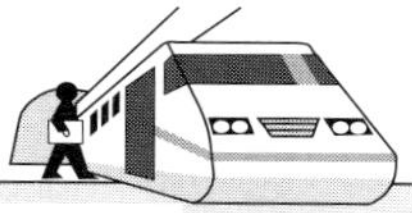

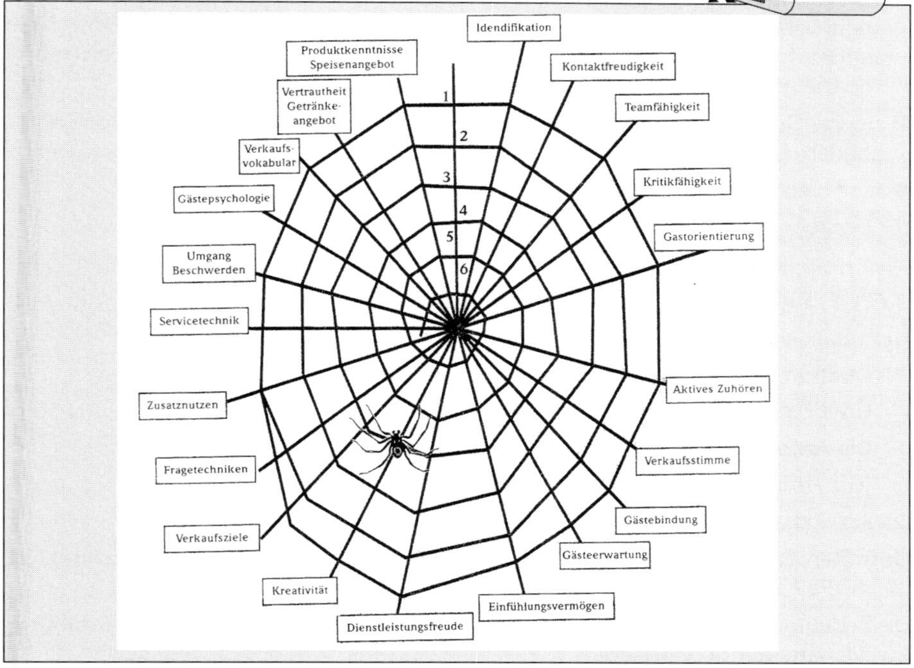

(Aus: Schaetzing, Edgar E., Kontrolle der Teilqualität Gastronomie – Verkauf, in: Hotel Restaurant 7-8/99, S. 93)

Viele Unternehmen stehen derzeit auf den internationalen Märkten in einem harten Konkurrenzkampf, bei dem in zunehmendem Maße außer den Preisen die Kundenzufriedenheit eine entscheidende Rolle für den profitablen Absatz der Produkte und Dienstleistungen spielt. In unmittelbarem Zusammenhang damit stehen Unternehmensstrategien wie:

- Just in time
- Flexibilitätssteigerung
- Entwicklungszeitverkürzung
- Market in.

Allen diesen Anforderungen ist eines gemeinsam: Sie lassen sich ohne weitgehend fehlerfreie Beherrschung der Prozesse und Abläufe in allen Bereichen des Unternehmens nicht realisieren. So wird deutlich, dass die Qualität eines Unternehmens sowohl für die Kunden als auch für sein internes Geschehen ständiger, systematischer Verbesserung bedarf. Auf der Suche nach einer hierfür geeigneten Unternehmensstrategie wird man an **Total-Quality-Management (TQM)** nicht mehr vorbeigehen können.

(Aus: Frehr, H. U., Total Quality Management, 1994, Vorwort)

„Im Sinne des Total Quality Managements (TQM) beginnen Qualitätsüberlegungen nicht erst nach oder während der Leistungserstellung, sondern umfassen alle Phasen des Leistungsprozesses und somit alle Unternehmensteile. Im allgemeinen unterscheidet man folgende Aspekte bei der Qualitätssicherung:

- konsequente Kundenorientierung bei der Definition einer intendierten Qualität
- konsequentes prozessorientiertes Denken und Handeln in einem Dienstleistungsbetrieb. Dabei ist es wichtig, dass sich das Qualitätsdenken nicht nur auf den Bereich der Betriebsführung beschränkt, sondern durch gezielte Kommunikation auf den gesamten Dienstleistungsbetrieb ausgeweitet wird – s. a. Eingangssituation
- bei der Qualitätssicherung darf es nicht vorrangig darum gehen, Fehler zu korrigieren, sondern Fehler zu vermeiden
- eine dauernde Qualitätsinnovation ist anzustreben."

(Bieberstein 1995, S. 192)

3.6.1.1 Begriff von Qualität und Qualitätsmanagement

Frehr definiert **Qualität** vereinfachend:

> **Qualität ist die Erfüllung von Anforderungen.**
>
> **Über die Erfüllung entscheidet nur der Kunde.**
>
> **Die Anforderungen werden immer höher.**
>
> *(vgl. Frehr 1994, S. 2)*

Darauf aufbauend lässt sich **Qualitätsmanagement** umschreiben als

Gestalten, Lenken und Entwickeln von Unternehmen im Hinblick auf die Qualität *(vgl. Ulrich 1984, S. 11).*

Die Bedeutung der unternehmerischen Qualitätserfordernisse wird im Begriff **Total Quality Management (TQM)** klar.

Demnach hat TQM zum Gegenstand, alle für den Kunden wesentlichen Anforderungen bezogen auf die angebotene Leistungsqualität des Marktangebotes des Unternehmens und die Kontaktqualität in der Kommunikation mit dem Kunden zu erfüllen. Voraussetzung hierfür ist eine Führungs- und Steuerungsqualität im Unternehmen *(vgl. Hopfenbeck 1997, S. 570).*

TQM ist somit ein **Management-Konzept** zur Umsetzung der Qualitätspolitik in den betrieblichen Alltag.

TQM wird als eine alle Mitarbeiter umfassende, langfristige Unternehmensphilosophie zur Durchsetzung des Qualitätsgedankens auf allen Ebenen des Unternehmens bezeichnet *(vgl. Gardini 1994, S. 73)*

Oft wird vom sog. **5 Q Modell** des Qualitätsmanagements für Dienstleistungen gesprochen.

Auf der Basis des TQM-Konzeptes umfasst das 5 Q Modell fünf Bausteine, die den Rahmen für die Implementierung eines TQM-Konzeptes bilden:

- Wertorientierung
- Kundenorientierung
- Personalorientierung
- Optimierung und Restrukturierung des Qualitätssystems
- Kosten- und qualitätsorientiertes Controlling.

Die **Kerngedanken** des Total Quality Management bestehen in folgenden Punkten:

- *Qualität ist ein bedeutsamer strategischer Erfolgsfaktor und damit eine Unternehmensaufgabe*
  - Aufgabe für jeden und nicht nur für Spezialisten
  - Jeder Manager muss Qualitätsmanagement betreiben und verantworten
  - Jeder ist für die Qualität seiner Arbeit verantwortlich
  - Fehler anderer werden mit beseitigt und abgestellt.
- *Qualität aus Kundensicht betrachten – Der Kunde bestimmt Qualitätskriterien und -maßstäbe*
  - Qualität aus Kundensicht messbar und planbar machen
  - Qualität aus Kundensicht umfasst objektive und subjektive Faktoren
  - Emotionale Faktoren und Sinnesempfindungen einbeziehen.
- *Qualität ist relativ zum Wettbewerb, zu Erwartungen und Erfahrungen*
  - Die gleiche technische Qualität kann bei schwachen Märkten hervorragend und in starken Märkten ungenügend sein
  - Qualitätsurteile sind dynamisch; was gestern hervorragend war, kann heute Mittelmaß und morgen ungenügend sein.

    Qualitätssicherung bedeutet nicht die gleichhohe Qualität von heute auf morgen übertragen, sondern ein dauerndes Anpassen an die Markt- bzw. Kundenbedürfnisse als dynamischen Prozess.
- *Qualitätsmanagement versucht, die Fehler immer weiter im voraus abzustellen*
  - Prozessregelung ersetzt Ergebniskontrolle (Inspektion)
  - Prozessoptimierung und sichere Prozessplanung ersetzt Prozessregelung
  - Qualitätsplanung erkennt und eliminiert mögliche Fehlerursachen im voraus
  - Quality Function Deployment (QFD) setzt Kundenanforderungen in technische Merkmale um.
- *Es gibt keine Qualitätskosten, aber erhebliche Fehlleistungskosten*
  - Offene Fehlleistungskosten sind Gewährleistung und Prüfung des Sortiments, Nachtarbeit
  - Versteckte Fehlleistungskosten betragen ein Vielfaches der offenen Kosten (geringe Kunden-/Gastloyalität, überdimensionierte Lager, aufwendige und unflexible Fertigungssteuerung, unnötige Verwaltungs- und Transportvorgänge, Managementbedarf für Chaos und Störungen aller Art).

(vgl. Bösenberg/Metzen 1993, S. 154)

Das Wesen des Total Quality Management wird wie folgt zusammengefasst *(vgl. Frehr 1994, S. 24):*

Total Quality Management ist eine Unternehmensstrategie, die Kundenzufriedenheit in den Mittelpunkt aller Tätigkeiten im Unternehmen stellt. Ihr Ziel ist die kontinuierliche Verbesserung des Unternehmens für die Kunden, die Anteilseigner und die Mitarbeiter. Sie vereint eine drastische Senkung des Fehlleistungsaufwandes mit verbesserten Leistungen für die Kunden, rationalisiert deutlich die internen Abläufe, erhöht die Flexibilität des Unternehmens, vermindert die Entstehungszeiten neuer Produkte, erlaubt eine wesentlich verbesserte Terminsicherheit und führt so zur Stärkung der Position im weltweiten Wettbewerb.

3.6.1.2 Qualitätsmanagement im Tourismus

Qualität ist auch im Tourismus zu einem erfolgversprechenden Element des Angebotes geworden. Zunehmender Wettbewerb unter einer stark wachsenden Zahl von Reisedestinationen sowie die steigenden Erwartungen und Ansprüche der Reisenden bestimmen immer mehr das Qualitätsniveau touristischer Leistungen. Qualität wird im Tourismus mehr und mehr zu einem konkurrenzrelevanten Faktor, wobei im Vordergrund das Qualitätsdenken und -bewusstsein der Mitarbeiter steht, basierend auf einem guten Aus- und Weiterbildungssystem.

Folgende **Komponenten der touristischen Qualität** lassen sich unterscheiden:

materielle Qualität = Hardware		**natürliche Qualität = Umwelt**		**immaterielle Qualität = Software**	
Funktion	Ästhetik	natürliche Lebensgrundlagen	gebaute Umwelt	Servicegeist	Qualität der Information
einwandfreie Funktionsweise als Selbstverständlichkeit	*Ortsbild* Innenarchitektur Dekoration Luft, Licht *Raumklima*	Wasser Luft Boden Fauna Flora	*Architektur*	*Hilfsbereitschaft, Freundlichkeit* Gastfreundschaft Ferienkultur	*aktuell* *schnell* *sicher* *umfassend* *bequem*

⇩

ZUSAMMENFASSUNG ZU SERVICEETIKETTEN

Abb. 3–84: Qualität im Tourismus
(Aus: Ruwoldt 1996, S. 61)

Dementsprechend wird künftig nicht der vergleichbare Grundnutzen, sondern der durch **„Software"** differenzierte Zusatznutzen, der Wert unserer Dienstleistungen, das vermittelte Gasterlebnis im Vordergrund stehen. So muß z.B. beim Verkaufen den Gästen geholfen werden, ein gutes Gefühl zu bekommen – über sich selbst und über das, was sie kaufen *(vgl. Schaetzing 1999, S. 92).*

Mängel in einer der o.g. Komponenten können kaum ausgeglichen werden durch Spitzenleistungen in einer anderen. Demzufolge sind sieben Schritte zur Durchsetzung eines **Konzeptes der touristischen Servicequalität** notwendig.

- Formulierung und Durchsetzung eines touristischen bzw. Unternehmensleitbildes für Mitarbeiter und Gäste
- Bessere Erforschung der Gästewünsche
- Entwicklung von Kriterien für Gästezufriedenheit
- Dialog mit den Gästen suchen
- Festlegung von Servicestandards, die zu Qualitätsversprechen werden

- Herausfordern von Gästereklamationen zur Feststellung von Schwachstellen
- Ständige und kritische Beobachtung des eigenen und des Konkurrenzangebotes.

(vgl. Rormeiss-Stracke 1995, S. 86 f.)

Die **inhaltlichen Qualitätsdimensionen touristischer Produkte** sind:

- technischer Qualität (nutzungsbezogene Eigenschaften)
- funktionaler Qualität (Verrichtungsqualität, wie wird die Leistung erbracht)
- institutioneller Qualität (Image der Marke, der Destination, des Betriebes).

(vgl. Pompl 1997, S. 14)

Die **zeitliche Dimension** führt zur Unterscheidung von Potential-, Prozess- und Ergebnisqualität

Formale Qualitätsdimensionen beziehen sich auf die Wahrnehmbarkeit und Messbarkeit der Qualitätsmerkmale sowie auf die Abhängigkeit des Qualitätsurteils vom Produktebezug des Beurteilers, von konkurrierenden Produkten und von quasi-objektiven Qualitätsnormen.

Im Tourismus sind in letzter Zeit zur Hebung der Qualität, insbesondere bezogen auf die **Umweltqualität,** verschiedene Gütesiegel, wie der blaue Engel, der Grüne Koffer gestellt worden *(vgl. Mihalic/Kaspar 1996, S. 112).*

1995 ist beispielsweise das **„Qualitäts-Gütesiegel** für den Schweizer Tourismus" eingeführt worden. Die Verantwortlichen streben eine Steigerung des Qualitätsbewusstseins in den Betrieben und die Sicherung der Servicequalität im Reise- und Ferienland Schweiz an.

Mit einer Selbsteinschätzung können touristische Unternehmen das Qualitäts-Gütesiegel beantragen. Es soll die Dienstleistungsqualität sowie die Umweltqualität verbessern. Aber auch Weiterbildung der beteiligten touristischen Unternehmen ist dabei ein wichtiger Aspekt.

Einige Kriterien sind für alle Betriebe gültig. Diese generellen Kriterien sorgen für eine Nivellierung der Qualität des Tourismus in einer Destination.

Einige Beispiele von generellen **Kriterien:**

- Die Mitarbeiter sind freundlich und hilfsbereit
- Die Mitarbeiter an der Front tragen Namensschilder
- Auf Toiletten wird Recyclingpapier verwendet
- Neue Werbemittel werden aus Recycling- oder chlorfrei gebleichtem Papier hergestellt.

So besteht bspw. ein **„Qualitätsclub** von Schweiz Tourismus". Die Mitglieder verpflichten sich zur „Qualität für Gäste" und bekennen sich zur Förderung folgender Qualitätsanstrengungen:

1. Wir ermöglichen unseren Gästen ein positives „Erlebnis Urlaub"
2. Wir orientieren uns an höchsten Qualitätsansprüchen
3. Wir gehen auf die individuellen Bedürfnisse unserer Gäste ein
4. Wir erbringen unsere Dienstleistungen engagiert und mit Freude
5. Wir nehmen die Anregungen unserer Gäste ernst
6. Wir pflegen für unsere Gäste die kleinen Details, die nicht käuflich sind
7. Wir sind für unsere Gäste da.

3.6.1.3 Qualitätsmanagement in der Hotellerie

Wie Fidlschuster richtig bemerkt, „wurden die Fehlentwicklungen in Hotelbetrieben aufgrund der bis in die 80er Jahre ständig wachsenden Nachfrage kaum transparent. In gesättigten Märkten und im Rahmen eines gnadenlosen Wettbewerbs werden dagegen mangelnde Dienstleistungsbereitschaft (= Qualität) vom heute durchweg anspruchsvollen Gast sofort quittiert.

In Zeiten des verschärften Wettbewerbs, steigenden Kostendrucks und multifunktional einsetzbaren Mitarbeitern kommt dem Qualitätsmanagement in der Hotellerie heute mehr denn je eine strategische Bedeutung zu. Der Kunde wird die Marktfähigkeit der Dienstleistung ‚Hotel' in Zukunft noch klarer definieren. Unzureichende Qualität wird sich in den Wirtschaftsdaten der einzelnen Häuser noch schneller und noch klarer ausdrücken.

Gerade für die Hotellerie muss der Bereich **Qualitätssicherung** durch Weiterbildung der Mitarbeiter kritisch betrachtet werden. ‚Schlanke' Personalbestände und hohe Fluktuation erhöhen die Problematik, die notwendige Zeit sowie Mittel zur Weiterbildung zur Verfügung zu stellen. Betriebsinterne Schulungen und der Einsatz von Trainern für spezielle Themen werden im Vergleich zu anderen Branchen immer noch unterdurchschnittlich betrieben" *(vgl. Fidlschuster 1997, S. 260).*

Die Entwicklung von **TQM in der Hotellerie** hat nach folgendem Schema zu erfolgen:

- Voraussetzungen feststellen (Normen und Vorschriften, Hotelklassifikation, ISO 9000 ff., andere Standards)
- Umsetzung durch Instrumente zur Verbesserung der Arbeitsleistung (Betriebskonzepte, 2 Q-Methode)
- Evaluation durch Instrumente zur Messung von Aktivitäten und Resultaten (European Quality Award der EFQM, Baldridge Award, Hotel-Klassifikationsnormen).

Die Branchenverbände (DEHOGA, SHV u. a.) sind aufgerufen, Hilfeleistungen für die einzelnen Betriebe zu gewähren *(vgl. DEHOGA, OeHV, SHV, SWV [Hrsg.], Marketing der Gastfreundschaft, 1992, S. 108 f).*

Der Schweizer Hotelier-Verein SHV hat z. B. eine offizielle **Projektgruppe „Qualität"** geschaffen, mit folgenden Aufgabengebieten:

- Interne und externe Information
- Beratung der Verbandsleitung in Qualitätsfragen
- Koordination von sämtlichen Aktivitäten im Bereich der Qualitätsförderung und -sicherung in der Hotellerie
- Evaluation von geeigneten Mess-, Förderungs- und Sicherungsinstrumenten im Qualitätsbereich
- Bindeglied zu andern Tourismuspartnern.

Der SHV propagiert z. B. die **2 Q Methode,** welche aus betrieblichen Qualitätsoptionen, einem klaren Aufbau und einem konsequenten, kontrollierten Durchführungsmodus besteht und durch einheitliche Vorgehensweisen und Modelle sowie durch externen Audits und Zertifizierung unterstützt wird.

Das bereits erwähnte **Qualitäts-Gütesiegel** von „Schweiz Tourismus" oder die Hotelqualifizierung finden in der gastgewerblichen Praxis Anwendung. Einen recht umfangreichen Kriterienkatalog mit ziemlich hohen Anforderungen müssen Hotels und Restaurants erfüllen, um die Auszeichnung bzw. Anerkennung zu erhalten.

Als Beispiele für Kriterien in der Hotellerie und Gastronomie seien erwähnt:

- Eine kleine Aufmerksamkeit oder frische Blumen sind im Zimmer
- Im Zimmer liegt eine informative Mappe mit aktuellen Informationen über das Hotel, den Ort und die Region
- Das Servicepersonal ist stets zuverlässig und freundlich und wird gegebenenfalls durch eine kompetente und sprachgewandte Person unterstützt
- Das Menu bzw. die Speisenkarte sind sauber geschrieben/gedruckt
- Pro Woche wird ein spezieller Anlass durchgeführt
- Gäste werden durch den/die Geschäftsführer/in, Hotelier/Gastwirt oder den/die Stellvertreter/in persönlich begrüßt und verabschiedet.

Qualitätszirkel haben sich in vielen Branchen im In- und Ausland bewährt, im Gastgewerbe sind sie jedoch noch selten verwirklicht. Qualitätszirkel sorgen für verbesserte innerbetriebliche Information und Kommunikation. Sie helfen, Reibungsverluste abzubauen und fördern die Teamfähigkeit innerhalb der Gruppe. Sie funktionieren jedoch nur, wenn die Spielregeln im Team fest eingeübt sind *(vgl. DEHOGA, SHV, SWV, OeHV [Hrsg.], 1992, S. 108).*

Qualitätswettbewerbe und **Qualitätsauszeichnungen** haben die Aufgabe, das Bewusstsein der Branche und auch das der Öffentlichkeit für die jeweiligen Qualitätsaspekte zu schärfen *(vgl. Romeiss-Stracke 1995, S. 17).* Für die prämierten Unternehmen haben solche Preise nachweislich unschätzbare **Vorteile,** z. B.:

- Imagegewinn und Steigerung des Bekanntheitsgrades
- Steigerung der Glaubwürdigkeit des Unternehmens
- Der Name bzw. die Marke des Unternehmens wird zum Inbegriff für Qualität
- Die Position des Unternehmens am Markt festigt sich, die Gewinne steigen wegen der erhöhten Nachfrage
- Der Stammkundenanteil erhöht sich
- Die Personalfluktuation verringert sich, weil die Mitarbeiter zufrieden sind
- Kundenbeschwerden nehmen ab, die Kundenzufriedenheit wird deutlich höher.

Entsprechend der Devise „Quality never happens by itself" muss Qualität organisiert und geführt werden. Um dies zu erreichen, muss ein Unternehmen ein Qualitätssystem entwickeln und einführen.

Dementsprechend ist eine internationale **Normenreihe ISO** (ISO = International Organization for Standardization) eine Dachgesellschaft von den über 60 nationalen Normenausschüssen) ausgearbeitet worden. Mit einer „Norm" kann, indem die Erfüllung ihrer Anforderungen zertifiziert (d. h. durch eine neutrale Zertifizierungsgesellschaft bestätigt) wird, eine bestimmte Leistungsfähigkeit mit einem Audit nachgewiesen werden.

Für die hier interessierenden Dienstleistungen ist **ISO 9000** maßgebend.

Die Normengruppe ISO 9000 wird aus Einzelnormen gebildet. Diese Einzelnormen gliedern sich in drei logische Kategorien:

1. Auslegungs- und Anwendungshilfen
2. Nachweisstufen
3. Leitfäden

Das grundsätzliche Anliegen der Serie, deren darin beschriebenen Modelle nahezu alle Bereiche im Unternehmen berührt, ist die

- Schaffung einer Aufbau- und Ablauforganisation zur Gewährleistung einer effizienten Qualitätszielerreichung
- Einbeziehung und Qualifikation aller Mitarbeiter
- Regelung von Zuständigkeiten, Verantwortung und Befugnissen
- Dokumentationspflicht für Regelungen und Ergebnisse (damit Nachweis der Erfüllung vertraglicher Forderungen an das QM-System nach außen und nach innen, Transparenz der Abläufe)
- Berichtspflicht bis zur höchsten Leitungsebene
- Beherrschung von Risiken und Wirtschaftlichkeit
- Einrichtung vorbeugender Maßnahmen zur Vermeidung von Qualitätsproblemen
- Durchführung von Audits (Review) *(vgl. Hopfenbeck, 1997, S. 534).*

Wie Gardini ausführt, „prägen punktuelle Einzelaktivitäten und rudimentärer Methodeneinsatz in weiten Teilen das Bild des Qualitätsmanagements in der Hotellerie, ... so dass sich feststellen lässt, dass hier nach wie vor ein tiefgreifender Handlungsbedarf vorliegt. Die Mehrzahl der Hotelunternehmungen geht noch von einem eindimensionalen Qualitätsverständnis aus und steht damit erst am Anfang des Entwicklungsprozesses hin zu umfassenden Qualitätsmanagementkonzepten, oder um es mit den Worten eines Befragten auszudrücken: Qualitätsmanagement in der Hotellerie steckt noch in den Kinderschuhen" (S. 311/312).

„Trotzdem kann durch Ausweis einer ISO-Zertifizierung der Dienstleistungsbetrieb dem Nachfrager ein gewisses Qualitätsniveau nachweisen, bevor dieser die Dienstleistung in Anspruch nimmt. Auf längere Sicht wird sich die ISO-Zertifizierung von dem vermeintlichen Wettbewerbsvorteil für den jeweiligen Dienstleistungsbetrieb zu einer generellen Kundenforderung entwickeln" *(Bieberstein 1995, S. 192).*

3.6.1.4 Qualitätsmanagement in der Gastronomie

Im Unterschied zur Hotellerie erfolgt die Rückmeldung zur Frage „Qualität" durch den Gast und die entsprechende wirtschaftliche Auswirkung in Restaurantbetrieben sehr viel schneller. Der Kunde reflektiert den Genuss oder das Unbehagen sehr direkt durch Lob oder Reklamation und im schlimmsten Fall durch sein Fernbleiben.

Daher ist unter wirtschaftlichen Aspekten die Optimierung des Produkts unter gleichzeitiger Minimierung des Personalaufwandes eine unabdingbare Forderung für einen erfolgreichen Bewirtungsbetrieb. Der Erfolg eines guten Küchenchefs besteht heute weitgehend aus der Fähigkeit, seine Kreativität, gepaart mit dem betriebswirtschaftlichen Gespür, optimal einzusetzen *(vgl. Fidlschuster 1997, S. 268).*

Im Restaurant sind jeweils die Kriterien der individuellen Einzelleistung eines Mitarbeiters von Küche und Service ausschlaggebend. Sie entscheiden über die Bewertung der Gesamtleistung eines Betriebes *(vgl. Fidlschuster 1997, S. 270).*

Ein sprechendes Beispiel zeigen uns die *„Zehn goldenen Mövenpick-Grundsätze":*

- In der Forderung nach höchster Qualität der Waren, die wir kaufen und verkaufen, sind wir kompromisslos.
- Unser vielseitiges, wohl ausgewogenes Angebot ist Ausdruck echter Lebensfreude.
- An Sauberkeit und Hygiene stellen wir hohe Ansprüche.
- Die Atmosphäre in unseren Restaurants ist angenehm und entspannend.

- Was wir durch unsere gute Organisation einsparen können, soll dem Gast durch Preiswürdigkeit zugute kommen.
- Auf alles, was wir dem Gast anbieten, wollen wir selbst stolz sein dürfen.
- Wir wollen unser Geschäft sauber und korrekt führen.
- Wir wollen unsere Gäste gut und zuvorkommend bedienen. Beanstandungen behandeln wir in jeder Hinsicht großzügig.
- Wir möchten, dass unser Personal wohlgelaunt und liebenswürdig ist und sich durch Kameradschaftlichkeit untereinander auszeichnet.
- Alles, was wir unternehmen, soll den Stempel *jung, frisch, gut* tragen.

Somit läßt sich konstatieren, daß besonders erfolgreicher gastronomischer Verkauf einerseits von dem individuellen Verhalten des betreffenden Servicemitarbeiters und andererseits von der gesamten Teamleistung des Gastronomiebetriebes abhängt. Mit dem nachfolgenden Stärken- und Schwächen-Profil als Service-Team und mit der Verkaufsspinne – siehe auch Eingangssituation – soll exemplarisch zur individuellen Selbstbewertung eine Kontrollmöglichkeit geschaffen werden, um verbesserungswürdige Schwachstellen aufzuzeigen *(vgl. Schaetzing, Edgar E., in: Hotel Restaurant 7-8/99, S. 32 f.).*

Individuelle Selbsteinschätzung

Verkaufsspinne – Gastronomie

KOMPETENZ-VERHALTEN		MERKMALE
1	Identifikation	identifiziert sich mit dem Qualitätsniveau, steht loyal zur Geschäftspolitik und vertritt die Ziele des Unternehmens
2	Kontaktfreudigkeit	versteht sich als Gastgeber, geht auf Gäste zu und schafft Sympathie
3	Teamfähigkeit	arbeitet hilfsbereit und kooperativ im Serviceteam; rücksichtsvoller Umgang mit Kollegen; positives Verkaufsklima
4	Kritikfähigkeit	ist bereit, aus eigenen Fehlern zu lernen; sucht nach Verbesserungsmöglichkeiten; zukunftsorientiert
5	Gastorientierung	kann sich in die Lage des Gastes versetzen; sieht Servicequalität aus der Sicht des Gastes
6	Aktives Zuhören	zeigt Verständnis und Geduld; hört „zwischen den Zeilen"; steigert das Selbstwertgefühl des Gastes
7	Verkaufsstimme	gute Atemtechnik, Sprachtraining, warme und angenehme Stimme
8	Gästebindung	tut alles damit der Gast wiederkommt; kennt Namen und spezielle Wünsche der Stammgäste
9	Gästeerwartungen	ist emphatisch veranlagt, kann Gästewünsche voraussehen; hat ein Gespür für unausgesprochene Gästewünsche
10	Einfühlungsvermögen	kann Konfliktsituationen schnell erfassen; schafft ein positives Verkaufsklima
11	Dienstleistungsfreude	arbeitet gern mit Menschen zusammen; hat Spaß am „Verkäuferberuf"; freut sich, anderen zu dienen und Erlebnisse vermitteln zu können
12	Produktkenntnisse Speiseangebot	vertraut mit Zubereitungsformen, Garnituren, Rezepten, Herkunft und Qualität sämtlicher Speiseartikel
13	Vertrautheit Getränkeangebot	kann Gast beraten; Aperitifs, Digestifs, Cocktails, Weinkenntnisse, Lage, Art, Geschmack
14	Verkaufsvokabular	kann angebotene Artikel anregend beschreiben; schafft Neugierde bei den Gästen
15	Gästepsychologie	kennt alle Gästetypen, deren Eigenarten und wie man sie beim Verkauf behandelt
16	Umgang mit Gästebeschwerden	löst Probleme aus der Sicht des Gastes; übernimmt Verantwortung; sieht mit Reklamationen eine Chance zur Gästebindung
17	Servicetechnik	beherrscht alle Serviceregeln; zeigt Fachkenntnis und Eleganz beim Service am Gast
18	Zusatznutzen	Kleinigkeiten zählen; vermidet negative Routine; nimmt sich für jeden Tisch besonderen Service vor; will begeistern und nicht nur zufriedenstellen
19	Fragetechniken	beherrscht alle positiven Frageformen; hilft dem Gast selbst zu wählen
20	Verkaufsziele	plant täglich zu erreichenden Umsatz Food & Beverage; kennt das Umsatzverhältnis Getränke zu Speisen; will selbstgesteckte Ziele übertreffen
21	Kreativität	schlägt ständig Verbesserungsideen für den eigenen Betrieb vor; lernt von Mitbewerbervertrieben; will Serviceerlebnisse für den Gast schaffen, kreiert neue Verkaufsförderungsmaßnahmen

(Schaetzing, Edgar E., Kontroll der Teilqualität Gastronomie – Verkauf, in: Hotel Restaurant 7-8/99, S. 94)

Stärken-Schwächen-Profil

Gastronomie – Verkauf

Beurteilungskriterien		Negativ	0	1	2	3	4	5	Positiv
Verfahren – Technik									
1	Gäste werden sofort nach Betreten des Gastraumes begrüßt; nach dem Aushändigen der Angebotskarte kümmert man sich schnell um die Getränkebestellung.	selten							immer
2	Sämtliche Aperitifs und Digestifs des Hauses werden „anregen" beschrieben und entsprechend angeboten.	wenige							alle
3	Beim Verkaufen versucht man nicht, einen einmaligen hohen Umsatz pro Gast zu erzielen, sondern immer einen Wiederholungsgast zu gewinnen.	einmalig							wiederholbar
4	Bei gewünschten Empfehlungen werden passende Artikel mit einer hohen Deckungsbeitragserwartung zuerst angeboten.	nie							oft
5	Regelmäßig durchgeführte Gästebefragungen dienen der Qualitätsverbesserung und Betonung der Verkaufsargumente.	keine							regelmäßig
6	Servicemitarbeiter werden auch für die Tagesspezialitäten täglich von neuem zu den verschiedenen Essenszeiten für den Verkauf eingestimmt und geschult.	selten							täglich
7	Was man nicht selbst gegessen oder getrunken hat, kann man auch nicht empfehlen und verkaufen. Zusammen mit dem Küchenchef wird jede Woche ein neuer Artikel vor dem Service probiert und für den Verkauf mit entsprechender Getränkeempfehlung besprochen.	gar nicht							wöchentlich
8	Alle „Verkäufer" im Restaurant sind mit gesamtem Getränkeangebot völlig vertraut und können den Gast beraten.	wenige							alle
9	Auch der „Außer-Haus-Verkauf" (z. B. Weine, passende Non-food-Artikel wie Spielsachen, Musik-CD's etc.) ist „kauffreundlich" für den Gast organisiert.	unberücksichtigt							verkaufsfördernd
10	Die Möglichkeiten des Zusatzverkaufs innerhalb der Speisekartengruppen werden unaufdringlich genutzt und den Gästen als passende Ergänzungen zu ihrer Wahl angeboten.	ungenutzt							passend
11	Gästebeschwerden werden sofort positiv und persönlich ausgeglichen. Man nimmt die Beschwerden ernst und nutzt sie als Chancen zur Gästebindung.	negativ							positiv
12	Servicemitarbeiter kennen und nutzen das verkaufsfördernde Vokabular ihrer Angebotskarten.	unbekannt							regelmäßig
13	Fragetechniken sind mit den Mitarbeitern geschult worden; mit geschickten Fragen werden schnell die Wünsche der Gäste erfaßt und der Verkauf gelenkt.	ungeschult							professionell
14	Bestätigungsworte wie „ja, gerne, gewiß, natürlich, selbstverständlich" u. a. erleichtern das Verkaufsgespräch.	unachtsam							höflich
15	Tägliche Verkaufsziele für das Restaurant sind aus den monatlichen Umsatzbudgets geplant. Mitarbeiter, die direkt den Umsatz beeinflussen, werden auch mit „Soll-Verkaufszahlen" motiviert und kontrolliert.	ungeplant							geplant
16	Verkaufstechniken werden laufend besprochen und auf den unterschiedlichen Gästekreis individuell eingesetzt (Erfahrungsaustausch).	zu wenig							permanent
17	Servicebesprechungen auch mit dem Küchenchef steigern Produktkenntnisse und helfen beim Zusatzverkauf.	nie							regelmäßig
18	Routine schadet dem Verkaufsklima; an jedem Tisch wird abwechslungsreich neben dem Grundnutzen (Essen & Trinken) auch Zusatznutzen für die Gäste geboten.	gleichgültig							abwechslungsreich
19	Monatliche „Brainstorming-Sitzungen" mit allen Mitarbeitern helfen, neue Ideen, Verkaufsförderungsmaßnahmen, verbesserte Dienstleistungen für den Gast zu entwickeln.	zu wenig							monatlich
20	Auch der letzte Eindruck ist wichtig; nicht nur der Begrüßung, sondern auch der Verabschiedung der Gäste schenkt man vollste Aufmerksamkeit.	vernachlässigt							persönlich

(Schaetzing, Edgar E., Kontroll der Teilqualität Gastronomie – Verkauf, in: Hotel Restaurant 7-8/99, S. 95)

3.6.2 Umweltmanagement

Gästeinformation

Sehr verehrter Gast!

Wir möchten Sie hiermit herzlich willkommen heißen und einen Moment um Ihre Aufmerksamkeit bitten.

Aufgrund der ständig zunehmenden Umweltprobleme sind wir bemüht, die Führung unseres Hotels nach ökologischen Gesichtspunkten auszurichten, um so einen aktiven Beitrag zum praktischen Umweltschutz zu leisten. Um Ihnen den Aufenthalt so angenehm wie möglich zu machen, möchten wir Sie im Interesse unserer Umwelt darum bitten, Nachfolgendes zu beachten.

Das Hotel wurde nach den neuesten Grundsätzen der Baubiologie erstellt. Ihr Zimmer ist mit Vollholzmöbeln ausgestattet, die Teppiche sind aus natürlichen Materialien.

Auf den Einbau von Minibars wurde wegen des enorm hohen Energieverbrauchs und der Problematik der Entsorgung der Altgeräte (FCKW!) verzichtet. Ungekühlte Getränke befinden sich auf Ihrem Schreibtisch, gekühlte Getränke erhalten Sie zu jeder Zeit gerne in unserem Restaurant oder an der Rezeption.

Der Handtuchwechsel erfolgt individuell nach Ihren Wünschen. Sie entscheiden selbst, wann und wie oft die Handtücher gewechselt werden. Liegen die Handtücher auf dem Boden, werden sie durch neue ersetzt, hängen sie auf dem Ständer, sind Sie bereit, sie ein zweites Mal zu benutzen.

Die verpackungsintensiven Einwegkosmetika wurden durch Dosierspender für Seife, Duschgel und Shampoo ersetzt. Die Produkte wurden unter umweltschonenden und hautverträglichen Gesichtspunkten ausgewählt.

Bei Verlassen Ihres Zimmers möchten wir Sie darum bitten, durch Betätigung des Hauptnetzschalters alle Stromverbraucher auszuschalten.

Über Anregungen Ihrerseits würden wir uns jederzeit freuen!

Vielen Dank!

(Aus: Weil, Annette, Umweltorientiertes Management in Hotellerie und Gastronomie, Stuttgart 1994, S. 147)

Die Notwendigkeit einer umweltorientierten Umstrukturierung der Wirtschaft ist im Grunde unbestritten, auch wenn der Betroffenheitsgrad der Branchen unterschiedlich einzustufen ist. Bisher war die unternehmerische Antwort auf diese Herausforderung primär eine passive Anpassung an ordnungspolitisch gesetzte bzw. veränderte Rahmenbedingungen. Die in unseren Augen bessere Alternative ist eine aktive Antwort, die den Gedanken einer Umweltschonung als Chance zur Sicherung der unternehmerischen Zukunft begreift, Aktion statt Reaktion. Die Umweltaufgabe ist für zukünftige Generationen und für die Natur selbst (über)lebensnotwendig – wir müssen deshalb zu deren Lösung „heute" Antworten finden. Vorausschauendes Umweltmanagement gehört zu den wichtigsten Aufgaben. Und: Wenn wir nicht heute handeln, wird es morgen noch viel teurer werden *(vgl. Hopfenbeck W./Zimmer P., 1993, S. 12).*

3.6.2.1 Umweltproblematik im Tourismus

Das seit Ende des Zweiten Weltkrieges sich unaufhörlich entwickelnde **Massenphänomen Tourismus** rüttelt an den von der Natur gesetzten Grenzen. Da verschiedene touristische Ausprägungen irreversibel sind, nehmen die natürlichen Schäden zu. Die Bevölkerungszunahme, die wachsende Freizeit und nicht zuletzt Einkommensverbesserungen lassen eine weiterhin positive touristische Entwicklung erwarten. Die Weltorganisation für Tourismus (WTO) schätzt, dass weltweit im Jahre 2010 etwa 935 Millionen Touristen unterwegs sein werden, womit sich die Zahl der Reisenden in zwanzig Jahren etwa verdoppeln wird.

Nun besteht zwischen Tourismus und ökologischer Umwelt eine gegenläufige Beziehung. Der Tourismus benötigt eine intakte Umwelt, die er aber selbst gefährdet, wenn nicht zerstört. Die primäre **Aufgabe der Tourismuspolitik** besteht somit in der Gewährleistung und Förderung eines Qualitätstourismus, eines nachhaltigen, sustainable Tourismus, welcher im Einklang mit gesellschaftlichen und ökologischen Postulaten steht und damit über Generationen existenzfähig bleibt. Dies bedeutet eine Abstimmung der Entwicklung von Technik und Wirtschaft, von Wohlstand und Freizeit auf die zulässige Belastung des entwickelbaren Naturpotentials. Dazu müssen Maßnahmen ergriffen werden, welche die Biosphäre mit ihren Elementen Boden, Wasser, Luft, Klima, Pflanzendecke und Tierwelt im Sinn einer langfristigen Daseinsvorsorge optimal erhalten und entwickeln *(vgl. Mihalic/Kaspar 1996, S. 15).*

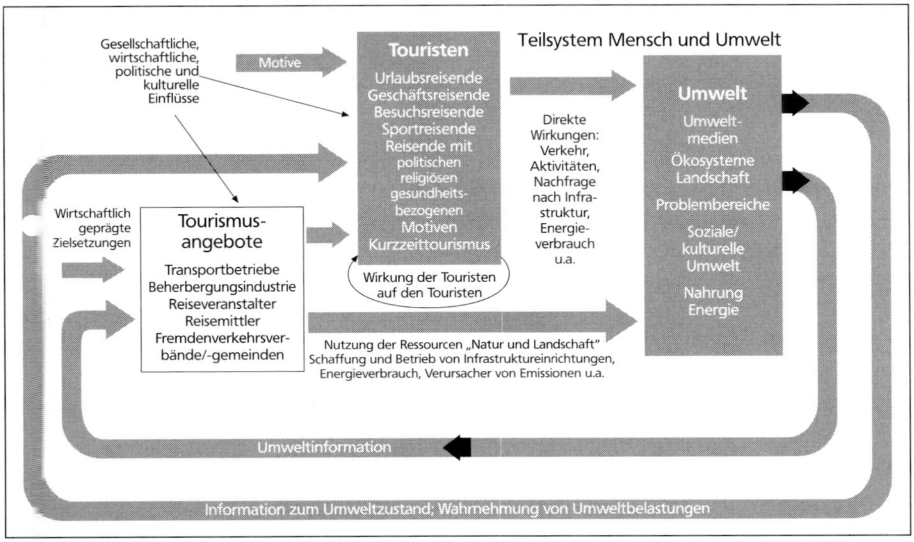

Abb. 3–85: Wirkungsbeziehungen zwischen Tourismus und Umwelt (Hopfenbeck/Zimmer 1993, S. 67)

3.6.2.2 Ökologisch bewusstes Management im Tourismus

Die Führung touristischer Unternehmungen wird von verschiedenen Seiten zu einem verstärkten Umweltbewusstsein gezwungen:

- Der Tourist stellt immer höhere Qualitätsansprüche, die oft, wenn nicht weitgehend, die ökologische Umwelt betreffen.
- Der Tourismus als weltweite Wachstumsbranche Nummer eins stellt quantitative Ansprüche an das natürliche Tourismusangebot, welches dadurch der Gefahr der Beeinträchtigung oder sogar Zerstörung ausgesetzt ist.
- Mit einer nicht-umweltbewussten Unternehmensführung geht ein Verzicht auf zahlreiche Chancen zur Kostenminderung oder auch zur Motivierung der Mitarbeiter einher. Auch wird ein Verzicht auf Marktchancen und Wettbewerbsvorteile zufolge vermehrter Umweltsensibilisierung der Touristen in Kauf genommen.
- Schließlich müssen wir uns bewusst sein, dass der Tourismus vom Gefälle in der Umweltqualität zwischen Herkunftsgebiet und Urlaubsort lebt.

Auch im **Strategiebereich** verspricht ein ökologieorientiertes Managementverhalten Vorteile, wie:

- Profilierung im Wettbewerb durch frühzeitiges Erkennen und Nutzen des Umweltschutzes als Erfolgsfaktor;
- Differenzierung durch Schaffung zusätzlicher ökologiegerichteter Marktsegmente;
- Errichtung von Marktbarrieren durch den Aufbau besonderer Kompetenzen in der Umweltforschung oder durch prämierte Gütezeichen *(vgl. Mihalic/Kaspar 1996, S. 16).*

Zahlreiche touristische Institutionen und Unternehmungen haben vielfältigste **Maßnahmen** eingeführt, um die Vorteile eines **umweltorientierten Managements** wahr zu machen. Die wichtigsten sind:

- Aufbau eines umweltorientierten *Informationswesen*
- Betriebliche *Umweltberatung*
- Ökologisch orientiertes *Tourismusmarketing* (Leistungsgestaltung, Preispolitik, Kommunikationspolitik)
- Ökologisch orientierte *Unternehmensplanung* und *-organisation*
- *Umweltcontrolling* (Öko-Kennzahlen, Umweltverträglichkeitsprüfung, Ökobilanzen usw.)

Als **Kernelemente** ökologisch bewusster **Strategien** sind zu nennen:

- *Innovation* zur Reduktion ökologischer Belastungen bzw. zur Verbesserung ökologischer Vorteile
- *Kooperation* zur Verbesserung der Nutzung (Energieversorgung), der Entsorgung
- *Kommunikation* zur Vertrauensbildung und Erhaltung der Glaubwürdigkeit.

3.6.2.3 Umweltorientierte Unternehmensführung in der Hotellerie

Umweltgerechte Betriebsführung „muß in die Unternehmensphilosophie Eingang finden und durch Überzeugung und Schulung der Mitarbeiter bis in alle Betriebsbereiche umgesetzt werden" *(Imhoff, Leo, in: DEHOGA: So führen Sie einen umweltfreundlichen Betrieb, Bonn o. J.).* Damit ist die Unternehmensphilosophie der geeignete Ansatzpunkt für die Einbeziehung von Umweltschutzgedanken.

Ökomanagement ist also „der Prozeß, das Gesamtunternehmen mit seinen Mitarbeitern und die mit ihnen verbundenen Partner, sowohl die Verwandten als auch Kunden, zu ökologischem Denken, Verhalten und Handeln zu bewegen. Das geht nicht im Hau-Ruck-Verfahren, sondern benötigt Fingerspitzengefühl und Zeit" *(Freistaat Sachsen [Hrsg.] 1994, S. 11 und Dettmer, H. [Hrsg.] 1999, S. 361 ff.).*

Eine gesunde Umwelt wirkt sich auch positiv auf die Entwicklung des Gastgewerbes aus. Aus diesem Grunde wurde im Auftrag des DEHOGA ein **Umweltschutzkonzept** für das Gastgewerbe erarbeitet.

DEHOGA-Umweltschutzkonzept

Umweltschutzkriterien
- große ökologische Bedeutung, Wichtigkeit
- schnelle betriebliche Umsetzungsmöglichkeiten
- zum Teil geringe Investitionen notwendig
- betriebswirtschaftlich vertretbarer Aufwand
- bereits erprobte Umweltschutzmaßnahmen

Umweltschutzgebiete
- Wasser/Abwasser
- Müllvermeidung
- Mülltrennung
- Energie
- sonstige Gebiete im gastgewerblichen Bereich, z. B. Personalabteilung, Gästeinformation

Abb. 3-86
(vgl. DEHOGA 1992/93, S. 322 ff.)

Auf dieser Grundlage wurde vom DEHOGA ein **40-Punkte-Katalog** erarbeitet, der zur umweltfreundlichen Betriebsführung beitragen soll, und diesen den Landesverbänden zur Ausschreibung von Wettbewerben zwischen den einzelnen gastronomischen Unternehmen vorgeschlagen. Das Motto lautet: **„Wir führen einen umweltorientierten Betrieb."** Die hohe Beteiligung hat das Interesse der Branchenangehörigen am Umweltschutz verdeutlicht (vgl. Dettmer, H., 1999, S. 284).

Bereich Wasser/Abwasser

1. Ermittlung der betrieblichen Wasserqualität
2. Durchflussbegrenzer in den Handwaschbecken und Duschen
3. Ausstattung der Toilettenspülkästen mit Spartaste
4. Regelmäßige Kontrolle der Wasserverbrauchstellen
5. Variabler Handtuchwechsel
6. Verwendung umweltschonender Waschmittel
7. Verzicht auf Kochwäsche und Vorwaschgang
8. Verzicht auf Weichspüler
9. Verzicht auf Desinfektionsmittel
10. Verzicht auf WC-Steine und Duftspender

Bereich Wasser/Abwasser

1. Ermittlung der betrieblichen Wasserqualität
2. Durchflussbegrenzer in den Handwaschbecken und Duschen
3. Ausstattung der Toilettenspülkästen mit Spartaste
4. Regelmäßige Kontrolle der Wasserverbrauchstellen
5. Variabler Handtuchwechsel
6. Verwendung umweltschonender Waschmittel
7. Verzicht auf Kochwäsche und Vorwaschgang
8. Verzicht auf Weichspüler
9. Verzicht auf Desinfektionsmittel
10. Verzicht auf WC-Steine und Duftspender
11. Verzicht auf Sanitär- und Rohrreiniger
12. Verwendung von milden Reinigungsmitteln

Müllvermeidung

13. Verzicht auf Portionspackungen
14. Verzicht auf „Betthupferl" in Kleinverpackungen
15. Verzicht auf Einwegzahnbecher
16. Verwendung von Recyclingpapier und sparsame Verwendung von Papier
17. Verzicht auf umweltschädliche Arbeitsmaterialien im Büro
18. Verwendung von Mehrwegbehältern und Großverpackungen
19. Verzicht auf Einweggeschirr, Einwegbesteck, Einwegtischdecken
20. Verzicht auf Dosengetränke oder Plastikflaschen
21. Sparsame und sortenreine Verwendung von Kunststoffen
22. Verzicht auf Portionspackungen im Restaurantbereich (Frühstück etc.)

Mülltrennung

23. Trennung nach Papier und Kartonage, Glas, Wertstoffe, kompostierbare Abfälle, Sondermüll, Restmüll
24. Getrennte Entsorgung von Fetten und Ölen über spezielle Verwertungsfirmen
25. Getrennte Rückgabe von Verpackungsmaterial an Lieferanten
26. Entsorgung von organischen Abfällen

Energie

27. Verwendung von Energiesparlampen
28. Einzelthermostate für die Heizung in allen Räumen
29. Zentrale Warmwasserversorgung
30. Regelmäßige Überprüfung der Heizungsanlage zur Sicherung eines Wirkungsgrades von mindestens 90 %

31. Einsatz elektrischer Händetrockner prüfen
32. Verwendung von Zeitschaltuhren

Sonstiges

33. Durchführung von Neuinvestitionen unter ökologischen Gesichtspunkten
34. Gästeinformation
35. Pflege und Ausbau von Außen- und Gartenanlagen
36. Angebot von Vollwertgerichten
37. Verwendung von Frischprodukten aus der Region
38. Verzicht auf Spraydosen mit FCKW
39. Personalschulung
40. Fahrtkostenzuschuss für Personal und Gäste bei Benutzung von öffentlichen Verkehrsmitteln

(Aus: DEHOGA [Hrsg.], Bonn o. J., S. 7 ff.)

Die vorhandenen 40 Kriterien wurden nach folgenden Gesichtspunkten zusammengestellt:

- Möglichst hohe ökologische Relevanz
- Schnelle Umsetzung in den Betrieben möglich
- Der Service am Gast wird dadurch nicht beeinträchtigt
- Keine hohen Investitionen erforderlich
- Betriebswirtschaftlich vertretbar
- In der Betriebspraxis bereits erprobt.

Die Steigenberger Hotels, welche ökologische Maßnahmen durchführen, haben folgende besonders gute Ideen einzelner Hotels zum Nachahmen festgehalten *(vgl. Hopfenbeck/Zimmer 1993, S. 331)*:

1. Ersatz von Batterien durch Akkus
2. Häufigkeit des Bettwäschewechsels reduzieren
3. Umweltverträgliche Materialien bei Konferenzartikeln
4. Abgabe von Kerzenresten an Kindergärten zum Basteln
5. Einführung eines Honigspenders und Kauf von Honig bei lokalen Imkern
6. Umweltberatung durch externe Fachleute
7. Integration von Umweltfragen in Gästefragebogen
8. Freiwillige Müllsammelaktionen in der Hotelumgebung mit Mitarbeitern und Gästen
9. Zusammenarbeit mit regionalen Umweltgruppen
10. Information aller Mitarbeiter über Abteilungsenergieverbrauch.

Immer jedoch muß „der Übergang zur **umweltorientierten Unternehmensführung** kontinuierlich erfolgen. So genannte „Hauruck-Aktionen" beeinflussen das umweltbewusste Verhalten der Mitarbeiter und Gäste negativ" *(Dettmer 1999, S. 285)*.

3.6.2.4 Umweltorientierte Unternehmungsführung in der Gastronomie

Die Ökomaßnahmen bei Gastwirten beziehen sich zum Teil auf ähnliche Themenbereiche wie beim Hotel-Management. Dies gilt insbesondere für

- den Bau und die Gestaltung der Einrichtung (Baubiologie)
- die Auswahl der Materialien und Geräte (z.B. Gastronomiekühlmöbel ohne FCKW)
- den Verbrauch der Ressourcen Energie und Wasser (Energiesparlampen, Wärmerückgewinnungsanlagen, Durchflussbegrenzer usw.)
- die Hauswirtschaft und Reinigung („weiche Chemie")
- den Bereich Abfall und Entsorgung (Verpackungsvermeidung, Mehrwegsysteme, getrennte Sammlung der Wertstoffe, Kompostierung etc.)

Spezielle Ansatzmöglichkeiten ergeben sich

- beim Einkauf (hier sollten Kriterien sein: regional, abfallarm, aus tiergerechter Haltung, aus biologischem Anbau) und
- beim Angebot (hier etwa saisonale Angebote, Vollwertangebote, frische regionale Produkte).

Als Orientierungshilfe

- für den Gastwirt gibt es die Signets für Produkte aus kontrolliertem Anbau (Arbeitsgemeinschaft Ökologischer Landbau AGOEL)
- für den Gast gibt es z. B. einen „Öko-Gourmet"-Essführer mit 100 Testberichten Schweizer Betriebe, die vollwertig kochen (das Umwelthandbuch des Schweizer Gastgewerbes nennt es „den alternativen Gault-Millau") *(vgl. Hopfenbeck/Zimmer 1993, S. 336).*

Die umweltorientierte Unternehmensführung im Gastgewerbe wird vom Erfolg gekrönt, wenn man den folgenden Ablauf sinnvoll realisiert:

Sieben Schritte zu einer umweltorientierten Unternehmensführung	
Ökologische Bestandsaufnahme	systematische Überprüfung der einzelnen Betriebsbereiche mit Hilfe von Checklisten
Attraktive Maßnahmen	z. B. Kosteneinsparungen, die von den Mitarbeitern akzeptiert werden und positive Gästereaktionien erwarten lassen
Mitarbeiter sensibilisieren	z. B. Qualitätszirkel zu Umweltmaßnahmen einführen
Gästen umweltbewusstes Verhalten zutrauen	Akzeptanz durch Ökoideen
Kooperation statt Alleingang	Zusammenarbeit mit Bezugsgruppen (vernetztes Denken)
Umweltgedanken konkretisieren	realisierte Maßnahmen vorstellen, z. B. ökologische Innovationen als PR-Thema
Umweltschutz als Managementaufgabe	Umweltziele als strategische Ziele, z. B. regelmäßige Mitarbeitergespräche und Weiterbildung

Abb. 3-87

(Aus: Dettmer, Harald, Wirtschaftslehre für Hotellerie und Gastronomie, Hamburg 1999, S. 286)

Aufgaben

1. Welches sind die 5 Bausteine (5 Q Modell), welche die Einführung eines TQM-Konzeptes ermöglichen?
2. Welches sind die Kerngedanken des TQM?
3. Warum spielen Qualität und Qualitätsmanagement im Tourismus eine entscheidende Rolle?
4. Welche 7 Schritte soll das Konzept der touristischen Servicequalität durchsetzen?
5. Was bewirken Qualitätswettbewerbe und Qualitätspreise?
6. Welches sind die wichtigsten Bestandteile einer Zertifizierung nach ISO 9000?
7. Worin besteht die ökologische Problematik im Tourismus?
8. Nennen Sie Maßnahmen touristischer Institutionen, welche die Vorteile eines umweltorientierten Managements verwirklichen.

Quellen und weiterführende Literatur

AIEST: Qualitätsmanagement im Tourismus. Berichte am 47. Kongress der Internat. Vereinigung wissenschaftlicher Fremdenverkehrsexperten, St. Gallen 1997

Bieberstein, Ingo: Dienstleistungs-Marketing, Ludwigshafen 1995

Bösenberg, D./Metzen, H.: Lean Management – Vorsprung durch schlanke Konzepte, Landsberg/Lech 1993

DEHOGA (Hrsg.): So führen Sie einen umweltorientierten Betrieb, Bonn o. J.

DEHOGA/OeHV/SHV/SWV (Hrsg.): Marketing der Gastfreundschaft, Bern/Bonn 1992

Dettmer, Harald: Wirtschaftslehre für Hotellerie und Gastronomie, Hamburg 1999

Dettmer, Harald (Hrsg.): Betriebswirtschaftslehre für das Gastgewerbe, Hamburg 1999

Fidlschuster, K.: in Pompl, W./Lieb, M., Qualitätsmanagement im Tourismus, München/Wien 1997

Frehr, H.U.: Total Quality Management – Unternehmensweite Qualitätsverbesserung, München/Wien 1994

Freistaat Sachsen (Hrsg.): Der umweltbewusste Hotel- und Gaststättenbetrieb, Dresden 1994

Gardini M.: Qualitätsmanagement in Dienstleistungsunternehmungen – dargestellt am Beispiel der Hotellerie, Frankfurt am Main u. a. 1997

Grabowski, J.: Unternehmensqualität – Begriff und Modell, Bamberg 1997

Hopfenbeck, W.: Allgemeine Betriebswirtschafts- und Managementlehre, Landsberg/Lech 1997

Hopfenbeck, W./Zimmer, P.: Umweltorientiertes Tourismusmanagement, Landsberg/Lech 1993

Lux, W.: Der Einfluß von Total Quality Management auf die organisatorische Gestaltung von kleinen und mittleren Unternehmen, Bern/Stuttgart/Wien 1996

Mihalic, T./Kaspar, C.: Umweltökonomie im Tourismus. St. Galler Beiträge zum Tourismus und zur Verkehrswirtschaft, Reihe Tourismus, Bern/Stuttgart/Wien 1996

Pompl, W.: In Pompl, W./Lieb, M., Qualitätsmanagement im Tourismus, München/Wien 1997

Romeiss-Stracke, F.: Service-Qualität im Tourismus, Grundsätze und Gebrauchsanweisungen für die touristische Praxis, München 1995

Ruwoldt, C.: Qualität als strategischer Erfolgsfaktor im Bildungstourismus – unter besonderer Berücksichtigung des Tagungs- und Kongresstourismus, Dresden 1996

Schaetzing, Edgar E.: Kontrolle der Teilqualität Gastronomie – Verkauf, in: Hotel-Restaurant Heft 7-8, Stuttgart 1999

Ulrich, H: Management, Bern 1984

3.7 Front Office-Management

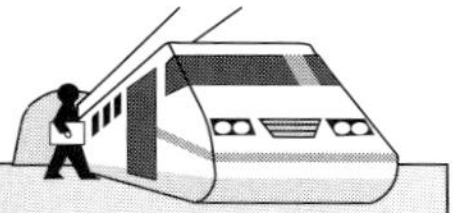

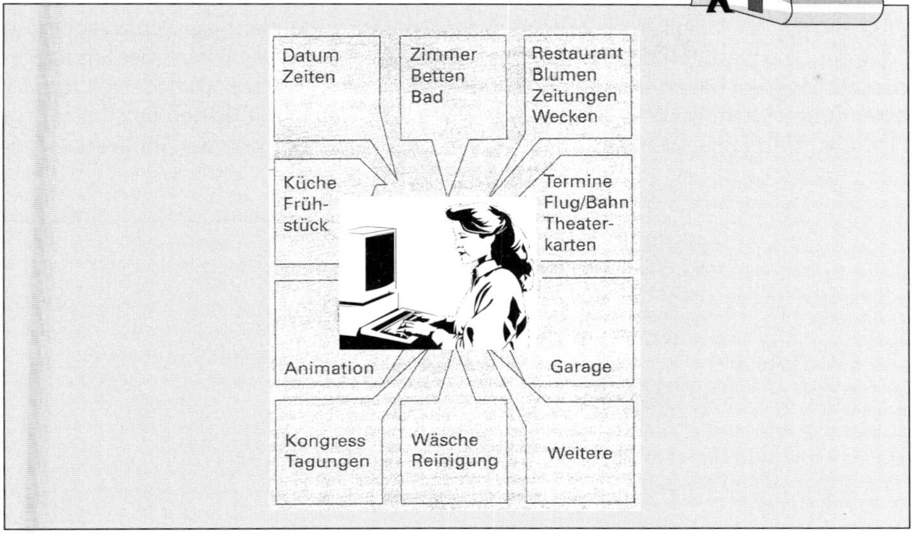

Das **Front Office,** das auch als Hotel-Empfang beziehungsweise **Rezeption** bezeichnet wird, umfasst die Empfangstheke sowie die dahinterliegenden Büroräume. Hier befinden sich die Telefonzentrale, die Gästeverwaltung, die Reservierung und meist auch die Buchhaltung. Befindet sich in der Hotelhalle, **Lobby** genannt, auch eine separate Portier- beziehungsweise Conciergeloge, wird diese zum Front Office gerechnet.

Die Rezeption stellt aus Sicht des Gastes den Ort des ersten persönlichen Kontaktes mit dem Hotel dar. Deshalb sollte gerade der sich hier bietende Eindruck von einem reibungslosen Ablauf in angenehmer Atmosphäre geprägt sein. Folglich muss schon beim Bau des Hauses darauf geachtet werden, dass die Architektur dem Gast eine möglichst störungsfreie und reibungslose Ankunft ermöglicht. So muss der Weg vom Auto bis zum Empfangstresen möglichst kurz und übersichtlich sowie von freundlichem Personal mit gepflegtem und professionellem Auftreten gekennzeichnet sein. Die Rezeption selbst muss den zentralen Blickfang in der Hotelhalle darstellen und sofort eindeutig die Zuständigkeit der einzelnen Mitarbeiter erkennen lassen. Dies kann beispielsweise in Form über der Theke angebrachter Schilder geschehen.

3.7.1 Positionen

Der Empfangschef nimmt im **Front Office-Management** die zentrale Position ein. Er beziehungsweise sie ist sowohl für die Mitarbeiter an der Rezeption als auch für die innerbetriebliche Kommunikation, die sich vor allem auf die eng verbundenen Abteilungen Housekeeping, Reservierung und Buchhaltung konzentriert, verantwortlich. Daraus ist zu erkennen, dass der Empfangschef herausragende persönliche und berufliche Qualifikationen erfüllen muss. Hier einige Beispiele (*vgl. Schwarz 1995, S. 61 ff.*).

- Personalführungs-Qualitäten
- ausgezeichnete Fremdsprachenkenntnisse
- umfassende kaufmännisch-organisatorische Fähigkeiten und Kenntnisse

- gepflegtes Äußeres
- exzellentes Personengedächtnis
- vollendete Umgangsformen, Selbstsicherheit, Taktgefühl.

Zusätzlich zu der Fähigkeit, die Aufgaben der Gästekorrespondenz, der Personalplanung oder der Überwachung des Front Office-EDV-Systems zu erfüllen, muss der Empfangschef die Fähigkeit haben, ein kompetenter Ansprechpartner zu sein, der jederzeit für Mitarbeiter und Gäste ein offenes Ohr hat. Sollten im Umgang mit Gästen ernsthafte Probleme auftreten, die weder der Empfangsmitarbeiter selbst noch der Shiftleader oder

Generaldirektor
Generalmanager
Residentmanager

Stellvertretender Generalmanager

Beherbergungsdirektor

stellvertr. Beherbergungsdirektor

Empfangschef

- Empfangsdame/-herr
- Empfangssekretärin
- Reservierungssekretärin
- Kassierer
- Telefonist
- Guest Relation Manager/in
- Key Account Manager/in
- Shiftleader
- Korrespondent/in
- Postverteiler/in

Chef-Portier

- Portiers
- Night Auditor/in
- Hoteldiener
- Hotelbote
- Pagen
- Bellboy
- Türsteher
- Doorman
- Wagenmeister
- Kondukteur/in

Hausdame

Etagenhausdame

- Hausdamenassistentin
- Zimmermädchen
- Hausmädchen
- Wäschebeschließerin
- Wäscherin
- Büglerin
- Schneiderin
- Garderobiere
- Hausdiener
- Florist

Abb. 3-88

(Nach: Dettmer, Harald, Wirtschaftslehre für Hotellerie und Gastronomie, Hamburg 1999, S. 52)

der Empfangschef lösen können, wird der **Guest Relation Manager** zu Hilfe gebeten – diese Stelle ist in der Regel nur in der gehobenen Hotellerie vorhanden. Die Aufgabe des Guest Relation Managers besteht hauptsächlich darin, Beschwerden zu bearbeiten und für eine gute Beziehung zwischen Gast und Hotel zu sorgen. Des weiteren übernimmt er oftmals den so genannten VIP-Service im Rahmen eines **Key-Account-Management.** Er kümmert sich dementsprechend in breitem Umfang um spezielle Gäste, denen er mit Rat und Tat zur Seite steht und sie somit in besonderem Maße betreut.

In Anbetracht der täglich anfallenden Arbeit im direkten Gästekontakt an der Rezeption wird der Empfangschef vom **Shiftleader** in Zusammenarbeit mit Empfangsmitarbeitern und dem Kassierer entlastet. Der Shiftleader übernimmt die jeweilige Schicht vom Shiftleader der vorangegangenen Schicht und lässt sich dabei von aufgetretenen oder möglicherweise noch zu erwartenden Problemen, Vorkommnissen und Gästewünschen in Kenntnis setzen. Dabei muss er auch seine untergebenen Mitarbeiter über die Neuigkeiten informieren, so dass diese sich dann auch gegenüber den Gästen entsprechend verhalten können. Danach widmet sich der Shiftleader dem anstehenden Check-in- und Check-out-Aufkommen, indem er sich entsprechende Listen ausdrucken lässt. Aus diesen entnimmt er auch, bei welchen Gästen es sich um so genannte VIP handelt. Für diese speziellen Gäste werden dann in der Regel besonders schöne Zimmer vorgeblockt bzw. reserviert, so dass sie bei Anreise sofort ihre Zimmer beziehen können. Ebenso werden für anstehende Gruppen-Anreisen schon vorab Zimmer vorgeblockt und Schlüsselkarten vorbereitet, um hier einen möglichst schnellen und unkomplizierten Check-in zu ermöglichen.

Gerade in Zeiten des immer härter werdenden Wettbewerbs kann es sich ein Hotel nicht leisten, eines oder mehrere Zimmer in Stoßzeiten (Messen, Events, Sportveranstaltungen etc.) leer stehen zu lassen. Deshalb ist es in der Praxis üblich, das Hotel – in Anlehnung an Erfahrungswerte – zu überbuchen. Im Laufe der Zeit kristallisiert sich heraus, dass täglich eine bestimmte Durchschnittsanzahl an Gästen zwar eine Zimmerreservierung vorge-

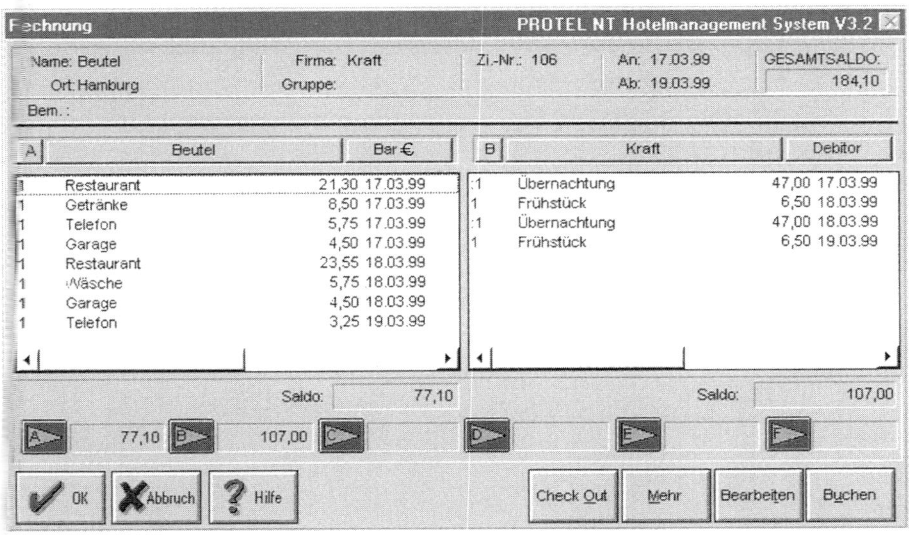

Abb. 3-89

nommen hat, diese aber nicht in Anspruch nimmt. Der Shiftleader muss je nach täglich vorliegender Buchungssituation selbst abwägen, um wie viele Zimmer er das Hotel überbucht. Sollte aber doch noch ein Gast anreisen, der nicht mehr erwartet wurde und dieser dann in ein anderes Hotel umgebucht werden, muss der Shiftleader natürlich selbst für die hieraus resultierende kritische Situation geradestehen. So besteht hier also immer der Konflikt, dass zwar einerseits das Hotelmanagement ein bis auf das letzte Zimmer ausgebuchtes Hotel erwartet, andererseits jedoch eine sehr unangenehme Situation entstehen kann, wenn ein Gast an ein anderes Hotel verwiesen werden muss.

Die Empfangsmitarbeiter sind für den direkten **Gästekontakt** zuständig. Hierunter fallen freundliche Begrüßung – möglichst in der Muttersprache des Gastes –, Check-in, Schlüsselausgabe sowie Bearbeitung von Gästewünschen während des Aufenthaltes. Im Falle eines **Walk-ins,** das heißt ein Gast reist ohne vorherige Reservierung im Hotel an, nimmt der Empfangsmitarbeiter die Reservierung im Empfangs-EDV-System vor und teilt dem Gast selbstständig ein Zimmer zu.

Je nach Größe und Bettenzahl des Hotels wird die Stelle des Kassierers entweder gesondert besetzt oder aber die anfallenden Arbeiten werden von den anderen Empfangsmitarbeitern zusätzlich übernommen. Zum **Aufgabenbereich des Kassierers** gehören die Erstellung von Gästerechnungen, die Durchführung von baren oder bargeldlosen Zahlungsaktivitäten, Umtausch von Fremdwährungen und die Kassenführung. Heutzutage laufen die meisten Schritte EDV-gesteuert ab, so dass Währungstausch, Kreditkartenabrechnung und anderes nicht mehr manuell vorgenommen werden müssen. Es ist lediglich notwendig, nach Schichtende die Kasse mit Hilfe von Listenausdrucken mit den gebuchten Belegen zu vergleichen.

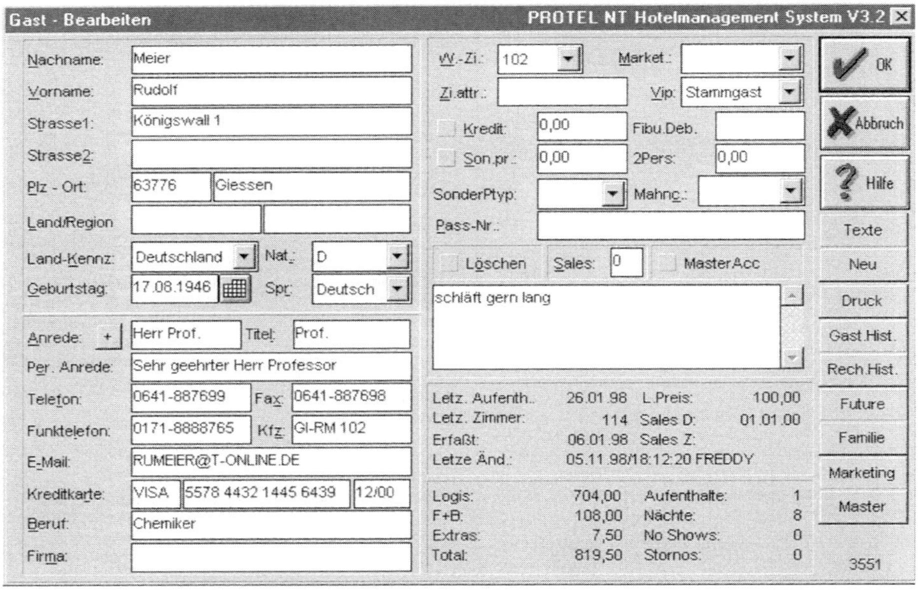

Abb. 3-90

(Aus: Dettmer, Harald [Hrsg.], Gastgewerbliche Berufe in Theorie und Praxis, Hamburg 1999, S. 321)

Der **Korrespondent** übernimmt den Versand aller Briefe und Aktionsmitteilungen an die Gäste. Im Zeitalter der immer wichtiger werdenden schnellen Kommunikation unter Geschäftsreisenden steht in den meisten Großhotels ein so genanntes Business-Center zur Verfügung, von dem aus Faxe, Briefe und E-Mails verschickt werden, Computerausdrucke erstellt und Kopien angefertigt werden können. Im Zuge dieser Entwicklung wird der Korrespondent nun immer mehr als Unterstützung dieses Bereichs gesehen und eingesetzt.

Abb. 3-91
(Aus: Dettmer, Harald [Hrsg.], Gastgewerbliche Berufe in Theorie und Praxis, Hamburg 1999, S. 302)

Eine nicht zu vernachlässigende Rolle hinsichtlich des Hotelimages spielt der/die **Telefonist/in.** Er beziehungsweise sie beantwortet alle eingehenden Telefongespräche und leitet diese weiter. Hier wird entweder ein negatives oder ein positives Bild des Hotelbetriebes vermittelt, ohne dass der Gast beziehungsweise der potentielle Gast das Gebäude selbst betritt, je nachdem, ob der Telefonist freundlich und hilfsbereit ist, verschiedene Sprachen beherrscht und Aufträge korrekt erledigt. So werden hier beispielsweise Nachrichten für Gäste aufgenommen und weitergeleitet, Weckrufe ausgeführt und Faxe im Auftrag des Gastes versandt. Des weiteren werden hier die von Hotelgästen geführten Telefongespräche abgerechnet sowie die Einheiten der versandten Faxe notiert und auf die Zimmerrechnung aufgebucht.

Den in den Augen des Gastes nahezu wichtigsten Posten im Hotel nimmt der **Chefportier,** auch **Concierge** genannt, ein. Er untersteht zwar direkt dem Empfangschef, hat aber mit der eigentlichen Arbeit am Empfang kaum etwas zu tun. Seine Aufgabe ist es vielmehr, den Gästen ihren Aufenthalt so angenehm wie möglich zu gestalten und ihnen bei kleinen und größeren Problemen zu helfen. So übernimmt er beispielsweise folgende Aufgaben:

- Information über Sehenswürdigkeiten in Stadt und Umland
- Information über öffentliche Verkehrsmittel
- Restaurant-Empfehlungen
- Beschaffung von Theater-, Konzert- oder sonstigen Eintrittskarten
- Veranlassung von Ärztebesuchen
- Organisation von Tages- oder Mehrtagesausflügen
- Flugumbuchungen und Platzreservierungen
- Postversand
- kleinere Einkäufe und Botengänge

Die Position des Chefportiers, der von seinen Portiers unterstützt und vertreten wird, zeichnet sich allerdings nicht nur durch die oben aufgelisteten technischen Abläufe aus, sondern vor allem auch durch den in hohem Maße persönlichen Kontakt zum Gast. Normalerweise gibt es keinen anderen Mitarbeiter im Hotel, der den Gästen so nahe steht. Dementsprechend muss der Portier ein einwandfreies Auftreten haben, mehrere Sprachen fließend sprechen und absolut diskret sein. Es gibt Gäste, die nur deshalb zu Stammgästen werden, weil sie sich beim Portier des Hotels besonders gut aufgehoben wissen. In zahlreichen Luxushotels ist sogar ein so genannter **Executive- oder Concierge-Floor** zu finden, das heißt eine spezielle Etage, die von VIP-Gästen nur durch Durchziehen ihrer Schlüsselkarte in einem Lesegerät im Aufzug erreicht werden kann. Auf dieser Etage befindet sich dann ein separater Concierge-Desk, der zumeist 24 Stunden besetzt ist und seine Dienste ganz speziell den hier wohnenden Gästen anbietet.

Die Bezeichnung **Nachtportier** ist auf den ersten Blick etwas verwirrend. Denn hier wird nicht nur die Aufgabe der Gästebetreuung übernommen, sondern ebenso buchhalterische Aufgaben. Deshalb ist der weit verbreitete Ausdruck **Night Auditor** vielleicht etwas zutreffender. Nachts werden – neben der natürlich fortlaufenden Gästebetreuung – die Rechnungsabschlüsse des vergangenen Tages durchgeführt, die Zimmerraten auf die Gästekonten gebucht sowie die Kassenabschlüsse überprüft. Aufgrund dessen werden die Night Auditors auch vielfach nicht dem Front Office, sondern der Buchhaltung als Mitarbeiter zugerechnet.

Der **Postverteiler** leitet ein- und ausgehende Gästepost weiter, verteilt Botschaften, verschickt Fracht und Pakete auf Rechnung des Gastes, sendet Fundsachen nach, verkauft Briefmarken und führt die Postbücher.

Der **Kondukteur** holt Gäste vom Bahnhof oder Flughafen ab, hilft ihnen bei den Zollformalitäten, besorgt ihnen Flugscheine und Fahrkarten und verwaltet den hoteleigenen Fuhrpark. Sofern es seine beziehungsweise ihre Arbeitszeit zulässt, erledigt er beziehungsweise sie Besorgungen für Gäste und Hotelleitung.

Ein ähnliches Aufgabengebiet, wenn auch größtenteils ohne Fahrzeug, hat der **Hotelbote.** Hat er beziehungsweise sie momentan keine Botengänge zu erledigen, steht er dem Portier zur Erledigung notwendiger Arbeiten im Hallendienst zur Verfügung.

Zu den Hauptaufgaben des **Hoteldieners,** meist die „gute Seele des Hauses", gehört der Gepäcktransport sowie die Einweisung der Gäste in wichtige Details des Hotelzimmers. Weiterhin kann er beziehungsweise sie aber auch für Reinigungsdienste, so zum Beispiel Schuhputzservice, zur Verfügung stehen. Im Allgemeinen gleich, jedoch etwas mehr in Richtung des Gepäcktransportes hin ausgerichtet, ist das Arbeitsfeld des **Bellboy.**

Noch bevor der Gast die Hotellobby betritt, trifft er auf den **Wagenmeister** oder **Doorman.** Dieser zeichnet sich durch gutes Auftreten und Persönlichkeit aus, beantwortet mögliche Fragen des Gastes und kümmert sich darum, dass das Gepäck weitergeleitet sowie das Auto geparkt wird. Des weiteren ist er dafür verantwortlich, dass stets ausreichend Taxen vor dem Hoteleingang bereitstehen und bei politischen VIP-Gästen die Flagge des jeweiligen Landes an der Auffahrt gehisst wird.

Sofern es im betreffenden Hotel noch keine automatische Schuhputzmaschine gibt, wird diese Arbeit manuell durch den Schuhputzer am frühen Morgen erledigt. Ist diese Arbeit erledigt, steht er als zusätzlicher Hoteldiener zur Verfügung.

Leider verschwindet das Bild des traditionellen **Pagen** immer mehr, die anfallenden Arbeiten werden zunehmend von anderen Kollegen übernommen. Dabei gehört gerade die Vorstellung vom jungen, smarten Pagen in schicker Uniform für viele Hotelgäste unbedingt zum Ambiente eines Hotels der gehobenen Klasse. Er verrichtet seine Tätigkeiten, im Einzelnen Botengänge, Reinigen der Aschenbecher in der Lobby, Türdienst, Ausrufen von Gästen etc., vorwiegend in der Hotelhalle und steht somit laufend in Kontakt mit den Gästen.

3.7.2 Ablauforganisation

3.7.2.1 Reservierung

Die Reservierung eines Hotelzimmers kann heute üblicherweise beim gewünschten Hotel direkt oder über zentrale Reservierungssysteme erfolgen. Im ersten Fall der Direktbuchung kommen die Buchungswege persönliches Gespräch, Telefongespräch, Brief, Fax und E-Mail in Frage. Bei allen Varianten ist es gleichermaßen wichtig für das Hotel, sich kundenfreundlich und unkompliziert in der Abwicklung zu zeigen. So wird in den meisten großen Häusern die Bearbeitung von Zimmeranfragen auf verschiedene Abteilungen aufgeteilt.

Reservierung

.... (NAME, VORNAME)	mit	.... (NAME)
.... (STRASSE)		.... (NAME)
.... (PLZ, WOHNORT)		.... (TELEFON)
von .... ANREISE	bis	.... ABREISE

Personen-Anzahl:	EZ:	DZ:	SUITE:	3-Bettzi.:	
Frühstück:	HP:	VP:	RH 2:	RH 7:	angenommen
Anreisezeit ca.:			PREIS:		von: am:
Bemerkungen:					gebucht: von: am:

Abb. 3-92

(Aus: Dettmer, Harald [Hrsg.], Gastgewerbliche Berufe in Theorie und Praxis, Hamburg 1999, S. 307)

Die Reservierung beantwortet Bestellwünsche, die sich auf eines oder nur wenige Zimmer beziehen; Gruppenanfragen werden an das Sales-Department weitergeleitet, das auf die Bearbeitung von Großkontingenten spezialisiert ist. Da von sehr vielen Gästen ein persönlicher Kontakt zum Reservierungsmitarbeiter gewünscht wird, sei es nun am Telefon oder direkt an der Rezeption, sind hier im Umgang mit den Gästen bestimmte Regeln zu beachten. Die folgende **Checkliste** dient zur Optimierung des Ablaufs eines **telefonischen Reservierungsgesprächs** (*vgl. Schaetzing 1996, S. 189*):

- Wurde Ihr Anruf sofort beantwortet?
- Wurden Sie freundlich mit dem jeweiligen Tagesgruß begrüßt?
- Entschuldigte man sich bei Ihnen, falls Sie warten mussten?
- Wurden Sie nach Ihrem Vor- und Nachnamen gefragt?
- Wurden Sie gebeten, Ihren Namen zu buchstabieren?
- Wurden Sie nach Ihrer Adresse gefragt?
- Wurden Anreisetag und möglicher Abreisetag notiert?
- Wurden Sie nach der Art der gewünschten Unterbringung gefragt?
- Wurde Ihnen die Preisklasse genannt?
- Wiederholte der Hotelangestellte die wichtigsten Angaben bei der Bestätigung Ihrer Voranmeldung?
- Wurden Sie gebeten, eine schriftliche Bestätigung für Ihnen nachzusendende Rechnungen zu schicken?
- Wurde Ihnen die Ausfertigung einer schriftlichen Bestätigung angeboten?
- Schlug Ihnen der Reservierungsangestellte Ausweichtermine vor, falls das Hotel für die gewünschte Zeit belegt war?
- Dankte Ihnen der Reservierungsangestellte dafür, dass Ihre Wahl auf dieses Hotel gefallen war?
- Versicherte Ihnen der Reservierungsangestellte, eine Buchungsbestätigung zuzuschicken?

Eine weitere wichtige Buchungsalternative stellt das Fax dar. Hier kann eine schnelle und kostengünstige Übermittlung aller relevanten Daten erfolgen. Buchungen über Internet beziehungsweise E-Mail machen bis jetzt nur einen nahezu verschwindend geringen Prozentsatz am Gesamtbuchungsvolumen aus, jedoch wird allgemein in der Branche erwartet, dass in den nächsten Jahren die Anzahl der PC-Buchungen steigen wird. Ein Haupthinderungsgrund für viele potentielle PC-Bucher besteht in der immer noch nicht ausgereiften Datensicherheit.

In der Regel sind gebuchte Zimmer nur für die Ankunft bis 18 Uhr am Anreisetag garantiert. Danach hat das Hotel das Recht, das Zimmer anderweitig zu verkaufen. In diesem Fall würden dem Gast bei Nichterscheinen keine Kosten entstehen, er wird also so gestellt, als habe er das Zimmer nie reserviert. Um das gebuchte Zimmer aber auf jeden Fall zu garantieren, egal ob der Gast nun nachmittags oder erst spät in der Nacht anreist, muss dieser bei der Buchung seine Kreditkartennummer als Garantie angeben. Sollte er dann trotzdem nicht anreisen, was als **„No-Show"** bezeichnet wird, muss er sich den vereinbarten Übernachtungspreis der ersten Nacht anrechnen lassen; es sei denn, er macht die ersparten Aufwendungen des Hotels geltend. Allerdings bestehen die meisten Hotels aus Kulanzgründen eher selten auf der Bezahlung von No-Show-Gebühren, um die entsprechenden Gäste nicht zu verärgern.

Kaum ein Hotel der gehobenen Kategorie kann heutzutage nur noch von im Haus selbst vorgenommenen Buchungen existieren. Ist der Betrieb nicht ohnehin schon Teil eines internationalen Hotelkonzerns mit eigenem weltweitem Hotelverzeichnis und Hotelreservierungssystem, so wird er sich wahrscheinlich zumindest an ein weltweites **CRS (Computer-Reservierungs-System)** anschließen lassen. Die Buchungswege unterscheiden sich hier nur kaum von den bereits oben aufgeführten Varianten der Direktbuchung. Die weltweiten Buchungszentralen haben allerdings den Vorteil, dass der Gast eine Hotline – meist zum Nulltarif – wählen kann, unter der dann sein Reservierungswunsch in seiner Muttersprache bearbeitet wird.

Wichtig zu wissen ist, dass der **Beherbergungsvertrag** rechtlich erst durch die Bestätigung des Hotelbetriebes zustande kommt, der Hotelprospekt alleine also noch kein Angebot, sondern nur eine Produktdarstellung ist.

3.7.2.2 Check-in

Bitte lesen Sie vor dem Ausfüllen des Melde- [illegible] Hinweise!

HUGO MATTHAES DRUCKEREI UND VERLAG GMBH & CO. KG, STUTTGART · 7/94

Thüringen

Name und Anschrift der Beherbergungsstätte

Meldeschein für Beherbergungsstätten
Registration form of hotels and lodgings/Déclaration d'arrivée

Rechtsgrundlage für die Erhebung der nachfolgend aufgeführten Daten sind §§ 24 und 25 des Thüringer Meldegesetzes

Tag der Ankunft Date of arrival/Date d'arrivée	**Tag der vorauss. Abreise** Anticipated date of departure Date probable de départ	
Familienname Surname/Nom de famille	**Vorname (Rufname)** Christian name (one only) Prénom (uniquement prénom usuel)	
Tag der Geburt/ Date of birth/Date de naissance	**Staatsangehörigkeit** Nationality/Nationalité	
Mitreis. Ehegattin/Ehegatte (Vor- u. ggf. abweich. Familienname) Accompanying spouse/ Conjoint accompagnant	**Tag der Geburt** Date of birth/Date de naissance	**Mitreisende Kinder (Anzahl)** Number of accompanying children/ Nombre d'enfants accompagnants
PLZ, Wohnort, Straße, Hausnummer; Herkunftsland Home address with postal code (usual residence)/Code postal. domicile (principal)		**Falls Ausland: Staat eintragen** Country, state, county (if residence is outside of FRG) / État (si domicile en déhors de la RFA)
Bei Reisegesellschaften mit mehr als 10 Personen: Anzahl und Herkunftsland der Mitreisenden/For groups of more than ten participants: Number of group members/ S'il s'agit de groupes de plus de dix personnes: Nombre des participants	**Unterschrift des Gastes, der Reiseleiterin, des Reiseleiters**/ Signature of guest or group leader/Signature du client, responsable du groupe	

Durch die Beherbergungsstätte nur bei ausländischen Gästen auszufüllen:

Identitätsdokument wurde vorgelegt, und die Angaben wurden verglichen ☐ ja ☐ nein	Abweichungen vorhanden ☐ ja ☐ nein	Bemerkungen:

Abbildung 3–93 (Anmeldeformular)

Der **Check-in** sollte sich durch Schnelligkeit und zuvorkommende Höflichkeit auszeichnen. Der Gast freut sich zwar, bei seiner Ankunft im Hotel vom Front Office-Personal freundlich und mit einigen persönlichen Worten begrüßt zu werden, möchte aber im Grunde doch nur die Anmeldeformalitäten schnell hinter sich bringen und sein Zimmer beziehen.

Chronologisch läuft der Check-in wie folgt ab: Der Gast betritt die Lobby, ein Bellboy nimmt ihm das Gepäck ab und begleitet ihn zur Empfangstheke. Dort wird er vom Empfangsmitarbeiter begrüßt und gebeten, das Anmeldeformular gemäß des jeweiligen Meldegesetzes auszufüllen. Wird ein so genannter Express-Check-in angeboten, so heißt das, dass die bei der Buchung angegebenen persönlichen Daten des Gastes (wie beispielsweise Adresse, Anzahl der Übernachtungen, Zimmerpreis etc.) schon im Meldevordruck vermerkt sind und somit nur noch kontrolliert beziehungsweise ergänzt werden müssen. Je nach Konstruktion des Hauses wird dem Gast ein Raucher-/Nichtraucherzimmer, ein Turmzimmer oder evtl. ein Zimmer mit Seeblick angeboten und ihm dann der passende Schlüssel beziehungsweise – heute oft üblich – die **Schlüsselkarte** ausgehändigt.

Der Zimmerpass dient als interner Hotelausweis, der z. B. bei der Benutzung hotelintegrierter Einrichtungen (Sauna, Tennisplatz usw.) den Hotelgast ausweist, aber auch gleichzeitig als Gedächtnisstütze bezüglich der Zimmernummer. In neueren, aus Hartplastik bestehenden, Zimmerpässen sind die „Zimmerschlüssel" integriert

Zimmerpass mit codiertem Schlüssel

Abb. 3-94
(Aus: Dettmer, Harald [Hrsg.], Gastgewerbliche Berufe in Theorie und Praxis, Hamburg 1999, S. 312)

Der Empfangsmitarbeiter informiert den Gast über wichtige Einrichtungen und Serviceleistungen des Hotels (z. B. Restaurants, Pool, Tiefgarage, Flughafen-Shuttle-Dienst etc.), bevor der Bellboy den Gast auf sein Zimmer begleitet.

Die **Zimmerzuteilung** erfolgt EDV-gesteuert – Fidelio ist hier als Software-Anbieter weitverbreitet – so dass dem Empfangsmitarbeiter automatisch die verfügbaren Zimmer aufgezeigt werden und dieser somit nur noch selbst ein passendes aussuchen muss; es sei denn, der Shiftleader hat für diesen Gast schon vorab ein Zimmer vorgeblockt. Ist der Gast ein Walk-in, das heißt er verfügt nicht über eine Reservierung, bietet der Empfangsmitarbeiter mehrere Zimmer verschiedener Preiskategorien an und nimmt dann selbst die Reservierung und Zimmerzuteilung vor.

3.7.2.3 Aufenthalt

Während des Hotelaufenthaltes ist die Rezeption die zentrale Anlaufstelle für alle Wünsche und Probleme des Gastes. So möchte er hier über die nächstgelegenen öffentlichen Verkehrsmittel, Restaurants, Theaterspielpläne etc. informiert werden, Nachrichten für andere Gäste hinterlassen oder einen Weckruf in Auftrag geben. Da der Gast meist nur an der Rezeption direkten Kontakt zum Hotelpersonal hat, kann er folglich auch nur hier seine Beschwerden oder speziellen Wünsche anbringen. Deshalb ist es außerordentlich wichtig, dass die Front Office-Mitarbeiter in enger Zusammenarbeit zu allen anderen Abteilungen stehen, um somit eine schnelle Weitergabe der Anregungen zu gewährleisten. Wünscht der Gast einen Zimmerwechsel oder ist der Gast beispielsweise allergisch auf Daunenfedern, so muss der Empfangsmitarbeiter den Wunsch nach einem Anti-Allergie-Bettzeug ans **Housekeeping-Department** weiterleiten und selbstverständlich nach angemessener Zeit auch dort nachfragen, ob der Auftrag erledigt wurde.

Das gilt natürlich ebenso für technische Probleme auf dem Zimmer, wobei der Rezeptionist dafür sorgen muss, dass ein Techniker schnellstmöglich den Gast auf seinem Zimmer aufsucht und ihm bei der Lösung des Problems hilft.

ARBEITSVORGANG BEI ZIMMERWECHSEL

Datum: 16. März 19..

Von Zimmer: 103 nach Zimmer: 409

Inhalt (exakte Aufstellung):

Aus Schrank: 4 Anzüge, 8 Hemden, 8 x Unterwäsche, 8 Paar Strümpfe, 2 Paar Schuhe, 1 Tasche

Aus Schubladen: 2 Bücher, 1 Notizblock

Aus Bad: Rasierzeug, Waschutensilien

Unterschrift:

Bladt	Clement	Hausmann
(Hausdame)	(Hausdiener)	(Empfang)

(Dieser Laufzettel wird am Empfang abgelegt!)

Abb. 3-95

(Aus: Dettmer, Harald [Hrsg.], Gastgewerbliche Berufe in Theorie und Praxis, Hamburg 1999, S. 316)

3.6.2.4 Check-out

Ringhotel ★★★★
Braunschweiger Hof
Bad Harzburgs »Gute Stube«

Familien Behnecke und Bartels · Herzog-Wilhelm-Str. 54 · Postfach 11 64
38653 Bad Harzburg · Telefon 0 53 22 / 78 80 · Reservierungen 78 82 70 · Telefax 78 84 99
Internet: http://home.t-online.de/home/Ringhotel-Braunschweiger-Hof
E-Mail: Ringhotel-Braunschweiger-Hof@t-online.de

Herrn
John Gottschalk
Kastanienallee

21255 Dohren

UstIdNr. DE 115828282
Zimmer 039
Anreise 14.04.99
Abreise 15.04.99

RECHNUNG 17 /1

Herrn John Gottschalk
Hotel Braunschweiger Hof, Bad Harzburg, 15.04.99/EVH/ Seite: 1

Beschreibung	Datum	Debit	Kredit
Logis	14.04	288,00	
Restaurant	14.04	22,45	
Restaurant Fehlbuchung	14.04	-22,45	
Hotelbar	14.04	22,45	
(MB) - Alkoholfrei	15.04	4,95	
Barzahlung	15.04		315,40
Gesamt in DM:		315,40	315,40
Gesamt in EURO:		161.28	161.26

Leistungen inkl. MwSt.	307,40 DM	157.17 EUR
Leistungen ohne MwSt.	8,00 DM	4.09 EUR
Rechnungsbetrag netto	273,00 DM	139.58 EUR
MwSt. 16.00 %	42,40 DM	21.68 EUR
MwSt. 7.00 %	0,00 DM	0 EUR
MwSt. Gesamt	42,40 DM	21.65 EUR

Vielen Dank für Ihren Besuch!

RINGHOTELS

Wild- und Fischspezialitäten-Restaurant · Nichtraucher-Restaurant · Veranstaltungsräume 10 bis 100 Personen
Rustikale Bierstube · Hotelbar · Hallenbad mit Whirl · Dampfsauna · Finn. Sauna · Solarium · Kegelbahn
Golfplatz HARZ 350 m · eigener Park mit altem Baumbestand · Liegewiese · Parkterrasse · Beauty-Farm · Friseur-Salon
Unsere »Allgemeinen Geschäftsbedingungen« finden Sie umseitig.

Bankverbindung: Harzburger Volksbank, Kto.-Nr. 1 017 101, BLZ 278 932 15
USt.-IdNr. DE 115386829

Abb. 3–96 (Rechnung)

Beim **Check-out** wird mit Hilfe des EDV-Front-Office-Systems die Rechnung ausgedruckt – je nach Wunsch auch aufgeschlüsselt nach Tagen oder Artikeln – und dem Gast zur Kontrolle vorgelegt. Sollten Unstimmigkeiten bezüglich einzelner Buchungen bestehen, sucht der Empfangsmitarbeiter die gesammelten Belege für die spezifische Rechnung heraus und gleicht sie mit dem Gast zusammen ab. Gegebenenfalls werden die kritisierten Posten von der Rechnung genommen, denn im Hotel gilt immer noch der Grundsatz **„Der Kunde**

ist König“. Anbei sei bemerkt, dass leider manche Gäste von dieser durch die Firmenphilosophie verordneten passiven Haltung der Empfangsmitarbeiter wissen und diesen Umstand oftmals ungerechtfertigterweise ausnützen. Dies betrifft insbesondere das Problem **Minibar.**

„Jeder Gast kann sich daraus gegen spätere Bezahlung bedienen. Die geläufigste Art der Bezahlung basiert auf Vorlage der Minibar-Abrechnung, einer Auflistung, in der der Gast die entnommenen Getränke kennzeichnet. Die jeweils fälligen Beträge werden nach dieser Angaben auf dem Konto des Gastes vermerkt“ *(Dettmer [Hrsg.] 1999, S. 317).*

Ist der Gast mit dem Endbetrag der Hotelrechnung einverstanden, kann er entweder mit Kreditkarte oder bar bezahlen; mit Ausnahme von Geschäftsreisenden, bei denen die Rechnung häufig an die Firma geschickt wird.

Da es vor allem Geschäftsreisende morgens sehr eilig haben, um ihren Zug oder ihr Flugzeug pünktlich zu errreichen, findet man in jüngerer Zeit in immer mehr Häusern das Angebot eines **Express-Check-Out.** Dieser sieht so aus, dass in der letzten Nacht die vorgefertigte Hotelrechnung unter der Zimmertür durchgeschoben wird. Ist der Gast mit der Rechnung einverstanden, muss er, außer zur Schlüsselabgabe, überhaupt nicht mehr an der Rezeption vorbeikommen. Der Rechnungsbetrag wird der Kreditkarte belastet, die er beim Check-in angegeben hatte. Eine enorme Zeitersparnis, gerade morgens zu Stoßzeiten am Empfang, ist die Folge. Ist die Rechnung nicht nach den Wünschen des Gastes ausgestellt, kann er selbstverständlich die Angelegenheit nochmals persönlich mit einem Empfangsmitarbeiter besprechen.

3.7.2.5 Buchhaltung

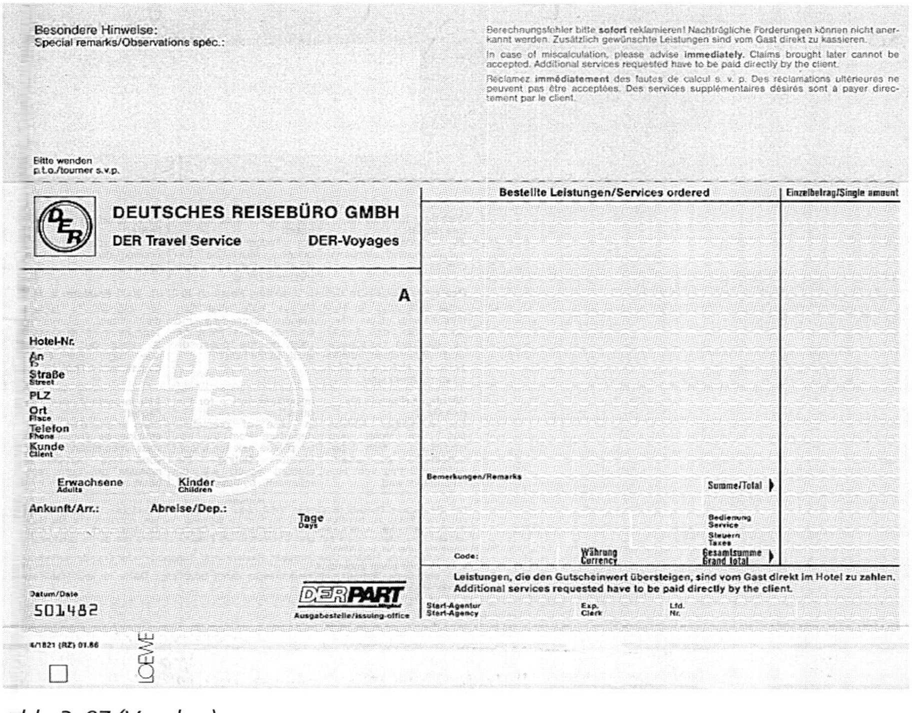

Besondere Hinweise:
Special remarks/Observations spéc.:

Berechnungsfehler bitte **sofort** reklamieren! Nachträgliche Forderungen können nicht anerkannt werden. Zusätzlich gewünschte Leistungen sind vom Gast direkt zu kassieren.

In case of miscalculation, please advise **immediately.** Claims brought later cannot be accepted. Additional services requested have to be paid directly by the client.

Réclamez **immédiatement** des fautes de calcul s. v. p. Des réclamations ultérieures ne peuvent pas être acceptées. Des services supplémentaires désirés sont à payer directement par le client.

Bitte wenden
p.t.o./tourner s.v.p.

DEUTSCHES REISEBÜRO GMBH
DER Travel Service DER-Voyages

A

Hotel-Nr.
An
Straße / Street
PLZ
Ort / Place
Telefon / Phone
Kunde / Client
Erwachsene / Adults
Kinder / Children
Ankunft/Arr.:
Abreise/Dep.:
Tage / Days

Datum/Date
501482

DERPART
Ausgabestelle/issuing-office

4/1821 (RZ) 01.86

LOEWE

Bestellte Leistungen/Services ordered | Einzelbetrag/Single amount

Bemerkungen/Remarks
Summe/Total
Bedienung / Service
Steuern / Taxes
Code:
Währung / Currency
Gesamtsumme / Grand total

Leistungen, die den Gutscheinwert übersteigen, sind vom Gast direkt im Hotel zu zahlen.
Additional services requested have to be paid directly by the client.

Start-Agentur / Start-Agency
Exp. / Clerk
Lfd. / Nr.

Abb. 3–97 (Voucher)

Die Buchhaltung, in der Fachsprache **Accounting** genannt, ist verantwortlich für das korrekte Aufbuchen aller Posten auf die Gästerechnungen. Dies, ebenso wie die Richtigkeit der Kassenabschlüsse der einzelnen Abteilungen, wird vor allem nachts durch das Night Audit überprüft. Tagsüber werden die Rechnungen für Firmenkunden, Gäste mit **Reisebüro-Voucher** und Gruppen erstellt. Besonders hierbei ist die enge Zusammenarbeit von Front-Office und Buchhaltung wichtig, denn Voucher, Kostenübernahmen und sonstige notwendige Informationen müssen unverzüglich ausgetauscht werden, um dem Gast gegenüber immer auf dem aktuellen Wissensstand zu sein.

3.7.3 Erfolgsfaktoren des Front Office-Managements

Die Mitarbeiter im Externbereich sind die direkten Ansprechpartner der Gäste. Von ihnen ist es mit abhängig, ob die Gäste

- sich wohl fühlen,
- wiederkommen und
- das Haus Bekannten empfehlen.

Die Anforderungen an das Servicepersonal sind recht umfangreich und je nach Haus unterschiedlich; neben guten Fachkenntnissen ist auf verkaufsfördernde Eigenschaften zu achten.

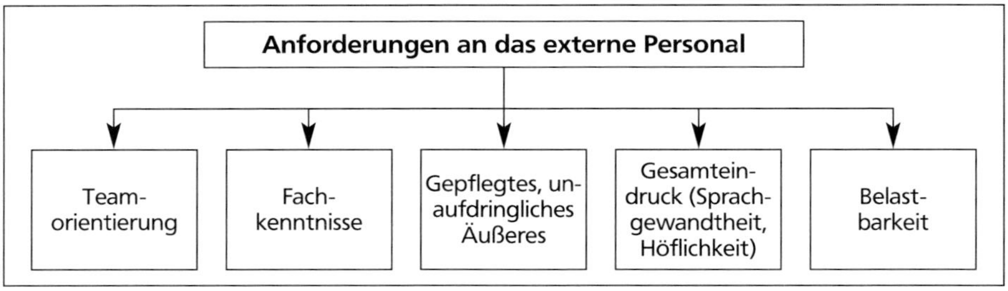

Abb. 3–98

3.7.3.1 Freundlichkeit

Für jeden Mitarbeiter im Front Office-Bereich, sei es nun der Hotelbote oder der Empfangschef selbst, muss als oberste Prämisse die Freundlichkeit gegenüber jedem Gast gelten. Jeder Gast möchte als König behandelt werden. Dies fällt dann schwer, wenn sich Gäste nicht entsprechend verhalten. Dennoch lassen sich zahlreiche noch so brenzlige Situationen mit schwierigen Gästen allein schon durch eine freundliche, zuvorkommende Art entschärfen. Es fällt viel schwerer, sich bei einem sympathisch lächelnden Gegenüber in unhöflicher Weise zu beschweren, als bei einem ebenso mürrischen Gesprächspartner. Bei Freundlichkeit wird leicht einmal über kleine Mängel wohlwollend hinweggesehen.

Direkt zum Attribut der **Freundlichkeit** zugehörig sind **gepflegtes Äußeres** und **selbstsicheres Auftreten.** Ein schlampig auftretender Mitarbeiter, etwa mit ungepflegten Haaren und unpassendem Outfit, wird mit Sicherheit nicht allein durch sein freundliches Wesen bestechen können. So wird in den meisten Hotels der gehobenen Kategorie schon in den **Mitarbeiter-Richtlinien** das gewünschte Erscheinungsbild festgelegt, um eine adäquate Repräsentation des Hauses sicherzustellen.

Der Front Office-Mitarbeiter darf auf gar keinen Fall Angst vor seinen Gästen haben, sondern muss ihnen stets selbstsicher und offen gegenübertreten. Dadurch verschafft er sich den nötigen Respekt und lässt es gar nicht erst so weit kommen, dass der Gast die Chance sieht, den in seinen Augen „kleinen Angestellten" kommandieren zu können.

3.7.3.2 Fremdsprachenkompetenz

Im internationalen Hotelgeschäft sind Fremdsprachenkenntnisse eminent wichtig. Dabei gilt Englisch als die anerkannte und allgemein übliche Hotel-Sprache. Oftmals werden die gebräuchlichen hotelbetrieblichen Fachausdrücke schon gar nicht mehr in die jeweilige Landessprache übersetzt, sondern zur einfacheren Verständigung zwischen Mitarbeitern verschiedener Nationalitäten oder aber im Dialog zwischen zwei Häusern eines Hotelkonzerns in verschiedenen Ländern in englischer Sprache beibehalten und angewandt. So kann es vorkommen, dass sich zwei deutsche Mitarbeiter am Empfang eines deutschen Hotels tatsächlich auf beruflicher Ebene mehr in englisch als in deutsch unterhalten. Allgemein ist zu den Fremdsprachenanforderungen in deutschen Hotelbetrieben zu sagen, dass neben Deutschkenntnissen (für ausländische Mitarbeiter) nur die **perfekte Beherrschung der englischen Sprache** ein absolutes Muss darstellt. Französisch-, Spanisch- oder Italienischkenntnisse sind zwar wünschenswert und mögen manche Situation vereinfachen, sie sind jedoch nicht zwingend nötig. Ausländische Gäste sprechen in aller Regel zumindest in geringem Umfang Englisch oder eventuell sogar Deutsch und aufgrund des enormen Nationalitäten-Mix unter den Mitarbeitern eines Hotels der gehobenen Klasse ist eigentlich immer ein Angestellter zu finden, der die Muttersprache des Gastes beherrscht und bei scheinbar unüberwindbaren Sprachbarrieren helfen kann. Nichtsdestotrotz gehört es natürlich zum Image eines Empfangsmitarbeiters, dass er möglichst viele Fremdsprachen fließend spricht und so den Gast in dessen Muttersprache begrüßen und ihm somit das Gefühl von Willkommensein vermitteln kann.

3.7.3.3 Belastbarkeit

Die Mitarbeiter im Front Office-Bereich müssen zum einen extrem belastbar und zum anderen in besonderem Maße dazu bereit sein, viele private Aktivitäten stark einzuschränken. So ist es aufgrund der ständig wechselnden Schichtarbeitszeiten nahezu unmöglich, einer regelmäßig zur gleichen Zeit stattfindenden Freizeitaktivität nachzugehen. Auch muss man sehen, dass häufig Partner oder Freunde, die in anderen Berufssparten tätig sind, abends oder am Wochenende frei haben und gerne etwas unternehmen möchten, man selbst jedoch ausgerechnet dann arbeiten muss oder gerade vom Arbeiten heimkommt und viel zu müde für irgendwelche Unternehmungen ist.

Die tatsächliche **Arbeitsbelastung** rührt meist nicht ausschließlich von der tatsächlichen Erfüllung des Arbeitsauftrags her, sondern vielmehr von zusätzlich auftretenden Nebeneffekten. Zum einen sind eigentlich alle Positionen am Front Office stehend zu verrichten. Zum anderen ist der Empfang die zentrale Anlaufstelle für alle **Gästebeschwerden.** Diese aufgeführten Unannehmlichkeiten ließen sich sicher leichter in Kauf nehmen, wenn dies mit einer angemessenen Bezahlung belohnt werden würde. Leider trifft hier aber genau das Gegenteil zu: Die Gehälter befinden sich trotz vieler Überstunden und unangenehmer Arbeitszeiten nicht gerade auf einem hohen Niveau. Nun mag man sich fragen, warum gibt es dann trotzdem Empfangsmitarbeiter, die gutgelaunt und motiviert ihrer Arbeit nachgehen und gar von einem „Traumberuf" reden? Die Antwort gründet zumeist auf den Besonderheiten der Tätigkeit im Front Office: Kontakt mit Menschen, abwechslungsreiche Tätigkeit, täglich neue Herausforderungen.

3.7.3.4 Verhalten im Sinne des Beschwerdemanagement

Modernes Beschwerdemanagement wird heute als der aktive, systematische und organisierte Umgang mit Reklamationen des Gastes verstanden *(vgl. Gewald 1999, S. 132)*. Beschwerdemanagement besteht also nicht nur darin, auf Gästebeschwerden zu reagieren, sondern ist durch eine Unzufriedenheit erkennende, durchdachte und im Rahmen konkreter Regelungen ablaufende Vorgehensweise geprägt. Dabei ist **Beschwerdemanagement als Marketing-Instrument** zu sehen. So ist es einfacher und auch billiger, bereits gewonnene, aber momentan verärgerte Gäste wiederzugewinnen als neue Gäste zu akquirieren. Um Beschwerdemanagement konsequent und effizient durchführen zu können, ist es wichtig, den unzufriedenen Gast zu finden, die Schwachstelle aufzudecken und Gegenmaßnahmen zu ergreifen. Um Gästeunzufriedenheit erst einmal festzustellen, müssen die Gäste befragt werden. Hierzu eignet sich das persönliche Feed-back-Gespräch während des Aufenthaltes wesentlich besser als der altgediente Gästefragebogen, der nur von einem verschwindend geringen Prozentsatz der Hotelgäste ausgefüllt wird. Sind die Beschwerden dann bekannt, können Gegenschritte eingeleitet werden. Zu berücksichtigen ist, dass Gästeunzufriedenheit in den meisten Fällen durch Mängel im menschlichen Teil der Leistungserstellung und weniger durch Mängel in der Hardware des Hotelbetriebs entsteht.

Beschwerden sind jedoch eine große und oftmals nicht wiederkehrende Chance des touristischen Unternehmens, die stille Unzufriedenheit der Gäste oder die hervorgebrachte negative Kritik noch rechtzeitig in positive Signale umzuwandeln, bevor die Gäste das kritisierte Unternehmen vielleicht für immer verlassen. Daraus lassen sich folgende **Ziele des Beschwerdemanagements** ableiten:

1. Qualitätsurteile von Gästen sind zu überprüfen und gegebenenfalls nachträglich zu verbessern.
2. Die Beschwerdequote der Gäste ist soweit wie möglich auszubauen; nur durch eine hohe Beschwerdequote lassen sich gezielt Verbesserungen der Gästeurteile anstreben.
3. Herstellen von (Beschwerde-)Zufriedenheit.
4. Umsetzen und Verdeutlichen einer gästeorientierten Unternehmensstrategie.
5. Auswerten und Nutzen der in Beschwerden enthaltenen Informationen.
6. Reduzieren interner und externer Fehler sowie der damit verbundenen Kosten.

(vgl. Noll 1987, O 2–7/S. 7 und Stauss/Seidel 1996, S. 59 und Dettmer [Hrsg.] 1999/2, S. 116 f.).

Die genannten Ziele des Beschwerdemanagements lassen sich allerdings nur erreichen, wenn für unzufriedene Gäste leicht zugängliche Beschwerdemöglichkeiten geschaffen werden, eine sach- und problemgerechte Beschwerdereaktion und -bearbeitung erfolgt und diese systematisch ausgewertet werden *(vgl. Stauss/Seidel, S. 61 und Dettmer [Hrsg.] 1999/2, S. 117)*.

Zur Realisierung eines so verstandenen Beschwerdemanagement ist das Front Office wie kaum eine andere Abteilung des Hotelbetriebs geeignet.

3.7.3.5 Teamorientierung

Empfangsmitarbeiter auf allen Hierarchieebenen müssen sich von vornherein darauf einstellen, teamorientiert zu arbeiten. Insbesondere betrifft dies das **Kommunikationsverhalten.** Aufgrund des Schichtdienstverfahrens kommt es täglich zu neuen Teamzusammensetzungen am Front Office. Deshalb ist es unabdingbar, dass alle Kollegen reibungslos zusammenarbeiten. Gerade an der Rezeption, wo es zu zahlreichen Konflikten mit Gästen und Mitarbeitern der gleichen oder anderen Abteilungen kommen kann, ist es wichtig für den Mitarbeiter, dass er weiß, dass sein Vorgesetzter in jedem Fall hinter ihm steht und ihm gegenüber dem Konfliktpartner den Rücken stärkt. Denn nur dann kann der Mitarbeiter selbstsicher und überzeugend auftreten.

Aufgaben

1. Was versteht man unter dem für moderndes Front Office-Management sehr wichtigen Beschwerdemanagement?
2. Wie lautet die deutschsprachige Bezeichnung der Stelle, die für das Front Office-Management die Gesamtverantwortung trägt?
3. Nennen Sie die hotelbetriebliche Stelle, mit deren Ausfüllung üblicherweise der näheste Kontakt zum Gast einhergeht.
4. Mit welchem Begriff wird die Stelle des Nachtportiers auch bezeichnet?
5. Was versteht man unter einem Executive-Floor?

Quellen und weiterführende Literatur

Dettmer, Harald (Hrsg.): Gastgewerbliche Berufe in Theorie und Praxis, Hamburg 1999

Dettmer, Harald: Wirtschaftslehre für Hotellerie und Gastronomie, Hamburg 1999

Dettmer, Harald (Hrsg.): Tourismusbetriebswirtschaft 2, Managementformen im Tourismus, Wien 1999/2

Gewald, S.: Hotel-Controlling, München, Wien 1999

Schaetzing, E. E.: Management in Hotellerie und Gastronomie, Frankfurt a. M. 1996

Schwarz, W.: Der Hotelempfang, Stuttgart 1995

Stauss, B.; Seidel, W.: Beschwerdemanagement, München–Wien 1996

3.8 Food und Beverage Management

Muster-Stellenbeschreibung: Food und Beverage Manager

Stellenbezeichnung: Wirtschaftsdirektor (Food & Beverage Manager)

Abteilung: Food und Beverage/Verwaltung

Über-/Unterstellungsverhältnis:

Der Wirtschaftsdirektor untersteht als Abteilungsleiter direkt dem Generaldirektor. Ihm unterstehen die Abteilungsleiter der folgenden Abteilungen:

- Restaurants
- Etagenservice
- Bars
- Stewardingabteilung
- Küche
- Bankettabteilung

Aufgaben und Verantwortung:

Der Wirtschaftsdirektor ist für die Koordination der gesamten Wirtschaftsabteilung verantwortlich. Er hat für die Durchführung und Befolgung der geschäftspolitischen Richtlinien des Hotels für seinen Bereich zu sorgen. Er unterstützt die Direktion in der Ausarbeitung dieser Leitlinien mit Berücksichtigung der örtlichen Konkurrenz.

Sehr eng verbunden ist er in seiner Arbeit mit den folgenden Abteilungen:

- Buchhaltung
- Einkaufsabteilung
- Public Relations Abteilung
- Verkaufsabteilung
- Operations Analysis

Diese Schlüsselposition trägt die Verantwortung für vernünftigen Einkauf für seine Abteilung, sorgsame Lagerung, beste Zubereitung, zuvorkommenden Service und Verkauf von „Food und Beverage" in unseren Restaurants, Bars, Gästezimmern, Night Clubs, Veranstaltungsräumen, privaten Speiseräumen und Swimming Pools.

Er erstellt in Zusammenarbeit mit dem Operations Analyst Geschäftsprognosen, Budgets, überwacht seine Lohn- und Gehaltskosten und hält sich über sämtliche Neuentwicklungen von Produkten und technischen Geräten auf dem Markt, die seine Abteilung betreffen, auf dem laufenden. Zudem ist der Food und Beverage Manager verantwortlich für die Erstellung von „Standards" (Qualität und Quantität) und deren Überwachung.

Er leitet die Trainingsprogramme für sein Personal, um die Ausbildung und damit auch die Produktivität zu verbessern.

Für die „Food und Beverage"-Kosten ist er direkt verantwortlich und muss in Zusammenarbeit mit dem Food und Beverage Controller die notwendigen Kontrollen auswerten.

Der Food und Beverage Manager hat mit seinem persönlichen Beispiel und seinen Entscheidungen für eine umsichtige, geachtete und wirksame Leitung seiner Abteilung zu sorgen.

<u>Stellenanforderungen</u>

Erforderliche Qualifikationen:	durchsetzende Persönlichkeit, phantasiereich, aber auch praktisch veranlagt; gutes Urteilsvermögen, Kenntnisse der Betriebspsychologie und Weitsichtigkeit
Detaillierte Qualifikationen:	
Geschlecht:	männlich
Einstellungsalter:	28–35 Jahre
Schulausbildung:	Lehre im Hotel- und Gaststättengewerbe, Hotelfachschule oder Fachhochschule (Diplom-Betriebswirt FH) und Management Training Kursus
Sprachliche Erfordernisse:	Deutsch, Englisch, Französisch } in Wort und Schrift
Erscheinung:	ausgezeichnete Gesundheit gute Erscheinung (Gastkontakt)
Praktische Erfahrungen:	mehrjährige Restaurant-, Bankett- und Stewardingerfahrung, sollte vorher als Asst. F&B Manager gearbeitet haben
Spezialerfordernisse:	sollte mit einem Trainingsprogramm mit den geschäftspolitischen Richtlinien vertraut gemacht werden
Arbeitsbedingungen:	muss bereit sein, in unregelmäßiger Arbeitszeit zu arbeiten

(Nach: Schaetzing, Edgar E., Management in Hotellerie und Gastronomie, Frankfurt 1996, S. 11 f.)

Der Bereich des **Food und Beverage** ist ein zentraler Part gastgewerblicher Unternehmen. Zwar erwirtschaftet der Food und Beverage Bereich in der Regel weniger Deckungsbeiträge als der Logisbereich, aber ohne Zweifel schlägt das **Herz der Hotellerie** im Zentrum der Gastronomie. Ohne die Qualität und Kreativität im Food und Beverage Bereich lassen sich die Zimmer nicht verkaufen. Hier gibt es im Management keine Routine – Flexibilität und Innovationsfreudigkeit bestimmen den kreativen **Total Quality Service (TQS).**

Als Einführung in das Kapitel Food und Beverage Management wurden daher vorstehend die Anforderungen eines F&B Managers dargelegt, um die vielseitigen Aufgaben und Einflussbereiche des F&B Managements aufzuzeigen.Von der Angebotsgestaltung über die Produktionsplanung bis hin zur Preispolitik werden im Weiteren jeweils ausgewählte Maßnahmen vorgestellt.

Dem Bankettbereich, der als entscheidende Einflussgröße auf die Gewinnsituation im Food und Beverage Bereich anzusehen ist, wird ein eigener Gliederungspunkt (3.8.5) gewidmet.

Den Abschluss dieses Kapitels bildet die Managementkontrolle durch die Budgetierung nach dem **Uniform System of Accounts.** Sie soll die internationale und zukunftsweisende Ausrichtung des gesamten Beitrages unterstützen.

3.8.1 Die Food und Beverage-Abteilung und deren Koordination

Die folgende Abbildung zeigt exemplarisch die **Aufbauorganisation** einer Food und Beverage-Abteilung:

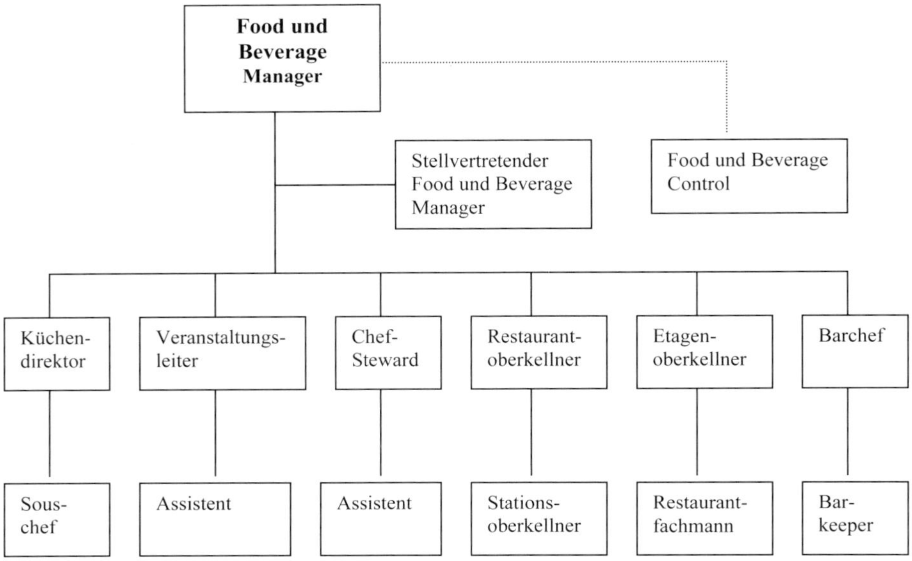

Abb. 3–99: Organigramm einer Food und Beverage-Abteilung
(Nach: Schaetzing, Edgar E., Management in Hotellerie und Gastronomie, Frankfurt 1996, S. 13)

Die **Koordination** einer solchen **Food und Beverage-Abteilung** ist in dem nachstehenden Ablaufschema abgebildet:

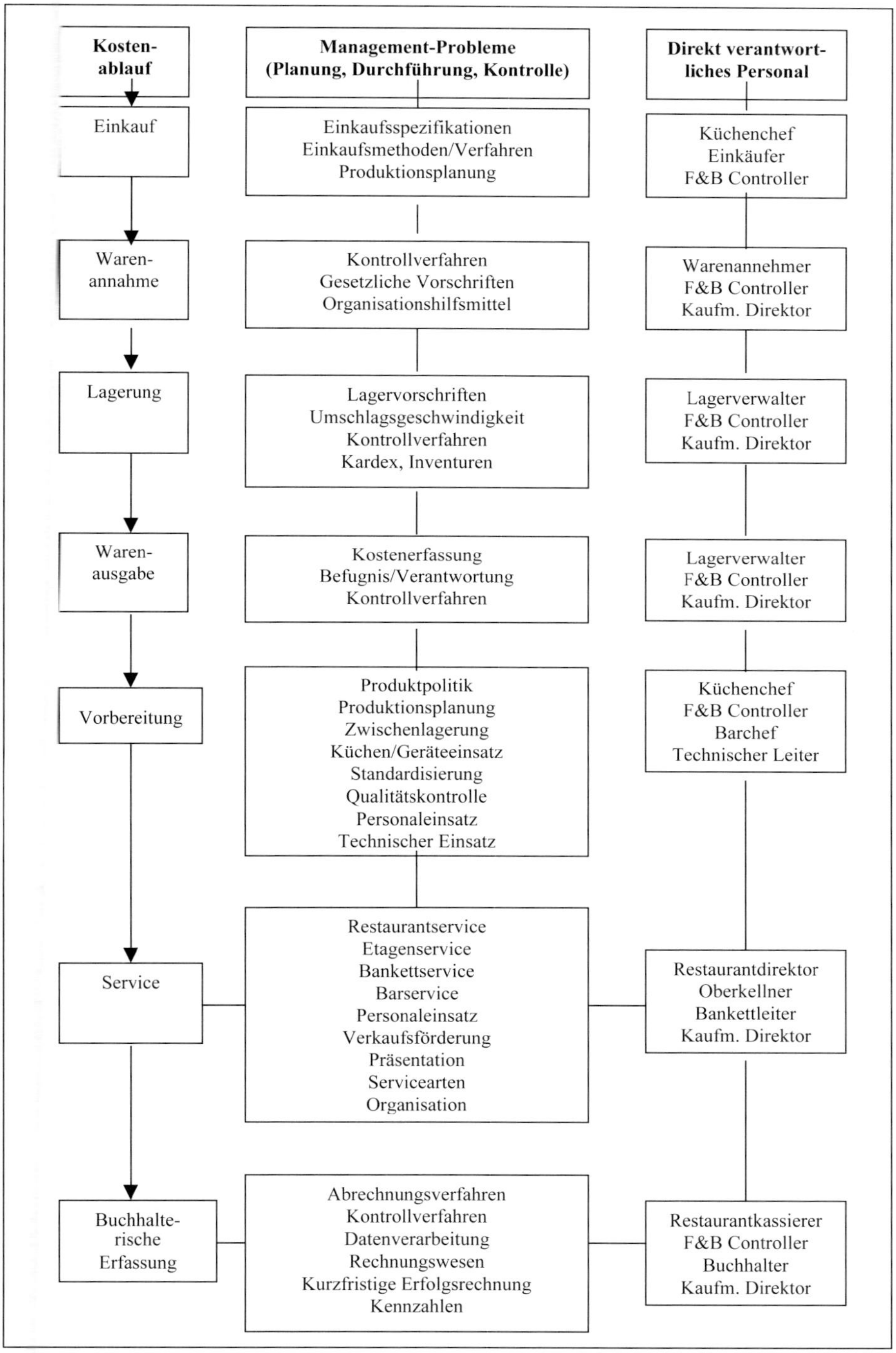

Abb. 3–100: Koordination im Food und Beverage
(Aus: Schaetzing, Edgar E., Management in Hotellerie und Gastronomie, Frankfurt 1996, S. 14)

3.8.2 Angebotsgestaltung für den Food und Beverage Bereich

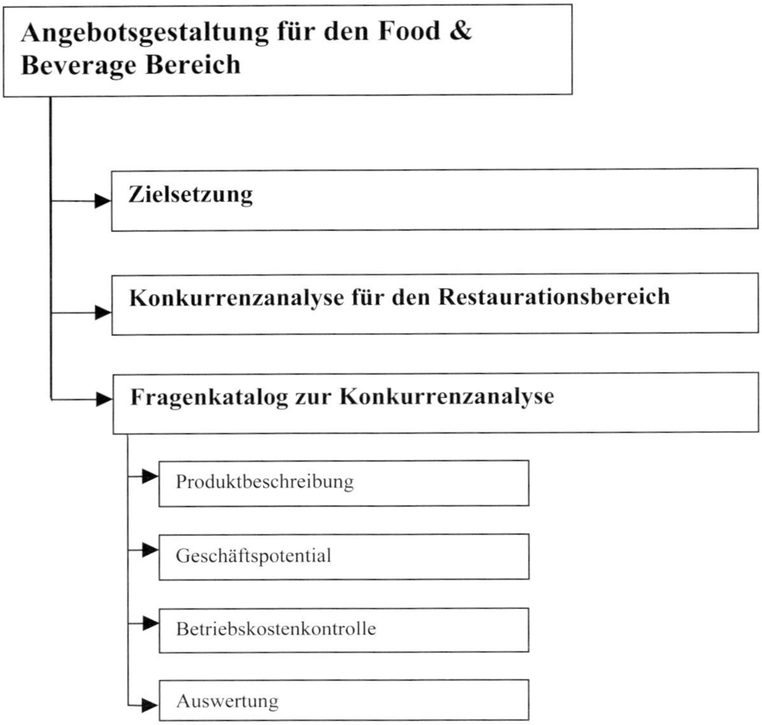

Abb. 3-101: Aufbau des Kapitels Angebotsgestaltung für den F&B-Bereich

3.8.2.1 Zielsetzung

Die Angebotsgestaltung für den Food und Beverage Bereich ist eine der interessantesten, aber auch eine der schwierigsten Managementaufgaben in der Gastronomie. Von der Konkurrenzanalyse, der darauf folgenden Planung und Erstellung des Speise- und Getränkeangebots, den davon abhängigen Servicesystemen bis zur Preispolitik und zu gezielten Verkaufsförderungsmaßnahmen reicht hier der Aufgabenkatalog. Die gesamte Angebotsgestaltung im Gastronomiebereich gehört zum „kreativen Management" und prägt entscheidend das Image und den Ruf des gesamten Betriebes.

Im Folgenden soll die Konkurrenzanalyse als ein Teilaspekt der Angebotspolitik erläutert werden.

3.8.2.2 Konkurrenzanalyse für den Restaurationsbereich

Es ist heute eine Selbstverständlichkeit, die Konkurrenz, deren Produkt, Serviceleistungen und Verkaufsmethoden zu kennen. Man muss wissen, „was die Konkurrenz macht", denn dieses Wissen ist eine wichtige Voraussetzung für die Entwicklung und Taktik eigener Verkaufsmaßnahmen auf dem Markt.

Die Kunst der Verkaufstaktik besteht zum großen Teil darin, es anders zu machen – anders als die Konkurrenz und besser als der Gast es erwartet. Bei dem oft vorzufindenden gastronomischen „Einheitsangebot" fällt es bei steigender Anzahl von Mitbewerbern schwer, seinen Marktanteil zu behaupten oder zu erweitern.

Es ist leicht verständlich, dass durch die Betonung gleicher Verkaufsargumente, die auch für das Angebot des unmittelbaren Konkurrenten zutreffen, nicht nur das eigene Angebot ins rechte Licht gesetzt wird, sondern man auch indirekt für seinen Konkurrenten arbeitet. Es geht um Produktdifferenzierung, stetige Verbesserung der Serviceleistungen für den Gast, das Erkennen und Auswerten der eigenen Marktchancen.

Im Rahmen der Marktforschung, der Marktanalyse (Bestandsaufnahme) und Marktbeobachtung (laufende Beobachtung) soll die Konkurrenzanalyse die grundsätzlichen Marktverhältnisse erarbeiten, kurz- und langfristige Veränderungen sichtbar werden lassen, Hinweise für die Gestaltung der Angebotspalette geben und Grundlagen für den wirkungsvollen Einsatz absatzwirtschaftlicher Instrumente schaffen.

Folgender Fragenkatalog dient zur systematischen Aufzeichnung der Tatsachen und Bedingungen, um mit einem dynamischen Angebot auf dem Gastronomiemarkt den vielfältigen Interessen der Gäste entgegenzukommen *(Schaetzing 1996, S. 70).*

3.8.2.3 Fragenkatalog zur Konkurrenzanalyse

3.8.2.3.1 Produktbeschreibung

Angabe von Name und Standort des Gastronomiebetriebes. Mit Hilfe eines „Fragenkataloge" soll die Produktbeschreibung erfolgen.

1. Welcher Betriebsart und welcher Betriebskategorie gehört der untersuchte Betrieb an?
2. Angabe der Betriebsöffnungszeiten
3. Welches Grundkonzept, Thema, verfolgt der Gastronomiebetrieb?
4. Welche Eigentums- und Führungsverhältnisse (Eigentümer, Pächter, Rechtsform) treffen für den Betrieb zu?
5. Für welchen Marktanteil ist der Gastronomiebetrieb konzipiert, welche Zielsetzung wird verfolgt?
6. Welche Vorteile hat die Lage des Konkurrenzbetriebes? (Lagebeschreibung, Beschreibung der unmittelbaren Umgebung, Verkehrsverbindungen)
7. Über welche Betriebsgrößenstruktur verfügt der untersuchte Betrieb?
8. Anzahl der Restaurationsräume, Veranstaltungsräume mit Sitzplätzen, Arten der Tische – 2er-, 4er-Tische
9. Beschreibung von Ausstattung und Stil (Möbelinventar, Dekoration).
10. Welche Besonderheiten kennzeichnen den Gastronomiebetrieb in Bezug auf Ausstattung und Dekoration?
11. Welche Verkaufsbesonderheiten fallen Ihnen für das Restaurant auf? (Schaustücke, Displays, Büffets)
12. Entspricht das Unterhaltungs- oder Musikprogramm dem zuvor beschriebenen Thema?
13. Wie sind die sonstigen Einrichtungen beschaffen? (Garagen, Pkw-Abstellplätze, Ausstattung mit Garten, Terrassen)
14. Was unternimmt die Konkurrenz für die Werbung? (Sammlung des Werbematerials der Konkurrenz)
15. Welche Verkaufsargumente setzt die Konkurrenz ein?

16. Welche Vor- und Nachteile hat der Konkurrenzbetrieb im Hinblick auf seine Lage, bauliche Struktur, Innenausstattung und Grundkonzeption?
17. Wie beurteilen Sie die Gestaltung der Speisen- und Getränkekarten?
18. Wie beurteilen Sie die Gestaltung der Speisen- und Getränkekarten? (Beschreibung der Kartengestaltung, Papier, Format, Farben, Aufmachung)
19. Wie viele Speiseartikel werden je Kategorie angeboten? (Wie ist die Tages- und Standardkarte gegliedert, welche Verkaufsbesonderheiten fallen auf?)
20. Welchen Eindruck haben Sie von der Präsentation der Speiseartikel, der Standardisation, der Qualität?
21. Entspricht das Getränkeangebot dem Thema des Restaurants?
22. Ist das Servicepersonal geschult, Verkaufs- und Werbegespräche zu führen?
23. Wie beurteilen Sie das Servicematerial?
24. Tischwäsche, Porzellan, Aschenbecher, Sektkühler, Gläser, Bestecke, Brotkörbe, Pfeffer und Salz, Zucker, Senf, Zahnstocher, Tranchierbesteck
25. Welche technische Ausstattung beim Service hat der Gastronomiebetrieb? (Flambierwagen, Mokkawagen, Salatwagen, Dessertwagen)

(Vgl. Schaetzing 1996, S. 70 f.).

3.8.2.3.2 Geschäftspotential

Auch für das Ermitteln des Geschäftspotentials kann ein Fragenkatalog hilfreich sein:

1. Welcher Kundenkreis besucht die Konkurrenz? (Alter, Nationalität, Familien, Kaufkraft, gesellschaftlicher Stand)
2. Mit welcher Sitzplatz-Frequenz (durchschnittlicher Sitzplatzumschlag) arbeitet in etwa der Betrieb je Servicezeit?
3. Wie variiert die Auslastung des Betriebes innerhalb der verschiedenen Wochentage? (Hauptgeschäftstage, Hauptgeschäftszeit)
4. Was schätzen Ihrer Meinung nach die Gäste an dem Konkurrenzangebot (welche Erwartungen werden erfüllt)?
5. Welche Werbeargumente und welche Werbemittel setzt die Konkurrenz ein?
6. Welche Beziehungen hat der Gastronomiebetrieb zur Öffentlichkeit (Public Relations), zur Presse, zu Berufsverbänden, zu Lieferanten, zur Konkurrenz?
7. Mit wie vielen Stammgästen kann der Konkurrenzbetrieb rechnen?
8. Welche Personenzahl kann der Gastronomiebetrieb für Gesellschaften, Gruppen aufnehmen? (Betriebsfeiern, Hochzeiten)
9. Welche Verkaufspreisstrukturen hat der Konkurrenzbetrieb? (Durchschnittsverkaufspreise je Kategorie, wie Suppen, Fleischgerichte, Fischgerichte, Salate)

3.8.2.3.3 Betriebskostenkontrolle

Fragen zur Betriebskostenkontrolle:

1. Wie viel Personal wird mindestens und höchstens im Service eingesetzt? (Anzahl der Gäste je Bedienung, Serviceart, Extrapersonal)
2. Mit welchem Wareneinsatz für Speisen und Getränke (in Prozent) arbeitet in etwa der Konkurrenzbetrieb? (Zugrundelegung der eigenen Einkaufspreise)

3. Mit welchem Personalaufwand wird der Konkurrenzbetrieb arbeiten? (Küche, Service, Verwaltung – unter Berücksichtigung der eigenen Gehaltsstruktur)
4. Mit welchem Durchschnittserlös je Gast für Speisen und Getränke arbeitet das Restaurant? (Wie hoch war Ihre eigene Rechnung?)
5. Welchen Speiseumsatz und welchen Getränkeumsatz kann der Betrieb bei maximaler Auslastung und bestehender Preisstruktur je Tag erzielen?
6. Entspricht die Personaleinteilung und Überwachung (Servicestationen, Servicewege) dem angebotenen Qualitätsstandard?
7. Welches Kontrollverfahren wird für dieses Restaurant eingesetzt? (Restaurantkassierer, elektronische Registrierkassen, Computerkassen, Bonbücher)
8. Mit welchem Bruttobetriebsgewinn (Überschlagsrechnung) kann der Betrieb bei der jetzigen Auslastung rechnen? (Berechnung anhand von Betriebsvergleichen und geschätzter Auslastung)

3.8.2.3.4 Auswertung

1. Welche Arbeitsabläufe sind im untersuchten Konkurrenzbetrieb besser organisiert als im eigenen?
2. Welche Serviceleistungen für den Gast sind besser?
3. In welchen Punkten unterscheidet sich der eigene Betrieb vom Konkurrenzbetrieb?
4. Wo ist die Geschäfts- und Angebotspolitik des Konkurrenzbetriebes besser?
5. Sind die Preisunterschiede für das gleiche Angebot gerechtfertigt? Wie stehen die Verkaufspreise im eigenen Betrieb im Verhältnis zur Konkurrenz?
6. Entspricht der Service der Konkurrenz auch den Wünschen meiner Gäste?
7. Mit welchen Werbeargumenten können neue Gäste erreicht werden?
8. Kann sich das Personal mit der Geschäftspolitik und dem eigenen Angebot des Betriebes identifizieren?
9. Inwieweit ist der Konkurrenzbetrieb besser rationalisiert und standardisiert?
10. Mit welchen Verkaufsbesonderheiten und Serviceleistungen können Sie sich vom Angebot der Konkurrenzbetriebe differenzieren (Produktdifferenzierung)?
11. Welchen Markt (Gästekreis) hat die Konkurrenz noch nicht erfasst?
12. Welche Maßnahmen zur Verkaufsförderung werden Ihren eigenen Betrieb am besten herausstellen?
13. Welches kulinarisches Niveau (Qualität, Sortimentsbreite und Sortimentstiefe) streben Sie bei welchem Preisniveau für das nächste Geschäftsjahr an?
14. Welche Servicezeit gilt es zu fördern? (Vormittagsgeschäft, Mittagsgeschäft, Nachmittagsgeschäft, Abendgeschäft, Nachtgeschäft, Wochentagsgeschäft, Wochenendgeschäft)
15. Welche Gästegruppen, Gästeschichten und Anlässe können Sie in Ihrem eigenen Betrieb noch erweitern? (Vereine, Stammtische, Hochzeiten, Seminargeschäfte)
16. Welche Kooperationsmöglichkeiten sehen Sie mit den Konkurrenzbetrieben im Einzugsgebiet (gemeinsamer Einkauf, Verbund, Werbung)?

3.8.3 Produktionsplanungsverfahren für den Küchenbereich

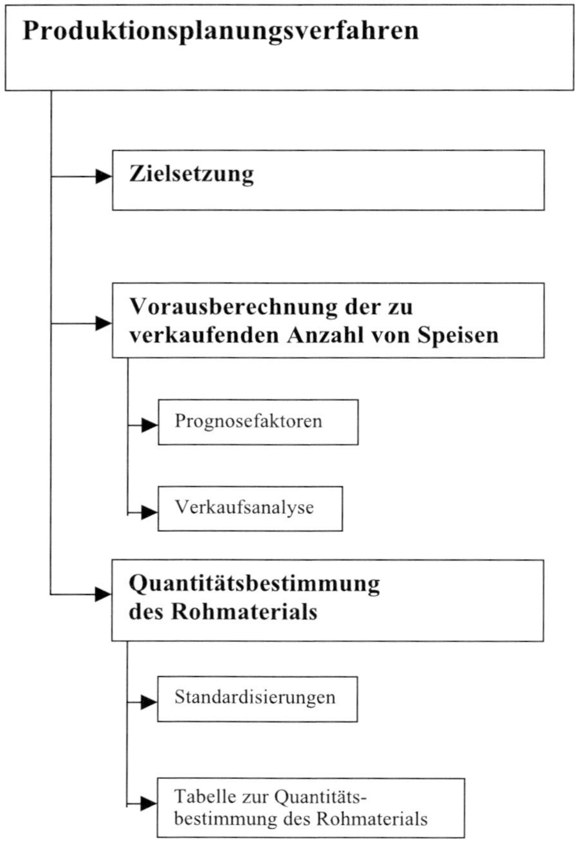

Abb. 3–102: Aufbau des Kapitels Produktionsplanungsverfahren

3.8.3.1 Zielsetzung

Längst hat die Hotelindustrie erkannt, dass auch der Verpflegungsbereich Gewinne bringen kann und muss. Dies erfordert ein qualifiziertes „Food und Beverage Management". Für den kostenintensiven Produktionsbereich in der Hotellerie mit konventionellen Küchen, wie auch im „Zeitalter der Convenience Foods" (Fertiggerichtesysteme), muss gezielte **Produktionsplanung** eingesetzt werden.

Grundsätzlich kann das Hotel seine Leistungen nicht speichern – also keine langfristige Vorratswirtschaft betreiben. Das gilt besonders auch für den Verpflegungsbereich, in dem es sich um die Erstellung von verderblichen Produkten handelt und in dem heute trotz modernster Küchentechnik mit **„Convenience Food"** eine nur verhältnismäßig geringe Speicher- und Lagerfähigkeit gegeben ist.

Um so mehr ist gerade in jenem Bereich gezielte Planung erforderlich, um gesunde Küchenrentabilität auf die Dauer gewährleisten zu können.

Das Produktionsplanungsverfahren für den Verpflegungsbereich soll die für die Produktion erforderliche Quantität der Lebensmittel von vornherein so festlegen, dass nur eine minimale Überproduktion eintreten kann. Arbeitet der Hotelier nach dem Fertiggerichtesystem, so ist es unbedingt erforderlich, mit einem Produktionsplanungsverfahren die

Verpflegungsleistungen für den Gast zu steuern. Das Verfahren kann in zwei Teile untergliedert werden:

1. Die Vorausberechnung der zu verkaufenden Anzahl von Speisen.
2. Die Quantitätsbestimmung des Rohmaterials, das für die vorausberechneten Portionen erforderlich ist.

3.8.3.2 Vorausberechnung der zu verkaufenden Anzahl von Speisen

Zwar kann heute eine modern arbeitende Küche versuchen, mit geschickter Resteverwertung den Verlust bei Überproduktion zu vermindern, aber vernünftige Produktionsplanung lässt nur geringfügige Überproduktion aufkommen, um Resteverwertung zur Notlösung werden zu lassen.

Aufgrund von Buchungen, Erfahrungswerten, Berücksichtigung der einzelnen Wochentage, Monate, Beachtung der Veranstaltungen am Standort und in der Umgebung sollte die Hotelleitung in der Lage sein, zu 90–95 Prozent genau die zu erwartende Anzahl von Gästen je Tag schon für die kommenden Wochen vorherzubestimmen. So erstellen Hotelkonzerne jährliche, sogar halbjährliche und monatliche Prognosen des zu erwartenden Geschäftsvolumens, die auf wöchentlicher Basis im Voraus mit den örtlichen und zeitlichen Gegebenheiten korrigiert und verfeinert werden. Die Prognose der täglich zu erwartenden Gäste dient als Grundlage für die Produktionsplanung.

Verpflegungsbereich	
Bestimmung der Anzahl der Verpflegungsgästeanzahl (Hausgäste und externe Gäste)	Gästeanzahl
Gesamtanzahl der Hausgäste	
____% der Hausgäste frühstücken im Hotel:	
____ % auf der Etage	
____ % im Restaurant (A)	
____% der Hausgäste nehmen eine Mahlzeit ein (Mittag oder Abend):	
____ % im Restaurant (A)	
____ % im Restaurant (B)	
____ % auf der Etage	
Externe Gäste (Passanten)	
____Gedecke pro Tag im Restaurant (A)	
____Gedecke pro Tag im Restaurant (B)	
Bankette/Veranstaltungen	
____Gedecke pro Tag Veranstaltungen	
Gesamtanzahl der Verpflegungsgäste	

Abb. 3–103

Prognosefaktoren:

- Vorhandene Reservierungen, Buchungen, Zimmerbelegung
- Durchschnittliche Doppelbelegung des Hotels
- Durchschnittliche Aufenthaltsdauer der Hotelgäste
- Prozentsatz der kurzfristigen Abbestellungen
- Prozentsatz der kurzfristigen Buchungen
- Allgemeine Wirtschaftslage, politisches Klima
- Anzahl der Gäste in den letzten Tagen (Trendbestimmung)
- Anzahl der Gäste in dem letzten Jahr zur gleichen Zeit
- Berücksichtigung der einzelnen Wochen-Feiertage

- Berücksichtigung der unterschiedlichen Monatsauslastung (Ferienmonate)
- Auswirkung der zu erwartenden Wetterlage
- Sonderveranstaltungen in Stadt, Umgebung, Land
- Prozentsatz der Hotelgäste für Frühstück, Mittag, Abend
- Zu erwartende externe Gäste (Passanten) für Mittag, Abend
- Erwartete Auswirkung kurzfristiger Verkaufsförderungen, Werbeaktionen

Verkaufsanalysen:

Vermag der Hotelier oder das Management die Gästeanzahl mit einer akzeptablen Ungenauigkeit von 5–10 Prozent vorherzubestimmen, kann dann mit der Prognose des Speiseartikelverkaufs begonnen werden. Benötigt wird eine detaillierte Verkaufsanalyse – eine Analyse über sämtliche verkauften Menüartikel für einen repräsentativen Mindestzeitraum von 60 Tagen –, um so genau wie möglich die Portionenanzahl, die verkauft werden wird, vorausberechnen zu können. Eine derartige Verkaufsanalyse kann zum Beispiel in folgender Art aufgebaut sein:

Verkaufsanalyse Zeitraum: 60 Tage		Restaurant:
☐ Frühstück	☐ Mittag	☐ Abend
Artikel lt. Speisekarte	Anzahl der verkauften Portionen	Beliebtheitsgrad (% zur Gesamtanzahl der Gäste)
Total Vorspeisen	1200	25
Total Hauptgänge	2400	50
Total Beilagen/Salate	480	10
Total Nachspeisen	240	5
Gesamtanzahl der Gäste: 4800	(=100%)	

Abb. 3–104

Erklärung der Verkaufsanalyse:

1. Unter „Artikel lt. Speisenkarte" werden nach den einzelnen Gruppierungen, wie Vorspeisen, Hauptgänge, Beilagen/Salate, Nachspeisen, die angebotenen Gerichte eingetragen.
2. Die Anzahl der verkauften Portionen ergibt sich aufgrund einer Analyse der Rechnungsdoppel, Bestellorders, Bons oder sonstiger Abrechnungsunterlagen.
3. Der Beliebtheitsgrad der Speisen (% zur Gesamtanzahl der bedienten Gäste) resultiert aus folgender Kalkulation:

$$\text{Beliebtheitsgrad (in \%)} = \frac{\text{Anzahl der verkauften Portionen x 100}}{\text{Gesamtanzahl der Gäste}}$$

In dem Zahlenbeispiel der Verkaufsanalyse ist der Beliebtheitsgrad für „Mastkalbsteak". 50 Prozent, das heißt, in dem repräsentativen Zeitraum von 60 Tagen haben sich 50 Prozent der bedienten Gäste beim Hauptgang für Mastkalbsteak entschieden. Dieser Beliebtheitsgrad der einzelnen Gerichte, der aufgrund der detaillierten Verkaufsanalyse der Speisekarte ermittelt wurde, wird folgendermaßen angewendet:

Vorausberechnung der zu verkaufenden Anzahl von Speisen
Datum: Montag

Artikel lt. Speisekarte	Erwartete Gäste	x	Beliebtheitsgrad	=	vorausberechnete Artikelanzahl
Melonencocktail	200	x	25 %		50 Portionen
Mastkalbsteak	200	x	50%		100 Portionen
Bohnen	200	x	10%		20 Portionen
Erdbeeren	200	x	5%		10 Portionen

$$\text{Vorausberechnete Artikelanzahl} = \frac{\text{erwartete Gäste x Beliebtheitsgrad}}{100}$$

Abb. 3-105

Die erwartete Gästezahl wird mit dem ermittelten Beliebtheitsgrad der in der Speisenkarte verzeichneten Gerichte multipliziert, um somit die jeweilige Portionenanzahl vorherbestimmen zu können. Trifft in dem Beispiel die für Montag erwartete Gästeanzahl von 200 zu, darf man aufgrund des Beliebtheitsgrades mit etwa 100 Portionen Mastkalbsteak rechnen und die notwendigen Vorbereitungen treffen. Selbstverständlich sind alle Extraessen, Gruppen, Veranstaltungen separat zu halten und zu berücksichtigen.

3.8.3.3 Quantitätsbestimmung des Rohmaterials

Für den gezielten Einkauf heißt es nun, die erforderliche Quantität zu bestimmen, um die vorausberechnete Artikelanzahl bereithalten zu können. Man wird aber nur einige Frischartikel täglich einkaufen und im Übrigen für den Einkauf einen wöchentlichen oder sogar vierzehntägigen Produktionsplan erstellen. Um die erforderliche Quantität des Rohmaterials für die jeweiligen Menükarten leicht bestimmen zu können, sollten folgende Standardisierungen angewendet werden:

- standardisierte Portionsgrößen
- standardisierte Kochrezepte
- standardisierte Garnituren und Anrichteweise
- standardisierte Serviceinstruktionen

Außerdem müssen Fleischtests mit der Ermittlung des Rohertrags (verkaufbares Rohgewicht) und des Ertrags nach dem Kochen/Braten (verkaufbares Nettogewicht) von allen in Frage kommenden Menüartikeln ausgewertet sein.

Die Quantitätsbestimmung des Rohmaterials, das für die vorausberechneten Portionen erforderlich ist, wird in der Praxis zweckmäßigerweise nach vorgefertigten Tabellen vorgenommen. Die Tabellen geben immer für 10 Portionen das erforderliche Rohmaterial an, das aufgrund der festgelegten Portionsgrößen und Ertragstests für die verschiedenen Gerichte erforderlich ist. So übersetzt man sehr einfach und schnell die vorausberechnete Artikelanzahl in Rohmaterialien.

Artikel	Portionsgröße Netto	Brutto-Menge für 10 Personen
Krevettencocktail	60 g	0,8 kg gefroren
Schildkrötensuppe	1/5 Dose	2 Dosen
Melone	1/6 Stück	2 Stück
Hummercocktail	1/2 Stück	5 Stück
Mastkalbsteak	180 g	2,5 kg
Gebratene Ente	1/4 Stück	2 1/2 Stück
Minute-Steak	160 g	2 kg
Hähnchen	1/2 Stück	5 Stück
Filetsteak	180 g	2,5 kg
Gemüsebouquet	200 g	Nach Saison

Abb. 3–106: Quantitätsbestimmung des Rohmaterials

Arbeitet die Küche nach dem modernen Fertiggerichte-System (Convenience Foods), so ist ein Produktionsplanungsverfahren unerlässlich, um kurzfristig die schon fertiggestellten Speisen auch in ausreichender Menge gemäß der Kundenpräsenz abrufen zu können.

Als **Endphase des Produktionsplanungsverfahrens** sollten immer die tatsächlich servierten Gerichte der Vorausberechnung (Prognose) gegenübergestellt werden, um etwaige Fehlerquellen und Ungenauigkeiten für die Zukunft korrigieren zu können.

3.8.1 Preispolitik – Berechnung und Anwendung von differenzierten Kalkulationsfaktoren

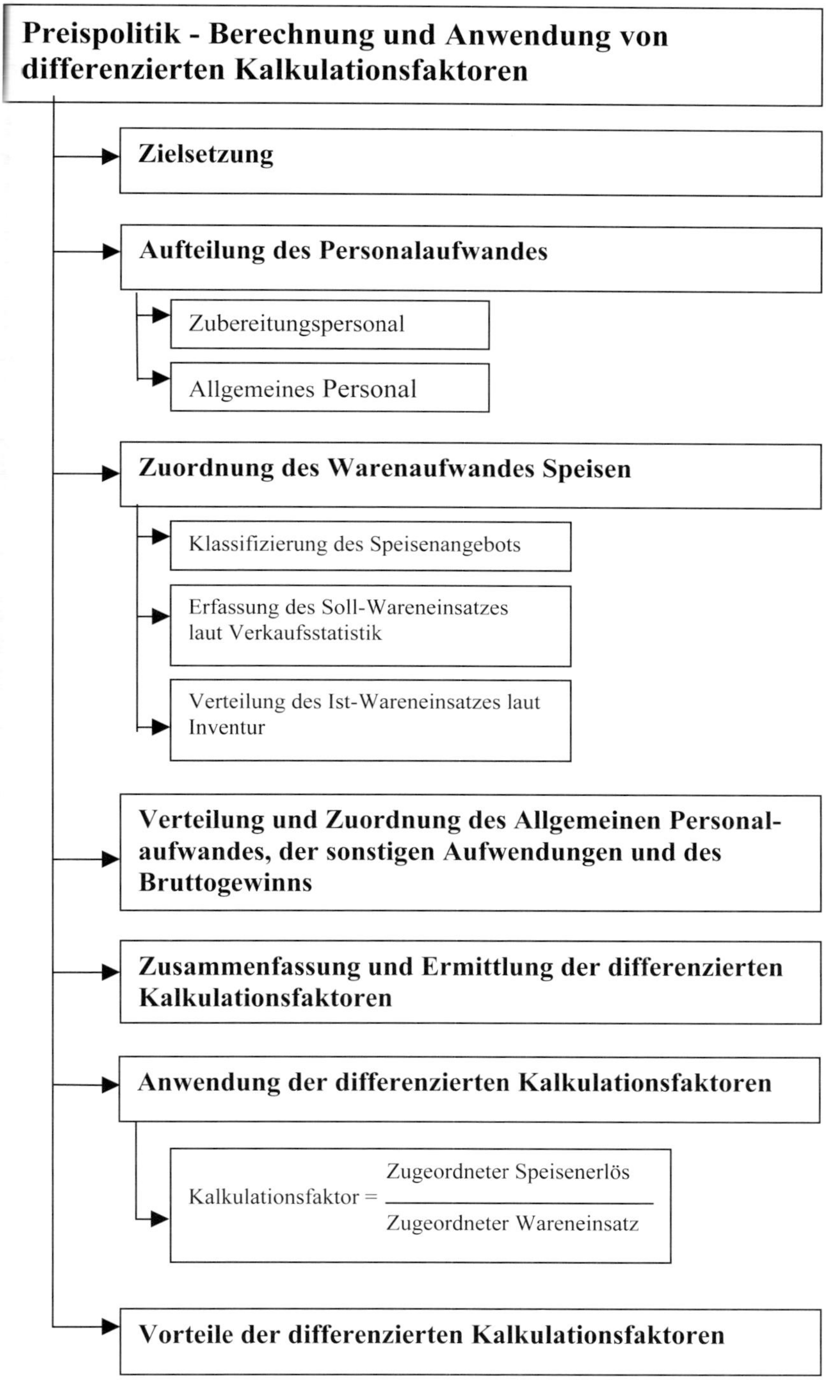

Abb. 3–107: Aufbau des Kapitels Preispolitik

3.8.4.1 Zielsetzung

Jede Speisenkarte hat ein gewisses Stärken- und Schwächenprofil. Einige Artikel verkauft man als Gastronom gern, andere Speiseartikel dagegen sind kaum der Mühe wert und bedeuten oft nur Arbeit. Doch schon der Restauranttyp und das Marketingkonzept eines gastronomischen Betriebes diktieren Artikel, die man einfach haben muss. Differenzierte Verfahren wie „Speisekartendiagnose", „Angebotsanalyse" und „Ziel-Wert-Index-Analyse" stellen umfassende Kontrollmöglichkeiten im Food & Beverage Management dar. Im Folgenden soll das Prinzip der differenzierten **Kalkulationsfaktoren als Kontrollinstrument der Preispolitik** vorgestellt werden, das seinen Hauptaugenmerk auf die Arbeitsintensität der Speiseartikel zur Überprüfung der Verkaufspreise richtet.

3.8.4.2 Aufteilung des Personalaufwands

Der Personalaufwand wird in zwei Kategorien – Aufwand für Zubereitungspersonal und Aufwand für allgemeines Personal – aufgeteilt. Ohne Schwierigkeit lassen sich auch im mittelständischen Betrieb die gesamten Personalaufwendungen nach dem Gesichtspunkt der Zubereitung differenzieren. Unter diese Kategorie fällt jeder Mitarbeiter, der mit der Zubereitung von Speisen (Küchenpersonal) beschäftigt ist. Beispiele für Personalaufwendungen des allgemeinen Personals im Gastronomiebereich sind die Aufwendungen für Spüler, Kellner, Lagerverwalter, Verwaltung und Direktion.

3.8.4.3 Zuordnung des Warenaufwandes Speisen

Der Warenaufwand Speisen wird hinsichtlich des Zubereitungsaufwandes unterschieden: daraus ergibt sich Wareneinsatz mit geringem und mit hohem Zubereitungsaufwand. Zunächst müssen alle angebotenen und verkauften Speisen dahingehend untersucht werden, ob ihre Zubereitung mit hohem oder niedrigeren Personalaufwand (Küche) verbunden ist. Jeder Küchenchef wird das Speisenangebot ohne großen Zeitaufwand nach der Arbeitsintensität einteilen können.

Eine detaillierte **Verkaufsstatistik** über einen repräsentativen Zeitraum (Abrechnungsperiode) dient als Ausgangsbasis dazu, den prozentualen Anteil des Soll-Wareneinsatzes für beide Artikelgruppen zu erfassen und damit das relative Soll-Wareneinsatz-Verhältnis nach Arbeitsintensität berechnen zu können.

	Soll-Wareneinsatz lt. Verkaufsstatistik		Prozentualer Anteil
Artikel mit geringem Zubereitungsaufwand	2 940 Euro	=>	30 %
Artikel mit hohem Zubereitungsaufwand	6 860 Euro	=>	70 %
Gesamt	9 800 Euro		100 %

Nach diesem Verhältnis wird der aufgrund von Inventuren ermittelte Ist-Warenaufwand (tatsächlicher Verbrauch) in den Warenaufwand mit geringem und hohem Zubereitungsaufwand aufgeteilt.

	Ist-Warenaufwand lt. Inventur	Prozentualer Anteil
Gesamt	10 000 Euro	100 %
Artikel mit geringem Zubereitungsaufwand	3 000 Euro	<= 30 %
Artikel mit hohem Zubereitungsaufwand	7 000 Euro	<= 70 %

3.8.4.4 Verteilung und Zuordnung des allgemeinen Personalaufwandes, der sonstigen Aufwendungen und des Bruttogewinns

Der allgemeine Personalaufwand, die sonstigen Aufwendungen und der erwirtschaftete Bruttogewinn werden nach dem prozentualen Verhältnis des gewichteten Soll-Wareneinsatzes Speisen nach der Verkaufsstatistik auf Artikelgruppen mit geringem und hohem Zubereitungsaufwand verteilt.

	Gesamt	Artikel mit geringem Zubereitungsaufwand	Artikel mit hohem Zubereitungsaufwand
Prozentuales Verhältnis		30 %	70 %
Allgemeiner Personalaufwand	4 500 Euro	1 350 Euro	3 150 Euro
Sonstige Aufwendungen	5 000 Euro	1 500 Euro	3 500 Euro
Bruttogewinn	2 500 Euro	750 Euro	1 750 Euro

3.8.4.5 Zusammenfassung und Ermittlung der differenzierten Kalkulationsfaktoren

Der Personalaufwand für das Zubereitungspersonal wird den Artikeln mit hohem Zubereitungsaufwand zugeschrieben. Die Summe der den Artikelgruppen zugeordneten Aufwendungen und Bruttogewinne stellt den „zugeordneten Speisenerlös" dar. Der differenzierte Kalkulationsfaktor ergibt sich durch die Division des zugeordneten Speisenerlöses mit dem aufgeteilten Wareneinsatz der einzelnen Artikelgruppe.

	Umsatzbereichsrechnung Speisen	Artikel mit geringem Zubereitungsaufwand	Artikel mit hohem Zubereitungsaufwand
Prozentuales Verhältnis		30 %	70 %
Wareneinsatz Speisen	10 000 Euro	3 000 Euro	7 000 Euro
Personalaufwand			
für Zubereitungspersonal	3 000 Euro		3 000 Euro
für allgemeines Personal	4 500 Euro	1 350 Euro	3 150 Euro
Sonstige Aufwendungen	5 000 Euro	1 500 Euro	3 500 Euro
Bruttogewinn	2 500 Euro	750 Euro	1 750 Euro
Speisenerlös	25 000 Euro	6 600 Euro	18 400 Euro
Differenzierter Kalkulationsfaktor		2,20	2,63

3.8.4.6 Anwendung der differenzierten Kalkulationsfaktoren zur Überprüfung der Nettoverkaufspreise

Um die Verkaufspreise (netto) ohne Bedienung und Mehrwertsteuer zu überprüfen oder neu zu kalkulieren, wird der Soll-Wareneinsatz (Rezept) des Artikels mit dem entsprechenden Kalkulationsfaktor multipliziert.

a) Fruchtsalat aus der Dose Netto-Verkaufspreis 1,63 Euro
b) Apfelstrudel (Eigenfertigung) Netto-Verkaufspreis 2,05 Euro

Anwendung der differenzierten Kalkulationsfaktoren
a) Fruchtsalat aus der Dose => geringer Zubereitungsaufwand

Netto-Verkaufspreis = Soll-Wareneinsatz x Kalkulationsfaktor
= 0,72 Euro x 2,2
= 1,58 Euro

b) Apfelstrudel (Eigenfertigung) => hoher Zubereitungsaufwand

Netto-Verkaufspreis = Soll-Wareneinsatz x Kalkulationsfaktor
= 0,87 Euro x 2,63
= 2,29 Euro

Der veranschlagte Kartenpreis für den Apfelstrudel liegt um 0,24 Euro zu niedrig und sollte preispolitisch überprüft werden.

3.8.4.7 Vorteile der differenzierten Kalkulationsfaktoren

1. Trotz der Anwendung von zwei oder mehreren Kalkulationsfaktoren kann ein eingeplanter Soll-Wareneinsatz-Prozentsatz für Speisen eingehalten werden.
2. Die Anwendung unterschiedlicher Faktoren bei einer Speisenkarte sorgt für „kalkulierte" Preisdifferenzierung gegenüber der Konkurrenz.
3. Die Klassifizierung der Artikel mit geringem und hohem Zubereitungsaufwand berücksichtigt direkt zurechenbaren Personalaufwand pro Artikel.
4. Die Kalkulationsfaktoren ermöglichen eine schnelle Identifizierung der „Verlustartikel" mit zu niedrigen Verkaufspreisen.
5. Eine gerechte Preispolitik gegenüber dem Gast wird mittelfristig die Umsatz- und Gewinnsituation im Gastronomiebereich verbessern.

3.8.5 Bankettbereich

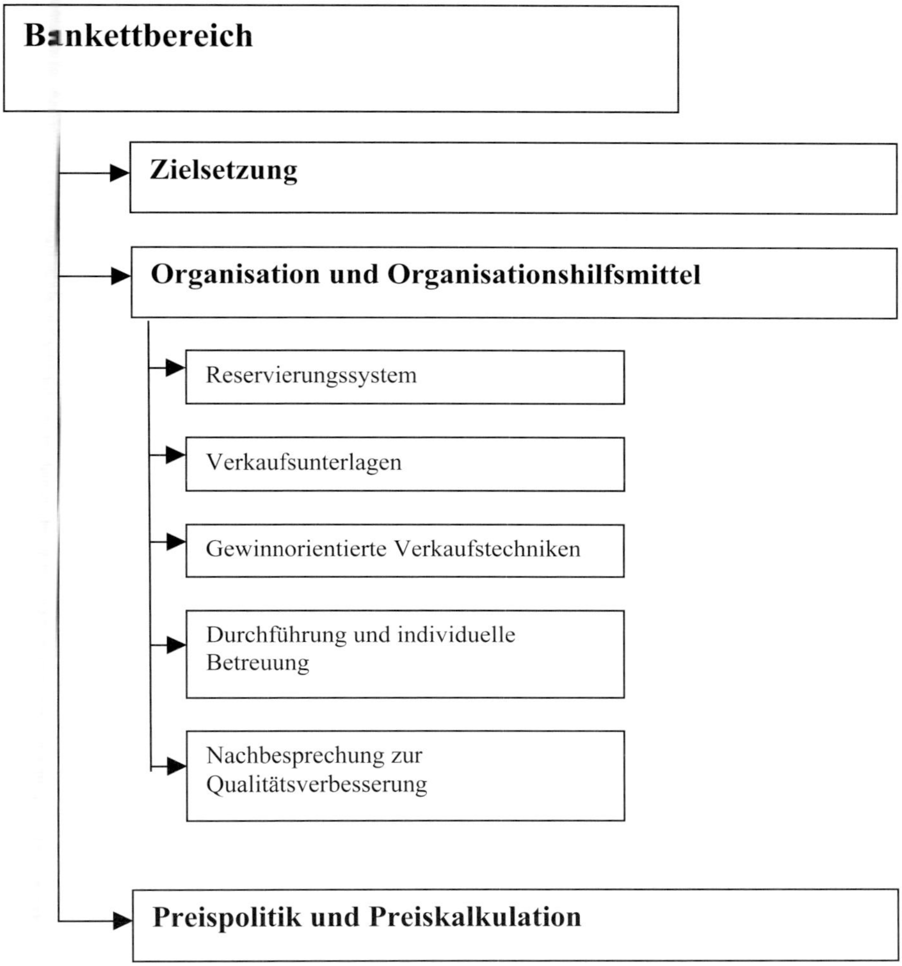

Abb. 3–108: Aufbau des Kapitels Bankettbereich

3.8.5.1 Zielsetzung

Viele Hotels sehen im Bankettgeschäft die einzige Möglichkeit, den Food & Beverage Bereich profitabel zu gestalten. Das Hotelrestaurant mit seinem à-la-carte Angebot stellt mit Sicherheit die kostenungünstigste Form der Gastronomie dar. Nur so ist es auch zu verstehen, dass immer mehr Hotelketten sich mit dem Gedanken tragen, ihr Hotelrestaurant an einen außenstehenden Gastronomen zu verpachten, der ihrem Qualitätsniveau entspricht. Während das Hotelmanagement selten ein Hotelrestaurant rentabel führen kann, scheint es dem von außen kommenden „Nur-Gastronomen" zu gelingen. Das Bankettgeschäft ist breit gefächert: vom kleinen „Extraessen" über Tagungen, Seminare bis hin zu Großveranstaltungen, Konferenzen und Kongressen. Gerade das Tagungs- und Seminargeschäft erscheint auch für einige kleinere Hotels mit entsprechenden Räumlichkeiten ein lohnendes Zusatzgeschäft – wenn möglich zu Zeiten niedriger Hotelbelegung – zu sein.

Nur mit konsequenter Verbesserung, Betreuung und Weiterentwicklung von Veranstaltungen lassen sich auch langfristig beim Wiederholungsgeschäft höhere Preise verwirklichen.

Die nachfolgend beschriebenen Managementaufgaben im Bankettbereich sollen aus Sicht der täglichen Praxis von der Organisation bis hin zur Preispolitik anwendungsorientiert erläutert werden.

3.8.5.2 Organisation und Organisationshilfsmittel

Heißt es, die beste Werbung sei die „Mund-zu-Mund-Werbung", so sind alle Veranstaltungsgäste automatisch auch potentielle zukünftige Restaurantgäste. Fachwissen, Verkaufsargumente, Kosten, Preis, Umsatzbewusstsein sowie Organisationstalent müssen von der Reservation über den geschickten Verkauf bis hin zur Nachbesprechung und Wiederholungsbuchung gastzentriert zusammenwirken. Aus diesen Überlegungen heraus sollen die im Folgenden dargestellten **Organisationshilfsmittel** der Bedeutung einer koordinierten Vorgehensweisen bei Großveranstaltungen nachkommen.

3.8.5.2.1 Reservierungssystem

Ob eine Anfrage eines potentiellen Bankettgastes schriftlich, telefonisch oder persönlich erfolgt, Name, Adresse und Telefonnummer der Person oder Organisation werden erfasst.

Reservation

Ablage-Nr. ______

Bankette, Veranstaltungen
Bestellung Datum:
Telefon ______ ______
Brief ______ ______
Besprechung ______ ______

Name der Organisation oder Person: ______
Verhandelt mit: ______
Art der Veranstaltung: ______
Tag und Datum: ______
Anzahl der Personen: ______ Garantie: ______
Raum: ______
Zeit: ______
Buchung
Definitiv ______
Tentativ ______ Definitive Meldung bis: ______
Preis pro Gedeck: ______
Miete: ______

Rechnungsadresse: ______
Telefon: ______
Gebucht von: ______
Wiedervorlage: ______

Abb. 3–109
(Aus: Schaetzing, Edgar E., Management in Hotellerie und Gastronomie, Frankfurt 1996, S. 113)

Selbst wenn zum erwünschten Termin keine Räumlichkeiten zur Verfügung stehen oder aus anderen Gründen eine Absage (auch spätere Abbestellung) erfolgt, dient der erfasste Kontakt mit dem Hotel als Grundlage für ein zukünftiges Verkaufsgespräch. Verbände und Vereinigungen werden in einer speziellen Kongress- und Veranstaltungskartei weiter bearbeitet.

Schriftliche Anfragen müssen am gleichen Tag beantwortet werden. Schnelligkeit beim Erstkontakt ist oberstes Gebot. Telefonische Anfragen sind von einem Mitarbeiter mit Fachkompetenz zu beantworten (Beherrschen des „passiven Telefonierens"). Je nach Art der Veranstaltung werden Menüvorschläge, Bankettbroschüre und Organisationshilfen für den Veranstalter geschickt und vor allen Dingen ein Gesprächstermin im Hause vereinbart. Erfolgt eine vorläufige oder tentative Buchung einer Veranstaltung, wird sofort ein Termin für die endgültige Zu- oder Absage gesetzt.

Ein **klares Reservierungssystem** der Veranstaltungen mit nummerierten Buchungsunterlagen, Angaben ob „definitiv oder tentativ", Eintragungen im Bankettbuchungsbuch, datenmäßiger Ablage und ein geregeltes Wiedervorlagesystem schließen Buchungsfehler aus.

Name des Verbandes oder der Vereinigung: ____________________

____

Anschrift: ____________________

Telefon: __________ Sitz: __________

Sachgebiet: ____________________

____

Vorsitzender: ____________________

Geschäftsführer: ____________________

Bereich: ____________________

In welchen Zeitabständen werden Tagungen durchgeführt? __________

Teilnehmerzahl: ____________________

Wo haben die letzten Tagungen stattgefunden? __________

____

Steht der nächste Tagungsort schon fest? ______ Wenn ja, wo? __________

Anschrift: ____________________

Wurden schon internationale Kongresse durchgeführt? __________

Wer war Veranstalter oder Träger? __________

____

Mit welchen Verbänden des Auslandes stehen Sie in Verbindung? __________

____

Bemerkungen: ____________________

____

____

Abb. 3–110

3.8.5.2.2 Verkaufsunterlagen

Das Bankettverkaufsbüro im Hotel sollte mit dem Mobiliar und der Ausstattung für den Veranstaltungsgast ansprechend und dem Niveau des Hauses entsprechend konzipiert sein. Das Verkaufspersonal sollte über geeignete Verkaufsunterlagen und technische Hilfsmittel verfügen wie:

a) Farbdias/Fotos für die verschiedenartigsten Bankettveranstaltungen mit entsprechender Dekoration
b) Farbdias/Fotos für die preislich unterschiedlichen Büfetts, kalten Teller, heißen und kalten Kanapees
c) Möglichkeiten der Tischanordnungen und Bestuhlung von Veranstaltungsräumen
d) Standardisierte und frei wählbare Menüvorschläge mit passenden Getränkeempfehlungen
e) Möglichkeiten der technischen Details wie Simultanübersetzungsanlagen, Computereinsatz, Hebebühnen, Tanzflächen, Beleuchtung, Mikrophone, Musikanlagen, Raumausmessungen
f) Preis- und Kompositionstabelle für sämtliche Menüartikel
g) Fotos/Video für spezielle Anlässe: z.B. Bayerischer Abend, Hochzeiten, Jubiläumsfeiern etc.
h) Verkaufsgespräch-Checklisten (als Erinnerungsstütze) für alle Arten von Veranstaltungen wie Tagungen, Kongresse, Konferenzen, Feiern etc.

(vgl. Schaetzing 1996, S. 110).

Bei einigen Verkaufsgesprächen ist es ratsam, den Küchenchef bei der Menübesprechung mit dem Gast hinzuzuziehen. Der „Fachmann in Kochuniform" kann mit seinem „Vertrauensbonus" oft besser verkaufen als der Bankettleiter. Für spezielle Anlässe wie Geburtstagsfeiern, Hochzeiten, Betriebsfeiern, Jubiläen sollten konkurrenzfähige Programme als Angebot zusammengestellt sein.

3.8.5.2.3 Gewinnorientierte Verkaufstechniken

Im Rahmen des Verkaufs lassen sich Leitsätze aufstellen, nach denen die Arbeit ablaufen kann:

- Wo immer möglich wird eine Garantieanzahl der Gäste vereinbart (eventuell auch Mindestverzehr oder Getränkeumsatz – sonst erhöht sich die Saalmiete).
- Laufen mehrere Veranstaltungen an einem Tag, versucht der Bankettleiter das gleiche Menü zu verkaufen, um besser einkaufen und die Produktion planen zu können. Das auf Großveranstaltungen am nächsten Tag folgende Tagesmenü im Restaurant ist auf die oft nicht zu vermeidende Überproduktion in der Küche abgestimmt.
- Bei Veranstaltungen und Extraessen an Feiertagen bemüht man sich, die Menüs mit dem jeweiligem Anlass zu kombinieren (Weihnachts-, Oster-, Pfingstfeiertage), um die Küche während der Festtage nicht zusätzlich mit Extrawünschen zu belasten.
- Wünscht der Gast keine gemeinsame Speisefolge, so wird eine in der Anzahl der Artikel reduzierte, spezielle Bankett-à-la-carte-Auswahl angeboten, die küchen- und servicetechnisch leicht und reibungslos organisiert werden kann.
- Alle einzelnen Menüartikel sollten in der maximal möglichen Personenanzahl (Küchentechnik), mit dem entsprechenden durchschnittlichen Wareneinsatz, dem Sollverkaufspreis und dem Wareneinsatzprozentsatz als Preis- und Kompositionstabelle zum schnellen Zusammensetzen und zur Preiskalkulation für den Bankettleiter zur Verfügung stehen. Hierbei wird man monatlich auf saisonale Lebensmittelangebote Rücksicht nehmen.
- Auf monatlicher Basis erhält der Bankettleiter eine Liste der Lebensmittelprodukte und Getränke (z. B. auslaufende Weine) mit dem geringsten Lagerumschlag und versucht sie bei seinen Verkaufsangeboten mit zu berücksichtigen.

- Beim Verkauf von Konferenzen, Abendveranstaltungen und Tagungen versucht der Bankettleiter zusammen mit dem gastronomischen Programm auch Zimmer zu verkaufen. Bei der Preispolitik wird einerseits an die optimale Nutzung der vorhandenen Kapazitäten (Konferenzräume, Festsäle, Nebenräume, Zimmer) gedacht, andererseits sollte das „Preis-Dumping" am Markt durch einheitliche, stabile und seriöse Preisgestaltung vermieden werden.
- Pro Bankettveranstaltung ist im voraus eine individuelle Gewinn- oder Verlustrechnung einschließlich aller relevanten Kosten als Prognose zu erstellen und später im Bankettkontrollbuch nach der Veranstaltung zu verifizieren.

Preis- und Kompositionstabelle

Bankettmenüs

Monat: ____________________

Artikel	Maximale Personenanzahl	Wareneinsatzkosten	Sollverkaufspreis	% Wareneinsatz
Kalte/Warme Vorspeisen:				
z. B.				
Königinpastetchen:	150	1,43	4,75	30,1 %
Suppen:				
Eiergerichte:				
Fische:				
Fleisch:				
Geflügel:				
Wild:				
Kalte Platten:				
Gemüse:				
Beilagen:				
Salate:				
Dessert:				

Abb. 3–111: Preis- und Kompositionstabelle Bankettmenüs

(Aus: Schaetzing, Edgar E., Management in Hotellerie und Gastronomie, Frankfurt 1996, S. 11[illegible])

3.8.5.2.4 Durchführung und individuelle Betreuung

Von der Begrüßung bis zur Verabschiedung muss der **Seminarveranstalter** individuell betreut werden und zu jeder Zeit seiner Veranstaltung einen Ansprechpartner haben. So hat es sich zum Beispiel in der Praxis bewährt, pro Seminarveranstaltung einen Servicemitarbeiter verantwortlich abzustellen, der neben dem Bankettleiter den Seminarveranstalter persönlich mit Namen und Titel begrüßt, sich selbst namentlich mit Visitenkarte als verantwortlicher Betreuer vorstellt, sich erkundigt, ob der Raum in Ordnung ist, die Technik erklärt, den Zeitablauf und Ort für die Kaffeepausen und das Mittagessen bespricht, Hilfestellung für Sonderwünsche anbietet, bei jeder Pause zur Verfügung steht und auch bei passender Gelegenheit auf Aktionen und Dienstleistungen des Hauses hinweist. Denn Flexibilität, Totalbetreuung und individualisierte Servicequalität für den Gast bilden die Grundvoraussetzungen für den Aufbau und der Stärkung einer Vertrauensbasis zwischen Veranstalter und Hotel.

3.8.5.2.5 Nachbesprechung zur Qualitätsverbesserung

Ein Großteil der Veranstaltungen werden im nächsten Jahr wiederholt **(Repeat-Business).** Mit den Mitarbeitern in Küche und Service ist für alle Veranstaltungen eine Nachbesprechung vorzunehmen. Mit Checklisten sollte in jeder Hinsicht eine Veranstaltung überprüft werden und schriftlich Verbesserungsvorschläge für ein hoffentlich nächstes Mal gesammelt werden. Hierdurch lässt sich das Vertrauen zum Betrieb seitens des Veranstaltungsgastes erheblich steigern, wenn bei der nächsten Verkaufsbesprechung gezielte Verbesserungsvorschläge zu einem noch größeren Erfolg für die „fortgeschriebene" Veranstaltung beitragen. Nur durch konsequente Betreuung und Weiterentwicklung lassen sich auch höhere Verkaufspreise für den Gast rechtfertigen.

Nach jeder Veranstaltung sollte der Bankettleiter zumindestens telefonisch sich bei dem Gastgeber oder Veranstalter bedanken, sich über den Erfolg der Veranstaltung erkundigen, eventuelle Unstimmigkeiten und Beschwerden positiv ausgleichen und bei einem hohen Zufriedenheitsgrad des Veranstaltungsgastes um Weiterempfehlung bitten.

3.8.5.3 Preispolitik und Preiskalkulation

Ganz im Gegensatz zum à-la-carte-Geschäft lassen sich die verschiedenen Formen des Bankettgeschäfts besser planen, kostengünstiger konzipieren und damit auch höhere Brutto – Gewinne erzielen. Beim aktiven Verkauf von Veranstaltungen muss der „Verkäufer" – Bankettleiter – schnell in der Lage sein, dem anfragenden Gast für seine unterschiedlichsten und vielfältigen Wünsche einen Verkaufspreis pro Person zu nennen. Der Gast will oft zuerst wissen, mit welchen Kosten er für seine Veranstaltung zu rechnen hat. Die folgende **Kalkulationsformel aus der Deckungsbeitragsrechnung** kann als Hilfestellung dienen:

Formel:

$$E = \frac{P + WS(gesamt) + WG(gesamt) + SRK - S}{G\ (1 + B\% - GW\% - Ü\%)}$$

Erläuterung :

E = Netto-Erlös Speisen und Getränke pro Gast

Ohne Mehrwertsteuer, auch ohne Bedienungsgeld, soll hier der **Netto-Umsatz für Food und Beverage pro Gast** berechnet werden, um einen geplanten Brutto-Gewinnprozentsatz (GW%) für die Veranstaltung erwirtschaften zu können. Zusätzlich zu diesem kalkulierten Netto-Erlös (Speisen und Getränke) errechnet man das Bedienungsgeld und die ausgewiesene Mehrwertsteuer.

P = Relevante Personalkosten

Hier sind nur die **Personalkosten** zu erfassen, die ohne Schwierigkeiten der jeweiligen Veranstaltung zugeordnet werden können. Dazu gehören in jedem Fall die für die spezielle Veranstaltung beschäftigten Aushilfen (Extrakellner, Garderobenbetreuung usw.). Die bezahlten Arbeitsstunden liegen hier problemlos fest. Anders hingegen verhält es sich mit regulären Mitarbeitern, die von dem Restaurant abgezogen oder auf Überstundenbasis den einzelnen Veranstaltungen stundenmäßig zugeordnet werden müssten. Eine Aufteilung der Küchenpersonalkosten auf einzelne Bankettveranstaltungen ist nicht sinnvoll. Nur eindeutig zurechenbare und für die anstehende Veranstaltung relevante Personalkosten sind hier zu erfassen.

WS (gesamt) = *Soll-Wareneinsatzkosten Speisen*

Für das vom Gast ausgewählte Speisenangebot (z. B. Menüs, Buffets) muss der Bankettleiter schnell in der Lage sein, den **Soll-Wareneinsatz Speisen pro Person** bestimmen zu können. Vorgefertigte Tabellen mit den einzelnen Gerichten und deren durchschnittlicher Wareneinsatz helfen hierbei, die dem Gast empfohlene und akzeptierte Speisenfolge kostenmäßig zusammenzustellen. Grundsätzlich sollte für jedes Bankett der Soll-Wareneinsatz Speisen vorauskalkuliert werden. Standardisierte Speisenartikel und die Angaben des Küchenchefs sorgen für einen vorausgeplanten Wareneinsatz.

WG (gesamt) = *Soll-Wareneinsatz Getränke*

Je nachdem, ob die Getränke pauschal vom Veranstalter übernommen werden oder jeder Gast selbst seine Getränke bezahlt, muss der Getränkewareneinsatz pro Gast vorauskalkuliert werden. Der tatsächliche Wareneinsatz pro Veranstaltung ist dann nur nach dem tatsächlichen Verbrauch zu ermitteln. Übernimmt der Veranstalter beispielsweise einen Begrüßungscocktail und die zum Menü passenden Weine, lässt sich der voraussichtliche Soll-Wareneinsatz Getränke je nach Personenanzahl gut abschätzen.

S = *Sonstige Erträge*

Hierunter fallen alle Umsätze, die nicht Speisen und Getränke betreffen. Raummiete, Tabakwaren, Blumenschmuck, spezielle Dekorationen, gedruckte Menükarten, Garderobe, Leihgebühren für technische Geräte aller Art etc. fallen unter Sonstige Erträge.

Einige Veranstaltungsgäste werden bei dem Wort „Raummiete" abgeschreckt. Energiekostenbeiträge, Reinigungspauschalen usw. klingen freundlicher und werden aus der Sicht des Gastes eher akzeptiert.

SRK = *Sonstige relevante Kosten*

Alle **direkt zurechenbaren Kosten,** die für die vorher beschriebenen Sonstigen Erträge dem Hotel entstehen (z. B. Einkauf von Blumengestecken oder Tabakwaren) sind hier zu erfassen. Moderne Hotels erlauben schon die separate Erfassung des Energieverbrauchs pro Bankettraum, sie werden dadurch zurechenbar und „relevant".

G = *Garantieanzahl der Gäste*

Bei jeder Bankettveranstaltung sollte versucht werden, mit dem jeweiligen Veranstalter eine **„Garantieanzahl"** der kommenden Gäste schriftlich zu vereinbaren. So legt man bei unsicherer Gästeanzahl eine garantierte Mindestanzahl fest und einige Tage vor der Veranstaltung wird die Anzahl der tatsächlich teilnehmenden Gäste konkretisiert.

B% = *Prozentsatz des Bedienungsgeldes*

Obwohl in der Praxis in der Regel die Aushilfskellner (relevanter Personalaufwand) bei Bankettveranstaltungen mit einem festen Stundenlohn bezahlt werden und nicht prozentual am Umsatz beteiligt werden, hat es sich aus kalkulatorischen Gründen bewährt, z. B. 15 % Bedienungsgeld in den Verkaufspreis mit hineinzurechnen. Dem Gast wird selbstverständlich nur ein „Inklusivpreis" (einschließlich Bedienungsgeld und Mehrwertsteuer) genannt.

Die hineinkalkulierten 15% Bedienungsgeld sollen zumindest die „relevanten Personalkosten (P)" für die jeweilige Veranstaltung abdecken. So vergleicht auch auf monatlicher Basis der Bankettleiter die vereinnahmte Summe Bedienungsgeld (= Umsatz) mit den angefallenen relevanten Personalkosten für alle Veranstaltungen des letzten Monats. Ein eventueller Überschuss hilft als Deckungsbeitrag, fixe Kosten abzudecken.

Ü% = *Übriger Betriebsaufwand (F&B)*

Bei der Durchführung von Bankettveranstaltungen aller Art ist das Risiko beim Materialverlust (Bruch von Geschirr und Gläsern) besonders hoch. Es hat sich in der Praxis bewährt, eine Pauschale bis zu 15 % bezogen auf Netto-Speisen- und Getränkeerlöse bei der Kalkulation jeder Veranstaltung mit zu berücksichtigen. Hier entfernt man sich zwar dem

System der relevanten Kostenrechnung, trägt aber der Verlustgefahr beim **Volumengeschäft** besondere Rechnung.

GW% = *Erwarteter Brutto-Gewinnprozentsatz pro Bankettveranstaltung*

Die Summe der Bruttogewinne des Bankettgeschäfts (Deckungsbeiträge) sollte nicht nur monatlich die fixen Bereitschaftskosten der Bankettabteilung (z. B. Bankettleiter, Büro, Verkaufsmaterial etc.) abdecken, sondern einen erheblichen Überschuss erwirtschaften, um einerseits die nicht direkt zurechenbaren Kosten (z. B. Küche, Direktion, Verwaltung, Verkauf) zu decken, andererseits aber auch die meist kostenungünstige Situation der Hotelrestaurants auszugleichen. Dementsprechend hoch sollte auch der Brutto-Gewinnprozentsatz pro Veranstaltung kalkuliert werden. Da bei dieser Kalkulation nahezu nur relevante und direkte Kosten berücksichtigt werden, liegt in der Praxis eine realistische **Brutto-Gewinnerwartung** zwischen 55 und 70% .

3.8.6 Managementkontrolle durch Budgetierung nach dem Uniform System of Accounts

„Das **Uniform System of Accounts** for the Lodging Industry ist das international bedeutendste hotelbetriebliche Rechnungslegungssystem. Dieses System ist in einem Handbuch zusammengefasst, das sowohl zu Zwecken der internen Rechnungslegung verwendet werden kann. Das Handbuch ist in verschiedene Abschnitte unterteilt. ... Das zweite Financial Statement ist das Statement of Income. Dieses weist eine Struktur auf, die ausdrücklich zwischen Profit Center und Service Center unterscheidet. Zu den Profit Center zählen vor allem die Bereiche Beherbergung und F & B (Food & Beverage). Ein beispielhaftes Service Center ist etwa der Bereich Marketing" *(Gewald [Hrsg.] 1999, S. 434).*

3.8.6.1 Zielsetzung

Meist monatlich wird ein Hotelmanager seine tatsächlich erreichten Ergebnisse im Vergleich zu dem geplanten Budget kommentieren. Das fällt leicht, wenn der Budgetgewinn erzielt oder sogar übertroffen wurde. Sieht das Ergebnis schlechter aus als das Budget, erscheint die Erklärung schon schwieriger und unangenehmer. Hier wird zu der allgemeinen wirtschaftlichen Lage, dem immer stärker werdenden Konkurrenzdruck, der unvorhergesehenen Abbestellungen etc. Stellung genommen und nach stichhaltigen Begründungen für das negative Ergebnis gesucht. Allein der Vergleich zwischen Budget und Ist-Ergebnissen reicht allerdings nicht aus, um Anpassungsentscheidungen des Hotelmanagements beurteilen zu können. Ausgehend von den Vorteilen, die das amerikanische Abrechnungssystem bringen kann, soll der im Folgenden vorgeschlagene Weg zur Budgetierung die Möglichkeit eines **kontrollierbaren Erfolgsbudgets** aufzeigen.

3.8.6.2 Erstellung des monatlichen Umsatzbudgets

Mit einer **analytischen Methode** wird versucht, unterschiedliche Prognosefaktoren zu gewichten, um für jeden einzelnen Monat des kommenden Jahres die voraussichtliche Gästeanzahl (Verpflegungsgäste), den durchschnittlichen Speisenerlös pro Gast und das prozentuale Verhältnis zwischen den Getränkeerlösen jeweils pro Servicezeit (Frühstück, Mittag, Nachmittag, Abend) zu prognostizieren. Dabei wird man beim Bankettgeschäft (Extraessen) von den schon vorhandenen Reservierungen und den Wiederholungsveranstaltungen (aufgeschlüsselt pro Wochentag) ausgehen. Das allgemeine wirtschaftliche Klima und die zu erwartende Saisonschwankung beeinflussen die Detailauswertung des Gästeverhaltens des Vorjahres zur gleichen Zeit, um zu einer realistischen Vorausschau zu

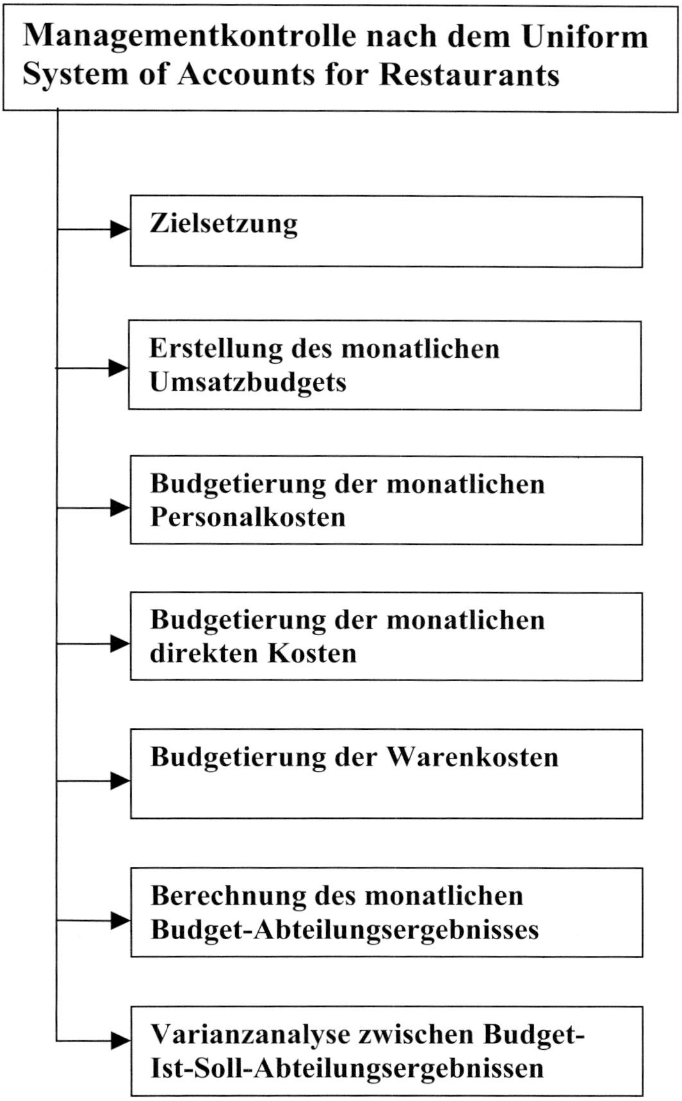

Abb. 3–112: Aufbau des Kapitels Managementkontrolle

kommen. Tag für Tag wird die erwartete Anzahl der Gäste unter Berücksichtigung der Feiertage, Ferienbeginne, Kongresse, Festspiele, Tagungen und anderen Beeinflussungsgrößen für das anstehende Budgetjahr geplant. Hierbei spielen die schon bekannten Aktivitäten der Konkurrenz am Markt ebenso eine Rolle wie die im Marketingplan erfassten eigenen zielgruppenbezogenen Marketingmaßnahmen (z. B. geplante Spezialitätenwochen, besondere Verkaufsförderungsmaßnahmen).

Im Hotel ist das Budget für den Food & Beverage Bereich zum großen Teil ein **„abgeleitetes Budget"**. Hier geht man von der prognostizierten Anzahl von Hotelgästen aus und bringt die Prognosefaktoren zum Anteil der Frühstücks-, Mittags- und Abendgäste in Prozenten zu der Gesamtzahl der Hotelgäste in Anwendung. Das Passanten- und Bankettgeschäft ist dann unabhängig von der Hotelbelegung zu budgetieren. Für reine Getränkeausgabestellen (z. B. Bars) wird der Vorjahresumsatz pro Wochentag unter Berücksichtigung geplanter Preiserhöhungen als Ausgangsbasis für das Budget gewertet. Besondere Sorgfalt ist bei der Berechnung der zu erwartenden durchschnittlichen Speisenerlöse pro Servicezeit erforderlich.

Die im Marketingplan definierte Preispolitik und die eventuell halbjährlich geplanten differenzierten Preiserhöhungen im Gastronomiebereich beeinflussen die einzelnen durchschnittlichen Speisenerlöse pro Gast und Servicezeit für den zu planenden Monat. Es hat sich in der Praxis bewährt, für Restaurants nicht den durchschnittlichen Getränkeumsatz zu prognostizieren, sondern das **prozentuale Verhältnis zwischen Speisen- und Getränkeerlösen** (Ausnahme: Bankettgeschäft). Dieses prozentuale Verhältnis gibt an, welchen Betrag der Gast durchschnittlich bereit ist, zu den verschiedenen Servicezeiten im Verhältnis zu den bestellten Speisen für Getränke auszugeben. Meist trinkt der Gast auch „preislich" in einem gewissen Verhältnis zu seiner Speisenbestellung.

Die **Netto-Speisenerlöse** ergeben sich aus der Multiplikation der insgesamt voraussichtlichen Gästeanzahl pro Servicezeit und pro Monat mit dem erwarteten durchschnittlichen Speisenerlös (netto) pro Gast und Servicezeit. Multipliziert man den Netto-Speisenerlös mit dem prozentualen Verhältnis Speisen-Getränke-Erlöse, kommt man zu den geplanten Netto-Getränkeerlösen pro Servicezeit.

Servicezeit	Gästeanzahl	durchschnittlicher Speisenerlös pro Gast in Euro	Speisenerlöse (netto) in Euro	%-Verhältnis Speisen-Getränke-Erlöse	Getränkeerlöse in Euro
Frühstück					
Mittag	980	9,33	9143	32	2925
Nachmittag					
Abend					
Bankette/ Veranstaltungen					
Gesamt	3 296	14,45	47 627	39,5	18 813

Abb. 3–113: Monatliche Prognose der Speisen- und Getränkeerlöse – Januar 2000

3.7.6.3 Budgetierung der monatlichen Personalkosten (Gastronomie)

Die Budgetierung der monatlichen Personalkosten erfolgt am besten aufgrund des für jede Abteilung festzulegenden Personalplanungsleitfadens. Hier werden die Mindest- und Höchstanzahl der Mitarbeiter pro Stellenkategorie in direktem Bezug zur Kapazitätsauslastung festgehalten; die aufzuführenden, durchschnittlichen Bruttogehälter beziehen sich auf das anstehende Wirtschaftsjahr. Quantitative Arbeitsleistungsstandards werden für alle Stellenkategorien ermittelt, die auch täglich bei schwankender Kapazitätsauslastung unterschiedlich in gestaffelten Dienstplänen eingesetzt werden. Je nach budgetierter monatlicher Gästeanzahl und unter Berücksichtigung der Mindest- und Höchstanzahl der Mitarbeiter sind die gesamten Bruttogehälter zu budgetieren. Zu diesen Bruttogehältern wird ein prozentualer Zuschlag für den Personalnebenaufwand (gesetzlicher Sozialaufwand, Urlaubsgeld, Weihnachtsgratifikation, Trainingsbudget, Mitarbeiterfeiern, Überstundenpauschalen, Personalverwaltung, evtl. Prämien und andere freiwillige Sozialleistungen) monatlich berechnet und für die Abteilung belastet. Die Mitarbeiterverpflegung wird mit einer Wareneinsatzpauschale pro Mitarbeiter und Monat zu den gesamten Personalkosten addiert.

Januar 2000	
Budgetierte Zimmerbelegung 39 % (Restaurant)	
Zu planende Bruttogehälter (laut Personalplanungsleitfaden-Gastronomie)	
Minimum	16 700 Euro
Zzgl. %-Nebenaufwand (z.B.) 35 %	5 845 Euro
Zzgl. Mitarbeiterverpflegung (z. B. Wareneinsatzpauschale 150 DM pro Mitarbeiter und Monat) 18 Mitarbeiter x 75 Euro	1 350 Euro
gesamte Personalkosten Gastronomie (ohne Unternehmerlohn)	23 895 Euro

Abb. 3–114

3.8.6.4 Budgetierung der monatlichen direkten Kosten

Januar 2000
Budgetierte Anzahl der belegten Zimmer: 3296

	pro Jahr in Euro	pro Monat in Euro
Fixe Pauschale		
Blumen und Dekoration	6 000	500
Reinigungsmittel	1 800	150
Musik und Unterhaltung	12 000	1 000
Küchenartikel	3 000	250
Restaurantartikel	6 000	500
Drucksachen	2 520	210
Verschleiß Wäsche	3 900	325
Verschleiß Glas, Porzellan	3 000	250
Zwischensumme	38 220	3 185
Variable Kosten		
Wäscherei: pro Gast 0,25 Euro		824
Fremdreinigung		900
Zwischensumme		1 724
Gesamte direkte Kosten		**4 909**

Abb. 3–115

Zu den direkten Kosten für den Gastronomiebereich gehören: Wäscherei, Blumen und Dekoration, Reinigungsmittel, Fremdreinigung, Musik und Unterhaltung, Küchen- und Restaurantartikel, Drucksachen, Verschleiss Wäsche sowie Glas, Porzellan. Bevor man diese Kosten budgetiert, ist es ratsam, eine sinnvolle Kostenaufteilung in fixe und variable Kosten mit deren Beziehungsgrößen festzulegen.

3.8.6.5 Budgetierung der Warenkosten

Als Warenkosten wird nur der Wareneinsatz verstanden, mit dem Umsätze zu erzielen sind. So muss zum Beispiel der Wareneinsatz Speisen mit den Wareneinsatzkosten für Mitarbeiterverpflegung bereinigt werden. Es gilt hier, die Warenkosten der verkauften und nicht unbedingt der verbrauchten Lebensmittel zu erfassen. Kundenbewirtungen, für die keine Umsätze erzielt werden, müssen im Wareneinsatz berücksichtigt werden.

Bei der Budgetierung wird der Wareneinsatz prozentual zum jeweiligen Umsatz angesetzt. Entweder werden diese Prozentsätze aus den Ergebnissen des vorangegangenen Jahres (jeweils pro Monat) abgeleitet oder basieren auf Sollwareneinsatz-Prozentsätzen der standardisierten Gastronomieprodukte. Hierbei ist natürlich der monatliche **Umsatzmix** laut Verkaufsanalysen mit zu berücksichtigen.

Januar 2000	Erlöse in Euro	Wareneinsatz in %	Wareneinsatz in Euro
Speisen	47 627	31	14 764
Getränke	18 813	21	3 951
Sonstige	1 500	65	975

Abb. 3–116

3.8.6.6 Berechnung des monatlichen Budget-Abteilungsergebnisses

Die Zusammenfassung der ersten vier Schritte, die Gegenüberstellung des Umsatzbudgets mit dem Kostenbudget, führt zum **Budget-Abteilungsergebnis.** Hat der Betrieb eine monatliche kurzfristige Erfolgsrechnung, so kann das Management durch monatliche Gegenüberstellung der Budgetwerte mit dem tatsächlich erreichten Ergebnis auf Abweichungen reagieren. Die fortgeführte Addition der Monatswerte lässt den viertel-, halb- und jährlichen Vergleich der auflaufenden Jahreswerte zu. Je kurzfristiger das Budget mit den tatsächlichen Ergebnissen im Jahr verglichen werden kann, desto besser kann das Management mit Marketing sowie Kosteneinsparungen die Zielvorstellungen verwirklichen.

Januar 2000			
Erlöse		**in Euro**	
	Speisen	47 627	
	Getränke	18 813	
	Sonstige	1 500	
	Gesamt	67 940	
Wareneinsatz			
	Speisen	14 764	
	Getränke	3 951	
	Sonstige	975	
	Gesamt	19 690	
Personalkosten		23 895	
Direkte Kosten		4 909	
Budget-Abteilungsergebnis		**19 446**	**Kontrollebene A**

Abb. 3–117

3.8.6.7 Varianzanalyse zwischen Budget-Ist-Soll-Abteilungsergebnissen

Die **Managementkontrolle** für das Erfolgsbudget Gastronomie wird erst mit der **Varianzanalyse** zwischen Budget-Ist-Soll-Abweichungsergebnissen möglich. Wie das nachfolgende Zahlenbeispiel zeigt, reicht in der Aussagefähigkeit der reine Budget-Ist-Vergleich nicht aus. Zwar konnte das budgetierte Abteilungsergebnis von 19 446 Euro mit dem tatsächlichen Ergebnis von 18 446 Euro nur um 1000 Euro nicht erreicht werden, und der Budget-Ist-Vergleich zeigt eine positive Umsatzabweichung von 2 940 Euro; das Management kann mit diesem Ergebnis gar nicht zufrieden sein, denn die ex-post-Rechnung auf der Basis der Ist-Erlöse zeigt, dass bei dem tatsächlichen Umsatz ein Abteilungsergebnis von 21 639 Euro hätte erreicht werden sollen (Soll-Abteilungsergebnis).

Die verantwortliche Führungskraft hat sowohl bei den Wareneinsatzkosten (negative Abweichung von 1 738 Euro), Personalkosten (negative Abweichung von 1 205 Euro) als auch bei den direkten Kosten (negative Abweichung von 250 Euro) kein kapazitätsgerechtes Kostenmanagement betrieben. Die gesamte Kostenvarianz von negativ 3 193 Euro bedarf der Erklärung. Zur fortschrittlichen Managementkontrolle gehört bei der Budgetierung nicht nur der Budget-Ist-Vergleich, sondern auch als ex-post-Kalkulation die Soll-Bereichsergebnis-Rechnung auf der Basis der Ist-Erlöse – Potential/Profit/Budget – *(vgl. Schaetzing 1996, S. 11 ff.).*

Januar 2000	BUDGET in Euro	IST in Euro	SOLL in Euro	VARIANZANALYSE	
Erlöse			ex-post		
Speisen	47 627	49 480	Rechnung	Budget-Ist-Vergleich	+ 1 853
Getränke	18 813	19 450	auf der Basis	Budget-Ist-Vergleich	+ 637
Sonstige	1 500	1 950	der Ist-Erlöse	Budget-Ist-Vergleich	+ 450
Gesamt	67 940	70 880		Budget-Ist-Vergleich	+ 2 940
Wareneinsatz					
Speisen	14 764	16 445	15 339	Soll-Ist-Vergleich	- 1 106
Getränke	3 951	4 717	4 085	Soll-Ist-Vergleich	- 632
Sonstige	975	1 268	1 268	Soll-Ist-Vergleich	0
Gesamt	19 690	22 430	20 692	Soll-Ist-Vergleich	- 1738
Personalkosten	23 895	24 695	23 490	Soll-Ist-Vergleich	- 1 205
Direkte Kosten	4 909	5 309	5 059	Soll-Ist-Vergleich	- 250
Abteilungsergebnis Kontrollebene A	**19 446**	**18 446**	**21 639**	**Soll-Ist-Vergleich**	**- 3 193**

Abb. 3–118: Budget-Ist-Soll-Abteilungsergebnisse

Aufgaben

1. Welche Managementaufgaben fallen unter die Angebotsgestaltung?
2. Welche Ziele verfolgt die Konkurrenzanalyse?
3. Hinsichtlich welcher Hauptaspekte soll die Analyse durchgeführt und ausgewertet werden?
4. Welche Fragestellungen sind bezüglich des Geschäftspotentials möglich?
5. Das Stadthotel „Am Stadtpark" ist mit seinen 250 Zimmern vollklimatisiert. Neben dem 24-Stunden-Zimmerservice steht für die Hotelgäste auch ein Restaurant mit einer Sitzkapazität von 200 Plätzen für Frühstück, Mittag und Abend zur Verfügung.

Dieses Restaurant, wo Mittag und Abend die gleiche Menükarte aufgelegt wird, ist auch wegen der günstigen Lage und guten Küche für viele „Externe Gäste" (Passanten) ein beliebtes Speiselokal. Die günstige Lage des Hotels macht es zum idealen „Hauptquartier" für internationale Tagungen und Kongresse. Dafür steht ein Ballsaal mit einer Kapazität von 450 Personen für Tagungen und 380 Personen bei Bällen zur Verfügung.

Neben der Hauptküche, die für das Etagenservice und für das Restaurant wirtschaftet, gibt es eine extra gehaltene Bankettküche, die für Veranstaltungen zuständig ist.

Da das Hotel trotz guter Belegung und hohen Umsätzen immer noch Verluste zeigt, wird von der Hotelgesellschaft ein Spezialist eingesetzt, der den Verpflegungsbereich des Hotels analysieren soll, um zu einer besseren Produktionsplanung im Hotel „Am Stadtpark" zu kommen.

Dieser Spezialist erstellt zusammen mit der kaufmännischen Abteilung des Hotels folgende Unterlagen:

- Monatlicher Food und Beverage-Report – März
- Verkaufsanalyse für den Zeitraum von 60 Tagen (Die Wareneinsatzkosten wurden hierbei auf der Basis der standardisierten Portionsgrößen und berechneten Fleischtests ermittelt)
- Prognosefaktoren für den Monat April (1. Woche)

Monatlicher Food- und Beverage-Report – März

	Couverts	Speiseerlöse in Euro	Durchschn. Erlös pro Couvert in Euro	Getränkeerlöse in Euro	Wareneinsatz (Speisen)		
						Euro	%
Restaurant							
Frühstück	3 800.-	11 400.-	3,000	911,50	Gesamtwareneinsatz	108 150.-	49,75
Mittag	4 240.-	31 862.-	7,515	11 933,50			
Abend	5 750.-	43 138.-	7,500	25 155,00			
Total	13 790.-	86 400.-	6,265	38 000,00	Angestelltenessen	14 930.-	6,87
Etage					Hauptküche	52 820.-	44,99
Frühstück	5 700.-	17 000.-	2,980	150.-			
Mittag	700.-	5 350.-	7,645	1 640.-	Bankettküche	40 400.-	40,40
Abend	1 100.-	8 650.-	7,865	2 460.-			
Total	7 500.-	31 000.-	4,133	4 250.-			
Bankett							
Mittag	3 200.-	21 600.-	6,75	5 900.-	Gesamtkosten der verkauften Waren	93 220.-	42,88
Abend	8 300.-	66 400.-	8,00	31 100.-			
Sonstiges	3 000.-	12 000.-	4,00	750.-			
Total	14 500.-	100 000.-	6,897	37 750.-			
Total Hotel in Euro	**35 790.-**	**217 400.-**	**6,074**	**80 000.-**			

Verkaufsanalyse Restaurant: Mittag und Abend

Durchschnitt pro Tag Artikel	Anzahl der verkauften Portionen	Beliebtheitsgrad (% zur Gesamtanzahl der Gäste)	Materialpreis in Euro	Total in Euro	Netto-Verkaufs-Preis in Euro	Total in Euro	Soll-Waren-Einsatz in %
Vorspeisen							
Krevettencocktail	30	15,0	1,895	56,85	6,75	202,50	
Schildkrötensuppe	22	11,0	0,505	11,11	2,00	44,00	
Melone	14	7,0	0,490	6,86	2,00	28,00	
Hummercocktail	11	5,5	4,650	51,15	9,50	104,50	
Total	77	38,5		125,97		379,00	33,2
Hauptgänge							
Mastkalbsteak	28	14,0	2,405	67,34	7,00	196,00	
Gebratene Ente	16	8,0	2,430	38,88	6,50	104,00	
"Minute-Steak"	112	56,0	3,650	408,80	9,25	1036,00	
Hähnchen	30	15,0	1,700	51,00	4,50	135,00	
Filetsteak	14	7,0	4,375	61,25	9,50	133,00	
Total	200	100		627,27		1604,00	39,1
Beilagen/Salate							
Total	124	62,0		90,16		294,00	30,7
Nachspeisen							
Total	94	47,0		61,36		223,00	27,5
Gesamtzahl der Gäste	**200**	**100**		**904,76**		**2500,00**	**36,2**

Prognosefaktoren Monat April (1. Woche)

April	**1.**	**2.**	**3.**	**4.**	**5.**	**6.**	**7.**
Belegung	30%	100%	50%	30%	50%	80%	100%
Doppelbelegung	20%	20%	20%	40%	20%	20%	10%

Hausgäste %-Anteil			
	Frühstück 80%	Mittag 50%	Abend 60%
Etage	60%	10%	20%
Restaurant	40%	90%	80%

Externe Gäste - Prozentuale Auslastung der Sitzkapazität							
Restaurant	**So**	**Mo**	**Di**	**Mi**	**Do**	**Fr**	**Sa**
Mittag	40%	30%	20%	20%	30%	30%	35%
Abend	45%	35%	20%	30%	30%	35%	40%

5. a) Erstellen Sie aufgrund der angegebenen Prognosefaktoren und der Verkaufsanalyse für die 1. Woche im April (Sonntag = 1. April) die Prognose für die zu verkaufende Anzahl von Hauptgängen im Restaurant (ein Total für die gesamte Woche – Mittag und Abend zusammen).

5. b) Mit welcher Frühstücksanzahl muss der Food und Beverage Manager am Mittwoch, den 4. April, rechnen? Geben Sie die Aufteilung – Etage – Restaurant – an. Welchen Frühstücksumsatz (Euro) darf man an diesem Tag im Restaurant erwarten, wenn der Durchschnittsertrag pro Couvert des Monats März zu Grunde gelegt wird?

5. c) Welche Quantität würden Sie für die erste Woche im Monat April von folgenden Artikeln frisch einkaufen lassen, um die von Ihnen veranschlagte Artikelanzahl für das Restaurant zubereiten zu können?

Artikel: Mastkalbsteak
Gebratene Ente
Hähnchen

6. Welche Prognosefaktoren spielen bei der Vorausberechnung der zu erwartenden Gäste eine Rolle?
7. Welche Aussage beinhaltet der Beliebtheitsgrad, wie und auf welcher Grundlage berechnet man ihn?
8. Wie lässt sich mit Hilfe des Beliebtheitsgrades die Vorausberechnung der zu verkaufenden Anzahl von Speisen vornehmen?
9. Welche Standardisierungen gelten als Basis für die Erstellung der Tabelle zur Quantitätsbestimmung des Rohmaterials?
10. Warum ist ein Produktionsplanungsverfahren auch bei modernen Fertiggerichte-Systemen (Convenience Foods) unerlässlich?
11. In welche zwei Kategorien wird der Personalaufwand aufgeteilt?
12. Welche Aufteilung wird bezüglich des Warenaufwandes Speisen vorgenommen?
13. Wie wird der differenzierte Kalkulationsfaktor berechnet?
14. Wozu dient der differenzierte Kalkulationsfaktor?
15. Welche Vorteile ergeben sich durch diese Kennzahl?
16. Bei der Bankettbesprechung für 85 Personen werden für das vereinbarte Menü als Wareneinsatz 8.25 Euro und für die vom Veranstalter zu bezahlenden Getränke durchschnittlich 3.60 Euro pro Person veranschlagt. Als Sonstige Erträge für Blumen, Drucksachen und „Reinigungskostenpauschale" (Raummiete) werden mit dem Veranstalter 340 Euro vereinbart; die Sonstigen relevanten Kosten hierfür betragen 90 Euro. Als Bankettleiter planen Sie Aushilfskellner insgesamt zu 465 Euro.

Wie hoch muss der durchschnittliche Netto- und Brutto-Erlös Speisen und Getränke pro Gast sein, wenn Sie nach Berücksichtigung von 15% Übriger Betriebsaufwand (F&B) einen Bruttogewinn von 60% bei dieser Veranstaltung bezogen auf die Netto-Erlöse Speisen und Getränke erwirtschaften wollen? Das mit zu kalkulierende Bedienungsgeld beträgt 15%.

Erstellen Sie zur Überprüfung eine Brutto-Gewinn und Verlustrechnung für die gesamte Bankettveranstaltung.

17. Was bedeutet der Begriff „abgeleitetes Budget" im Food & Beverage-Bereich?
18. Auf welche Information stützt sich die Budgetierung der Personalkosten?
19. Welche Kostenarten fallen unter direkte Kosten und welche sind dabei als variabel anzusehen?
20. Worauf muss bei der Budgetierung der Warenkosten geachtet werden?
21. Auf welche Ebene im Unternehmen bezieht sich das Ergebnis auf Kontrollebene A?
22. Warum wird die Varianzanalyse im Hinblick auf die Managementkontrolle unverzichtbar?

Quellen und weiterführende Literatur

Boelke, R., Schwarz, W.: Handbuch der Küchenkalkulation, Stuttgart 1984

Crosby, P. B.: Qualität ist machbar, Hamburg 1986

Gewald, Stefan (Hrsg.): Handbuch des Touristik- und Hotelmanagement, München/Wien 1999

Gugg, F.: Das Budget in der Hotellerie, Gastgewerbliche Schriftenreihe Nr. 65, DEHOGA, Bonn-Bad Godesberg 1992

Green, E. F.: Drake, G. G., Sweeny, F. J., Profitable Food and Beverage Management Planning, New Jersey 1992

Holleis, W.: Controlling in der Hotellerie, St. Galler Beiträge zum Tourismus, Band 22, Bern 1993

Schaetzing, E. E.: Handbuch Food & Beverage Management Bd.1, Frankfurt 1993

Schaetzing, E. E.: Management in Hotellerie und Gastronomie, Frankfurt 1996

Schaetzing, E. E.: Qualitätsorientierte Marketingpraxis in Hotellerie und Gastronomie, Stuttgart 1987

Schwarz, W.: Veranstaltungen, Extraessen – das Bankettgeschäft, Stuttgart 1985

Taylor, D.: How to sell Banquets, London 1979

The Cornell Hotel & Restaurant Administration Quarterly, Periodika 1982–1986, Ithaca

USASH: Uniform System of Accounts and Expense Dictionary for Small Hotels, Motels and Motor Hotels, East Leansing 1986

3.9 Controlling

Im modernen Management der Gastronomie- und Hotellerieunternehmen ist Voraussetzung, dass Trends und Entwicklungen im eigenen Verantwortungsbereich, in der Branche und in der gesamten Wirtschaft erkannt und wirksam in die unternehmerischen Entscheidungen eingebunden werden. Dabei kommt es wesentlich darauf an, durch eine gezielte Informationspolitik Veränderungen rechtzeitig festzustellen und geeignete Strategien für die Zukunft zu entwickeln.

Dieses zukunftsorientierte Aufgabenfeld macht die Führung der noch überwiegend klein- und mittelständisch strukturierten gastgewerblichen Brache zunehmend schwieriger. Die Anforderungen an die Entscheidungsträger auf allen Ebenen wachsen, die Risiken für Fehlentwicklungen und -entscheidungen mit teilweise existenzbedrohenden Auswirkungen für den eigenen Betrieb steigen.

Neben der fachlichen Kompetenz ist der Gastronom zunehmend von der betriebswirtschaftlichen Qualität seiner Entscheidungen abhängig. Er benötigt dazu verlässliche und umfassende Informationen über die wirtschaftliche Situation des Betriebes und muss die Auswirkungen aller geplanten Maßnahmen hinsichtlich ihres wirtschaftlichen Erfolges beurteilen können.

Die Komplexität der betriebswirtschaftlichen Aufgabenfelder und die Problematik einer zukunftsorientierten Unternehmenspolitik führen dazu, dass sich viele gastronomische Betriebe externer Fachkräfte (z.B. Steuer-, Unternehmens-, Wirtschafts- oder Finanzberater) bedienen. Doch in den meisten Fällen reicht die Hilfe von außen nicht aus oder ist zu kostspielig, um die täglichen Ziele und Aufgaben zu bewältigen. Es ist ein unternehmensinternes Informations- und Beratungssystem **(Controllingsystem)** notwendig, welches durch externe Hilfe bestenfalls ergänzt, nicht ersetzt werden kann.

Die Führungsverantwortlichen in den Hotel- und Gastronomiebetrieben müssen ihre Entscheidungen im Unternehmen selbst vorbereiten (planen), durchsetzen (steuern) und abschließend hinsichtlich ihres Erfolges bewerten (kontrollieren) können.

Dazu benötigen sie grundlegende Kenntnisse über Aufgaben und Zielsetzung eines unternehmensspezifischen Controllingsystems sowie über die Hilfsmittel (Instrumente), mit denen ein Controlling verwirklicht werden kann.

3.9.1 Definition und Aufgaben des Controlling

Hillstett
im Gespräch

Ein ungewöhnliches Konzept. Ungewöhnlich erfolgreich. Und weiter im Aufbau. Natur HOTEL Kultur sucht Partner-Mitarbeiter, ungewöhnlicher „Natur". Und „Kultur"eller Ausstrahlung. Jenen raren Typ Junger Mensch, die/der nicht nur beste Professionalität seines/ihres Jobs mitbringt, sondern darüber hinaus eine Freiraum-Denke, die es braucht, um mit Verantwortung und Kompetenz, die wir gerne zugestehen, umgehen zu können.

Die Optimierung der unternehmerischen Effizienz des Innen- und Außenmarketing ist ein jetzt entscheidendes Ziel.

Controller/in
als Stabstelle der Geschäftsleitung

Ihr Leistungsprofil
- Kaufmännische Ausbildung/Wirtschaftswissen
- Abstraktes Zahlenverständnis
- Erfahrung in der Budgeterstellung
- Herausragende Kenntnisse in EDV
- Kommunikative Fähigkeiten und kooperatives Verhalten

Ihre Aufgabenverantwortung
- Erarbeitung eines Budgetprofils
- Aufbereitung der Zahlen für das operative Management
- Statistik nach Gästeprofilen/Entwicklungen
- Führungskräfte-Reporting und Maßnahmenbegleitung/Controlling
- Assistenz bei der Führung des Unternehmens

Senden Sie uns vorab, zur Vorbereitung eines persönlichen Gesprächstermins, Ihre möglichst aussagekräftigen Unterlagen. Einen langweiligen Job können wir nicht bieten, allerdings eine fordernde Tätigkeit mit entsprechender Honorierung. Einen Lebensraum, besser: eine interessante Arbeitswelt und eine Freizeit-Landschaft die – obwohl etwas abseits – sehr attraktiv ist ... und nicht zuletzt Superkollegen und -kolleginnen.

Wir freuen uns auf ein Gespräch mit Ihnen.

Hotel Hillstett
Postfach
54321 Hillstett

In der betrieblichen Praxis führt der **Controllingbegriff** immer noch zu Missverständnissen *(vgl. Jung 1996, S. 1126)*. Obwohl schon seit Jahrzehnten in amerikanischen Unternehmen etabliert, gibt es im deutschen Sprachgebrauch Abgrenzungsprobleme zum Begriff „Kontrolle". Eine Übersetzung von „to control" mit „kontrollieren" entspricht nicht der heutigen Sprachregelung. Vielmehr versteht man unter Controlling das Planen, Steuern, Überwachen und Kontrollieren eines Vorgangs *(vgl. Hopfenbeck 1989, S. 749)*. Controlling ist demnach viel mehr als nur Kontrolle, wie die folgende Übersicht zeigt:

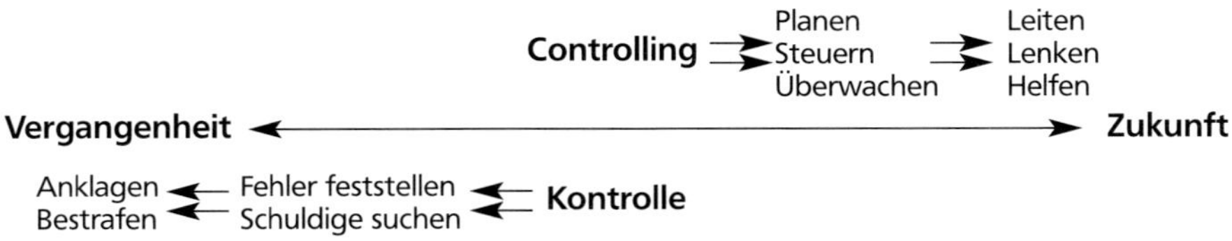

Abb. 3–119
(Nach Jung, H. Allgemeine Betriebswirtschaftslehre, München 1996, S. 1126)

Der zukunftsorientierte Ansatz macht deutlich, dass es sich beim Controlling um eine klassische Managementaufgabe handelt. Dabei ist es völlig unbedeutend, ob diese Tätigkeiten von einer eigens dafür eingesetzten Person, dem **Controller** (siehe Situation), oder von allen Managern im Unternehmen übernommen werden. Die Entscheidungsverantwortung bleibt in beiden Fällen bei der Geschäftsleitung, der Controller liefert bestenfalls die Voraussetzungen für eine erfolgreiche Führung des Unternehmens.

Die beiden folgenden Diagramme zeigen exemplarisch, wie ein Controller in eine klassische oder in eine moderne Hotelstruktur eingebunden werden kann:

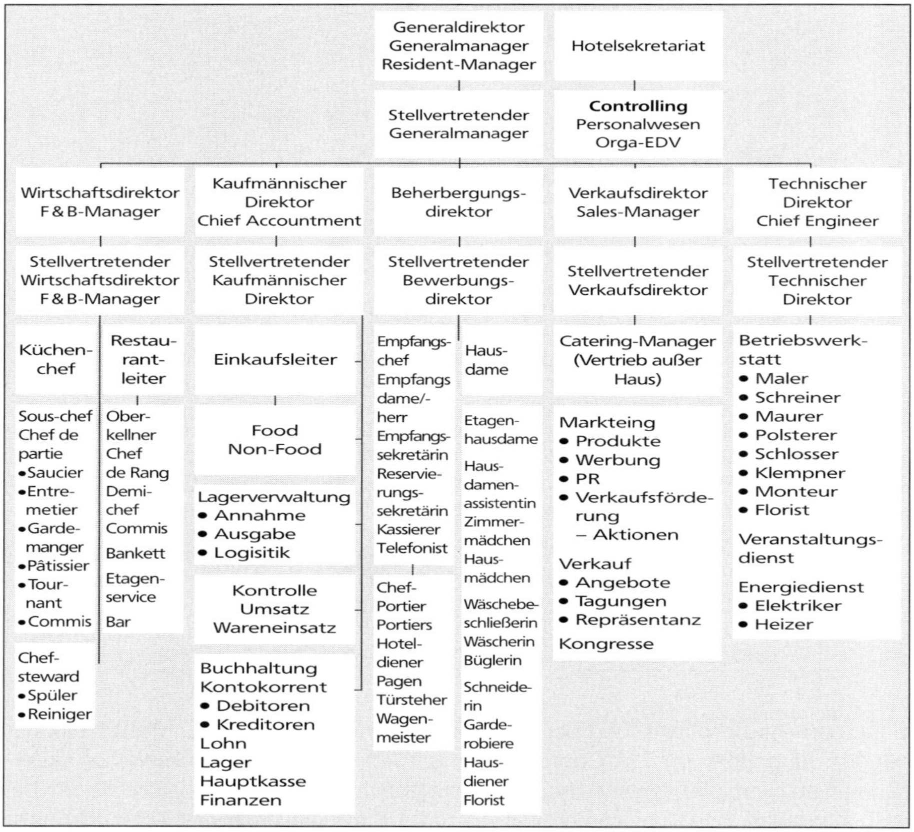

Abb 3–120: Klassische Organisationsstruktur
(Nach: Dettmer, Harald, Wirtschaftslehre für Hotellerie und Gastronomie, Hamburg 1999, S. 5)

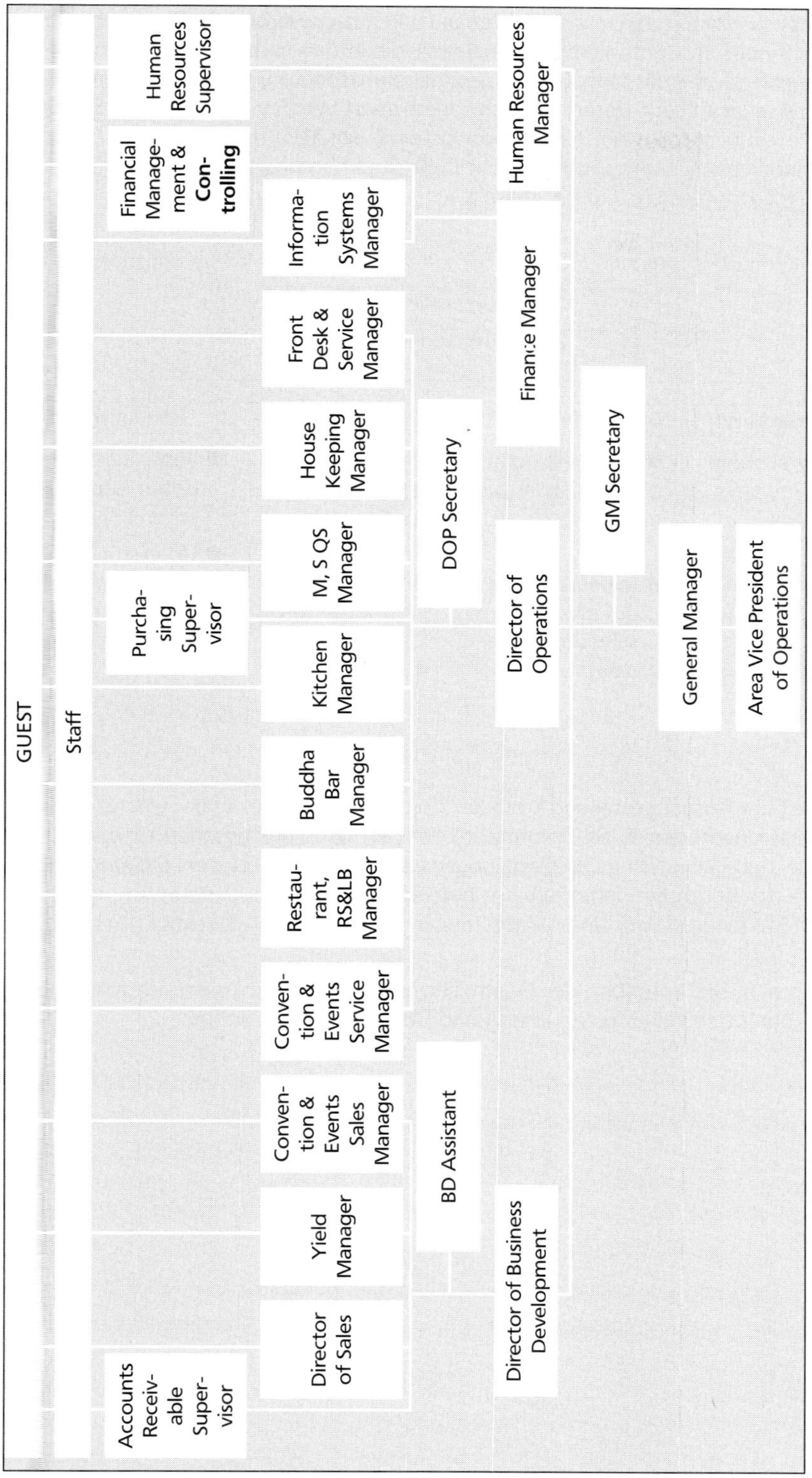

Abb 3–121: Moderne Organisationsstruktur
(Nach: O.V., Führung auf der Fläche, in: First Class 10/98)

Betrachtet man den in den letzten Jahren auch in gastgewerblichen Unternehmen gestiegenen Bedarf an Controllern und analysiert die in den Fachzeitschriften inserierten Stellenangebote, so stellt man fest, dass die zukunftsorientierten Aufgaben des Controlling immer noch sehr unterschiedlich interpretiert werden Das gesamte Spektrum reicht vom einfachen System einer Überwachung der Zielerreichung bis zu Managementaufgaben mit Führungs- und Entscheidungsfunktion und lässt sich in vier Gruppen einteilen (*vgl. Hopfenbeck 1989, S. 750 ff.*):

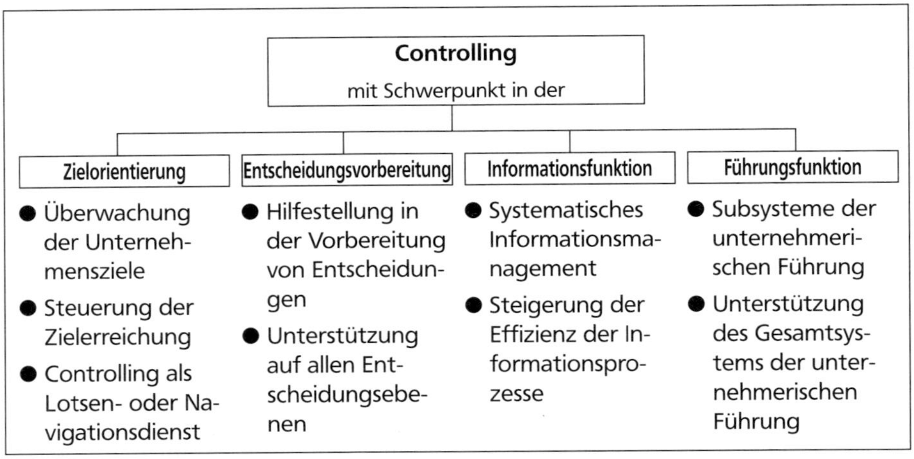

Abb. 3–122

Je nach Art der Aufgabenstellung kann der Controller als Lotse, als unternehmensinterner Unternehmensberater, als „Informant" oder als Manager gesehen werden. Dabei führen die unterschiedlichen Betrachtungsweisen zu verschiedenen Stellungen bzw. Positionen des Controllers innerhalb der betrieblichen Personalstruktur. Am häufigsten ist die Organisationsform einer Stabsstelle anzutreffen (*vgl. Dettmer [Hrsg.] 1998, S. 8*).

Betrachtet man die Aufgaben des Controlling im Einzelnen, so lassen sich folgende Inhalte den Bereichen Planung, Steuerung und Überwachung zuordnen:

Planungsaufgaben	Steuerungsaufgaben	Überwachungsaufgaben
● Festlegung der Planungsbereiche und -inhalte ● Erstellung von Planungsrichtlinien ● Festlegung eines Planungskalenders (terminliche Abfolge) ● Motivation und Beratung der planenden Bereiche ● Abstimmung von Teilzielen und -plänen	● Aufbau eines Steuerungssystems zur Beeinflussung von Kosten und Leistungen ● Unterrichtung der Geschäftsleitung bei Änderung grundlegender Unternehmensdaten ● Darstellung der Auswirkungen geänderter Daten auf die Zielerreichung (Erfolgsprognosen) ● Veranlassung von gegensteuernden Maßnahmen ● Mitwirkung an gegensteuernden Maßnahmen	● Aufbau eines Berichts- und Informationssystems ● Permanente Soll-/Ist-Vergleiche aller erfolgswirksamen Bereiche ● Permanente Datenkontrolle ● Überwachung allgemeiner Unternehmensrichtlinien ● Wirtschaftlichkeitskontrolle

Abb. 3–123
(Nach: Hopfenbeck, W.: Allgemeine Betriebswirtschafts- und Managementlehre, Berlin 1989, S. 756)

Ungeachtet der einzelnen Aufgaben und Tätigkeiten können sich auch im Controlling Schwerpunkte bilden. Die folgenden Beispiele zeigen, dass sich das Controlling auf eine betriebswirtschaftliche Funktion, einen betrieblichen Teilbereich oder auf das gesamte Unternehmen ausrichten kann *(vgl. Jung 1996, S. 1132 ff.).*

Schwerpunktbildung im Controlling	Beispiele
Funktionscontrolling	Marketingcontrolling Finanzcontrolling Personalcontrolling
Bereichscontrolling	Logiscontrolling F & B-Controlling
Gesamtunternehmerisches Controlling	Budgetcontrolling Kosten- und Erlöscontrolling

Abb. 3–124

Mit dem folgenden Bild sollen zusammenfassend der Begriff und die **Aufgaben des Controlling** noch einmal verdeutlicht werden:

Man stelle sich ein Schiff (Unternehmen) vor, das einen bestimmten Hafen (Unternehmensziel) ansteuert. Die Fahrtroute (Plan) wird vorher ausgearbeitet und während der Fahrt überprüft der Lotse (Controller) permanent mit technischen Hilfsmitteln wie z. B. Radar (Controllinginstrumente), ob man sich noch auf Kurs befindet (Überwachung). Bei Kursabweichungen muss der Lotse dem Kapitän (Unternehmensleitung) mitteilen, wie das Schiff wieder auf Kurs gebracht werden kann (operatives Steuern) und warum die Abweichungen aufgetreten sind (Analyse). Ziel ist es dabei, dass bei künftigen Kursplanungen Fehler von Beginn an vermieden werden (strategisches Steuern).

3.9.2 Strategisches und operatives Controlling

Im Hotel „Alexanderhütte" wurde die Position des Controllers neu geschaffen. Bereits nach wenigen Arbeitstagen stellt der neue Mitarbeiter fest, dass der Umsatz für das laufende Geschäftsjahr viel zu hoch budgetiert (geplant) wurde. Um die daraus resultierenden Probleme bewältigen zu können, möchte der Controller zum einen den realistischen Ansatz der Umsätze des laufenden Jahres ermitteln und zum anderen Richtlinien für eine verlässliche Budgetierung der kommenden Jahre festlegen.

In Abhängigkeit vom zeitlichen Horizont können die unternehmerischen Planungen unterteilt werden in:

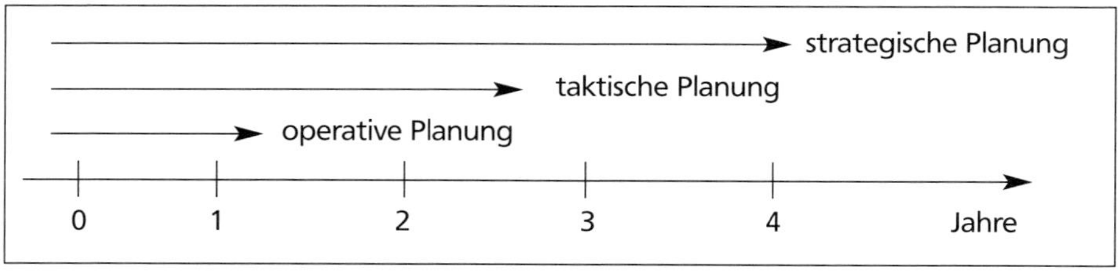

Abb. 3–125

Entsprechend dieser Planungshorizonte unterscheidet man das operative und das strategische Controlling, wobei beide Bereiche stetig ineinander greifen und aufeinander aufbauen.

3.9.2.1 Strategisches Controlling

In Rahmen des strategischen Controlling geht der Blick des Controllers über das eigene Unternehmen hinaus. Die Maßnahmen sind globaler Art und berücksichtigen alle Einflüsse, die von außen auf das Unternehmen einwirken (gesamtwirtschaftliche, technologische, soziokulturelle und politische Faktoren, *vgl. Jung 1997, S. 1133*).

Die Planungen im strategischen Bereich beschäftigen sich mit der langfristigen Entwicklung des gastgewerblichen Unternehmens und haben dessen Existenzsicherung zum Ziel. Dabei ist es ganz besonders wichtig, Trends so frühzeitig zu erkennen, dass noch wirkungsvoll gegengesteuert werden kann.

Beispiel:

Prognose (Planung) des Kapitalbedarfs für die nächsten 5 Jahre.

In diesem Zusammenhang müssen z.B. die Zinsentwicklung, die Kapitalbeschaffungsmöglichkeiten und die langfristige Investitionsplanung berücksichtigt werden. Nur so ist es möglich, eventuelle Liquiditäts- und Kapitalprobleme frühzeitig zu erkennen und zu beseitigen.

Ziel des strategischen Controlling ist nicht die Analyse und das Gegensteuern bei Abweichungen vom Plan, sondern das Verhindern der Abweichungen durch rechtzeitiges Erkennen der Ursachen (*„Feedforward-Kontrolle", vgl. Jung 1997, S. 1134*).

3.9.2.2 Operatives Controlling

Im Hotel „Alexanderhütte" wurden in einer Jahreszielplanung die Umsätze aller Leistungsbereiche für das nächste Geschäftsjahr budgetiert. Der Controller des Unternehmens wurde angewiesen, den Umsatz monatlich zu überwachen und den budgetierten Werten gegenüberzustellen. Aus den Abweichungen sollen der Geschäftsleitung Vorschläge gemacht werden, wie Fehlentwicklungen künftig vermieden und das Fehl kompensiert werden können.

Das operative Controlling ist die Umsetzung der lang- und mittelfristigen Unternehmensstrategie in einzelne Maßnahmen. Im Gegensatz zur strategischen lässt sich die operative Planung leichter in Zahlen darstellen. Durch permanenten Vergleich des Ist-Zustandes mit dem Plan werden Abweichungen aufgedeckt, Ursachen analysiert und Maßnahmen zum sofortigen Gegensteuern eingeleitet.

Beispiel:

Monatlicher Umsatz-Budget-Ist-Vergleich.

Durch permanenten (monatlichen) Budget-Ist-Vergleich des Umsatzes kann der Controller bereits in frühen Monaten des laufenden Geschäftsjahres erkennen, ob der geplante Jahresumsatz erreicht werden kann. Nur so ist es möglich, zusammen mit der Geschäftsleitung und den Abteilungsleitern Maßnahmen zu entwickeln, die sich noch nachhaltig für das laufende Geschäftsjahr auswirken.

Ziel des operativen Controlling ist das Erkennen, die Analyse und das Gegensteuern bei Abweichungen vom Plan durch permanente Soll-Ist-Vergleiche („Feedback-Kontrolle", *vgl. Jung 1997, S. 1134*).

Um die Ziele des strategischen und operativen Controlling erfüllen zu können, braucht der Controller – wie der Lotse auf dem Schiff – Hilfsmittel (Instrumente). Von der Qualität dieser Instrumente, ihrer Anwendbarkeit und der fachlichen Kompetenz des dafür verantwortlichen Personals ist die Leistungsfähigkeit des gastgewerblichen Controlling abhängig.

3.5.3 Controllinginstrumente

Bei der Gegenüberstellung der tatsächlich realisierten Room-Nights mit den budgetierten Room-Nights ergibt sich für den Controller im Hotel „Alexanderhütte" folgendes Bild:

Gästegruppe	Room-Nights Sept. 1999	Budgetierte Room-Nights	Differenz	Übernachtungen	Durchschn. Zimmerpreis
Tagungsgäste	1.475	1.510	– 35	1.587	48,31 EUR
Kurzurlauber	501	500	1	918	85,57 EUR
Feriengäste	271	385	– 114	568	68,95 EUR
Geschäftsreisende	170	90	80	129	63,25 EUR
Hotel gesamt	**2.417**	**2.485**	**– 68**	**3.202**	**59,40 EUR**

Modernes Controlling ist im Schwerpunkt zukunftsorientiert (s. S. 274). Trotzdem sind Informationen über die Vergangenheit oder über die gegenwärtige Situation eines gastgewerblichen Betriebes, der Branche oder der Volkswirtschaft, für den Controller interessant. Nur in Kenntnis dieser Informationen können zuverlässige Prognosen über künftige Entwicklungen gemacht werden. Deshalb ist es für den Controller wichtig, dass er das eigene Unternehmen genau kennt und aus den Erfahrungen der Vergangenheit Lehren zieht.

Bevor aus der Vielzahl der Controllinginstrumente bzw. -verfahren exemplarisch eine Vorgehensweise dargestellt wird, sollen kurz die Informationsquellen aufgezählt werden, die die vergangene oder gegenwärtige Situation abbilden und Auswirkungen auf das Controlling haben:

Unternehmensinterne Informationen	➢ Finanzbuchhaltung mit Betriebswirtschaftlicher Auswertung BWA ➢ Kosten- und Leistungsrechnung ➢ Statistiken, z. B. Personal-, Gäste-, Umsatzstatistiken ➢ Betriebs- und Abteilungsvergleiche
Unternehmensexterne Informationen	➢ Konjunkturdaten ➢ Arbeitsmarktzahlen ➢ Branchenvergleichszahlen

Abb. 3–126

Diese – in den meisten Betrieben vorhandenen – Informationen müssen so aufbereitet und eventuell ergänzt werden, dass eine exakte Analyse des gegenwärtigen Zustandes (Ist-Analyse) als Basis für den Controllingprozess erstellt werden kann. Es folgt dann die Festlegung des künftigen Ziels und der Aktionen, die notwendig sind, um dies zu erreichen. Durch permanenten **Soll-Ist-Vergleich** werden die Erfolge überprüft und bei Bedarf in neue Maßnahmen umgesetzt:

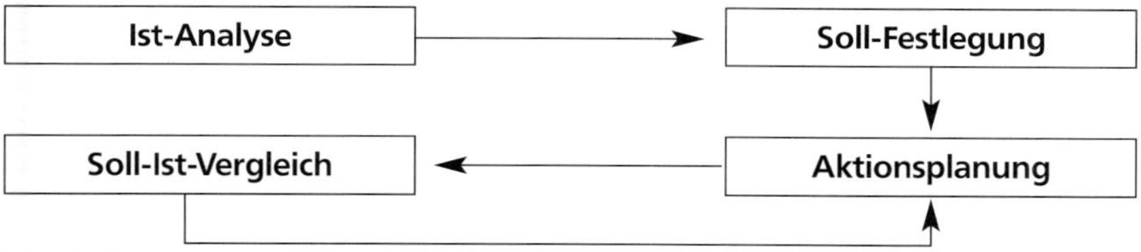

Abb. 3–127
(Nach: Kolb, M., Personal-Controlling, in AKADEMIE Heft 2/97, S. 41)

Die gängigsten Hilfsmittel für die Analyse des Ist-Zustandes und die Ermittlung der Sollzahlen sind das betriebswirtschaftliche Kennzahlensystem und die Budgetierung. Beide Instrumente sollen im Folgenden näher beschrieben werden.

3.9.3.1 Kennzahlensysteme

Kennzahlen dienen der Aufbereitung der im Unternehmen vorhandenen Informationen. Durch eine Verdichtung und die standardisierte Darstellung des Zahlenmaterials lassen sich leichter Vergleiche ziehen und Abweichungen in einfacher Form erkennen.

Da bei der Komprimierung der Zahlen i. d. R. Einzelinformationen verloren gehen, ist die Frage nach den Ursachen von Veränderungen einzelner Kennzahlen häufig nur schwer zu beantworten. Dazu muss dann eine Einzelkennzahl rechentechnisch aufgegliedert, substituiert oder durch andere Kennzahlen erweitert werden (*vgl. Horvath & Partner 1995, S. 187*).

Die daraus resultierende Verknüpfung von Einzelkennzahlen führt zu ganzen Kennzahlensystemen, die in ihrer Gesamtheit eine umfassende Analyse des Ist-Zustandes ermöglichen.

In der Bundesrepublik Deutschland haben zwei Systeme einen besonderen Stellenwert erlangt und finden auch im Gastgewerbe Anwendung (*vgl. Horvath und Partner 1995, S. 190 ff.*)

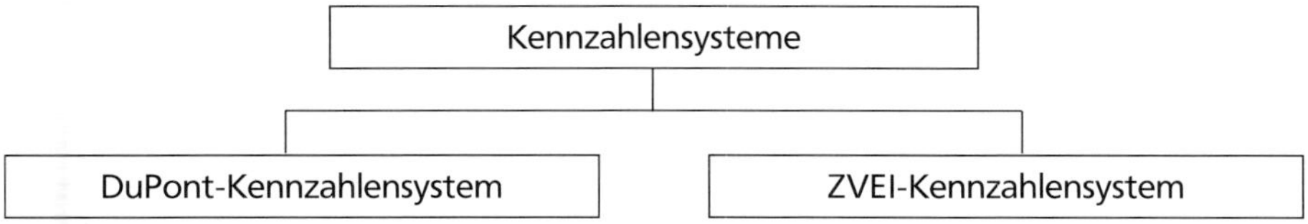

Das **DuPont-Kennzahlensystem** wurde vom gleichnamigen Chemiekonzern bereits 1919 entwickelt und stellt die Gesamtkapitalrentabilität in den Vordergrund. Durch die rechnerische Auflösung dieser Kennzahl entsteht das folgende System, das die Haupteinflussgrößen des Unternehmensergebnisses zeigt und auf alle Branchen übertragen werden kann:

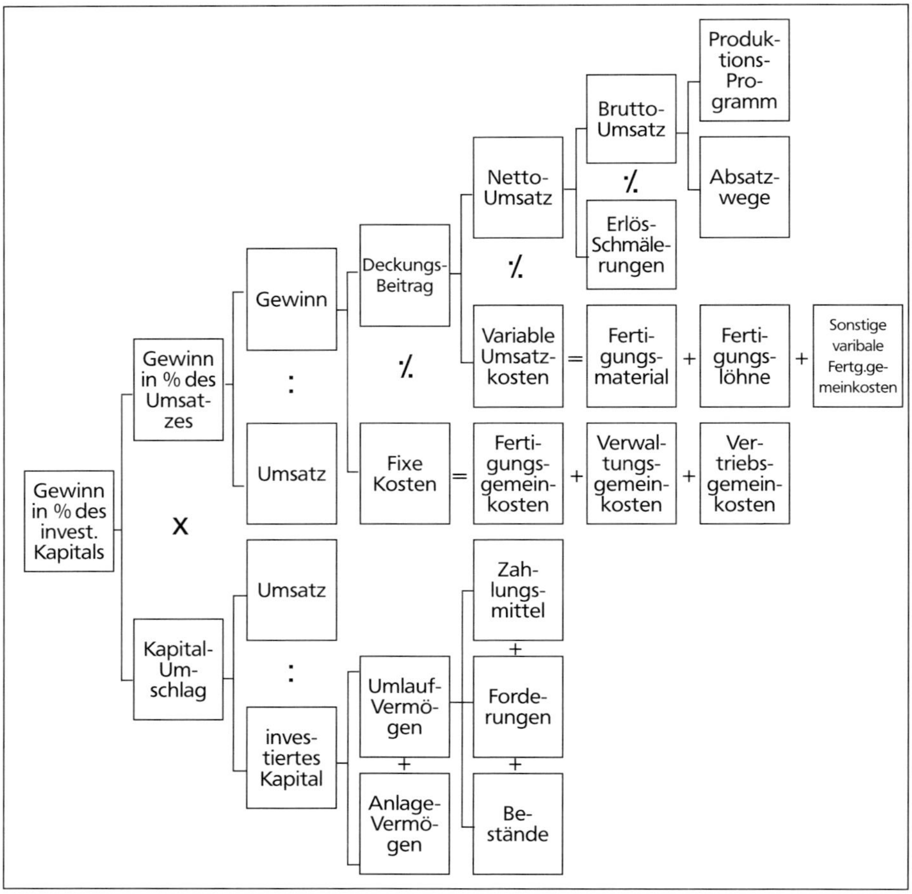

Abb. 3–128
(Aus: Leiderer, W., Kennzahlen zur Steuerung von Hotel- und Gaststättenbetrieben, Stuttgart 1995, s. 24)

Das **ZVEI-Kennzahlensystem** wurde vom Zentralverband der elektronischen Industrie 1969 veröffentlicht und bis heute in fast allen Branchen in modifizierter Form übertragen (*vgl. Horvath & Partner 1995, S. 192 ff*). An der Spitze der Kennzahlenpyramide steht die Eigenkapitalrentabilität. Unterhalb dieser Kennzahl gibt es eine ganze Reihe von Kennzahlengruppen und Kennzahlen:

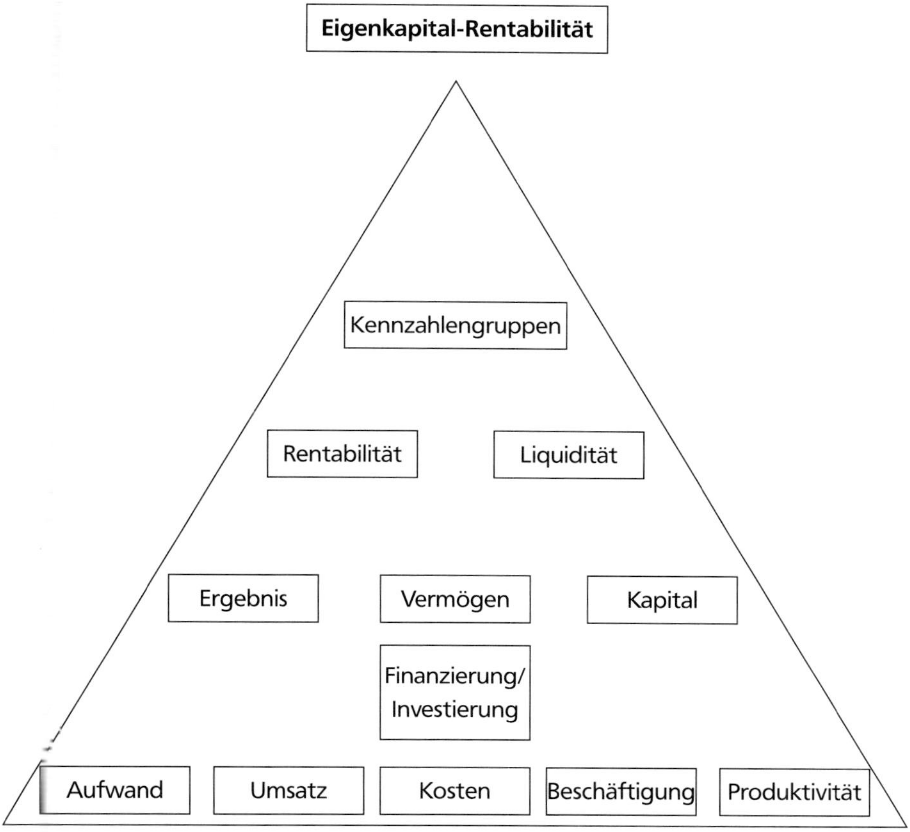

Abb. 3–129
(Aus: ZVEI, ZVEI Kennzahlensystem, 1989, S. 43)

Durch die standardisierten Kennzahlen des ZVEI ist es möglich, aussagekräftige Zeit- und Branchenvergleiche durchzuführen und quantitative Zielgrößen für die Planung festzulegen. Dies soll am Beispiel der Definition der Kennzahl „Cash Flow in % des Gesamtkapitals" verdeutlicht werden:

ZWEI/ BWA	**Kennzahlen-Definition**	**Kennzahl Nr. 103**
Titel	**Cash flow in % des Gesamtkapitals** *(jahresbezogen)*	
Anwendung	**Beurteilung der Rentabilität** Messung des „Cash flow" am durchschnittlich eingesetzten „Gesamtkapital"; insbesondere zur Feststellung des Umfangs, in dem finanzielle Mittel aus dem Periodenergebnis, den Abschreibungen, der Änderung des Sonderpostens mit Rücklageanteil und der Änderung der Pensionsrückstellungen für Investitionen, zur Schuldentilgung und zur Gewinnausschüttung erwirtschaftet werden; insbesondere für den Vergleich mit dem Return on Investment *(Kennzahl 102).*	
Formel	$= \dfrac{\text{Cash flow} \times 100}{\text{durchschnittlich eingesetztes Gesamtkapital}} \times \dfrac{360}{\text{Beobachtungszeitraum } \textit{(in Tagen)}}$	
Formelinhalt	Zähler: Cash flow lt. § 275 (2) HGB *(Gesamtkostenverfahren)* lt. § 275 (3) HGB *(Umsatzkostenverfahren)* Jahresüberschuss/Jahresfehlbetrag[1]) *(Posten 20 der GuV – Gesamtkostenverfahren)* *(Posten 19 der GuV – Gesamtkostenverfahren)* + Abschreibungen des Geschäftsjahres auf Anlagevermögen und ggf. auf aktivierte Aufwendungen für die Ingangsetzung und Erweiterung des Geschäftsbetriebs lt. Anlagenspiegel *(in Bilanz oder Anhang)* + Sonderposten mit Rücklageanteil (gem. § 273 HGB) *(Endbestand ·/· Anfangsbestand)* + Pensionsrückstellungen *(Endbestand ·/· Anfangsbestand)* + Cash flow[2]) Nenner: Durchschnittlich eingesetzes Gesamtkapital (= Durchschnittlich eingesetztes Gesamtvermögen) lt § 266 HGB Bilanzsumme ·/· ausstehende Einlagen auf das gezeichnete Kapital[3]) *(Aktivseite vor Anlagevermögen)* ·/· aktivierte Aufwendungen für die Ingangsetzung und Erweiterung des Geschäftsbetriebs[4]) *(Aktivseite vor Anlagevermögen)* ·/· passivisch ausgewiesene Wertberichtigungen[5]) + enthaltene Anzahlungen auf Bestellungen[6]) = Gesamtkapital (= Gesamtvermögen) Durchschnitt: $\dfrac{\text{Anfangsbestand} \times \text{Endbestand}}{2}$ Beobachtungszeitraum *(in Tagen)* 1 Jahr = 360 Tage 1 Monat = 30 Tage	
Bemerkungen	1) Für Gesellschaften, die mit einer Obergesellschaft einen Gewinnabführungsbetrag geschlossen haben, gilt als Periodenergebnis auch der gem. § 277 (3) HGB ausgewiesene Betrag. 2) Bei internationalen Vergleichen sind dem Cash flow die Ertragsteuern lt. § 275 (2) Posten 18 HGB (Gesamtkostenverfahren) bzw. § 275 (3) Posten 17 HGB (Umsatzkostenverfahren) hinzuzufügen. 3) vgl. dazu § 272 (1) HGB 4) vgl. dazu § 269 HGB 5) z.B. Sonderabschreibungen gem. § 261 (1) HGB 6) sofern in der Bilanz von den Vorräten abgesetzt	

Abb. 3–130
(Aus: ZVEI, ZVEI Kennzahlensystem, 1989, S. 106)

Für das Gastgewerbe wurden die Kennzahlen unter der Federführung des Deutschen Hotel- und Gaststättenverbandes (DEHOGA) angepasst und ergänzt. Dabei entstand ein Kennzahlensystem, das die Besonderheiten der Branche berücksichtigt und spezielle Betriebsvergleiche zu anderen gastgewerblichen Unternehmen erlaubt (*vgl. DEHOGA 1994*).

Die folgende Kennzahl steht exemplarisch für alle anderen **gastronomietypischen Kennzahlen:**

Kennzahlen-gruppe	**1 Kapazität und Beschäftigung**	Kennzahl-Nr.
Titel	**Kapazitätsauslastung Betten**	
Formel	$\frac{\text{Belegte Betten im Berichtszeitraum}}{\text{mögliche Beherbergungen}}$ x 100 (%)	
Hinweise zur Berechnung	Die Aussagekraft dieser Kennzahl ist dann beeinträchtigt, wenn die Öffnungstage der in den Vergleich einbezogenen Betriebe wesentlich voneinander abweichen. Die Kennzahl sollte deshalb als Jahreszahl auch für 365 Tage berechnet werden und zwar dadurch, dass die Zahl der möglichen Beherbergungen auf diesen Zeitraum bezogen wird. Damit ergibt sich für alle Betriebe eine einheitliche Vergleichsperiode.	
Anwendung	Maßstab für die prozentuale Inanspruchnahme der gästebezogenen Übernachtungskapazität eines Berichtszeitraums durch zahlende Gäste. Als Prozentzahl erleichtert sie den Vergleich der Beschäftigung in Beherbergungsbetrieben verschiedener Art und Größe.	

Abb. 3–131
(Nach: Leiderer, W., Kennzahlen zur Steuerung von Hotel- und Gaststättenbetrieben, Stuttgart 1995, S. 52)

Das Hotel „Alexanderhütte" verfügt über 68 Zimmer mit 126 Betten. Im Juli wurden bei 31 Öffnungstagen 2.398 Übernachtungen registriert. Die Kapazitätsauslastung Betten liegt demnach bei

$$\frac{2.398}{126 \times 31} \times 100 = 61{,}39\ \%$$

Die folgende Übersicht zeigt eine Auswahl an gastronomischen Kennzahlen, die neben den allgemeingültigen Bilanz- und Finanzkennzahlen zum Einsatz kommen:

Logis

Kapazitätsauslastung der Zimmer

$$\frac{\text{belegte Zimmer} \times 100}{\text{Anzahl der Zimmer} \times 365} \quad [\%]$$

Beherbergungsumsatz pro belegtes Bett

$$\frac{\text{Umsatz aus Übernachtung}}{\text{belegte Betten}} \quad [\text{EUR}]$$

Beherbergungsumsatz pro belegtes Zimmer

$$\frac{\text{Umsatz aus Übernachtung}}{\text{belegte Zimmer}} \quad [\text{EUR}]$$

Beherbergungsumsatz pro Bett

$$\frac{\text{Umsatz aus Übernachtung}}{\text{Anzahl der Betten}} \quad [\text{EUR}]$$

Beherbergungsumsatz pro Zimmer

$$\frac{\text{Umsatz aus Übernachtung}}{\text{Anzahl der Zimmer}}$$

Belegte Betten je Vollbeschäftigter im Beherbergungsbereich

$$\frac{\text{Anzahl der belegten Betten}}{\text{Anzahl der Vollbeschäftigten im Beherbergungsbereich} \times \text{Öffnungstage}}$$

Belegte Zimmer je Vollbeschäftigter im Beherbergungsbereich

$$\frac{\text{Anzahl der belegten Zimmer}}{\text{Anzahl der Vollbeschäftigten im Beherbergungsbereich} \times \text{Öffnungstage}}$$

Betten je Vollbeschäftigter im Beherbergungsbereich

$$\frac{\text{Anzahl der Betten}}{\text{Anzahl der Vollbeschäftigten im Beherbergungsbereich}}$$

Zimmer je Vollbeschäftigter im Beherbergungsbereich

$$\frac{\text{Anzahl der Zimmer}}{\text{Anzahl der Vollbeschäftigten im Beherbergungsbereich}}$$

Aufenthaltsdauer je Gast

$$\frac{\text{Anzahl der Gästeübernachtung}}{\text{Gästeankünfte}} \quad [\text{Tage}]$$

Food und Beverage

Wareneinsatz Lebensmittel

$$\frac{\text{Lebensmittelkosten} \times 100}{\text{Speisenumsatz}} \quad [\%]$$

Wareneinsatz Getränke

$$\frac{\text{Getränkekosten} \times 100}{\text{Getränkeumsatz}} \quad [\%]$$

Warenumsatz pro m² Verkaufsfläche

$$\frac{\text{Warenumsatz}}{\text{m}^2 \text{ Gastraumfläche}} \quad [\text{EUR}]$$

Warenumsatz pro Sitzplatz

$$\frac{\text{Warenumsatz}}{\text{Anzahl der Sitzplätze}} \quad [\text{EUR}]$$

Sitzplätze je Vollbeschäftigung im Service

$$\frac{\text{Anzahl der Sitzplätze}}{\text{Anzahl der Vollbeschäftigten im Service}}$$

Durchschnittlicher Lagerbestand

$$\frac{\text{Anfangsbestand + Endbestand}}{2}$$

oder

$$\frac{\text{Anfangsbestand + 12 Monatsendbestände}}{13}$$

Lagerumschlagshäufigkeit

$$\frac{\text{Warenkosten}}{\text{durchschnittlicher Lagerbestand}}$$

Lagerdauer

$$\frac{\text{365 Tagen}}{\text{Lagerumschlagshäufigkeit}} \quad [\text{Tage}]$$

Meldebestand

Tagesabsatz × Lieferzeit + eiserner Bestand

Administration

Leistung je Vollbeschäftigung

$$\frac{\text{Betriebsumsatz – sonstige betriebliche Umsätze}}{\text{Anzahl der Vollbeschäftigten}} \text{ [EUR]}$$

Betriebsumsatz pro Öffnungstag

$$\frac{\text{Betriebsumsatz}}{\text{Öffnungstage}} \text{ [EUR]}$$

Betriebsumsatz pro Betriebsstunde

$$\frac{\text{Betriebsumsatz}}{\text{Öffnungstage} \times \text{tägliche Öffnungsstunden}} \text{ [EUR]}$$

Betrieblicher Gewinn pro Betriebsstunde

$$\frac{\text{Betrieblicher Gewinn}}{\text{Öffnungstage} \times \text{tägliche Öffnungsstunden}} \text{ [EUR]}$$

Personalkosten je vollbeschäftigter Arbeitnehmer

$$\frac{\text{Personalkosten}}{\text{Anzahl der vollbeschäftigten Arbeitnehmer}} \text{ [EUR]}$$

Personalkosten in % vom Umsatz

$$\frac{\text{Personalkosten} \times 100}{\text{Umsatz}} \text{ [\%]}$$

Fast alle Kennzahlen lassen sich nicht nur aus den Ist-Zahlen vergangener Perioden berechnen, sondern auch als Zielgrößen für künftige Zeiträume definieren. Am o.g. Rechenbeispiel der Kapazitätsauslastung Betten im Hotel „Alexanderhütte" kann dies bedeuten, dass der gastgewerbliche Betrieb für das kommende Jahr mit 65 % rechnet und diese Größe als Basis für weitere Planzahlen und Budgets heranzieht.

3.9.3.2 Budgetierung

Mit der Budgetierung wird der betriebliche Erfolg systematisch geplant (Budgetierung = **Erfolgsplanungssystem,** *vgl. Horvath & Partner 1995, S. 120*). Sie ist ein wesentliches Element zur Steuerung der betrieblichen Maßnahmen und damit unverzichtbares Instrument des Controlling.

Je nach Ausrichtung lässt sich die Budgetierung in folgende Arten bzw. **Einzelbudgets** unterteilen (*vgl. DEHOGA 1992 S. 77 ff.*):

Merkmal	Budgetart
Geltungsdauer	Jahresbudget Quartalsbudget Monatsbudget
Wert	Umsatzbudget Kostenbudget Deckungsbeitragsbudget Erfolgsbudget
Entscheidungseinheit	Logisbudget F & B-Budget

Die **Budgetierung** des kommenden Jahres kann beginnen, sobald die Unternehmensziele definiert sind. Als eine sinnvolle Vorgehensweise hat sich dabei eine Budgetierung in Anlehnung an das in den USA entwickelte „Uniform System of Accounts for Hotels and Restaurants" erwiesen *(vgl. Schaetzing 6/94 und 11/94).*

Ablauf der Budgetierung und der Budgetkontrolle:

1. Schritt: Erstellen des Umsatzbudgets

Umsatzbudget

Grundlagen für das Umsatzbudget:

- Reservierungsstand nach Gästekategorien
- Stand der Bankettbuchungen
- Wirtschaftliches Klima
- Saisonale Schwankungen
- Erwartete Buchungen (Optionen)
- Durchschnittliche Gästezahl pro Servicezeit und Wochentag des Vorjahres zur gleichen Zeit
- Prozentualer Anteil des Getränkeumsatzes am Speisenumsatz
- Durchschnittlicher Barumsatz pro Wochentag
- Prozentualer Anteil der Verpflegungsgäste pro Servicezeit an Hotelgästen
- Veranstaltungen, Lage der Feiertage
- Aktivitäten der Mitbewerber
- Geplante Marketingmaßnahmen
- Geplante Preispolitik

Zielgrößen sind:

im Beherbergungsbereich	➢ die budgetierte Anzahl der belegten Zimmer und Übernachtungen pro Monat ➢ der durchschnittliche Nettozimmer und -übernachtungspreis
im Gastronomiebereich	➢ die budgetierte Gästeanzahl pro Servicezeit und Monat ➢ der durchschnittliche Speisenumsatz pro Gast und Servicezeit ➢ das prozentuale Verhältnis zwischen Speisen- und Getränkeumsatz

In der Praxis beginnt der Logisbereich mit der Erstellung seines Umsatzbudgets, da die Gastronomie die geplanten Übernachtungszahlen für ihre Budgets benötigt (Frühstück, Halbpension der Übernachtungsgäste, etc.).

Für die Erstellung sind die jeweiligen Abteilungsleiter verantwortlich, denn nur so fühlen sie sich im Laufe des Jahres für die Erreichung der Zielvorgaben verantwortlich.

2. Schritt: Erstellen des Kostenbudgets

Kostenbudget ←

Personalkosten:
- Fixe Personalkosten (Zeitlöhne)
- Variable Personalkosten (Leistungslöhne)

Direkte Kosten:
- Wäscherei, Reinigungsmittel, Verschleiß Wäsche, Glas, Porzellan, Fremdreinigung
- Dekoration, Blumen, Musik und Unterhaltung
- Gästezimmer-, Restaurant-, Küchenartikel
- Provisionen, Drucksachen, GEZ

Zielgrößen sind die für die einzelnen Bereiche und Abteilungen direkt zurechenbaren Kosten, für die sich wiederum die Abteilungsleiter verantwortlich zeigen. Allgemeine Kosten, wie z.B. Verwaltungskosten, werden gesondert in das Jahresbudget des gastgewerblichen Betriebes eingebracht.

3. Schritt: Ermitteln des budgetierten Abteilungsergebnisses

Durch Subtraktion von Umsatzbudget und Kostenbudget lassen sich in jeder Abteilung die budgetierten Ergebnisse ermitteln:

Umsatzbudget – Kostenbudget = Budgetiertes Abteilungsergebnis

Summiert man die monatlichen Budgets der einzelnen Abteilungen und Bereiche und addiert die allgemeinen Kosten, so erhält man das Jahresbudget des gesamten Betriebes. Damit ist die eigentliche Budgetierung abgeschlossen. Die Vorteile dieser Vorgehensweise werden bei der permanenten, meist monatlichen, Budgetüberwachung deutlich.

4. Schritt: Budgetüberwachung

Zur Überwachung des Budgets werden die monatlichen Ist-Zahlen des Umsatzes und der Kosten benötigt. Durch Gegenüberstellung in den einzelnen Abteilungen und Bereichen erhält man das Ist-Abteilungsergebnis.

Die Kontrolle setzt – wie schon die Erstellung des Budgets – beim Umsatz an. Der tatsächliche Umsatz wird dem budgetierten Umsatz gegenübergestellt und die Abweichung festgestellt.

Durch eine Abweichung im Umsatz ist auch automatisch eine Abweichung in den Kosten notwendig, da ein Teil der Kosten direkt von der Anzahl der Gäste und damit vom Umsatz abhängt (variable Kosten). Deshalb müssen im Nachhinein die Kosten ermittelt werden, die beim festgestellten Ist-Umsatz hätten entstehen dürfen (Soll-Kosten).

Die so berechneten Soll-Kosten werden den Ist-Kosten gegenübergestellt (Soll-/Ist-Vergleich) und die Abweichung ermittelt. Aus der Gegenüberstellung von Umsatzabweichung und Kostenabweichung ergibt sich die Ergebnisabweichung in den einzelnen Abteilungen.

Aufgabe des Controlling im operativen Bereich ist – neben der Mitwirkung an der Budgeterstellung und der Budgetüberwachung – die Analyse der Abweichungsursachen und das Entwickeln von Aktivitäten, mit denen den Probleme begegnet werden kann.

Die **Instrumente des strategischen Controlling** sind im Wesentlichen Frühwarnsysteme, die darauf ausgerichtet sind, das Potential eines Unternehmens, d.h. die Stärken und Schwächen über einen langfristigen Zeitraum zu prognostizieren (z.B. Potentialanalyse, Wertanalyse, SOFT-Analyse, Gap-Analyse, Portfolio-Ansätze etc., *s.a. Horvath und Partner 1995, S. 169 ff., Jung 1997, S. 1139 ff., Swillims 1997, S. 88 ff*). Ihr Einsatz im gastgewerblichen Unternehmen hat noch nicht den Stellenwert, den eine auf langfristige Existenzsicherung ausgerichtete Unternehmenspolitik fordert. Das operative Geschäft hat im Gastgewerbe Vorrang und führt häufig dazu, dass langfristige Trends und Entwicklungen sich in der Zukunft auch in den vielen Klein- und Mittelbetrieben der Branche ändern.

Aufgaben

1. Sie werden im Hotel „Tettauer Hof" ab 1. Januar als Controller eingesetzt. Um Sie besser in das Haus integrieren zu können, möchte die Geschäftsleitung, dass Sie sich bei der Vorstellung den Mitarbeitern gegenüber kurz zu Ihren Aufgaben und Zielen äußern.

   Beschreiben Sie, welche Punkte Sie anführen werden.

2. Als Personalchef des Hotels „Bayerwald" führen Sie Vorstellungsgespräche zur Vorbereitung der Einstellung eines neuen Controllers. Im Rahmen des Gesprächs stellen Sie den Bewerbern die Frage, welche Einzelaufgaben sie unter den Begriffen Planung, Steuerung und Überwachung verstehen.

   Welche Antwort erwarten Sie?

3. Bei der Einstellung als Controller im Hotel „Stadt Cham" wird Ihnen mitgeteilt, dass Sie ausschließlich für das operative Controlling verantwortlich sind. Das strategische Controlling wird von einer externen Beratungsfirma wahrgenommen.

   Beschreiben Sie kurz die Begriffe operatives und strategisches Controlling.

4. „Die Unternehmensführung lebt von Informationen, das Controlling beschafft Informationen."

   Erläutern Sie kurz diese Aussage.
5. In Ihrem Haus soll in Zukunft mehr Wert auf eine detaillierte Budgeterstellung und -überwachung gelegt werden.

   Skizzieren Sie die allgemeine Vorgehensweise im Rahmen der Budgetierung.
6. Bei Ihrer täglichen Arbeit als Küchenchef im Hotel „Frankenwald" stellen Sie fest, dass viele Ihrer Abteilungsleiterkollegen mit sogenannten Kennzahlen arbeiten.

   Überlegen Sie sich kurz, welche Vorteile eine Arbeit mit Kennzahlen mit sich bringt.
7. Im Rahmen der jährlichen Budgetierung möchten Sie die monatlichen Personalkosten für Ihr Restaurant festlegen.

   Welche Faktoren sind dabei für Sie wichtig und wie gehen Sie dabei vor?
8. Bei der Budgetierung in Anlehnung an das Uniform System of Accounts for Hotels and Restaurants sind in jeder Abteilung die direkten Kosten zu budgetieren. Bei der Budgetüberwachung werden aus dem Ist-Umsatz die Soll-Kosten ermittelt.

   Zeigen Sie an den Beispielen der direkten Kosten von S. 217, welche in Abhängigkeit vom Umsatz fix und welche variabel sind.
9. Nennen Sie mögliche Vorteile einer Budgetierung in Anlehnung an das Uniform System of Accounts for Hotels and Restaurants.

Quellen und weiterführende Literatur

DEHOGA Deutscher Hotel- und Gaststättenverband: Kennziffern im Hotel- und Gastgewerbe, Gastgewerbliche Schriftenreihe Nr. 1, Bonn 1994

DEHOGA Deutscher Hotel- und Gaststättenverband: Das Budget in der Hotellerie, Gastgewerbliche Schriftenreihe Nr. 65, Bonn 1992

Dettmer, Harald (Hrsg.): Controlling im Food & Beverage Management, München/Wien 1998

Dettmer, Harald (Hrsg.): Personalwirtschaft für das Gastgewerbe, Hamburg 1998

Dettmer, Harald (Hrsg.): Betriebswirtschaftslehre für das Gastgewerbe, Hamburg 1999

Dettmer, Harald: Wirtschaftslehre für Hotellerie und Gastronomie, Hamburg 1999

Führung auf der Fläche, in: First Class 10/98

Hopfenbeck, Waldemar: Allgemeine Betriebswirtschafts- und Managementlehre, Berlin 1989

Horvath & Partner: Das Controllingkonzept, München 1995

Jung, Hans: Allgemeine Betriebswirtschaftslehre, München 1997

Kolb, Meinulf: Personal-Controlling, in AKADEMIE 2/97

Leiderer, W.: Kennzahlen zur Steuerung von Hotel- und Gaststättenbetrieben, München 1995

Schaetzing, Edgar E.: Managementkontrolle des Beherbergungsbereichs durch Budgetierung nach dem Uniform System of Accounts for Hotels, in: Hotel Restaurant 6/94

Schaetzing, Edgar E.: Managementkontrolle der Gastronomie durch Budgetierung nach dem Uniform System of Accounts for Restaurants, in Hotel Restaurant 11/94

Swillims, Wolfgang: Controlling im Gastgewerbe, Haan-Gruiten 1997

ZVEI (Hrsg.): ZVEI Kennzahlensystem, 1989

4. Nachfolgeregelungen in Hotellerie und Gastronomie

4.1 Unternehmensnachfolge

Der Hotelier Franz Huber ist Inhaber des Hotels „Schwarzer Adler" im Bayrischen Wald. Dem Familienbetrieb ist noch ein Freizeitpark angeschlossen, der von seiner Frau geleitet wird. Die Eheleute Huber haben zwei minderjährige Kinder. Franz Huber verstirbt plötzlich bei einem Autounfall, ohne ein Testament zu hinterlassen.

Aufgrund der gesetzlichen Erbfolge wird Franz Huber durch seine Ehefrau zur Hälfte und durch seine beiden Kinder zu je einem Viertel beerbt. Das in der Rechtsform des Einzelunternehmens betriebene Hotel fällt kraft Gesetzes an die Ehefrau und die beiden Kinder in ungeteilter Erbengemeinschaft. Die Ehefrau muss den Hotelbetrieb für sich und die beiden Kinder weiterführen, obwohl sie die entsprechenden Kenntnisse dazu nicht besitzt. Durch den Erbfall wird zugleich die volle persönliche Haftung der Ehefrau und der Kinder für die Verbindlichkeiten des Hotelbetriebes begründet. Will die Ehefrau dieses Ergebnis vermeiden, muss sie für sich und die Kinder die Erbschaft ausschlagen bzw. den Hotelbetrieb verkaufen. Ein Ergebnis, das sicher nicht im Interesse des verstorbenen Ehegatten liegt.

Was hätte im vorhinein alles beachtet werden müssen, um trotz des unvorhersehbaren Todesfalls eine geregelte Unternehmensnachfolge sicherzustellen?

Die Unternehmensnachfolge ist vor allem ein **Problem des Mittelstandes,** handelt es sich doch bei den mittelständischen Unternehmen überwiegend um Unternehmen, die in hohem Maße von einer Unternehmenspersönlichkeit abhängig und geprägt sind. Stirbt diese Unternehmenspersönlichkeit oder wird sie unfähig, das Unternehmen weiter zu führen, kann es zu unvorhergesehenen Konsequenzen kommen, wenn die Nachfolge nicht geregelt ist. Dies gilt vor allem auch für die Hotelbranche, denn abgesehen von den Hotelketten ist dieser Bereich durch seine Vielzahl an Familienbetrieben typisch mittelständisch geprägt.

Nur wenige Hoteliers machen sich rechtzeitig Gedanken über die Unternehmensnachfolge. Es hat den Anschein, als würden Zukunftsüberlegungen meist nur für die Dauer des eigenen Lebens angestellt, obwohl es doch bei einem Hotelbetrieb um ein Gebilde geht, das auch nach dem Ausscheiden des Seniors fortbesteht.

So, wie es eine Selbstverständlichkeit ist, Management und Organisation auf künftige Entwicklungen auszurichten, sollte es deshalb auch eine Selbstverständlichkeit sein, die Nachfolgefrage zu regeln, und zwar so früh wie möglich.

4.1.1 Gesetzliche Erbfolge

Nachfolgersuche in Familienunternehmen:

Früh übt sich...: Die Vorteile zeitiger Nachfolgeplanung liegen auf der Hand.

Ein Unternehmen geht, ohne dass es irgendwelcher Erklärungen bedarf, kraft Gesetzes auf die Erben über. Die Erben werden unmittelbar Eigentümer sämtlicher Aktiva und Passiva und übernehmen die Verpflichtungen aus den vom Unternehmen abgeschlossenen Verträgen (Arbeitsverträge, Mietverträge, Darlehensverträge, Kauf- und Lieferverträge etc.) mit allen damit verbundenen Konsequenzen.

Eine Besonderheit stellt das gesetzliche Erbrecht des Ehegatten dar. Das Gesetz sieht hier eine komplizierte Sonderregelung vor, die an dieser Stelle nur in ihren Grundzügen dargestellt werden kann. Bei gesetzlichem Güterstand (Zugewinngemeinschaft) erbt der Ehegatte ein Viertel des Vermögens. Hinzu kommt ein weiteres Viertel zum pauschalen Ausgleich des Zugewinns. Insgesamt erbt der Ehegatte also die Hälfte des Vermögens neben den Kindern. Ist die Ehe kinderlos, erbt der Ehegatte einschließlich des Pauschalausgleichs für den Zugewinn mindestens drei Viertel des Vermögens, sind keine weiteren Erben vorhanden, ist er sogar Alleinerbe.

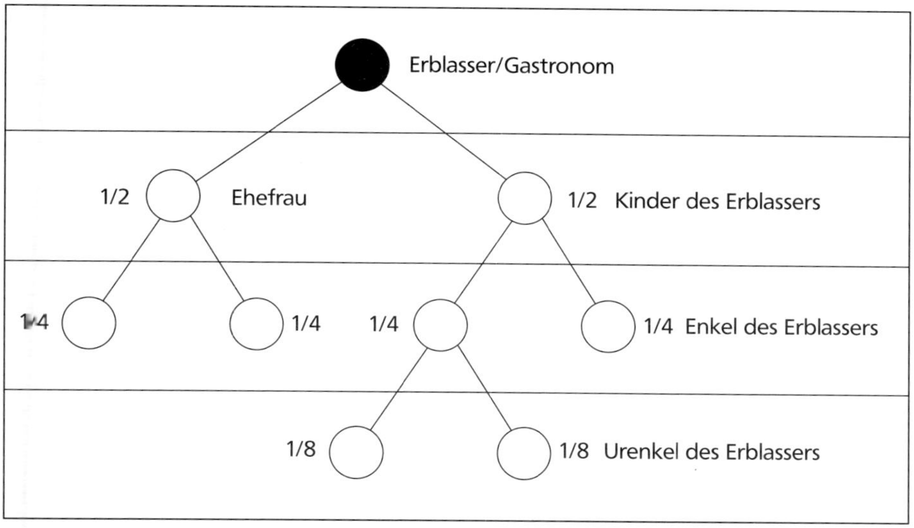

Abb. 4-1

Haben die Ehegatten einen Gütertrennungsvertrag abgeschlossen, so erbt der Ehegatte ein Viertel des Vermögens. Eine Erhöhung wegen des Zugewinnausgleichs findet nicht statt. Mehr als ein Viertel erbt der Ehegatte, wenn aus der Ehe weniger als drei Kinder hervorgegangen sind. Je nach Anzahl der Kinder und der sonstigen Erbberechtigten beläuft sich ein Erbanspruch dann auf ein Drittel bis hin zur Alleinerbschaft.

Diese, im Einzelfall schon recht komplizierten Grundsätze der gesetzlichen Erbfolge werden durch die Rechtsform des Unternehmens zusätzlich kompliziert. Die meisten Unternehmen werden in der Rechtsform der Offenen Handelsgesellschaft (OHG), der Kommanditgesellschaft (KG) oder der Gesellschaft mit beschränkter Haftung (GmbH) betrieben. Die Gesellschaftsverträge enthalten für den Nachfolgefall häufig Regelungen. Diese sind auch bei Eintritt der gesetzlichen Erbfolge vorrangig zu betrachten und führen in vielen Fällen zu Ergebnissen, die von der gesetzlichen Erbfolge abweichen.

Diese Konsequenzen lassen sich nur in den Griff bekommen, wenn der Unternehmer mit der Planung seiner Nachfolge rechtzeitig beginnt und dazu eine maßgeschneiderte Lösung entwickelt. Der Unternehmer muss also von den Gestaltungsmöglichkeiten Gebrauch machen, die ihm durch das Erbrecht, das Gesellschaftsrecht und das Steuerrecht eröffnet werden. Die häufigste Form der Nachfolgegestaltung ist die Testamentserrichtung.

4.1.2 Formen der Nachfolgeregelung

Durch ein **Testament** (Verfügung von Todes wegen) kann der Erblasser nach eigenem Belieben bestimmen, was mit seinen Nachlass geschehen soll und damit das **gesetzliche Erbrecht** abändern.

In einem Testament können folgende Anordnungen enthalten sein:

- **Erbeinsetzung**
- **Vermächtnisse**
- **Auflagen.**

Drei wesentliche Testamentsformen werden unterschieden:

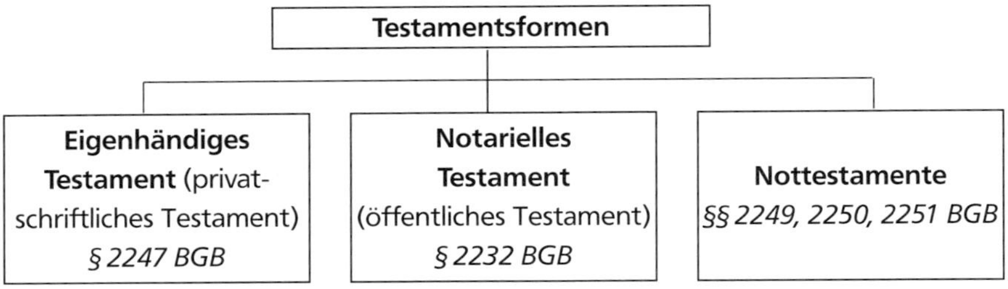

Abb. 4-2

4.1.2.1 Privatschriftliches Testament

Ein Testament muss zu seiner Wirksamkeit in vollem Umfang eigenhändig geschrieben und vom Erblasser unterschrieben sein. Datum und Ort der Testamentserrichtung sollen auf dem Testament vermerkt sein, doch ist dies keine Wirksamkeitsvoraussetzung. Bei Fehlen von Datum und Ortsangabe besteht die Gefahr, dass nicht mehr festgestellt werden kann, welches von mehreren Testamenten zuletzt errichtet worden ist. Nur das zuletzt errichtete Testament entfaltet Wirksamkeit.

4.1.2.2 Notarielles Testament

Ein Testament kann aber auch von einem Notar errichtet werden. Diese Form der Testamentserrichtung ist für den Unternehmer grundsätzlich vorzugswürdig.

Im Unterschied zum privatschriftlichen Testament kann das notariell errichtete Testament nicht abhanden kommen und ist mit Sicherheit formgültig. Die Errichtung des Testaments wird dem zuständigen Nachlassgericht angezeigt. Das Testament wird beim Notar amtlich verwahrt und im Todesfall eröffnet.

Öffentliches Testament durch mündliche Erklärung

Urkundenrolle-Nr. 2768/ . . .

Verhandelt zu Schönsee am 11. Juli 20 . .

Von mir, Notar A. Bink, mit Amtssitz zu Schönsee, erscheint, von Person bekannt, Herr Franz Huber, Hotelier, Waldweg 11, Schönsee. Der Erschienene, von dessen Testierfähigkeit ich mich überzeugt habe, erklärt seinen letzten Willen wie folgt:

Zu meiner alleinigen Erbin setzte ich meine Frau Anna, geb. Bauer, ein. Meine Tochter Silke soll meinen Pkw, mein Wohnmobil und mein Haus, mein Sohn Otto das Hotel nach dessen Volljährigkeit bekommen. Schließlich ordne ich an, daß ich nach meinem Tode verbrannt sein will.

Den Wert meines gegenwärtigen reinen Vermögens gebe ich an mit 2 Mio. Euro.

In Gegenwart des Notars dem Erschienenen vorgelesen, von ihm genehmigt und von ihm und dem Notar eigenhändig wie folgt unterschrieben

(Unterschrift Erblasser) (Unterschrift Notar)

Abb. 4-3

Viele privatschriftliche Testamente sind so laienhaft abgefasst, dass ihre Auslegung große rechtliche Probleme aufwirft. Auch finden sich in privatschriftlichen Testamenten häufig rechtsunwirksame oder sogar sittenwidrige Verfügungen. Ist das Testament dagegen vom Notar aufgesetzt worden, kann man sich im Regelfall auf den juristischen einwandfreien Inhalt verlassen und darauf vertrauen, dass der Erblasserwille in zutreffender Weise wiedergegeben wird.

4.1.2.3 Testamentsberatung

Das Aufsuchen des Notars sollte allerdings nicht die sachkundige Beratung im Vorfeld der Testamentserrichtung ersetzen. Die Regelung der Unternehmensnachfolge setzt eine Vielzahl von rechtlichen und wirtschaftlichen Überlegungen voraus, die der Unternehmer häufig nur nach sachkundiger Beratung durch seinen Rechtsanwalt oder Steuerberater zu treffen vermag. Keinesfalls sollte man sich deshalb mit „selbstgestrickten" Konzepten an ein Testament wagen. Das böse Erwachen für die Erben ist regelmäßig vorprogrammiert.

4.1.2.4 Das Ehegatten-Testament

Es ist möglich, gemeinsam mit dem Ehegatten ein Testament zu errichten. Hierdurch entsteht eine wechselseitige Bindung der darin enthaltenen, testamentarischen Verfügungen der Eheleute. Zu Lebzeiten des Ehegatten kann man sich von einem solchen Testament nur durch **Widerrufserklärung** lösen. Der Widerruf muss vor dem Notar erklärt und dem anderen Ehegatten zugestellt werden. Nach dem Tod des Ehegatten ist ein Widerruf nicht mehr möglich. Das gemeinsame Testament ist dann endgültig bindend und unabänderlich.

In vielen Ehen setzen sich die Ehegatten zum Alleinerben des jeweils kürzer lebenden Ehegatten ein und verfügen, dass die Kinder nach dem Tod des zuletzt versterbenden Ehegatten dessen „Schlusserben" werden sollen. Der Nachlass des zuerst versterbenden Ehegatten wächst dann zunächst dem überlebenden Ehegatten an und wird zusammen mit dessen Nachlass nach dem Tod des längstlebenden Ehegatten den Kindern zugewendet **(Berliner Testament).**

Für die Unternehmensnachfolge ist ein solches Testament nur geeignet, wenn es die Absicht des Unternehmens ist, seinen Ehegatten im Todesfall zum Nachfolger zu machen und ein sofortiges Eintreten der Kinder in das Unternehmen zu verhindern. Doch ist zu bedenken, dass die Kinder die Einsetzung zu „Schlusserben" rechtlich nicht akzeptieren müssen. Sie können den Pflichtteil (Hälfte des gesetzlichen Erbteils) von dem zum Alleinerben berufenen Ehegatten verlangen.

Ein weiterer **Nachteil dieser Testamentsgestaltung** liegt in dem doppelten Anfall von Erbschaftsteuer, der dadurch entsteht, dass das gleiche Vermögen (Nachlass des Unternehmers) zweimal hintereinander vererbt wird (zuerst an den Ehegatten, dann an die Kinder). Jeder dieser Erwerbe unterliegt der Erbschaftsteuer.

4.1.2.5 Einsetzung mehrerer Erben

Unvorteilhaft ist in der Regel auch die Einsetzung mehrerer Erben als Unternehmensnachfolger in Erbengemeinschaft. Die **Erbengemeinschaft** ist **als Unternehmensträger ungeeignet,** weil die Erben die Fortführung des Unternehmens nur gemeinschaftlich beschließen können. Die Erbengemeinschaft ist praktisch handlungsunfähig. Auf Dauer lässt sich dies nur in den Griff bekommen, wenn die Erben das Unternehmen in eine Gesellschaft einbringen und die Erbengemeinschaft dahingehend auseinander setzen, dass jeder Miterbe eine seinem Erbteil entsprechende Gesellschaftsbeteiligung erhält. Sodann muss einer der Erben zum Geschäftsführer bestellt werden. Möchte der Unternehmer, dass das Unternehmen mehreren Erben anteilig zufallen soll, sollte er deshalb schon zu Lebzeiten eine Gesellschaft gründen und die Gesellschaftsanteile seinen Vorstellungen entsprechend auf die einzelnen Erben verteilen. Durch Testament und Gesellschaftsvertrag kann er zugleich die Person seines Nachfolgers in der Geschäftsführung bestimmen.

4.1.2.6 Einsetzung eines Alleinerben

In den meisten Fällen, in denen ein Unternehmer seinen Betrieb in der Rechtsform der Einzelunternehmung führt, empfiehlt sich die Einsetzung eines Alleinerben **(Einzelnachfolger).** Hierdurch wird, ohne dass es der Gründung einer Gesellschaft bedarf, die Rechtsnachfolge geregelt, wobei die gewählte Rechtsform (Einzelunternehmung) beibehalten wird. Geht der Unternehmer diesen Weg, muss er sich allerdings absichern, dass hierdurch keine Pflichtteilberechtigten übergangen werden. **Pflichtteilberechtigt** sind die Kinder, der Ehegatte und – bei Kinderlosigkeit – auch die Eltern. Werden sie übergangen, so droht dem Nachfolger die Belastung mit den Pflichtteilansprüchen. Unabhängig davon liegt es vielfach in der Absicht des Unternehmers, Pflichtteilberechtigte (z. B. Kinder oder Ehegatte) von der Erbschaft auszuschließen. In diesen Fällen kommt die Bestimmung eines Alleinerben nicht in Betracht.

Ist neben dem Unternehmen Privatvermögen vorhanden, lässt sich das gewünschte Ergebnis (Bestellung eines Einzelnachfolgers) unter Umständen durch Teilungsanordnung erreichen. Hierdurch wird das Vermögen im Erbfall nach dem Plan des Erblassers aufgeteilt. Hat ein Hotelier z.B. zwei Kinder, von denen eines den Betrieb und das andere das Privatvermögen erben soll, kann dies durch Teilungsanordnung im Testament geregelt werden.

In Betracht kommt auch die Aussetzung eines Vermächtnisses. Bei einem **Vermächtnis** handelt es sich um einen schuldrechtlichen Anspruch des Begünstigten gegen den oder die Erben, der aus der Erbschaft zu erfüllen ist. Gehört zur Erbschaft ein Unternehmen, lässt sich die Übernahme des Unternehmens durch den gewünschten Nachfolger erreichen, indem diesem durch Testament ein Vermächtnisanspruch auf Übernahme des Unternehmens zugewendet wird. Das Vermächtnis kann einem Erben auch neben dem Erbteil zugewendet werden (Vorausvermächtnis), wobei in der Regel eine Anrechnung des Vermächtnisgegenstandes auf den übrigen Erbteil des Begünstigten ausgeschlossen wird. Der Unternehmensnachfolger erhält dann den Anspruch auf das Unternehmen, ohne wegen dessen Wert eine Schmälerung seiner übrigen Erbansprüche hinnehmen zu müssen.

4.1.3 Nachfolgegestaltung durch Erbvertrag

Eine wichtige Gestaltungsmöglichkeit bietet sich durch Abschluss eines so genannten Erbvertrages. Der **Erbvertrag** bedarf einer notariellen Beurkundung und kann nicht einseitig wieder aufgehoben werden. Es sei denn, der Unternehmer hat sich in dem Vertrag den Rücktritt vorbehalten, zum Beispiel wegen Verfehlungen des Erben. Der Erbvertrag eignet sich u.a., wenn schon zu Lebzeiten eine endgültige Regelung mit allen in Betracht kommenden Erb- und Pflichtteilberechtigten angestrebt wird, um auf diese Weise die Unternehmensnachfolge rechtzeitig sicherzustellen und späteren Auseinandersetzungen, insbesondere über Pflichtteilansprüche vorzubeugen. Will der Unternehmer z. B. eines seiner Kinder zum Unternehmensnachfolger machen und sicherstellen, dass diese Wahl nicht durch Testamentsanfechtung oder Pflichtteilansprüche in Frage gestellt wird, kann sich der Abschluss eines kombinierten Erb- und Pflichtteilverzichtvertrages mit den gesetzlichen Erben empfehlen. In der Regel wird der Unternehmer den von der Unternehmensnachfolge ausgeschlossenen Kindern dann in dem Vertrag eine Abfindung oder sonstige Zuwendung versprechen, die zu einer endgültigen Auseinandersetzung der Erbansprüche führt.

4.2 Pflichtteilansprüche

Bei allen letztwilligen Verfügungen muß der Unternehmer stets die Pflichtteilansprüche der Kinder, des Ehegatten und – bei Kinderlosigkeit – der Eltern im Auge behalten. Der **Pflichtteilanspruch** ist ein Geldanspruch gegen die Erben in Höhe der Hälfte des gesetzlichen Erbteils.

Erhalten alle pflichtteilberechtigten Erben durch testamentarische Verfügung zumindest die Hälfte ihres gesetzlichen Erbteils, so besteht die Gefahr von Pflichtteilansprüchen nicht. Werden aber Pflichtteilberechtigte enterbt oder mit Vermögen im Werte unter der Hälfte des gesetzlichen Erbteils abgefunden, muss der zur Nachfolge berufene Erbe mit Ausgleichansprüchen rechnen.

Dies kann im Einzelfall in Kauf genommen werden, um die gewünschte Einsetzung des Nachfolgers zu erreichen, doch sollte der Erblasser in jedem Fall die Finanzierung dieser **Ausgleichansprüche** sicherstellen.

Dabei ist zu beachten, dass **Schenkungen,** die der Unternehmer zu Lebzeiten einem Dritten gemacht hat, dem Nachlass bei der Berechnung des Pflichtteils hinzugerechnet werden, wenn sie innerhalb der letzten 10 Jahre vor dem Erbfall stattgefunden haben (pflichtteilergänzende Schenkungen). Bei Ehegatten beginnt die 10-Jahres-Frist sogar erst mit der Auflösung der Ehe durch Scheidung oder Tod zu laufen. Pflichtteilergänzende Schenkungen haben also Langzeitwirkung.

Die besondere **Gefahr des Pflichtteilanspruches** liegt bei Firmenvermögen in der plötzlichen Liquiditätsbelastung der Erben mit Zahlungsanspruch des Pflichtteilberechtigten. Da das Firmenvermögen in Sachwerten gebunden ist und nicht veräußert werden kann, zwingt die Liquiditätsbelastung in vielen Fällen zum Verkauf der Firma oder wesentlicher Firmenbestandteile. Hinzu kommt, dass der Pflichtteil nicht entzogen werden kann, ausgenommen bei schweren Verfehlungen des Pflichtteilberechtigten gegenüber dem Erblasser.

Empfehlenswerte Gestaltungsmöglichkeiten zur Vermeidung von Pflichtteilansprüchen sind:

a) Abschluss eines Erbvertrages zugunsten des Nachfolgers mit Erb- und Pflichtteilverzicht durch die gesetzlichen Erben.

b) Zuwendungen an Pflichtteilberechtigte zu Lebzeiten unter Anrechnung auf den Pflichtteil.

c) Die Aufteilung des Betriebs- und Privatvermögens unter den Erben, so dass keine Ausgleichzahlung aus dem Betriebsvermögen zur Erfüllung der Pflichtteilansprüche mehr erforderlich ist.

d) Aussetzung eines Vermächtnisses von Sachwerten an den Pflichtteilberechtigten mit dem Mindestwert des Pflichtteils.

e) Abschluss einer Kapitallebensversicherung zugunsten des Nachfolgers zur Erfüllung des Pflichtteils aus der Versicherungssumme.

4.3 Vorweggenommene Erbfolge

Nicht immer will der Senior die Nachfolge bis zu seinem Tod aufschieben. Es gibt viele Gründe, ein Unternehmen schon zu Lebzeiten auf den Nachfolger zu übertragen. Deshalb ist es wichtig, die wesentlichen Gestaltungsmöglichkeiten der „vorweggenommenen Erbfolge" vor Augen zu haben.

Am Anfang jeder Überlegung zur vorweggenommenen Erbfolge steht die Entscheidung, ob das Unternehmen voll unentgeltlich oder voll entgeltlich auf den Nachfolger übertragen werden soll. Bei der voll unentgeltlichen Übertragung spricht man von einer Schenkung, bei der teilentgeltlichen Übertragung spricht man von einer Schenkung unter Auflage oder gemischten Schenkungen, bei der voll entgeltichen Übertragung vom Verkauf.

Will sich der Unternehmer seines Unternehmens nicht im Ganzen entäußern, kommt als weitere Möglichkeit der vorweggenommenen Erbfolge die Einräumung einer **Beteiligung** am Unternehmen für den Nachfolger in Betracht. Diese Beteiligung muss durch die Erbregelung abgestützt werden, damit der Nachfolger später im Erbwege auch den Rest des Unternehmens erhält.

4.3.1 Unternehmensverkauf

Die voll entgeltliche Übertragung des gesamten Unternehmens (Verkauf) wird in der Regel nur in Betracht kommen, wenn kein geeigneter Nachfolger unter den gesetzlichen

Erben oder Familienmitgliedern des Unternehmers zu finden ist, und es deshalb sachgerecht ist, das Unternehmen auf einen außenstehenden Dritten zu übertragen. Hierdurch kann der Vermögenswert des Unternehmens realisiert werden, ohne dass sich Fragen nach der Weiterführung, dem Verkauf oder der Auseinandersetzung unter den Erben nach dem Tod des Unternehmers stellen.

Der **Verkauf des Unternehmens** kann aber auch unter anderen Gesichtspunkten von Interesse sein. Ist damit zu rechnen, dass der Verkaufswert des Unternehmens in Zukunft sinkt, kann durch den Verkauf rechtzeitig der größtmögliche Gewinn realisiert werden. Steuerlich ist die Unternehmensveräußerung begünstigt. Erst Veräußerungsgewinne ab einer bestimmten Höhe unterliegen der vollen Besteuerung. Besondere steuerliche Vergünstigungen in Gestalt erhöhter Freibeträge lassen sich erzielen, wenn das Unternehmen nach Vollendung des 55. Lebensjahres von dem Unternehmer veräußert wird.

4.3.2 Teilentgeltliche Übertragung

Soll das Unternehmen langfristig durch einen oder mehrere Erben fortgeführt werden, dem Unternehmer aber zu Lebzeiten noch Erträge zufließen, empfiehlt sich die teilentgeltliche Übertragung.

In Betracht kommen hier vor allem die Übertragung des Unternehmens gegen Zahlung einer „Leibrente" bzw. einer „dauernden Last" oder die Einräumung eines „Nießbrauchrechtes".

Während es sich bei der **Leibrente** um eine gleichmäßige, an einen objektiven Maßstab anknüpfende Verpflichtung handelt, die in regelmäßigen Abständen – zumeist monatlich – zu erfüllen ist, handelt es sich bei der dauernden Last um eine laufende Verpflichtung nach den subjektiven Lebensumständen des Unternehmers. Die Verpflichtung zur Entgeltzahlung kann bei der **dauernden Last** an sich möglicherweise verändernde Bedingungen des Begünstigten angepaßt werden; sie hat vorwiegend den Charakter der Daseinsvorsorge für den Unternehmer. Der **Nießbraucher** dagegen erhält das Recht, das Unternehmen zu nutzen und die Früchte des Unternehmens zu ziehen.

4.3.2.1 Leibrente und dauernde Last

Durch die Übertragung des Unternehmens gegen Leibrente oder dauernde Last kann eine regelmäßige, vom Unternehmen unabhängige Versorgungsleistung für den Senior erzielt werden. Zusätzlich können – bezogen auf die Gesamtbesteuerung der Familie – beachtliche steuerliche Vorteile dabei herauskommen. Bei der Leibrente kann der Nachfolger den so genannten Zinsanteil, bei der dauernden Last den Gesamtbetrag als Sonderausgaben steuermindernd absetzen. Der ausgeschiedene Unternehmer muss die entsprechenden Erträge als Einkommen versteuern. Unterliegt der Nachfolger aufgrund seines Einkommens als Unternehmer einer höheren, progressiven Steuerbelastung als der ausscheidende Unternehmer (was meist der Fall ist), kommt es durch die Abzugsfähigkeit der „Altenteilleistungen" als Sonderausgabe zu einem Steuervorteil in der Person des Nachfolgers. Ein Veräußerungs- bzw. Aufgabengewinn tritt bei dieser Gestaltung nicht ein, auch wenn der Kapitalwert der Leibrente oder dauernden Last höher ist als der Buchwert des Unternehmens.

4.3.2.2 Nießbrauch

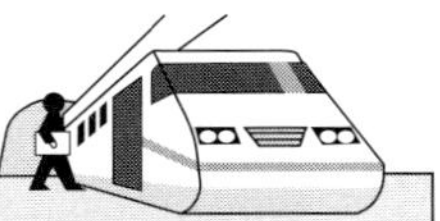

Der Hotelier Bauer bestellt seinem langjährigen Küchenchef Hans den Nießbrauch an seinem Biergarten. Hans freut sich und arbeitet fleißig daran, den Gewinn zu erhöhen. Nach fünf Jahren ist Hans die Belastung jedoch zu groß und er will den Biergarten mit wunderschönem Baumbestand als Liegeweise nutzen; dementsprechend fällt er zehn Eichen.

Durfte er den Gewinn für sich behalten und die Bäume fällen?

Nießbrauch ist ein höchst persönliches Recht auf sämtliche Nutzungen eines Grundstücks oder einer Sache. Eine Sache kann in der Weise belastet werden, dass derjenige, zu dessen Gunsten die Belastung erfolgt, berechtigt ist, die Nutzungen der Sache zu ziehen.

Der Nießbrauch kann durch den Ausschluss einzelner Nutzungen beschränkt werden *(§ 1030 I, II BGB).* Diese Nutzungen dürfen die Substanz der Sache allerdings nicht aufzehren *(§ 1036 II BGB).*

Nießbrauch kann sich ebenso auf bewegliche Sachen beziehen. Er ist höchstpersönlich und deshalb nicht übertragbar und vererbbar *(§§ 1059, 1061 BGB).*

Im Rahmen von Nachfolgeregelungen oder Schenkungen kann man unterscheiden in:

Nießbrauch

Ertragsnießbrauch	**Vorbehaltsnießbrauch**	**Zuwendungsnießbrauch**
– Rückbehalt der Erträge durch den Unternehmer – evtl. Quotenbeteiligung	– Eigentum an Unternehmensgegenständen geht auf Nachfolger über	– Nachfolger tritt an die Stelle des Unternehmens

Abb. 4-4

a) Ertragsnießbrauch

Unter Ertragsnießbrauch versteht man den Rückbehalt oder die Zuwendung des Anspruchs auf die Erträge des Unternehmens. Im Rahmen einer Nachfolgeregelung ist nur der Rückbehalt der Erträge durch den Unternehmer von Interesse, weil es zur Unternehmensnachfolge nur bei Übernahme des Unternehmens und des Unternehmerrisikos durch den Nachfolger kommt. Werden dem Nachfolger lediglich die Erträge des Unternehmens zugewendet, so wird eine Nachfolge zu Lebzeiten nicht erreicht. Der Unternehmer beraubt sich lediglich seines Gewinnanspruchs.

Beim Rückbehalt der Erträge durch den Unternehmer ist das Interesse des Nachfolgers an der Übernahme des Unternehmens in der Regel gering, weil er trotz Übernahme des Unternehmerrisikos die Erträge weiter an den (früheren) Unternehmer abführen muss. Zwar kann der Nießbrauch auf eine bestimmte Quote vom Ertrag beschränkt werden (Quotenmißbrauch), so dass dem Nachfolger ein entsprechender Anteil als Gegenleistung für die Unternehmensübernahme verbleibt, doch ergeben sich dann zusätzliche Probleme, z. B. nach welchen Kriterien der Ertrag berechnet werden soll, was der Nachfolger für seine Unternehmensführung erhalten soll, oder was in ertragslosen Jahren geschehen soll. Der Ertragsnießbrauch bietet deshalb nur selten eine zufriedenstellende Lösung.

b) Vorbehaltsnießbrauch

Der Rückbehalt des Nießbrauchs am gesamten Unternehmen (nicht lediglich am Ertrag) durch den Unternehmer hat zur Folge, dass nur das Eigentum an den Unternehmensgegenständen auf den Nachfolger übergeht, der Unternehmer aber mit allen Konsequenzen Betreiber und Nutznießer des Unternehmens bleibt. Als Nachfolgeregelung lässt sich eine solche Lösung nicht bezeichnen. Sie kann sich allenfalls schenkungsteuerlich wegen der niedrigen Einheitswertbesteuerung des Betriebsvermögens rentieren.

c) Zuwendungsnießbrauch

Die Übertragung des Nießbrauchs am gesamten Unternehmen (nicht lediglich am Ertrag) an den Nachfolger führt genau zum umgekehrten Ergebnis:

Der Nachfolger tritt als Unternehmer an die Stelle des bisherigen Unternehmers, wird allerdings nicht Eigentümer des Betriebsvermögens. Diese Lösung kommt in Betracht, wenn der Unternehmer zu seiner Absicherung das Eigentum am wertvollen Anlagevermögen behalten oder eine endgültige Übertragung der Unternehmerstellung auf den Nachfolger noch aufschieben möchte.

Steuerlich ist diese Lösung aber eher nachteilig, weil die Berechtigung zur Abschreibung des Betriebsvermögens verloren geht und die Möglichkeit zur Schenkungversteuerung nach den niedrigen Einheitswerten des Betriebsvermögens mangels Vermögensübertragung noch nicht zum Zuge kommt.

4.3.2.3 Voll unentgeltliche Übertragung

Die voll unentgeltliche Übertragung des Unternehmens zu Lebzeiten **(Schenkung)** ist nur zu empfehlen, wenn der Unternehmer über genügend sonstiges Privatvermögen verfügt, um bis zu seinem Tode angemessen abgesichert zu sein.

Ertragsteuerlich kommt es bei der voll unentgeltlichen Übertragung zu keinen nachteiligen Konsequenzen. Ein steuerpflichtiger Aufgabe- bzw. Veräußerungsgewinn entsteht nicht. Der Nachfolger übernimmt die steuerlichen Buchwerte, ohne zusätzliche Absetzungen vornehmen zu können.

4.3.2.4 Ausgleichleistungen

Probleme entstehen, wenn die Übertragung an sonstige Bedingungen, insbesondere an Ausgleichszahlungen zugunsten anderer Miterben geknüpft wird. Nach der Rechtsprechung des Bundesfinanzhofes werden Ausgleichszahlungen im Rahmen der vorweggenommenen Erbfolge als Veräußerungserlös behandelt. Übersteigen die Ausgleichszahlungen den Buchwert des Unternehmens, so muss der ausscheidende Unternehmer den Differenzbetrag als Veräußerungs- bzw. Aufgabengewinn versteuern. Diese (überflüssige) Besteuerung sollte nach Möglichkeit vermieden werden.

Gewarnt werden muss auch vor Regelungen, die zum Herauslösen von betrieblichen Wirtschaftsgütern aus dem Unternehmen führen.

Beispiel: Ein Hotelier überträgt seinen Betrieb gegen monatliche Leibrente auf seinen Sohn, ordnet aber zugleich an, dass das Betriebsgrundstück der Tochter zum Ausgleich übertragen werden soll. Durch eine derartige Gestaltung kommt es steuerlich zur Aufdeckung der in dem Betriebsgrundstück enthaltenden stillen Reserven. In Höhe der aufgedeckten stillen Reserven entsteht ein außerordentlicher Gewinn, der voll zu versteuern ist.

4.4 Steuerliche Aspekte

Die Gestaltung der Unternehmensnachfolge ist vor allem eine unternehmerische Aufgabe und sollte nie allein aus steuerlichen Gründen erfolgen. Allerdings darf eine rechtzeitige Planung auch nicht ohne Prüfung der steuerlichen Konsequenzen gemacht werden. Mit entsprechender fachlicher Beratung sollte eine steuerlich optimale Gestaltung der aus betriebswirtschaftlichen Gründen angestrebten Übertragung gesucht werden. Bei der Planung aus steuerlicher Sicht sind sowohl ertragsteuerliche wie auch schenkungs- und erbschaftsteuerliche Aspekte zu beachten.

4.5 Gesellschaftsrecht

Stets ist zu prüfen, ob es zweckmäßig ist, die Rechtsform des Unternehmens zu Lebzeiten zu ändern oder bei Vorhandensein einer Gesellschaft den Gesellschaftsvertrag zweckentsprechend anzupassen.

4.5.1 Unterschiede der Rechtsform

Bei der Einzelunternehmung gehen alle Aktiva und Passiva auf die Erben über. Diese führen das Unternehmen kraft Gesetzes wie der Verstorbene weiter. Bei der GbR führt der Tod eines Gesellschafters, falls im Gesellschaftsvertrag nichts Abweichendes geregelt ist, zur Auflösung und Abwicklung der Gesellschaft. Bei einer OHG oder KG haben der Tod oder die Kündigung eines persönlich haftenden Gesellschafters sowie die Eröffnung des Konkurses über das Vermögen eines persönlich haftenden Gesellschafters **nach neuem Recht** nicht mehr die Auflösung der Gesellschaft, sondern das Ausscheiden des betreffenden Gesellschafters zur Folge, sofern die Gesellschafter keine hiervon abweichende Regelung treffen. Die Gesellschaft wird unter den übrigen Gesellschaftern fortgesetzt. Bei der GmbH gehen die Geschäftsanteile, falls im Gesellschaftsvertrag nichts anderes vereinbart, auf die Erben als Gesamthandsberechtigte über.

Ausgehend von dieser Gesetzeslage reicht bei den Einzelunternehmen die Erbeinsetzung eines Nachfolgers aus. Abzuraten ist aber von der Erbeinsetzung mehrerer Personen, da diese dann das Unternehmen in Erbengemeinschaft fortsetzen müssten. Bei der Personengesellschaft muss zur Vermeidung der Auflösung des Unternehmens im Gesellschaftsvertrag eine Regelung für den Todesfall erfolgen. Die Gesellschaftsanteile können dabei aus Rechtsgründen nicht auf die Erbengemeinschaft zur gesamten Hand übertragen werden, sondern nur auf einzelne Erben als Bruchteile (Prinzip der Sonderrechtsnachfolge). Bei der GmbH gehen die Anteile auf die Erben über, können also von einer Erbengemeinschaft gehalten werden, doch ist dieses Ergebnis wegen der mit der Erbengemeinschaft verbundenen Schwierigkeiten (s. o.) nach Möglichkeit durch den Gesellschaftsvertrag auszuschließen.

4.5.2 Nachfolgeklauseln in Gesellschaftsverträgen

Zur zweckentsprechenden Regelung der Nachfolge haben sich in der Praxis verschiedene **Erbfolgeklauseln** herausgebildet, die jeweils zu unterschiedlichen Konsequenzen führen und deren Anwendung deshalb von der Zielsetzung des Unternehmers abhängt.

Unterschieden wird dabei im Wesentlichen zwischen Fortsetzungs-, Nachfolge-, qualifizierter Nachfolge- und Eintrittsklausel.

4.5.2.1 Fortsetzungsklausel

Bei der Fortsetzungsklausel wird die Gesellschaft mit den verbleibenden Gesellschaftern fortgesetzt. Die Erben des durch Tod ausgeschiedenen Gesellschafters erhalten eine Abfindung. Das Problem dieser Klausel liegt in der Bestimmung der Höhe der Abfindung, den Modalitäten der Auszahlung und dem Anfall einkommensteuerpflichtiger Aufgabengewinne.

4.5.2.2 Nachfolgeklausel

Bei der Nachfolgeklausel wird die Gesellschaft mit den Erben des verstorbenen Gesellschafters fortgesetzt. Da die Erben ihre Anteile im Wege der Sonderrechtsnachfolge (bruchteilmäßig) erwerben, kommt es bei dieser Klausel zu einer Zersplitterung der Gesellschaftsrechte und zu einem Verlust der einheitlichen Willensbildung. Diese Klausel ist deshalb nur zu empfehlen, wenn dem vorgesehenen Unternehmensnachfolger eine Mehrheitsbeteiligung vererbt wird oder wenn ihm zumindest eine unabhängige Geschäftsführerstellung garantiert ist. Steuerlich wird ein Aufgabegewinn vermieden.

4.5.2.3 Qualifizierte Nachfolgeklausel

Bei dieser Nachfolgeklausel wird die Gesellschaft nur mit einem bestimmten, im Gesellschaftsvertrag bereits genannten Erben fortgesetzt. Die übrigen Erben müssen von diesem Erben abgefunden werden. Problematisch sind dabei die Bestimmung der Abfindungshöhe und die Auszahlungsmodalitäten. Der die Abfindung vornehmende Nachfolger kann zudem die Abfindungsleistungen in der Regel nicht steuerlich absetzen. Die Klausel ist deshalb steuerungünstig.

4.5.2.4 Eintrittsklausel

Bei der Eintrittsklausel schließlich wird die Gesellschaft mit einem zum Eintritt bereiten Dritten fortgesetzt, der ebenfalls im Gesellschaftsvertrag genannt werden muss. Auch hier stellt sich das Problem der Abfindung der Erben und der Steuerfolgen.

4.5.2.5 Erbfolgeklauseln bei einer GmbH

Bei der GmbH können die Rechtsfolgen der qualifizierten Nachfolgeklausel, der Fortsetzungsklausel oder der Eintrittsklausel wegen der zwingenden Vererblichkeit der GmbH-Anteile nur erzielt werden, wenn im Gesellschaftsvertrag eine Pflicht der Erben zur Übertragung der Erbanteile auf bestimmte Personen vorgesehen ist. Es handelt sich dabei um eine zu Lebzeiten des Erblassers getroffenen, aufschiebend bedingte Verfügung über seine Anteile. Im Übrigen ergeben sich die gleichen Möglichkeiten und Probleme wie bei der Personengesellschaft.

Aufgaben

1. Was versteht man unter gesetzlicher Erbfolge?
2. Worin besteht ein Vorteil des notariellen Testaments?
3. Zeigen Sie die besondere Gefahr von nicht beachteten Pflichtteilansprüchen auf!
4. Welche grundsätzlichen Möglichkeiten der vorweggenommenen Erbfolge kennen Sie?
5. Worin liegt die besondere Bedeutung von so genannten Nachfolgeklauseln in Gesellschaftsverträgen?
6. Welches sind die Inhalte des o.g. Testamentes?
   Prüfen Sie, ob dieses Testament
   - Erbeinsetzung (= eine Person wird zur Gesamtrechtsnachfolge bestimmt)
   - Vermächtnisse (= eine Person wird nur mit einzelnen Gegenständen bedacht)
   - Auflagen (= Verpflichtungen für den einzelnen Erben oder Vermächtnisnehmer)

   enthält.

Quellen und weiterführende Literatur

Stiftung Warentest: Vererben & Erben, Berlin 1994

Drewes, Th.; Hollender, R.: Testament und Erbschaft, Niedershausen / Ts. 1994

Wollay, Paul: Unternehmens- und Praxisübertragungen, Ludwigshafen 1990

Kienbaum Stiftung: Erfolgreiche Unternehmensnachfolge , Wiesbaden 1999

Braunschweig, Christoph: Die Firma vererben und Steuern sparen, in: Harvard Businessmanager, 2/95

5. Wellness in Hotellerie und Gastronomie

Was genau verbirgt sich hinter dieser Entwicklung, die mit „Globalisierung" gekennzeichnet wird?

Es ist im Wesentlichen die rapide Internationalisierung der Weltwirtschaft. Die meisten Nationen werden wirtschaftlich immer mehr voneinander abhängig. Genauso wie die Raumfahrt die Einheit der Umwelt des Menschen auf der Erde deutlicher gemacht hat, so wird durch die Entwicklung im Bereich des Handels die Menschheit enger miteinander verbunden.

(David R. Francis: Stabilität, Freiheit, Individualität in einer Zeit der Globalisierung, in: Der Christian Science Herald, Heft 1/99, Boston 1999, S. 22)

In der Tat umschreibt das Schlagwort **„Globalisierung der Märkte"** im ausgehenden zweiten Jahrtausend die Tatsache, dass sowohl das Angebot von Waren und Dienstleistungen als auch die entsprechende Nachfrage immer weltoffener geworden sind. Diese Tendenzen waren in der Tourismuswirtschaft relativ früh wahrnehmbar.

Vor allem bei den Jahresurlauben ließen attraktive Destinationen in anderen Ländern und Kontinenten die Buchungen bei den traditionellen einheimischen Zielgebieten spürbar schrumpfen. Das Fernbleiben verwöhnter „Weltenbummler" mit hohem Erwartungshorizont machte sich um so empfindlicher bemerkbar, als fast parallel dazu ein Abflauen des gesamtwirtschaftlichen Wachstums und der Einkommenszuwächse bei den „Normalverdienern" bremsend auf deren Reisebudgets durchschlug.

Unter dem Einfluss der aus verschiedenen Gründen rückläufigen Ausgabenneigung verschoben sich die Gewichte der Akteure im damaligen Tourismus dramatisch. Die bei Hoteliers und Gastronomen sehr willkommenen Bequemlichkeiten des früheren Verkäufermarktes wurden abgelöst vom Anspruchsprofil eines Käufermarktes mit hoher Nachfrageelastizität. Das erforderte weitreichende Anpassungsmaßnahmen auf der Anbieterseite.

Viele waren den fundamentalen Umdenkprozessen nicht gewachsen und gaben früher oder später auf. Andere suchten ihr Heil in modernen Marketingstrategien und vertrauten auf entsprechende Berater. Fortan häuften sich die Werbebotschaften, denen das Bestreben anzumerken war, bei potentiellen Gästen einen spezifischen Aufmerksamkeitseffekt auszulösen.

Zum bevorzugten Selbstdarstellungsszenario gehört seit einiger Zeit die Vokabel **WELLNESS.** Zumeist wird sie mit frei schwebender Sinngebung als kundenorientierter Lockruf benutzt, um emotionale Entscheidungen zum Vorteil des eigenen Unternehmens zu bewirken. Da aber die Konkurrenz, von der man sich ja gerade abheben möchte, mit gleichen Absichten agiert – und weil zudem ein überwiegender Teil der Branche die inhaltliche Klärung des modisch-kurzlebig klingenden Ausdrucks für eine unnötige Mühe zu halten scheint –, gibt es inzwischen fast so viele Konzeptversionen wie Anbieter.

Die hierdurch ausgelöste Verunsicherung (bis hin zur Irreführung) gutgläubiger Adressaten ist nicht durch eine angebliche Verschwommenheit des Begriffs entschuldbar. Immerhin besteht seit rd. einem Jahrzehnt die eindeutige, wissenschaftlich abgesicherte und zur praktischen Umsetzung aufbereitete Definition der EUROPÄISCHEN WELLNESS UNION (EWU), die auch dem Tourismussektor auf vielfältige Weise erläutert wurde.[1]

5.1 Sprachlicher Orientierungsverlust

Aus der Erkenntnis, dass Chancen für eine langfristig erfolgreiche Strategie beeinträchtigt werden, meldeten sich zahlreiche branchenvertraute und entsprechend wohlwollende, vielleicht aber gerade deswegen fachkritische Kommentatoren zu Wort. Einige wenige **Zitate** sollen das belegen, zumal aus ihnen **Lösungsansätze** für das entstandene Problem abgeleitet werden können.

Schon 1991 beanstandete der Journalist Peter Völkner so genannte Wellness-Angebote in bestimmten Hotelbroschüren als „wenig honorige Versuche, schnell einen Modetrend zu übernehmen, ohne sich mit inhaltlichen Fragen auseinanderzusetzen" (management & seminar, Nr. 6/91). Er sah eine inflationäre Entwicklung voraus, die auch tatsächlich eintrat – wie mehrere Quellen belegen. So berichtete Kornelia Kneissl vier Jahre später, „was sich hinter der Schwemme von touristischen Wellness-Angeboten verbirgt: Die Wellness-Welle bahnt sich ihren Weg. Tourismusorte, Veranstalter und Hotels bauen in der Werbung immer mehr auf den Traum vom ewigen Wohlgefühl. Doch Kritiker meinen, Wellness sei nichts als eine Marketingluftblase, ein Etikett, das sich Anbieter auf der Suche nach mehr Gästen ans Revers heften, ohne konkrete Inhalte zu bieten. ... Das schlichte Prädikat ‚Wellness' für Marketing-Zwecke genügt jedoch keinesfalls für den Erfolg" (*touristik management, Nr. 5/95*).

Diese Feststellung kommt ebenfalls in den nachfolgenden Zitaten zum Ausdruck :

* „Der Großteil neuer Anbieter resultiert nicht aus Neugründungen, sondern durch Umstellung der Angebotspaletten von Hotels bzw. der Ansprache neuer Zielgruppen. Das größte Problem für die etablierten Unternehmen ist hierbei vorwiegend der von einigen Hotels betriebene ‚Etikettenschwindel'. Der **Begriff ‚Wellness'** wird hier lediglich als Marketingmittel eingesetzt, hinter dem sich oft nur ein Schwimmbad mit Sauna verbirgt. Aufgrund negativer spill-over Effekte (Beeinflussung von Image und Bekanntheitsgrad eines Produktes durch ein anderes Produkt und dessen Image) wird es den etablierten Unternehmen erschwert, ihr Angebot auf dem Markt als Qualitätsprodukt zu positionieren" (*Robertz, H., 1995*).
* „Das Postulat, dass sich Touristiker mit den Inhalten der Wellness-Idee auseinandersetzen sollen, wird in der Praxis nicht immer erfüllt. Manchmal bleibt es beim Besuch eines Vortrages oder der Kontaktaufnahme mit Wellness-Institutionen, manchmal wird der Begriff ohne nähere Kenntnisse übernommen." (*Röhr, C. 1996*).
* „Die herkömmliche Kur ist tot, es lebe die Wellness. So attraktiv ist der Markt, dass kaum noch ein Ferienhotel ohne Gesundheitsprogramm auszukommen glaubt und es schwieriger wird, die Spreu vom Weizen zu trennen" (*Scherer, B. 1998*).
* Noch unmissverständlicher sagte das Hildegard Dorn (hotel consult) im Dezember 1998 in einer privaten Mitteilung: „Betrachtet man die verbleibende Zahl von ‚Einzelkämpfern', stößt man auf ein neues Zauberwort, den Rettungsring für den Hotelier in der stürmischen See des steigenden Wettbewerbs: WELLNESS. Hier sei die Branchenzeitung NGZ (Nr. 7/97) zitiert: Wellness-Drinks, Wellness-Joghurts, Wellness-Musik, Wellness-Clubs, in Deutschland rollt die **Wellness-Welle** immer schneller. Auch Wellness-Hotels stehen im Kurs, macht doch das neue Gesundheitsbewusstsein eine zah-

1 Dazu gehören Publikationen, Beratungen, Vorträge und Workshops, Messepräsenz u. a. m. (zum Teil im Literaturverzeichnis erwähnt).

lungskräftige Klientele als Zielgruppe interessant. Und so wachsen Wellness-Hotels allerorts aus dem Boden, wird umgerüstet und in schicke Badelandschaften investiert. *Doch nicht überall, wo Wellness draufsteht, ist auch Wellness drin. Das gilt nicht zuletzt für die deutsche Hotellerie, die den Begriff für sich als lukrativen Hoffnungsträger beansprucht."*

Die Reihe derartiger Zitate könnte fortgesetzt werden. Wichtig ist hier jedoch weniger die Kritik als die daraus abzuleitende Schwachstellenanalyse, welche zugleich Ansatzpunkte für Korrekturen aufzeigt.

Alles in allem ist den Äußerungen der Branchenbeobachter zu entnehmen, dass die im Tourismus und der Hotellerie meist recht oberflächliche Verwendung des Wellnessbegriffs nicht einem zufälligen Zusammentreffen isolierter Einzelentscheidungen zuzuschreiben ist. Vielmehr gibt es Hinweise (die durch eigene Beobachtungen bestätigt werden), wonach die geradezu epidemisch gewordene Sprachverwirrung in erster Linie auf sonst wohl durchaus vertrauenswürdige Fachorganisationen und Consultingfirmen zurückgeht, deren Rat auch in diesem Falle kompetent erschien.

In der Tat verkündete der eidgenössische Fremdenverkehrsverband bereits 1992, dass Wellness Trumpf in der Schweiz sei. Er präzisierte das folgendermaßen: „Statt Kuren schreiben die Marketingleute … jetzt das Wort Wellness in ihre Prospekte. Damit ist die Förderung des allgemeinen Wohlbefindens gemeint. Etwas baden, etwas ruhen, eine Kleinigkeit essen, warm haben und sich wohlfühlen." Offenbar also benutzte man einfach ein neues Etikett für die herkömmlichen Angebote.

Hinter einer so simplen, aber dennoch attraktiv und leicht nachvollziehbar erscheinenden Strategie wollten vergleichbare Einrichtungen im übrigen deutschen Sprachraum verständlicherweise nicht nachstehen. Allerdings schwenkten sie zu einer Zeit darauf ein, als sich im Herkunftsland bereits erhebliches Unbehagen zu artikulieren begonnen hatte.

Bsp.

> „Schlagworte wie Wellness- und Erlebniswelt im Hotel – was immer darunter zu verstehen sein mag – geistern durch die Landschaft. Wir werden mit Begriffen wie Leistungsdiagnose, Cardio-Fitness, Thermarium, Relaxarium, Aromakabine, Brandungs- und Cleopatrabad konfrontiert, sollen plötzlich TaiChi, Shiatsu, Yoga und weiß der Teufel noch alles bieten. Das klingt sehr schön, überfordert aber alle Betroffenen – Hotelier, Architekt, Investor – gleichermaßen.
>
> Diese Dinge werden eben nicht auf der Hotelfachschule gelehrt."
>
> *(Besucherbericht über die Messe/Kongress „Hotel der Zukunft", März 1994, Zürich)*

Genau der letzte Satz – konsequent zu Ende gedacht – deutet auf eine der tatsächlich unverzichtbaren Problemlösungsmöglichkeiten hin. Gemeint ist die bisherige Beschränkung unserer Aus- und Fortbildungsprogramme auf das herkömmliche Verständnis von Fachkenntnissen und beruflicher Qualifikation. Sie vernachlässigt Wissenskategorien, welche für die Bewältigung aktueller Anforderungen unverzichtbar sind – sowohl für die zu Schulenden selbst als auch für jene, denen dann das erarbeitete Wissen durch kompetente Weitervermittlung Nutzen bringen soll.

5.2 Wissenslücken

Abb. 5-1

Eine moderne, ethisch verantwortbare Bildungskultur kann Themen der ganzheitlichen Gesundheitssteuerung nicht länger ignorieren und ausklammern. Unter den Gründen für eine derartige Forderung sollen hier nur zwei ausdrücklich genannt werden.

Das Aus- und Fortbildungssystem in den deutschsprachigen Ländern hat einen hohen Perfektionsgrad erreicht. Allerdings nur in rein fachlicher Hinsicht. Dabei wurde entweder übersehen oder als scheinbar unvermeidlich hingenommen, dass die so Geschulten hierdurch in gesteigerten Leistungsdruck geraten, den viele nicht unbeschädigt überstehen (Abb. 5-1).

Abb. 5-2: Moderner IKARUS oder: unplanmäßiges Ende eines Qualifikationsaufstiegs

Ihre Belastbarkeit wird ohnehin schon stark strapaziert. Aus Sorge um den Arbeitsplatz, unter dem Erfolgszwang des Karrierestrebens, im Spannungsfeld zwischen beruflichen und privaten Pflichten, zur Anpassung an den Erwartungshorizont des gesellschaftlichen Umfeldes und aus sonstigen Gründen neigen viele dazu, sich selbst zu überfordern oder von anderen überfordern zu lassen.

Einige der aktuellen Herausforderungen für die Berufssparte Tourismus hängen mit den einleitend schon kurz erwähnten weltwirtschaftlichen Globalisierungsvorgängen (in unmittelbarer Nachbarschaft verstärkt durch die erleichterte Einreise nach osteuropäischen Ländern mit z. T. beachtlicher Tourismustradition) zusammen. Eine der Reaktionen hierauf sind allerlei Angebotsinszenierungen, welche ihrerseits intensivierte Lernprozesse für gesteigertes Fachkönnen auf allen hierarchischen Ebenen verlangen. Man spricht dabei gern von **„Qualifizierungsoffensiven“**, wie sie auch in anderen Sektoren üblich sind.

Gegen die zivile Anleihe beim militärischen Wortschatz wäre nichts einzuwenden, wenn der Begriff wenigstens kompetent umgesetzt würde. Das ist nicht der Fall: Ein offensiver Vorstoß zu weit gesteckten Zielen gerät nämlich zum strategischen Abenteuer, wenn der wohlbedachte Schutz verwundbarer Flanken unterbleibt. Genau dies aber geschieht hier. Zu den Konsequenzen gehören Einbußen an gesundheitlicher Lebensqualität der Mitarbeiter bis hin zu der fatalen Stufenfolge des – auch in Hotellerie und Gastronomie immer häufiger auftretenden – „Burnout-Syndroms“.[2]

Zum bestmöglichen Selbstschutz hiergegen sowie zur Pflege von „Human Ressourcen“ der Arbeitgeber entwickelte das bereits erwähnte Europäische Wellness-Modell ein System von Bewältigungsmodulen, das **Energetische Zentrieren.** Es kombiniert physi-

2 Als fortschreitende Anzeichen hierfür gelten insbesondere
- Stimmungsschwankungen (Aggressivität oder Niedergeschlagenheit)
- Vitalitätsverlust und reduzierte persönliches Engagement
- „innerliche Kündigung“ und zunehmende Fehlzeiten
- Flucht in Beruhigungs- oder Aufputschmittel
- Abnehmendes Selbstwertgefühl, Angstzustände, „Ausgebranntsein“

sche, mentale, emotionale und kommunikative Elemente unterschiedlicher Herkunft. Dieses tiefgestaffelte Programm enthält viele Bausteine zur Modernisierung auch der berufsbegleitenden Weiterbildung (*vgl. Malich 1994, S. 74*).

Für Berufsbereiche mit hoher unmittelbarer Kundenbezogenheit (zu denen Hotels, Ferien- und Kurorte sowie Freizeiteinrichtungen unzweifelhaft gehören) wäre eine konsequente Horizonterweiterung im Sinne der fachübergreifenden Wissenschaft und Lebensrezeptur Wellness noch aus anderen Gründen optimal. Vor allem könnte sie einen wesentlichen Beitrag zum **„Human Resource Management"** leisten, welches auch konventionell orientierte Experten als Erfolgsfaktor propagieren. Zahlreiche einschlägige Quellen unterstreichen die Schlüsselrolle überdurchschnittlich informierter, von innovativen Unternehmensleitbildern überzeugter und entsprechend hochmotivierter Mitarbeiter. Deren breit gefächertes Know-how und geschult kommunikatives Verhalten bestimmen in hohem Maße, ob die **Erwartungen des Gastes** (und somit dessen Zufriedenheit) in Erfüllung gehen.

Wenn echte Wellness-Programme mit der ernsthaften Absicht angeboten werden, die hierin liegenden Marktchancen langfristig zu nutzen, hängt der angestrebte Geschäftserfolg nicht zuletzt von der Vertrautheit und Identifikation des umfassend einbezogenen Personals mit den Besonderheiten des Konzepts ab. Alle Beschäftigten – in welchem Zuständigkeitsbereich auch immer – können wiederholt in die Lage geraten, von Besuchern als unmittelbare Ansprechpartner zu Fragen des angebotenen Leistungsspektrums betrachtet zu werden. Ihre Überzeugungskraft dürfte in derartigen „Interviews" um so nachhaltiger sein, je glaubwürdiger sie den **Wellnessbegriff** sowohl verständlich zu **erklären** als auch gemäß geschulter eigener Erfahrung beispielhaft **vorzuleben** vermögen. Hierbei sollten die einzelnen Mitarbeiter erkennbar am gleichen Strang ziehen.

Demzufolge ist der Empfehlung beizupflichten, zur Koordination des Personals und der zu erbringenden Leistungen eine übergeordnete „Instanz", beispielsweise in Form eines **Wellness-Beraters,** einzusetzen (*vgl. Robertz 1995, S. 57*).

Ziel muss die berufsbegleitende Heranbildung von derartigen Beratern für unterschiedliche Aufgabenbereiche und von anderen **Multiplikatoren** (Wellness-Trainer, Wellness-Tutoren usw.) sein. Im Vorfeld der zur Zeit betriebenen Gründung einer „EWU-Akademie für ganzheitliche Gesundheitskultur/European Wellness University" erfolgen solche Schulungen bisher überwiegend in der Form von Seminaren, Workshops, Kongressbeiträgen und sonstigen Präsentationen. Darüber hinaus galt und gilt die fachliche Förderung von Projektstudien, Magisterthesen, Diplomarbeiten etc. an verschiedenen europäischen Hochschulen als wichtige Aufgabe (*z.T. im Literaturverzeichnis erwähnt*).

Fernziel dieser Bestrebungen ist es, die wissenschaftliche Basis der interdisziplinären Wellness-Strategie sowie deren sachkompetente Anwendung nach Breite und Tiefe abzusichern. Überzeugend dokumentierte Beispiele aus anderen Erdteilen belegen, dass sich ein erweiterter **Bildungsstandard** für die **berufliche Qualifikation** mehr und mehr durchsetzt. Richtungsweisender Einfluss geht nach wie vor von der akademischen Ebene in Nordamerika aus. Keine der renommierten dortigen Universitäten verzichtet noch auf eigene Institute und Studiengänge für „Holistic Wellness" – beginnend 1972 mit Stevens Point/Wisconsin (zugleich Sitz des Dachverbandes NATIONAL WELLNESS ASSOCIATION) und gefolgt von Orlando/Florida, Berkeley/Kalifornien, Toronto/Kanada und vielen anderen. Für Australien begann der Einstieg 1992 mit einem international hochrangig besetzten Kongress in Perth (*vgl. den Beitrag „Healing the Lazy Dog Syndrome" von S. Malich, a. a. O.*).

Eine – im Gegensatz hierzu – bislang unzureichende Verankerung der Wissensgrundlagen für Wellness in Forschung und Lehre auf unserem Kontinent erklärt weitgehend die im deutschen Sprachraum besonders ausgeprägte Oberflächlichkeit und Verschwommenheit kommerzieller Aussagen. Schlimmer noch: gemäß verschiedenen Quellenverweisen auf sonst durchaus respektable Gesundheits-, Sport- und Fremdenverkehrswissenschaftler wird aus diesen Kreisen der bestehenden Konfusion anscheinend sogar noch Vorschub geleistet. Jedenfalls vermittelt man gutgläubigen Interessenten eine falsche Information, wenn der Ausdruck durch simple Gleichsetzung mit Wörtern der deutschen Umgangssprache, die ein angenehmes Empfinden signalisieren (Wohlbehagen, Wohlgefühl o. Ä.), definiert wird.

5.3 Well*ness* – oder Well*being*

Selbst der Respekt vor namhaften Persönlichkeiten sollte freilich im vorliegenden Falle nicht davon abhalten, derartige Ansichten kritisch zu hinterfragen. Tatsächlich lautet nämlich die landläufige englische Vokabel für Wohlgefühl oder Wohlsein nachweislich schon seit dem Jahre 1650 **„Well-*being*"**, wie auch heute noch jedem guten Wörterbuch zu entnehmen ist.

Ganz ohne Zweifel bedeutet diese Hochstimmung einen persönlich ersehnten und darüber hinaus im Interesse der Harmonie gesellschaftlicher Beziehungen erstrebenswerten Zustand. Zu seinem Erreichen müssen freilich in der Regel mehrere günstige Voraussetzungen zusammentreffen. Hinlängliche materielle Wohlhabenheit („a satisfactory state of prosperity" lt. Random House Dictionary, 1996) gilt als förderlich. Enttäuschend ist oft die Unstabilität einer solchen, stark zufallsbedingten Befindenslage, der man deshalb durch den zeitweiligen Rückgriff auf geeignet erscheinende Impulsgeber eine gewisse Reproduzierbarkeit sichern möchte. Hierbei besitzen in der Tat der Tourismus im Allgemeinen und die Hotellerie im Besonderen Chancen für eine bedeutsame Mittlerrolle, sofern die entsprechenden Angebote auch in der Wortwahl seriös erfolgen.

„Abschalten, ausspannen, auftanken, sich wohlfühlen, wollen alle im Urlaub" (Zeitschrift fit for fun, 10/1998). Das ist eine fast zeitlos gültige Aussage. Sie traf bereits für die gute alte „Sommerfrische" zu, wo klug vorausschauende Wirtsleute dem Gast Behaglichkeit zu bieten versuchten. Betuchtere und demgemäß anspruchsvollere Besucher von gehobenem Stand vertrauten sich schon vor 150 Jahren den verheißungsvollen Beherbergungsregeln des Fürsten Pückler im Schlosse Branitz bei Cottbus an:

Branitzer Hausordnung.

1) Vollständige Freiheit für Wirth und Gäste.

2) Jederman steht auf wann ihm beliebt, und frühstückt was er will und befiehlt, bequem auf seiner Stube.

3) Um 1 Uhr luncheon im Frühstückszimmer, dem jeder Gast beiwohnt oder nicht, ganz nach seinem Belieben.

4) Wer ausfahren oder reiten will, bestellt es beim Hofmarschall Billy. Acht Pferde stehen dazu bereit.

5) Der einzige Zwang besteht darin, zum Diner um 9 Uhr zu kommen, wenn der Tamtam zum zweitenmal donnert. Nur Krankheit, die der liebe Gott verhüte, dispensirt von dieser Pflicht. Nach dem Kaffee ist jedes Menschenkind wieder frei.

(Aus den „Tafelbüchern" des Fürsten Pückler-Muskau, angefangen 1854)

In unseren Tagen würde ein wiederauferstandener **Fürst Pückler** erstaunt feststellen, dass elitäre Erholungsmöglichkeiten schon längst nicht mehr dem Adel vorbehalten sind. Heute findet jeder, der es sich finanziell leisten kann, seine „Wohlfühl-Weekends oder Verwöhnwochen [...] in der luxuriösen Kultur der **Wellness-Hotels,** in denen man wirklich relaxen kann – sozusagen mit Wohlfühlgarantie" *(vgl. Pramann/Personn, 1998).* Etwas anders ausgedrückt: „Die Sehnsucht nach Ruhe und Muße beschert Schönheitsfarmen und Wellness-Hotels einen ungeahnten Boom. Sich was Gutes tun, die Balance zwischen Stress und Entspannung finden – ein Heer an Kosmetikerinnen, Masseuren, Physiotherapeuten, Trainern, Medizinern und Köchen kümmern sich um Leib und Seele ihrer Kunden" (*vgl. Haas-Pilwat, 1998*). Dass dergleichen an keine Jahreszeit gebunden ist, hebt die Tourismusorganisation für das „Wellnessparadies Schweiz" mit folgenden Worten hervor: Für eine Weile den Alltag vergessen, ausspannen, genießen und sich verwöhnen lassen ist jederzeit möglich (Angebot zum Bezug der Broschüre Wellnessferien, Dezember 1998). Da gibt es dann zum Beispiel „Kuschelwochen mit Verwöhnprogramm" eines Hotels in Luzern oder „Wellness pur in mystisch-sinnlichem Ambiente" eines Hauses in Vals. Kein Wunder, dass jene Wellness-Propheten, die den Begriff zum „neudeutschen Wort für Wohlgefühl" herabstuften, als esoterische Spinner belächelt wurden (*vgl. Haas-Pilwat, 1998*).

Die Wellness-Offerten aus anderen deutschsprachigen Ländern klingen meist etwas bescheidener; auch sie enthalten aber zum Teil ähnlich vollmundige Selbstdarstellungen. Ein Beispiel:

„Wie interpretieren **wir** Wellness? Einfach nur Wohlfühlen. Einfach nur Entspannen durch Wärme, Wasser, Ruhe. Einfach nur aktive Körperbewegung durch Gymnastik, Wassergymnastik und Yoga. Einfach nur sich selbst verwöhnen" *(aus dem Werbeprospekt 1998/99 der Stadt Lahnstein und der Kurtherme DORIMARE, Ferienpark Rhein-Lahn)*

Viel einfacher kann man es sich tatsächlich kaum noch machen. Derartige Ankündigungen (mit Wohlfühlzusage oder zumindest Verwöhnversprechen vor Ort) wären positiver zu bewerten, wenn ein unnötiger – und deshalb besonders bedauerlicher – Schönheitsfehler vermieden würde: die **falsche Endsilbe** beim Deklarieren des Produkts. Was nämlich in der Regel geboten wird, ist nicht Well**ness,** sondern Well**being!**

Auch hierfür gibt es einen durchaus beachtenswerten Markt. Konsumenten sind jene Touristen, die zunächst lediglich einen zeitweiligen Ausstieg aus dem Alltagstrott anstreben und zur gezielteren Regeneration ihrer Energiereserven bestimmte Animationsprogramme mehr oder weniger konsequent absolvieren. Bei einigen von ihnen wächst dabei das Interesse an einer dauerhaften Umstellung des Gesundheitsverhaltens, was ihre Aufgeschlossenheit für echte Wellness-Konzepte erhöht.

Anhand zweier Schaubilder lassen sich wesentliche Merkmale optisch darstellen:

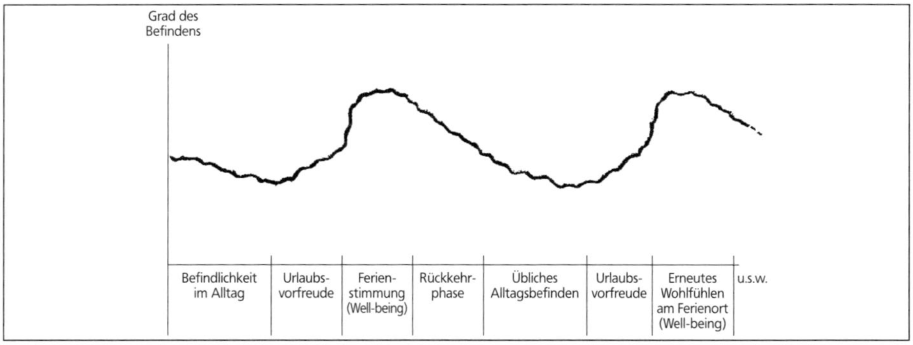

Abb. 5-3: Langfristiges Stimmungspanorama eines „Normalurlaubers"

Das erste Diagramm zeichnet die Befindenskurve eines „Normalurlaubers" über einen längeren Zeitraum andeutungsweise nach. Man erkennt den Aufschwung aus der üblichen Alltagsstimmung im Hinblick auf einen bevorstehenden Urlaub, das überdurchschnittliche Wohlgefühl am Ferienort mit seinen Erlebnis- und Verwöhnimpulsen, die Phase des schwindenden Nachwirkens der positiven Einflüsse, bis hin zur – auch stimmungsmäßigen – Rückkehr in den mehr oder weniger grauen Alltag.

Im Gegensatz dazu wird der **Jo-Jo-Effekt** dieser zyklischen Auf- und Abschwünge für echte „Wellness-Touristen" spürbar abgefedert und gebremst.

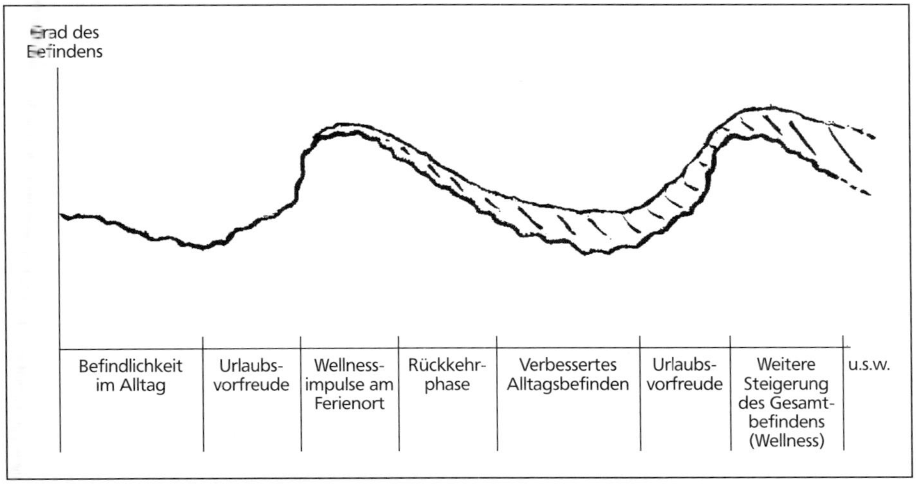

Abb. 5-4: Langfristiges Stimmungspanorama eines „WELLNESS-Touristen"

Die zweite Abbildung deutet an, dass die Talsohle der gewohnten gesundheitlichen Allgemeinbefindlichkeit künftig immer weniger tief absinkt, sofern ein wirklicher Wellness-Aufenthalt den Gästen ein fachlich gekonnt umgesetztes Programm bietet.

Was darunter zu verstehen ist, werden jene kaum beantworten können, die sich mit dem Stoßseufzer begnügen, „es wird immer schwieriger, Wellness zu definieren" (ZDF-Sendung Reiselust, 10. Januar 1999), anstatt sachkompetente Ansprechpartner zu konsultieren. In Wirklichkeit dient der Begriff unter seriösen Fachleuten schon längst als internationale Verständigungsbasis für gleich gerichtete Bestrebungen zur Verbreitung einer modernen, **ganzheitlichen** Gesundheitskultur.

Als Wortschöpfer gilt der amerikanische Arzt Halbert L. Dunn. Er wollte vor mehr als vierzig Jahren das zuvor nur langatmig zu beschreibende Ziel des erstrebenswerten Optimums an gleichzeitiger körperlicher, geistiger und seelischer Befindlichkeit in eine knappe Formel fassen.[3] Seine Idee wurde allerdings erst zwei Jahrzehnte später an der Universität Stevens Point/Wisconsin aufgegriffen und breitete sich anschließend zügig aus.

Für die besonderen Daseinsverhältnisse und Lebensbedingungen auf unserem Kontinent ist das bereits in anderem Zusammenhang erwähnte **„Europäische Wellness Modell"** entwickelt worden. Es widmet sich allen maßgeblichen Einflussfaktoren für

3 Ein gleich lautender Ausdruck „Wellness", der aber selbstverständlich noch nicht den modernen Wortsinn enthalten konnte, war – wie die Bezeichnung „Wellbeing" – ebenfalls schon im 17. Jahrhundert aufgetaucht. Er wurden jedoch weder in die Umgangssprache noch in eine der gesundheitsbezogenen Fachterminologien übernommen und verschwand daher ziemlich rasch wieder (vgl. Compact Unabridged English Dictionary, Random House, New York 1996).

- körperliches Fitsein
- geistig-seelische Belastbarkeit
- Einklang mit dem gesellschaftlichen und natürlichen Umfeld,

die in einem Fächer von 6 Dimensionen steuerbar sind (*vgl. Malich 1998, S. 210 ff.*).

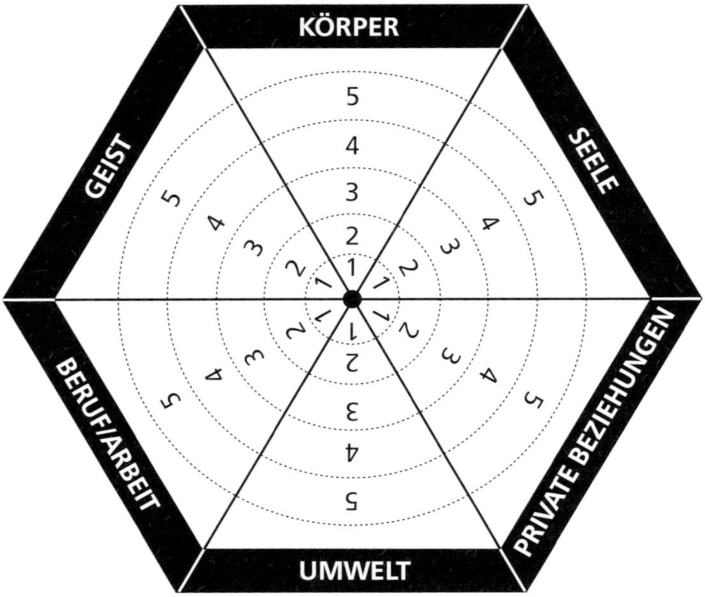

Abb. 5-5: Die Wellness-Dimensionen

Die einzelnen Sektoren durchdringen sich gegenseitig auf unterschiedliche und – je nach Situation – wechselnde Art. Jeder Bereich enthält eine Vielzahl von Elementen, die in hohem Maße individuell beeinflussbar sind. Darauf wurde im Band 1 –Tourismuswirtschaft – *(Dettmer (Hrsg.) 1998, S. 210 ff.)* schon näher eingegangen. Eine ausführliche Wiederholung ist hier nicht möglich. Im Wesentlichen geht es jedoch darum, vorhandenes interdisziplinäres Fachwissen so für die Mitbürger aufzubereiten und ihnen nachvollziehbar zu vermitteln, dass daraus ein aufgeklärtes Gesundheitsbewusstsein, eine eigenverantwortliche Verhaltensweise und somit die Fähigkeit zu weitestgehender Selbststeuerung des komplexen Allgemeinbefindens entstehen.

Das **persönliche Engagement** der Adressaten ist insofern unerlässlich, als es sich auch bei Wellness nicht etwa um einen Optimalzustand handelt, auf dessen Niveau – sobald erklommen – man sich bequem ausruhen kann. Zutreffender ist der Vergleich mit einem labilen Gleichgewicht, welches zu seiner Absicherung und fortschreitenden Hebung stetigen Bemühens bedarf. Unverzichtbare Antriebskräfte für diesen langfristigen, aber lohnenden Prozess erwachsen zwar hauptsächlich aus der individuellen Bereitschaft zur Korrektur von gesundheitlich nachteiligen Denkschablonen, Wertvorstellungen, Gewohnheiten und Rahmenbedingungen; sie bedürfen aber der begleitenden Lotsenschaft durch kompetente Einrichtungen.

Genau hier trennen sich die Wege von Well*being* und Well*ness.*

Wer in einem Kurz- oder sogar einem Langurlaub nur die „Streicheleinheiten" ausgeklügelter Verwöhnprogramme zu genießen lernt, mag aus der Erinnerung an und der Vorfreude auf solche Events auch im täglichen Leben hin und wieder emotional beflügelt werden. Das drücken einige der kleinen sporadischen Erhebungen in Abb. 5-3 aus.

Wenn es jedoch darum geht, den in unserer Gesellschaft immer deutlicher wahrnehmbaren Wunsch nach dauerhafter Neuorientierung gesundheitlich relevanter Verhaltensmuster und Verhältnisse zu erfüllen, reicht das keinesfalls aus. Bei einem Wellness-Hotel, welches dieses Prädikat verdient, darf daher folgender Programmbaustein nicht fehlen: Die nachhaltige Vermittlung von Anregungen und Fertigkeiten zur eigenständigen Befindenssteuerung und selbstverantwortlichen Gesundheitsvorsorge der Gäste nach Rückkehr in den Alltag. Nur so kann es gelingen, das keineswegs unvermeidliche Absacken der Befindlichkeitskurve abzufangen und auf einem höheren als dem üblicherweise registrierten Niveau einzupendeln (*vgl. Abb. 5-4*).

> Ein Urlaubsaufenthalt, der als **Wellness-Reise** angeboten wird, versteht sich immer als eine Art Kurs mit Anleitungen, die zeigen, wie man sich das ganze Jahr über im Beruf und in seiner Freizeit zu verhalten hat, damit es Körper, Geist und Seele guttut. Man könnte auch sagen, es handelt sich um eine „Schule für einen gesünderen, glücklicheren Lebensstil" (start, 5/95).

Viele Beobachtungen weisen darauf hin, dass die Aufgeschlossenheit der Mitbürger besonders groß ist, wenn ihnen seriöse Orientierungshilfen (sei es erstmals, sei es später als vertiefende periodische Nachbetreuung) in einer ohnehin schon erwartungsvollen Stimmung angeboten werden. Das gilt beispielsweise für einen Urlaub, eine Kur, ein nicht nur fachbezogenes Seminar, ein Freizeitprogramm. Dabei kommt es auf Überzeugungskraft des Konzeptes an.

Nach entsprechender Einweisung – einschließlich der Schulung eigenen Personals – können Ferienhotels, Erholungsorte, Heilbäder usw. eine Multiplikatorenrolle übernehmen, die ihre Attraktivität steigert und somit auch den berechtigten wirtschaftlichen Interessen dient. Eine der hierfür sinngemäß anwendbaren Strategien findet sich im Band 1 dieser Reihe zum Tourismus unter der Überschrift „Wege zur Umsetzung des Europäischen Wellness Modells" (*Malich, S., in: Tourismuswirtschaft 1998, S. 218 f.*).

5.4 Hotelklassifizierung und Wellnesskriterien

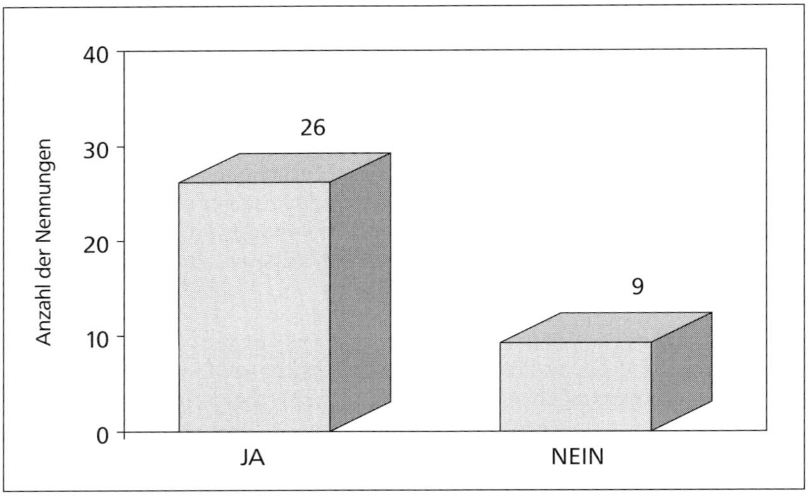

Frage: Orientieren Sie sich bei der Auswahl eines Beherbergungsbetriebes an den vergebenen Sternen? (z.B. in Reisekatalogen oder Hotelführern) - *Auszug aus einer Gästebefragung*

Einheitliche Kurzbotschaften in Form von Sternen zur Charakterisierung des Dienstleistungsangebots der Hotels führte der Deutsche Hotel- und Gaststättenverband (DEHOGA) – nach Vorläufermodellen einzelner Landesverbände – im Herbst 1996 ein. Dazu hieß es: „Die Deutsche Hotelklassifizierung ist ein dynamisches, marktgerechtes System von internationalem Standard. Sie ist geeignet, ein aussagefähiges Raster über den gesamten Bestand an Beherbergungsbetrieben in Deutschland zu legen. Es werden ausschließlich objektive Kriterien wie Zimmerausstattung und Dienstleistungsangebot bewertet; **subjektive Eindrücke werden grundsätzlich nicht berücksichtigt**."

Der letzte Halbsatz war im Original nicht besonders hervorgehoben. Wir werden ihm hier jedoch spezielle Aufmerksamkeit zu widmen haben.

Mit dem Ausklammern subjektiver Reaktionen auf das Erscheinungsbild eines Hotels entfallen Bewertungsmerkmale, welche schon für das zeitlich begrenzte Wohlgefühl der Gäste vor Ort **(Well-being)** von erheblicher Bedeutung sind. Noch ausgeprägter gilt das für die erstrebenswerte langfristige Befindensoptimierung im Sinne von Wellness. Hieraus folgt, dass die „Hardware"-Klassifikation von Betrieben nach ihrer sachlichen und personellen Ausstattung zwar wichtige erste Anhaltspunkte bietet, für sich allein jedoch keinesfalls als Beurteilungsmaßstab unter ganzheitlichem Blickwinkel ausreicht. Sogar die „zusätzlichen (fakultativen) Bewertungskriterien" für vorhandene Freizeit- und Fitnesseinrichtungen besagen nur wenig, weil deren Nutzen für den Gast überwiegend von einer **tauglichen Software** abhängt. Um nur ein Beispiel zu nennen: Der punktwürdige Fitnessraum mit mindestens 4 Geräten kann für Ungeübte zur „Folterkammer" entarten und beträchtliche Verletzungsrisiken bergen, wenn es an fachkompetenter Einweisung, möglichst sogar kontinuierlicher Präsenz entsprechend ausgebildeter Trainer mangelt. Außerdem bleiben im Bewertungskatalog die Modernität und Funktionalität der Ausrüstung sowie die Raumgestaltung (Licht, Luft, Farben, Pflanzen, Musik) – obwohl primär ebenfalls objektive Merkmale – unberücksichtigt.

Die vom Gast wahrgenommene und an seiner Erwartungshaltung gemessene Dienstleistungsqualität umfasst – wie eine internationale Expertenkonferenz unlängst erneut bekräftigte (*vgl. Aiden 1998*) – neben den technischen/sachlichen Funktionsbedingungen die mindestens gleichrangigen persönlichen/verhaltensmäßigen Fähigkeiten. Vor allem diese **immateriellen Leistungsbestandteile** beeinflussen die Qualifikation eines Hotels zum **Aufstieg aus der Wellbeing-Kategorie in die Wellness-Klasse**. Dabei sind verschiedene Kriterien zu beachten. Sie ergeben sich definitionsgemäß aus der Grundvoraussetzung, dass den Besuchern während ihres Aufenthalts nicht nur Gelegenheit zu überwiegend passivem Genießen ausgeklügelter Verwöhnprogramme, sondern darüber hinaus nachvollziehbare Aktivitätsanleitungen im Sinne ganzheitlich positiver Lebensgestaltung geboten werden.

Um den Rahmen dieses Kapitels nicht zu sprengen und gleichzeitig dem Leser Raum für eigene Kreativität zu lassen, beschränkt sich die nun folgende Übersicht auf drei der insgesamt sechs **Dimensionen des „Europäischen Wellness Modells"**. Es handelt sich um jene zentralen und eng ineinander wirkenden Gestaltungsfelder, welche den einzelnen Menschen unmittelbar betreffen: Körper, Geist und Seele. Ihre Einbettung in das Umfeld, d. h. die übrigen Daseinsbereiche (private Beziehungen, Arbeit/Beruf, natürliche Umwelt) ist evident, wird hier aber bewusst nur angedeutet. Damit soll den Lesern Gelegenheit geboten werden, die Lücke mittels eigener Phantasie und Lebenserfahrung zu schließen. (Falls benötigt, kann zur Gegenkontrolle und weiterführenden Anregung auf Band 1 dieser Reihe zum Tourismus, S. 211/212, zurückgegriffen werden.)

Das Spektrum der **Ansatzpunkte** ist breit. Es stellt aber für den Leistungsanbieter keine Verpflichtung zu überforderndem Perfektionismus dar, sondern einen Fächer realisierbarer Wahlmöglichkeiten. Die Regel ist ein schrittweises, eventuell auf besonders naheliegende Themenschwerpunkte beschränktes Schaffen innovativer Unternehmensleitbilder. Hotels sowie andere geeignete Ferien- und Freizeiteinrichtungen, die ihren Standort innerhalb des Marktsegments Wellness bestimmen und mit inhaltlicher Qualität ausstatten wollen, sind gut beraten, wenn sie sich dazu seriösen, sachkompetenten Beistands bedienen. Bei dessen Auswahl sollte – neben den finanziellen Konditionen – auf das Vorhandensein eines fachübergreifenden Netzwerks von Experten und eine langjährige, vorzugsweise auch internationale Erfahrung der Partner geachtet werden.

Zu den wesentlichen **Erfolgsvoraussetzungen** gehört die bereits im Abschnitt 2 („Wissenslücken") begründete Mitarbeiterinformation und -motivation. So lange sich die Lehrpläne der herkömmlichen Bildungseinrichtungen noch auf Sachkunde im engeren Sinne beschränken, kommt den Schulungsangeboten spezialisierter Institutionen ausschlaggebende Bedeutung zu. Leider ließen die schon generell festgestellten „inflationären Tendenzen" auch hier das Feld der Akteure unübersichtlicher werden. Das erschwert die Suche nach vertrauenswürdigen Adressen. Wer die „Spreu vom Weizen trennen" will (so die bereits zitierte Formulierung von B. Scherer), müsste beispielsweise stutzig werden, wenn so genannte Wellness-Trainer auftauchen, die dem Vernehmen nach neuerdings aus hurtigen „Crash-Kursen" hervorgehen und von ihren Lehrmeistern u.a. auf gutgläubige Hoteliers angesetzt werden (*vgl. auch Spreemann 1999, S. 45*).

Verantwortungsbewusste berufsbegleitende Horizonterweiterungen bedingen gerade in gesundheitsrelevanten Sektoren einen angemessen höheren Zeitbedarf. Selbst bei Berücksichtigung nachgewiesener Vorkenntnisse und praktischer Erfahrungen in wichtigen Schwerpunktbereichen lässt sich die ganzheitlich zu definierende Zusatzqualifikation nicht in einem derartigen „Hau-Ruck-Verfahren" vermitteln.[4]

4 Quellen: a) Materialsammlung und Planungsunterlagen zum Aufbau der EWU-Akademie für ganzheitliche Gesundheitskultur, EUROPÄISCHE WELLNESS UNION, 1996–1998 sowie b) Studienordnung für das Weiterbildende Studium Tourismuswissenschaft, Universität Bielefeld, 1995

Primär individuelle Wellness-Dimensionen (zusammengefasst)	Wellness-Elemente	Wellness-Impulse und -Instrumente
	– einige ausgewählte Beispiele und Programmbausteine –	
Sektor I **KÖRPER**	Fitness: Ausdauer, muskuläre Kraft, Beweglichkeit Ernährung: Menge, Zusammensetzung, Geschmack Umgang mit Genuß-, Beruhigungs-, Schmerz- und Aufputschmitteln Attraktives Aussehen u.s.w.	• Jogging, Wandern, Radfahren, Tanzen, Schwimmen, Sauna, Treppensteigen (statt Fahrstuhl) • Trainingsgeräte, Kniebeugen, Armstemmen • Gymnastische Übungen, insbesondere Gelenkprogramme, Rückenschule, Haltungskorrektur • Verschiedene Sportarten, Bewusstes Atmen • Abstimmung von Energiebedarf und -aufnahme • Abwechslungsreiche und ausgewogene Kost • „Gesundes Genießen" und kritisches Diätverständnis • Insbesondere mentales und emotionales Training (vgl. Sektoren II und III) • Unterstützung physiologischer Nebeneffekte der oben erwähnten Verfahren durch ganzheitliche Kosmetik, Stilberatung u.a.m. • Sonstige nachvollziehbare Anleitungen
Sektoren II und III **GEIST** und **SEELE**	Denkweisen Wertvorstellungen Wissen, Können, Kreativität Emotionale Ausgeglichenheit Persönlichkeitsfindung, Bedürfnisstruktur Kommunikationsreife, Konfliktmanagement Selbstachtung, Selbstvertrauen Planvoller Umgang mit der Zeit u.s.w.	• Bewusstseinsentwicklung • (Weiter-)Bildung • Entspannungsmethoden (z.B. Stressabbau durch Ausdauertraining, Progressive Muskelrelaxation, Autogenes Training, Atemübungen, Audio-visuelle Stimulatoren, Melodien, Düfte, Farben) • Positives Denken: Gedankliche Vorwegnahme belastender Situationen und geeigneter Bewältigungsstrategien • Visualisieren, Imaginieren, „Phantasiereisen" • „Assimilierte" Techniken außereuropäischer Erfahrungsmedizin und Lebensrezeptur (Yoga u.v.a.) • Steigerung des Selbstwertgefühls durch attraktives Erscheinungsbild (Gewicht, Figur, Kosmetik, Kleidung) • Zeitplanungsmethoden • Sonstige nachvollziehbare Anleitungen zum „Energetischen Zentrieren"
Wellness-Dimensionen des gesellschaftlichen und natürlichen Umfeldes		
Sektor IV **PRIVATE BEZIEHUNGEN** Sektor V **ARBEIT/BERUF** Sektor VI **NATÜRLICHE UMWELT**	Schema bitte nach eigenen Vorstellungen gestalten	

Abb. 5-6: Ansatzpunkte zur Befindlichkeitsförderung und Lebensstiloptimierung (Auszug aus dem „Europäischen Wellness Modell", Methode Dr. Malich)

Ein **wellness-orientiertes Personalmarketing** trägt zwar erheblich zur Schaffung koproduktiver Potentiale und somit zur Unternehmenskultur und Imageausstrahlung bei; es bedarf jedoch **ergänzender Maßnahmen**. Damit ist nicht etwa ein flächendeckender Einsatz festangestellter eigener Spezialisten für alle Bereiche gemeint. Einen solchen Ehrgeiz würden selbst Häuser im obersten Rang der DEHOGA-Spitzenkategorie schwerlich verkraften – vom breiten Mittelfeld ganz zu schweigen. Daher empfiehlt sich ein Rückbesinnen auf das zeitlos gültige ökonomische Prinzip der Arbeitsteilung, d. h. die Bereitschaft zu synergetischer Kooperation mit externen Fachleuten und fachübergreifenden Organisationen. Bei ausreichender Hoteldichte an einem Ort oder in einer Region gehören dazu ferner Vereinbarungen über eine Bündelung sich ergänzender Angebote, um den gemeinsamen Kunden eine größtmögliche Vielfalt von Wellness-Impulsen vermitteln zu können.

Entscheidend für den langfristigen (auch kommerziellen) Erfolg ist allerdings die konsequente Umsetzung zielführender Konzepte.

5.5 Wellness-konforme Qualitätspolitik

Die Sicherheit und Tauglichkeit von Produkten oder Dienstleistungen sind in einem so sensiblen Bereich wie der Krankheitsvorbeugung und Befindlichkeitsoptimierung von erheblicher Bedeutung. Dennoch erscheinen – gerade wegen der Besonderheiten – Versuche unangemessen, die in anderen Sektoren erprobten objektiven Zertifikationsmodelle hier schematisch nachzuvollziehen.

Insoweit ist dem Bielefelder Gesundheitswissenschaftler Badura beizupflichten, der nach eingehender kritischer Beschäftigung mit der Materie zu dem Ergebnis kam, dass Qualitätsmanagementsysteme eher zur Qualitätsminderung führen, weil Standardisierungen kaum auf Individualität und spezifische Umfeldbedingungen Rücksicht nehmen. Sein Fazit: „Wir brauchen keinen aufgeblähten bürokratischen Apparat, der sich Qualitätssicherung nennt." Ebensowenig gefiel ihm andererseits die „vielfach bloße Qualitätsrhetorik", auf welche er gestoßen war (*vgl. Badura 1999*).

Diese Situation hatte sich während der letzten Jahre schon mehrfach in Anfragen bei der EUROPÄISCHEN WELLNESS UNION ausgedrückt und auf eine wachsende Verunsicherung von Interessenten schließen lassen. Offenbar als Verkaufshilfen wurden und werden unterschiedliche Bewertungsverfahren für „Wellness" im Gastgewerbe propagiert, deren zum Teil willkürlich erscheinende Anforderungsprofile berechtigte Zweifel an der fachlichen Substanz wecken.

Schulmeisternde Zeugnisnoten für gesundheitlich relevante Angebote täuschen – auch nach Ansicht kompetenter Organisationen – eine so weder erreichbare noch erwünschte Perfektion vor (*vgl. zum Beispiel: Arbeitsgemeinschaft Arzt und Patient, Meran 1996, sowie Bundesvereinigung für Gesundheit, Bonn 1996*). Namentlich im Tourismus setzen ohnehin die individuell verschiedenen Bedürfnisprioritäten der Gäste variable Maßstäbe für die subjektive Akzeptanz verfügbarer Dienstleistungen.

Wie schon in den vorausgehenden Abschnitten begründet, heben sich ernstgemeinte Konzepte weniger durch eine größere Dichte oder Attraktivität versprochener „Streicheleinheiten vor Ort" von den bloßen Wellbeing-Offerten ab. Charakterisierend ist vielmehr ihr strategisches Ziel, ein gleichfalls sympathisches Ambiente nicht als Selbstzweck zu unterhalten, sondern als Mittel, um zahlreiche Gäste auf die langfristig nachvollziehbaren Wellness-Programme einzustimmen. Deren Wirkungen reichen weit über einen Urlaubsaufenthalt hinaus und steigern die persönliche Fähigkeit zur besseren Bewältigung von Alltagssituationen.

Die Vielzahl der einsetzbaren **Verfahren und Instrumente** wurde bereits mehrfach erwähnt. Ihre Variationsbreite bietet den Hotels die Chance zur Auswahl jener Module, welche dem Unternehmensleitbild am meisten entsprechen. Bereits diese Wahlmöglichkeit, noch mehr aber die gekonnte Verwirklichung des Vorhabens, sind mit sachkompetenter Beratung am sichersten und schnellsten zu bewerkstelligen.

Methodisch steht nicht die (wenn auch unerlässliche) Wissensbereicherung im Vordergrund. Sie bildet gewissermaßen nur die Spitze eines Eisberges. Das jeweilige **Gesamtbefinden eines Menschen** ist ein Produkt aus unstabilen physischen, psychischen und mentalen Komponenten sowie deren jeweiligen Wechselwirkungen – einschließlich der Reaktionen auf äußere Einflüsse. Das Schwergewicht liegt im emotionalen Bereich. Deshalb spielen erlebnispädapogische Vorgehensweisen eine bedeutende Rolle. Gemeint ist damit die planvolle Vermittlung von

- Denkanstößen und Bewusstseinserweiterungen (beispielsweise durch einführende Worte beim Begrüßungscocktail für neue Gäste, themenspezifische Vorträge und moderierte Kommunikationsrunden während des Aufenthalts, Bereitstellung von Fachliteratur usw.)

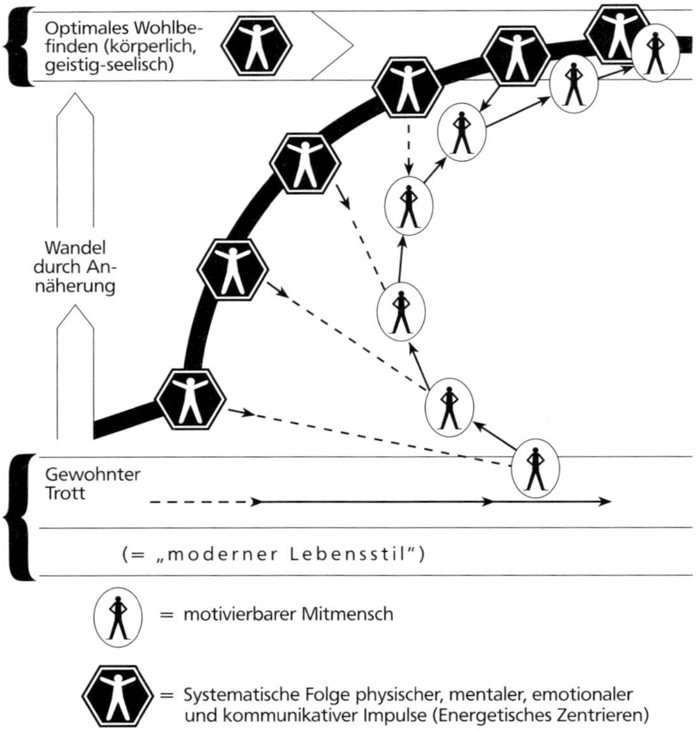

Abb. 5-7: Der „kybernetische" Wellness-Pfad – in grafischer Anlehnung an die „Jagdhundkurve" von Frederic Vester

- begeisternden Wahrnehmungen, inspirierenden Anreizen, alltagstauglichen Techniken (zum Beispiel durch abwechslungsreiche Trainings, Naturerlebnisse, Unterhaltungs- und Kulturprogramme, schmackhafte Ernährungsumstellung, spontane oder organisierte Kontakte mit Gleichgesinnten u.a.m.)
- Nachbetreuungsgelegenheiten (vor allem Gästerundschreiben zum Erfahrungsrückfluss, Adressenlisten von qualifizierten Ansprechpartnern in der Wohnregion, Mailings über neue Entwicklungen etc.).

Durch die Eröffnung weiterführender Perspektiven reiht sich ein **wirkliches Wellness-Hotel** bewusst und gezielt in das branchenübergreifende Netzwerk von Impulsgebern ein. Deren Aktivitäten auf den vielfältigen Tätigkeitsgebieten sind dazu bestimmt, den aufnahmebereiten Menschen Orientierungshilfen zum optimalen, ganzheitlichen Wohlbefinden nahezubringen. Hieraus ergibt sich fast automatisch eine gesteuerte Stufenfolge, die inzwischen schon mehrmals als „kybernetischer Prozess" veranschaulicht wurde (*vgl. z.B. Malich 1998*).

Das griechische Wort Kybernetik bedeutet Steuermannskunst. Es eignet sich zum Kennzeichnen des Konzepts, weil auch hier qualifizierte Lotsenschaft (durch wiederholte Signale, Rückmeldungen, Adjustierungen usw.) erforderlich ist, um einen folgerichtigen Kurswechsel aus unzuträglichen Lebensstilen hinauf zu selbstverantwortlichem Befindensmanagement zu begleiten.

In diesem Zusammenhang ist **beispielhafte Qualitätspolitik** eines Wellness-Hotels hauptsächlich an dessen gezieltem Engagement für die Erhaltung und schrittweise **Steigerung der Lebensqualität** seiner Gäste (im Sinne eines optimalen körperlichen, geistig-seelischen, kommunikativen und ökologischen Wohlbefindens) abzulesen.

Aufgaben

1. a) Was bedeutet „Globalisierung der Märkte"?
   b) Inwieweit wurde und wird die Tourismuswirtschaft davon berührt?
2. Zu den Anpassungsreaktionen gehören neue Marketingstrategien und Selbstdarstellungsbotschaften. Welcher Begriff wird dabei seit einigen Jahren auch in der Hotellerie immer häufiger benutzt?
3. a) Was verstanden Sie unter Wellness, bevor Sie dieses Kapitel gelesen haben?
   b) Welchen Sinngehalt verbinden Sie jetzt mit dem Begriff?
4. Stimmt die zitierte Kritik verschiedener Branchen-Insider an einer vielfach unzutreffenden Etikettierung von „Wellnesshotels" mit Ihren persönlichen Eindrücken überein?
5. Welche Abrundungen der gängigen Aus- und Fortbildungsmethoden werden im vorausgegangenen Kapitel unter dem Gesichtspunkt einer optimalen Berufsqualifikation (namentlich in der Hotellerie) angeregt?
6. Hier bei uns wird der Begriff Wellness zumeist durch Wörter, die ein angenehmes Empfinden signalisieren sollen, „eingedeutscht" (z.B. Wohlbehagen, Wohlgefühl). Die korrekte Vokabel hierfür im Englischen lautet jedoch anders. Wie?
7. Definieren Sie den wesentlichen Unterschied zwischen WELLNESS und WELL-BEING – unter besonderer Berücksichtigung seiner Bedeutung für Hotellerie und Tourismus allgemein.

8. Für die Einstufung von Beherbungsbetrieben haben sich international vergleichbare Standards und Symbole herausgebildet. Reicht eine objektive/quantitative Klassifizierung aus, um Wellness-Hotels zu bewerten?
9. Nennen Sie einige wesentliche Voraussetzungen für die erfolgreiche Vermarktung von Wellnessprogrammen im Tourismus.
10. Worin besteht das wichtigste Ziel der Qualitätspolitik im Wellness-Hotel?

Quellen und weiterführende Literatur

Aiden, Daly: Key Issues for Marketing your Service Business (Referat bei der ISPA-Europakonferenz „Shaping the Future"), Bad Blumau, Juni 1998

AKTION PRÄVENTION e.V.: Gesundheitsreform zum Selbermachen, Wesseling 1988

Ardell, Donald B.: The Book of Wellness/A Secular Approach to Spinituality, Meaning and Purpose, New York 1996

Ardell, Donald B.: Wellness for Dummies, in: EWU-Wellness-Journal, Wesseling, Nr. 4/1997, S. 5

Arzt und Patient in Südtirol (Hrsg.): Quality Management, in: APIS, Zeitschrift für Politik, Ethik, Wissenschaft und Kultur im Gesundheitswesen, Meran Nr. 1/1996

Badura, Bernhard: Standards versus Individualität/Qualität ist eine Epidemie!? (Vortrag beim 5. Zukunftskongress der Janssen-Cilag GmbH, Neuss), Leipzig, 10. März 1999

Bundesvereinigung für Gesundheit e.V. (Hrsg.): Qualitätsstrategien in Prävention und Gesundheitsförderung, Dokumentation der wissenschaftlichen Jahrestagung vom 3. 9. 1996 in Bonn

Dettmer, Harald (Hrsg.): Tourismuswirtschaft, Arbeitsbuch für Studium und Praxis, Köln 1998

Dorn, Hildegard (Hrsg.)/hotel consult: PR-Mailing, Köln, Dezember 1998

Deutscher Hotel- und Gaststättenverband (DEHOGA): Deutsche Hotelklassifizierung, Bonn 1996

EUROPÄISCHE WELLNESS UNION (Hrsg.): Wege zur Umsetzung des Europäischen Wellness Modells in Heilbädern und Kurorten, Wesseling 1995

EUROPÄISCHE WELLNESS UNION: Herbstkonferenz am 23. 11. 1996 im Rahmen der 28. Internationalen Messe nebst Kongress MEDICA – mit Fachvorträgen folgender Referenten: Langguth, V., Malich, S., Neuhaus, G., Ploberger, K., Schadewaldt, H., Schröer, A.; Kurzfassungen, in: Kongressband des MEDICA e.V., Stuttgart und Düsseldorf 1996

EUROPÄISCHE WELLNESS UNION: Materialsammlung und Planungsunterlagen zum Aufbau der „EWU-Akademie für ganzheitliche Gesundheitskultur/European Wellness University" (internes Arbeitsdokument), Wesseling 1996–1998

Haas-Pilwat, Dagmar: Verwöhnen macht schön – ein Weg zum entspannten Leben, in: Rheinische Post, Düsseldorf, 14. 11. 1998, Rubrik „Modernes Leben" (O.S.)

Hänssler, Karl Heinz u. a.: Management in der Hotellerie und Gastronomie, München und Wien 1998

Heckmair, Bernd/Michl, Werner: Erleben und Lernen, Neuwied, Kriftel, Berlin 1994

Kälin, Guido; Hochschule St. Gallen, Integrationsseminar Tourismus- und Verkehrsprobleme II: Wellness-Segment (Schlussbericht der Gruppe 7), St. Gallen 1995, insb. S. 33–40

Lanz, Eveline: Der Wellness-Tourismus in der Schweiz (Projektskizze, Universität Bern), 8. 11. 1996

Malich, Gisela/Malich, Siegfried: Wellness – Werbefloskel oder innovatives Tourismuskonzept (Vortrag und Workshop beim 35. Pirmasenser Fachkursus für die Fremdenverkehrswirtschaft, 24.–27.1.1993), Veranstalter und Dokumentation: Fremdenverkehrs- und Heilbäderverband Rheinland-Pfalz e.V., Koblenz 1993

Malich, Gisela: Wellness im (Gesundheits-)Tourismus (Vortragsmanuskript und Handzettel); Reisemarkt Köln International, 29. 11.–1. 12. 1996

Malich, Siegfried: Wellness = Gesundheit, Persönlichkeitsentfaltung, Lebensharmonie, in: MOTI-Planer, Dillenburg, Ausgabe 1992

Malich, Siegfried: Healing the „Lazy Dog Syndrome", in: National Wellness Conference Programme and Presentation Summaries, University of Western Australia (Perth), January 2–5, 1992

Malich, Siegfried: Wellness in unserer Weiterbildung – ein „beispielloses" Beispiel?, in: Grundlagen der Weiterbildung, Neuwied, Nr. 2/1994, S. 71–75

Malich, Siegfried: Strategieleitlinie Wellness, in: Dettmer, Harald (Hrsg.): Tourismuswirtschaft, Köln 1998, S. 207–226 (einschl. Literaturverzeichnis) sowie 359/360

Österreichische Handelskammer, Fachgruppe der Hotel- und Beherbergungsbetriebe: Klassifizierungsrichtlinien, Wien 1990/91

Proberger, Konstantin: Beispiele für Einsatzmöglichkeiten der komplexen Wellness-Strategie im Tourismus (Vortrag bei der Herbstkonferenz 1996 der EUROPÄISCHEN WELLNESS UNION im Rahmen von Messe und Kongress MEDICA), Düsseldorf, 23. 11. 1996

Framann, Ulrich / Personn, Christian: Sporthotels – Die Zukunft heißt Wellness, in: Fit For Fun, Hamburg, Nr. 10/98, S. 226–234

Random House (Hrsg.): Compact Unabridged English Dictionary, New York 1996

Redaktion Reisemagazin start: Urlaub für Körper, Geist und Seele, Ulm, Nr. 5/1995, S. 44–48

Robertz, Horst: Die Erfolgslogik der Hotellerie im Gesundheitstourismus (Diplomarbeit, Universität Trier), Dezember 1995

Röhr, Claudia: Das Marktsegment der Beauty- und Wellnessreisen in Deutschland (Diplomarbeit, Universität Trier), September 1996

Samitz, Günther: Das Wellness-Programm (Vorwort: Malich, S.), Reinbek bei Hamburg 1995

Schellenberger, Brigitte: Balance halten, in: EWU-Wellness-Journal, Wesseling, Nr. 4/1997, S. 8

Scherer, Brigitte: Sich verwöhnen bei der Reise zum Ich, in: Frankfurter Allgemeine Zeitung, 19. 11. 1998, S. R1/R2

Spreemann, Jürgen: Unternehmen in Top-Form, in: managerSeminare, Bonn, Heft 35/1999, S. 38–48 (einschl. Interview mit S. Malich zum Thema „Wellness: Sozialschmus oder Kapitalanlage?", S. 47/48)

Steinecke, Albrecht/Treinen, Mathias (Hrsg.): Inszenierungen im Tourismus (Trends – Modelle – Prognosen), Bd. 3 der ETI-Studien, Trier 1997

Völkner, Peter: Durch Beratung zum Gesundbrunnen für Manager werden, in: management & seminar, München, Nr. 6/1991, S. 50–52

Worm, Nikolai: Diätlos glücklich, Bern 1998

Zentrum für Wissenschaftliche Weiterbildung an der Universität Bielefeld: Studienordnung für das Weiterbildende Studium Tourismuswissenschaft, Bielefeld 1995

6. Ausgewählte Entwicklungen und branchenübergreifende Betriebsformen

Hotellerie und Gastronomie sind, wie sich in den vorstehenden Ausführungen deutlich gezeigt hat, Branchen, die mit ihren Umgebungen stark vernetzt sind. Dies ist eine Entwicklung, die sich noch verstärken wird, ersichtlich aus übereinstimmenden Expertenmeinungen und eigenen Beobachtungen. Deswegen schließt der länderübergreifende Teil dieses Bandes mit Betrachtungen zu ein paar ausgewählten Entwicklungen in der Freizeit- und Tourismusbranche, bei denen Hotellerie und Gastronomie eine bedeutende, aber vor allem eine sich wandelnde Rolle spielen. Im Folgenden werden behandelt:

- Freizeitpark, Centerpark
- Urban Entertainment Center
- Fitness-Wellness-Center
- Landwirtschaft

6.1 Hotellerie und Gastronomie in Freizeitparks und Centerparks

Die Rolle von Hotellerie und Gastronomie im Rahmen der boomenden Freizeitindustrie ist insbesondere in den geschlossenen Freizeitparks und Centerparks einem deutlichen Wandel unterworfen. Es lassen sich derzeit **drei Entwicklungen** beobachten:

→ Vom Nebengeschäft zum **Core-Business**

War die Unterbringung von Gästen und die Verpflegung der Besucher bisher, vor allem wegen der Aufenthaltsdauer der Gäste in den Parks, eine „Pflichtangelegenheit" und haben sich die Parkunternehmen, meist Investoren und Entwickler aus der Freizeitbranche, der Hotellerie und Gastronomie eher als Nebengeschäft gewidmet, so wird zunehmend erkannt, dass Foodservice und auch Übernachtung im Rahmen der Erlebniswelt zu einem Kernbestandteil des Angebots werden sollte (*Beispiele unten*).

→ Von der Verpachtung zum voll integrierten **Profitcenter**

Waren in der Vergangenheit Foodservice-Flächen innerhalb der Parks gerne auch an fremde Betreiber unterverpachtet worden, die aus der Gastronomie kamen, so wurde im Laufe der Professionalisierung der Parks zunehmend das amerikanische Konzept übernommen, **Foodservice** unter eigener Regie komplett professionell zu planen und auch in der Operation zu führen. Dem damit erhöhten Betreiberrisiko steht eine wesentlich verbesserte Gesamtvermarktungschance des Parks gegenüber, indem das Freizeitangebot sich auch durch das gastronomische Angebot profilieren kann.

→ Von der Versorgung zum eigenen **Erlebnisbereich**

Bildeten schon aus geschäftsführungsorientierten Gründen Hotellerie und Gastronomie bisher für Freizeitparks eher ein Versorgungsgeschäft, so wandeln sich diese **Outlets** immer mehr zu eigenen Erlebnisbereichen für die Besucher. Fein abgestimmt auf die Attraktionen, den Charakter des Parks, die Bedürfnisse und die Verzehrzeiten entstehen Foodservice-Outlets, die – abgesehen von der geschäftsmäßigen Strukturierung – auch auf dem freien Markt „draußen" durchaus eine hohe Chance auf Erfolg hätten.

Beispiel 1: Hotellerie im Europapark Rust

Der Europapark Rust, führender Freizeitpark im deutschsprachigen Raum mit knapp 3 Millionen Besuchern jährlich, eröffnete 1995 ein parkeigenes Hotel mit dem Namen „El Andaluz" mit 770 Betten, das in komplett ausgestattetem südspanischem Ambiente um Gäste wirbt. In den ersten drei Jahren hatte es sofort eine Traumauslastung von 95 %, wobei hier berücksichtigt werden muss, dass dies nur für die Parköffnungszeiten von April bis Oktober gilt, in denen auch das Hotel geöffnet ist. „An manchen Wochenenden und gerade zu den Feiertagen ist das Erlebnishotel auch für dieses Jahr schon wieder ausgebucht", das heißt bereits Monate im voraus sind keine Zimmer mehr zu bekommen (*vgl. FVW 03.04.98*). Insofern wurde im April 1999 die Eröffnung des neuen Hotels „Castillo Alcazar" mit weiteren 112 Zimmern eröffnet (*Touristik aktuell, 30/98*).

Im vergangenen Jahr hat darüber hinaus der Europapark etwa 400.000 Übernachtungen im südbadischen Raum initiiert (*vgl. Touristik Aktuell 30/98*). Der Park ist damit nicht mehr nur Ziel für Tagesausflüge, sondern auch Ziel für Kurzreisen geworden.

Freizeitparks, die in eher ländlichen oder kleinstädtisch orientierten Strukturen positioniert sind, werden diesem Beispiel folgen, so dass eine speziell freizeit- und themenorientierte Hotellerie im Raum von Freizeitattraktionen (zum Beispiel Formel 1, Musikbühnen, Wellness-Einrichtungen usw.) neue Chancen haben wird.

Beispiel 2: Centerparks Holland

Die bereits in den 60er Jahren gegründeten Centerpark-Unternehmen waren in Europa Wegbereiter der überdachten, thematisierten Freizeitwelten, in die der Gast eintaucht und aus dem Alltag „flieht" (*vgl. Alltag als Event, S. 53–68*). In den 90er Jahren begann eine komplett orientierte Innovationsstrategie in den insgesamt 13 Parkanlagen in fünf

Ländern, in denen rund 1 Mrd. DM Gesamtumsätze Essen und Trinken getätigt werden. Damit ist **Foodservice zweitwichtigster Umsatzfaktor** der Centerparks.

Die neue Initiative erhöht mit Erfolg die Quote der Gäste, die täglich eine Foodservice-Option wahrnehmen, bisher 40 bis 50 %, um die Hälfte, und dies ausschließlich bei Steigerung von **variablen** Kosten. Der Effekt auf die Ertragssituation der Parks kann so als sehr positiv unterstellt werden. Grund für die Innovation und die Investition ist, laut Food-Service 06/98, vor allem die Strategie, sich als Park in allen wichtigen Dimensionen ganzheitlich als Marke zu profilieren. Damit hoffen die Centerparks, die bisher schon sensationellen Auslastungsquoten von um die 90 % auf die früheren Traumquoten von 95 % (aufs ganze Jahr gesehen!) wieder zu erhöhen.

Diese Zahlen – das ist offensichtlich – unterscheiden sich von der so genannten freien oder isolierten Gastronomie um Größendimensionen. Das liegt nach eingehender Analyse der Ziele dieser Strategie auf strategischem Niveau vor allem darin begründet, dass die Herausforderungen und Anforderungen an die Gastronomie im Foodservice in den professionellen Freizeit- und Erlebnisparks bei weitem schneller und eher erfüllt zu sein scheinen als in der so genannten „freien Wildbahn". Bei den **Centerparks** können stellvertretend für die Branche folgende Aspekte beobachtet werden:

- Foodservice-Outlets in Freizeit- und Centerparks sind häufiger konsequent an den Konsumentenwünschen, das heißt an den Bedürfnissen orientiert. Dies ist kein Lippenbekenntnis, sondern zeigt sich anhand von Lagebestimmung, Ausrichtung der Profile, der Sortimente und der Servicegeschwindigkeiten. Hier sind die Foodservice-Outlets in Freizeit- und Centerparks der isolierten Gastronomie strategisch voraus.
- Kinder spielen in den Foodservice-Outlets nicht nur eine maximal geduldete Rolle, wie in den meisten isolierten Gastronomiestandorten leider immer noch zu beobachten ist. Vielmehr sind in Freizeit- und Centerparks aufgrund der Besinnung auf die Publikumsstruktur einige Outlets auf Kinder **orientiert** und nicht nur kinder**freundlich** gestaltet. Dass Kinder speziell zwischen vier und zwölf Jahren wesentlich zur Konsumentscheidung im Bereich Foodservice beitragen, ist eine altbekannte Beobachtung. Die meisten Gastronomie-Outlets haben sich auf diese Entwicklung noch überhaupt nicht entsprechend eingestellt.
- **Internationalität,** eine der Herausforderungen in den Transitländern Deutschland, Österreich, Schweiz und Südtirol, ist in den Freizeit- und Centerparks nicht nur zu beobachten, sondern der Normalfall. Speisenkarten, Menüs aber auch Versorgungs- und Erlebnisgewohnheiten sind auf alle wesentlichen Herkunfts- und Quellmärkte der Besucher hin ausgerichtet. Dies würde der Gastronomie, zumindest der Verkehrs-, Freizeit- und Ausflugsgastronomie im deutschsprachigen Raum, ebenso not tun.

Beispiel 3: Disney Land, Orlando USA, neuer Park Animal Kingdom

Der Disney Konzern gilt weltweit als eine der beststrukturierten und konsequentesten Betriebsorganisationen der Freizeitbranche. Im neuen, vierten **Themenpark** in Orlando, Florida, wurde Foodservice nicht nur voll in die Inszenierung einer afrikanischen Safariwelt integriert, sondern auch in sich selbst als Marktführung („Cutting Edge") positioniert. Dazu gehört Entertainment in allen Foodservice-Outlets: Jedes Outlet ist komplett thematisiert und damit Teil der Gesamtshow:

1. **Rainforest Café** (a wild place to shop and eat). Zugang auch außerhalb des Parks.
2. **Flame Tree Barbecue** (BBQ-Angebote und Sandwiches). Das Besondere: eine trockene Marinade sowie 2 speziell entwickelte Saucen auf Tomaten- und Senfbasis. Design: fröhlich-buntes Safari-Dorf mit handgeschnitzten und bemalten Tierskulpturen.
3. **Pizzafari.** In der Restaurantküche industrielle Produktion von Pizza über Fließband und Durchlaufbackofen. Kapazität: über 1.400 Stück/Stunde, außerdem Salat und Sandwiches. Künstler haben Wände und Decken der Gasträume bemalt, Tiermotive und Farben, wohin das Auge schaut.
4. **Restaurantosaurus.** Das Outlet versteht sich als Home-away-from-home, thematisiert mit Dinosaurier-Memorabilia. Man kann mit Goofy oder Pluto frühstücken bzw. amerikanische Klassiker wie Hamburger, Hot Dogs usw. bestellen. Co-Branding mit McDonald's bei Pommes frites, Nuggets und Happy Meals.
5. **Tusker House Restaurant.** Ein Stück Afrika mitten in Florida, ostafrikanische Bazar-Atmosphäre. Kulinarisch wird Geflügel thematisiert, daneben gibt es Grill-Produkte und Salate.
6. 1**6 Quick-Bites** – hochspezialisiert auf je 1–2 Hand-held-Produkte. Campside Funnel Cakes (Cakes, Corn-Dogs), Chip'n Dale's Cookie Cabin (frischgebackene Cookies, Ice-Cream, Sandwiches), Dino Diner (geräucherte Putenkeulen, Pommes frites), Kusafiri Coffee Shop & Bakery (Frischgebackenes, Cappuccino, Espresso), Tamu Tamu Refreshments (Frozen Jogurt, Ice-Cream), African Lounge (Cocktails & afrikanische Live-Musik), Harambe Fruit market (frisches Obst/Säfte), Munch Wagon (Hot-Dogs, Snacks und Drinks), Mr. Kamal's Burger Grill (Burgers) und Drinkwalla (ice-cold Coca-Cola).

vgl. FoodService 7/98

Die Schnelligkeit *(vgl. Kapitel 2)* und die Kundenorientierung sind hier bis zur Perfektion durchgeplant. Dieses wirkt sich auch auf die Kostenfaktoren aus, die mit jeweils 23 % Wareneinsatz und Personalkosten im Vergleich zur Gesamtbranche hervorragend sind.

Wesentliche Veränderung im Gesamtkonzept ist bei Disney eine maximale Dezentralisierung, das heißt eine **Abkehr von der Zentralküchen-Epoche.** Mit der Philosophie **„Small Business Philosophy"** sollen die Vorteile von großen Organisationen mit denen individueller Engagements verknüpft werden. Dezentralisiert, als „eigenes" Profitcenter orientiert in der Betreibung und mit eigenem Profil innerhalb des Gesamtkonzepts sind – so die Zielrichtung – die Foodservice-Einheiten erfolgreicher am Markt und am Gast als ein zentraler Apparat (*vgl. FoodService 7/98*). Das ist eine Philosophie, die auch in anderen Freizeiteinrichtungen zunehmend Anhänger gewinnt (*vgl. 6.2: Urban Entertainment Center)*.

6.2 Urban Entertainment Center

Clemens-Galerien, Solingen

Eine einheitliche Definition, was **„Urban Entertainment Center" (UEC)** wirklich sind, gibt es so wenig wie für viele andere Begriffe aus der freizeit- und gastgewerblichen Branche. Dem reinen Wortbegriff zufolge sind dies Ansammlungen von Freizeiteinrichtungen im städtischen Umfeld. Das Wort „Ansammlungen" darf nicht suggerieren, dass es sich um lose, wie in einem Stadtkern oder einem traditionellen Einkaufszentrum vorzufindende Kombinationen von Freizeitangeboten handelt. Vielmehr wird ein UEC als ein wirkliches Center geplant und realisiert und zwar als eine Gesamteinheit, die sich am Markt profiliert. Diese Entwicklung kommt aus den USA und gewinnt auch auf dem europäischen Kontinent zunehmend an Standorten und Objekten.

In UECs ist **Foodservice und Gastronomie viel stärker Kernbestandteil** als in Einkaufszentren. Auch hier lässt sich die Entwicklung, wie sie für Freizeit- und Centerparks beschrieben wurde, verfolgen. Foodservice und auch Hotellerie werden immer mehr zu Kernbestandteilen und damit zu Attraktoren eines UECs. Damit geht die Entwicklung weg von der Vermietung unliebsamer Keller- und Obergeschossflächen an Gastronomie und hin zu integrierten Gesamtplanungen, die die Besucherströme und ihre Bedürfnisse auch im Hinblick auf ihre Foodservice-Bedürfnisse von vornherein konsequent miteinbeziehen. Gastronomiebetreiber und erlebnisorientierte Foodservice-Outlets erhalten damit völlig neue Geschäftschancen, aber auch neue Pflichten.

Diese Entwicklung **von der reinen Vermietung zum Gesamtkonzept,** das deutlich mehr ist als das **Center-Management** bisheriger Einkaufszentren, ist für die Branche Gastgewerbe in vielen Fällen noch schwer nachvollziehbar, denn ein gesamtheitliches Profilieren des UECs erfordert, dass die Gemeinschaft auch in Angebote, in Sortimente und in Aktionen einzelner Betreiber eingreift und sie auf das Gesamtkonzept hin abstimmt. Dieses geht wesentlich weiter, als es in einem üblichen Pacht- oder Mietvertrag fixierbar ist. Ebenso ist die Übertragung von konventionellen Einkaufscentermietverträgen für den Einzelhandel auf die in dieser Art orientierte Gastronomie nicht ohne weiteres möglich. Die Gastronomie muss ihre Sortimentspolitik und Preispolitik weit schneller und großflächiger aktualisieren, und hat dabei wesentlich mehr Fixvariablen wie Warenstruktur, Personal und Technik zu berücksichtigen als der Einzelhandel. Mithin ist die centerorientierte Vermietung von Gastronomieflächen in einem geplanten UEC keine leichte Aufgabe. Dazu drei Beispiele:

Beispiel 1: Centr'Oberhausen

Das im Jahr 1996 eröffnete Centr'Oberhausen ist als Kombination von Einzelhandel und motivativer, das heißt zielorientierter Gastronomie geplant. Neben den versorgungsorientierten Foodservice-Einheiten, zum Beispiel der „Coca-Cola-Oase" im Einkaufsbereich, sollten eine Reihe von erlebnisorientierten Gastronomie-Outlets an der Promenade eröffnen. Das Center-Management hatte dazu detaillierte Planungen und Kennzahlen vorgelegt, die allerdings – wie sich im nachhinein herausstellte – für viele Standorte an der schnurgeraden, 400 m langen Promenade als nicht realistisch anzusehen waren. Denn viele Gastronomie-Outlets, die auf diese Bedingungen hin konzipiert waren und Flächen angemietet hatten, sind wieder verschwunden. In den letzten Jahren wurde es nun einem Gastronomieprofi, Gerd Schüler von Schüler & Presinger in Frankfurt, übertragen, die frei gewordenen Flächen wirklich gastronomieorientiert neu zu vermarkten. Hier sind also über Makler- und Einzelhandelsknow-how hinaus ganz spezielle Kenntnisse im Umgang mit Foodservice und Gastronomie erforderlich.

Beispiel 2: Krystallpalast in Leipzig

Die Revitalisierung des in DDR-Zeiten bekannten Entertainmentpalastes Krystallpalast Leipzig beruht ebenfalls auf dem Grundkonzept eines UEC. Hier sind bis zu 60.000 qm Gastronomieflächen geplant und auch hier wird die Vermarktung inzwischen Gastronomieprofis aus Bremen (Mickan und Klein) übertragen. Die Erfahrung zeigt, dass es schwierig ist, das spezielle integrierte Standortumfeld eines UEC für den Markt der Gastronomiebetreiber transparent und deutlich zu machen.

Die Chancen, die sich mit UECs in Europa bieten, werden offensichtlich von der Welt der Gastronomen noch nicht wirklich erkannt. Andererseits werden die besonderen Bedingungen, unter denen Gastronomie und Foodservice funktionieren, von vielen Center-Entwicklern und -Planern noch nicht ausreichend verstanden.

Beispiel 3: Clemens-Galerien, Solingen – Ein beispielhaftes UEC.

Die Clemens-Galerien wurden entwickelt, um im Herzen von Solingen einen außergewöhnlichen Anziehungspunkt zu schaffen, der sowohl das Stadtzentrum als auch die Innenstadt neu belebt. So finden sich in den Clemens-Galerien neben 14 000 m^2 Einzelhandelsfläche ein Marktplatz, ein Food-Court mit vielfältiger Gastronomie, sieben Kinosäle, die großzügig angelegte Stadtbibliothek und die städtische Volkshochschule. Über die hervorragende Infrastruktur sind alle Einrichtungen – auch die vorhandenen Parkmöglichkeiten – leicht und schnell zu erreichen. Hier wurde ein hervorragendes Beispiel für eine fantasievolle Stadtsanierung in die Tat umgesetzt. Mittelpunkt und Herzstück des Projekts ist der Marktplatz, mit dem ein neuer Treffpunkt für die Solinger Bürger entstanden ist. Neben regelmäßig hier durchgeführten Wochenmärkten sind Konzerte, Veranstaltungen und Straßentheater geplant. Und wer nach einem ausgiebigen Einkaufsbummel Hunger verspürt, kann sich in einer der gastronomischen Einrichtungen auf kulinarische Art und Weise entspannen. Eine Erfahrung der besonderen Art bietet hierbei die Erlebnisgastronomie. Eine weitere Freizeitunterhaltung und Kommunikationseinrichtung sind die sieben Kinosäle. Mit der Realisierung der Clemens-Galerien haben die Investoren und die Stadt Solingen dem verstärkten Bedürfnis der Bevölkerung nach Unterhaltung, Entertainment, Kommunikation und vielfältiger Gastronomie in eindrucksvoller Weise Rechnung getragen. Es entstand ein UEC im wahrsten Sinne des Wortes.

6.3 Fitness-Wellness-Center und Gastronomie

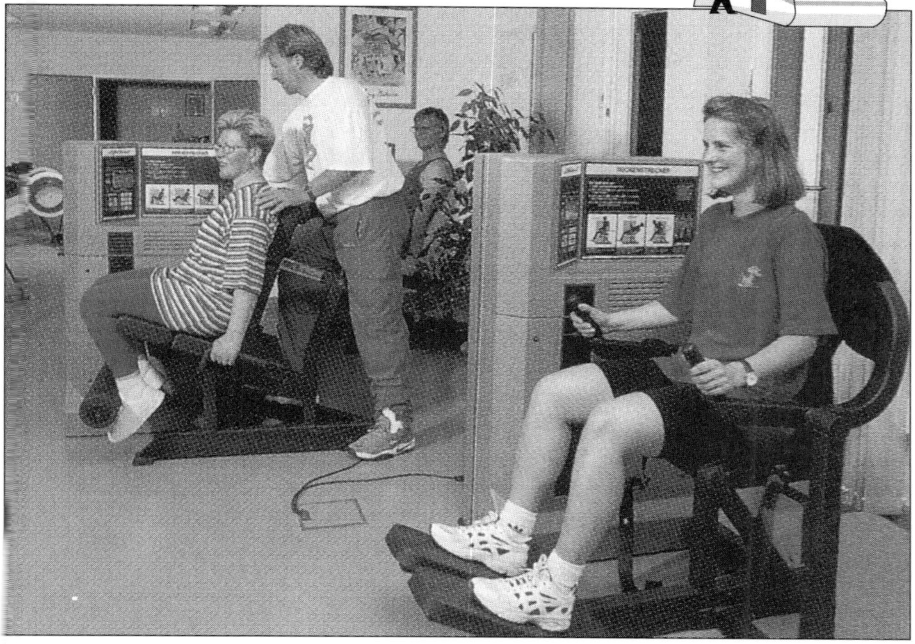

(aus: Physio- und Präventionszentrum – Jürgen Kröppelin, Bad Harzburg 1999, Faltblatt, S. 4)

Neben dem klassischen Bereich von (modern ausgedrückt) Wellness, nämlich den Kur- und Erholungsorten, kommt ein weiterer Bereich branchenübergreifender Freizeitentwicklung auf den Markt Foodservice und Gastronomie zu: die Fitness- und Wellness-Center.

Fitness-Center, so lassen Marktbeobachtungen schließen, professionalisieren sich wie andere Freizeiteinrichtungen und erarbeiten **zunehmend ein scharfes Profil** für den Kunden und ein **umfassendes Leistungspaket**. Dabei reicht das Spektrum von geräteorientierten Trainingscentern über gymnastik-, musik- und gruppenorientierten Fitness- und Aerobiccentern bis zu so genannten Wellness-Centern, die auf den ersten Blick dem „Sehen und Gesehen werden" als Geschäftsgrundlage näher sind als der „körperlichen Ertüchtigung".

Einige Experten glauben zu erkennen, dass Gesundheit, und zwar auf private Initiative und auf privates Bezahlen hin, das Thema Nummer 1 des „bürgerlichen Lebens" im 21. Jahrhundert sein wird. Daraus würden sich für Foodservice und Gastronomie in diesem Marktsegment auch wieder **Chancen branchenübergreifender Betriebsformen** ergeben. Die bisherigen Saftbars, Energiedrink-Ausgaben und so genannten Bistros in Fitnesscentern werden aller Voraussicht nach den Ansprüchen der Verbraucher in den nächsten Jahren und Jahrzehnten nicht mehr standhalten können. Auch hier bieten sich für Foodservice-Profis Ansatzpunkte, in integrierten Standorten mit neuen Zielgruppen und neuen, wesentlich besser planbaren und voraussehbaren Auslastungen gastronomisches Geschäft machen zu können.

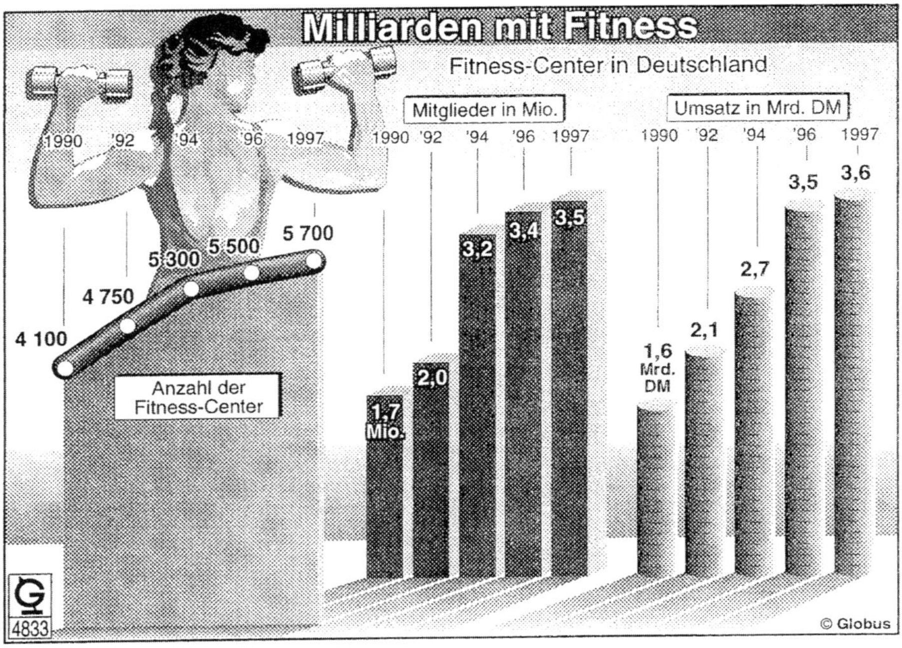

Abb. 6-1

6.4 Landwirtschaft, Hotellerie und Gastronomie

Bei Betrachtung des Feriensegments **„Urlaub auf dem Bauernhof"** finden sich nach Schätzungen allein in Deutschland etwa 20.000 Einheiten, das heißt Angebote bzw. Betriebe am Markt. Urlaub auf dem Bauernhof, als ein Segment in absolut ländlichen Standorten befindlichen Freizeitbereichen vermutet, ist kein Nischensegment, sondern hat erhebliche **Bedeutung an der Freizeit- und Tourismuswirtschaft** in Deutschland. Dementsprechend wird auch von höchster staatlicher Seite die Kombination von Landwirtschaft und Tourismus als wesentliche **Möglichkeit der Existenzausweitung und Existenzsicherung** von Landwirten angesehen. Konkret hat das Bundeslandwirtschaftsministerium Deutschlands Förderungen vorgesehen, mit denen Landwirten strukturell geholfen werden soll, Gebäude und Standorte zu Ferienheimen, Hotel garnis und anderen Übernachtungsmöglichkeiten umzustrukturieren, um die zunehmenden Einnahmeeinbußen aus der Landwirtschaft selbst zu kompensieren oder sogar überkompensieren zu können.

Es erhebt sich aber die Frage, inwieweit **Geschäftsausweitungen** in die komplexe Branche Tourismus und die ebenso komplexe Unterbranche Gastgewerbe von den Landwirten sowie von ihren strukturellen Helfern ausreichend professionell realisiert werden können. Eine Vernetzung der Angebote, das heißt der Übernachtungsmöglichkeiten der Ausflugsgastronomie und des Verkaufs landwirtschaftlicher Produkte, mit der gesamten Region wird dabei immer wichtiger. Beispiele des Gebietes der Rhön (Naturschaf, landwirtschaftliche Direktvermarktung in den Supermarkt hinein) oder andere Beispiele wie Oberstdorf im Allgäu zeigen, dass hier eine isolierte Planung und Handlung einzelner Landwirte zu keinem Erfolg führen wird.

Vielmehr ist eine Zusammenarbeit der Landwirtschaft mit der lokalen Gastronomie in **Direktvermarktung**, eine Zusammenarbeit der Landwirtschaft mit der lokalen Hotellerie in Direktvermarktung und Buchung, sowie eine Zusammenarbeit mit der gesamten Preispolitik von verzehrfertigen Speisen und Getränken der Region erforderlich, um in zufriedenstellende Ertragsbereiche zu gelangen. Hier zeigen sich aus Praxisprojekten durchaus große Barrieren: ein solches **Kooperationsverhalten** muss erst langsam und mühsam von allen Beteiligten gelernt werden. Initiativen, die von Städten, Tourismusverbänden und externen Beratern ausgehen, kommen nur langsam voran.

Dennoch lässt sich feststellen, dass das verbreitete Bedürfnis der Verbraucher nach „Zurück zur Natur", nach „Transparenz der Herkunft der Waren", nach „Natürlichkeit", „Frische" und „Unverbrauchtheit" im Bereich der Kooperation von Landwirtschaft, Hotellerie und Gastronomie neue Chancen schaffen wird.

Aufgaben

1. Welche Bedeutung hat Foodservice in der Freizeitgastronomie?
2. Welche Zielgruppe wird in Freizeitparks besonders angesprochen? Welche gastronomischen Konsequenzen hat dies für den Anbieter?
3. Durch welche Hauptmerkmale lässt sich ein Urban Entertainment Center von herkömmlichen Einkaufszentren unterscheidet?
4. Warum sprechen Experten von einem vorindustriellen Niveau in der Gastronomie?
5. Fallbeispiel Wellness

   In der Vergangenheit hat die deutsche Hotellerie schon einmal ein „Hallenbadsyndrom" erlebt, das heißt die Investitionen in aufwendige Badelandschaften haben sich nicht rentiert, weil sie nur schlecht frequentiert wurden. Was muss im neuen Segment Wellness beachtet werden, um einen erneutes Scheitern zu vermeiden?
6. In Zielländern mit vorwiegend landwirtschaftlichen Monokulturen werden Lebensmittel unabhängig von der Entfernung zum großen Teil importiert (Tomaten aus Spanien, Gemüse aus Holland usw.). Welche Vorteile bietet eine Destinationsentwicklung, die die einheimische Landwirtschaft und den lokalen Einzelhandel in den Prozess der Leistungserstellung integriert?

Quellen und weiterführende Literatur

Bieger, Th.: Management von Destinationen und Tourismusorganisationen, München/Wien 1997

FoodService – Wirtschaftsfachzeitschrift für professionelle Gastronomie, Frankfurt am Main Jg. 1995–1999

FVW – Zeitschrift für die Tourismuswirtschaft, Hamburg Jg. 1995-1999

Gruner + Jahr Maria Studie, Tourismus, Hamburg 1996

Kaub, E.: Rede des BTW-Präsidenten Dr. E. Kaub auf dem Tourismusforum am 9. 7. 1998 in Mayrhofen

Konzeptbüro (Hrsg.): Alltag als Event. Was Gäste erwarten und Gastronomen erfolgreich macht, Frankfurt am Main 1997

Kröppelin, Jürgen: Faltblatt Physio- und Präventionszentrum, Bad Harzburg 1999

Meyer, J.-A.; Hoffmann, F.: Erfolgskriterien in der Gastronomie, Berlin 1997

Opaschowski, H. W.: Events im Tourismus. Sport-, Kultur- und Städtereisen, Hamburg 1997

Touristik Aktuell, Fachzeitschrift hrsg. von H. Ebel, Neuchâtel Jg. 1996–1999

Travel Tribune, hrsg. von Th. M. Schweizer, Frankfurt Jg. 1995–1999

Teil B: Hotellerie und Gastronomie – speziell

1. Hotellerie und Gastronomie in der Schweiz

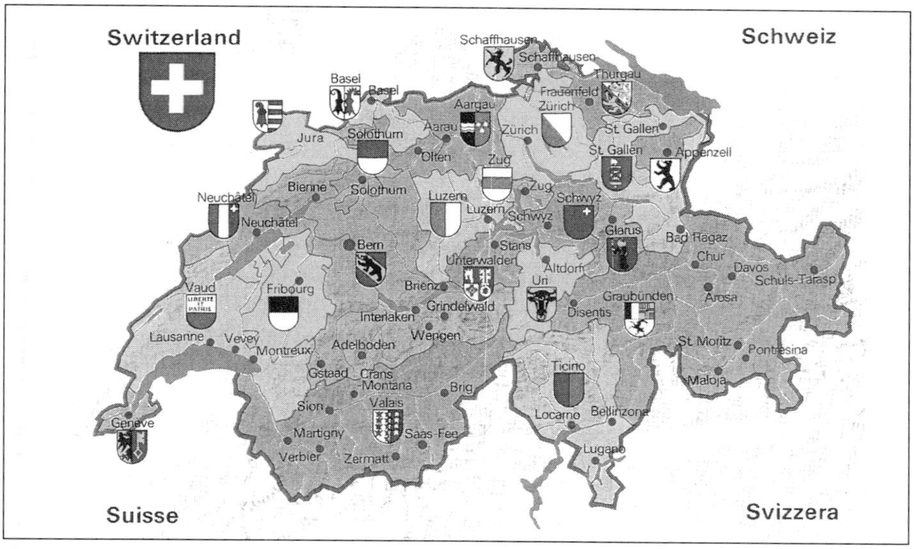

1.1 Hotellerie

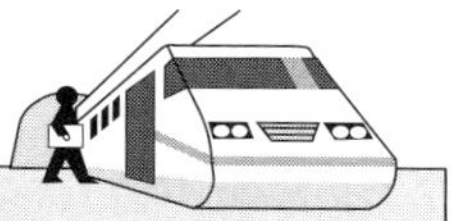

Der Tourismus steht in der Schweiz einnahmemäßig (20,6 Mrd. Fr.) an dritter Stelle (nach der Metall-, Maschinenindustrie und der chemischen Industrie) der inländischen Exportbranchen und zählt zu den bedeutendsten Wirtschaftsbranchen der Schweiz. Seine Wertschöpfung ist aber in besonderem Maße von der Wechselkursentwicklung und den Witterungsverhältnissen (Sommer und Winter) abhängig. Er steht zudem in Konkurrenz zu preislich günstigeren Auslandsreisen. Die arbeitsintensive Dienstleistungsbranche ist leicht unterdurchschnittlich positioniert.

Eine unzureichende Anpassung der Produktionskapazitäten und ein im Verhältnis zur redimensionierten Wertschöpfung ungenügender Personalabbau haben sich negativ auf die Wettbewerbsfähigkeit der Gesamtbranche ausgewirkt.

Der nun notwendige Strukturanpassungsprozess wird mit Investitionen in neue Infrastrukturen beschleunigt.

Mit dem Ziel, inländische Ferienangebote mit modernsten Kommunikationsmitteln weltweit und jederzeit zu präsentieren, wurde 1998 beispielsweise das „Switzerland Destination Management" gegründet. Dabei kann der Kunde seine Buchung über ein „Call Center" in Zürich abwickeln, so dass im Ausland keine Schalterberatung mehr nötig ist.

Das Entwicklungspotential der heimischen Tourismusbranche wird unter anderem von flexibleren Preisen, vermehrter Kundenorientierung und einer stärkeren Angebotsdifferenzierung abhängen.

(UBS Branchenspiegel Schweiz 1998/99, S. 30)

1.1.1 Bedeutung der Hotellerie im Schweizer Tourismus

Die **Hotellerie** bildet das **Rückgrat des Schweizer Tourismus.** Bereits 1912 – vor Ausbruch des Ersten Weltkrieges – wurden in der Schweiz 211.000 Betten gezählt. Diese Zahl erhöhte sich bis 1997 auf rund 261.000, bei abnehmender Betriebszahl. Wenn sich das Bettenangebot der Hotellerie in den letzten Jahren zahlenmäßig nicht veränderte, so wurde es qualitativ weitgehend den sich stark wandelnden touristischen Bedürfnissen angepasst. Die kleinen und mittelgroßen Hotels dominieren (bis 50 Betten, rund 75 %).

Der ausländische übernachtende Reiseverkehr bringt 70 % der Gesamteinnahmen aus dem Tourismus (20,6 Mrd.Fr.), wobei die ausländischen Hotelgäste 1997 5,5 Mrd. Franken ausgaben. Die übernachtenden Hotelgäste kommen zu sechs Zehnteln (18 Mio. Übernachtungen) aus dem Ausland (6,1 Mio. Hotelübernachtungen entfielen 1998 auf deutsche Gäste).

Die Hotellerie der Region Graubünden steht an erster Stelle (5,5 Mio. Übernachtungen), so wie die Bergkurorte den größten Anteil aufweisen, gegenüber den Seezonen und Großstädten. Seit 1990 nahmen die Übernachtungen in der Hotellerie ab; das Jahr 1997 verzeichnete mit einer leichten Zunahme der Hotelübernachtungen eine Trendwende, welche bis heute anhielt (31,81 Mio. + 3,2%).

Das Gastgewerbe (Hotellerie, Gastronomie) ist ein wichtiger touristischer Arbeitgeber. Zusammen mit den andern für den Tourismus direkt arbeitenden Unternehmen (Verkehr, Reisebüro, Detailhandel, Banken, Versicherungen, Privatschulen usw.) werden rund 208.000 Arbeitsplätze (inkl. Vorleistungen erbringende Betriebe rund 300.000) belegt. Um alle Stellen besetzen zu können, ist indessen das Gastgewerbe stark auf ausländische Arbeitskräfte angewiesen (*über 100.000) (vgl. Schweizer Tourismus-Verband u. a., Schweizer Tourismus in Zahlen 1998*).

1.1.2 Stärken und Schwächen der Schweizer Hotellerie

Zu den **Stärken** der Schweizer Hotellerie zählen:

- Besondere regionalpolitische Bedeutung der Hotellerie und ihre wichtige Funktion in der Wirtschaftsförderung in Berg- und Randgebieten
- Guter Ruf der Schweizer Hotellerie-Tradition (Image, Goodwill)
- Gutes Preis-Leistungsverhältnis (preiswert), Qualitätshotellerie
- Hohes gastronomisches Niveau, Sauberkeit und Hygiene der Betriebe
- Flexibilität dank kleingewerblicher Struktur, Wille zur Dienstleistung
- Differenziertes, vielfältiges Angebot (Standorte, Betriebsgrößen, Alter, Komfort, Preis)
- Weitgefächerte nationale und internationale Kundschaft
- Mehrheitlich intakte Landschaft, kleinmaßstäbliche Orte, geographische und kulturelle Vielfalt auf kleinem Raum.

Unter den **Schwächen** sind zu erwähnen:

- Falsch verstandener Traditionsbegriff als Hindernis für Neuerungen, Beharrungsvermögen bis Perfektionismus
- Geringes Interesse der Nachkommen an der Übernahme des elterlichen Betriebes
- Hochpreisimage der Schweizer Hotellerie
- Fremdsprachiges Personal
- Nicht genügend entwickeltes Tourismusbewusstsein der einheimischen Bevölkerung

- Zum Teil fehlende unternehmerische Dynamik und ungenügender Ausbildungsstand der Betriebsleitung (Management-Know-how)
- Schwierigkeiten in der Personalrekrutierung
- Teilweise überalterte Betriebe und Anlagen
- Mangelnder Kooperationswille usw. (*vgl. Schweizer Hotelier-Verein, Leitbild 1982, S. 7*).

Der Schweizer Hotelier-Verein ist der Ansicht, dass per Saldo die Stärken der Schweizer Hotellerie eindeutig überwiegen, dies um so mehr, als viele der aufgezählten Probleme bei einer entsprechend zielgerichteten Politik auf allen Stufen mittel- bis langfristig lösbar sind.

1.1.3 Schweizer Hotelier-Verein (SHV) als Träger der Hotelpolitik

Der SHV verfolgt gemäß den „Grundsätzen und Zielen" folgenden **Zweck**:

Durch gemeinsames Vorgehen soll die Leistungsstärke und Wettbewerbsfähigkeit sowie das Ansehen der Schweizer Hotellerie als Ganzes und der Mitgliederbetriebe im Einzelnen erhalten und verbessert werden. Der SHV setzt sich für eine eigenständige, qualitätsbewusste, vielfältige und individuelle Hotellerie ein.

Die **Tätigkeit** des SHV erstreckt sich auf drei **Hauptbereiche:**

- Er vertritt die Interessen seiner Mitglieder bei Behörden, Wirtschaftsorganisationen und in der Öffentlichkeit.
- Er bietet seinen Mitgliedern und weitesten Kreisen aus Hotellerie, Gastgewerbe und Tourismus ein enges Netz von Dienstleistungen an.
- Er arbeitet an vorderster Front für eine Tourismuspolitik, welche als oberstes Ziel die Qualitätssicherung und -steigerung anstrebt.

Der SHV bietet seinen Mitgliedern folgende **Dienstleistungen** an:

Bereich Berufsbildung

- Berufsinformation
- Lehrstellenvermittlung
- Lehrlingsausbildung in SHV-eigenen Schulhotels
- Hotel-Handelsschulen

Bereich Weiterbildung

- Kaderschulung
- Unternehmerschulung; Abschluss „Diplomierter Hotel-Restaurateur SHV"
- Unternehmerkurse

Bereich Aus- und Fortbildung

- Hotelfachschulen, z.B. Lausanne
- Höhere Gastronomie- und Hotelfachschulen
- Vertragsbetriebe: Hotel Management School Les Roches Bluche, International College of Hotel Management, Adelaide (Australien)

Bereich Stellenvermittlung

- Stellenvermittlung
- Übernahme aller Arbeiten im Zusammenhang mit der Besetzung einer Kaderstelle (Stellenbeschrieb, Pflichtenheft, Anforderungsprofil)

Bereich Marketing, Beratung

- Marketing, SHV-eigene Marktforschung
- Rechts- und Personalberatung
- Qualitätsmanagement (2 Q Methode)
- Technik und Betriebsplanung
- Materialdienst
- Übersetzungsdienst

Bereich soziale Institutionen

- Hotela – Soziale Kassen SHV: Familienausgleichskasse, Kranken- und Unfallkassen
- Personalfürsorgestiftung

Bereich Information

- Hotel+Tourismus Revue
- Schweizer Hotelführer
- Hotelklassifikation
- Pressestelle (*vgl. Schweizer Hotelier-Verein, Jahresbericht 1997*).

Obwohl nur rund zwei Fünftel aller Hotelbetriebe in der Schweiz (2.498) dem SHV angehören, erzielen die SHV-Mitgliedshotel rund drei Viertel aller Hotelübernachtungen (23,3 Mio.)

1.1.4 Leitbild und Strategie des SHV

Unter der Zielsetzung „Die Schweizer Hotellerie auf dem Weg ins Jahr 2000" hat sich der SHV ein **Leitbild** gegeben. In diesem werden in wichtigsten Umrissen das Bild und die Aufgaben der Schweizer Hotellerie für die nächsten Jahre aufgezeichnet. Es bejaht die im Tourismuskonzept verankerte oberste Zielsetzung der Tourismuspolitik: Gewährleistung einer optimalen Befriedigung der touristischen Bedürfnisse für Menschen aller Volksschichten im Rahmen leistungsfähiger touristischer Einrichtungen und einer intakten Umwelt unter Berücksichtigung der Interessen der einheimischen Bevölkerung" (*vgl. Schweizer Hotelier-Verein, Leitbild 1982*).

Oberstes **wirtschaftliches Ziel der Hotellerie** muss es sein, „ihre Leistungsstärke und ihre Wettbewerbsfähigkeit zu erhalten und zu verbessern. Die Leistungsstärke erhalten bedeutet nicht Strukturerhaltung, sondern Anpassung der Struktur an den Wandel des Marktes. Insofern ist Erhalten ein dynamisches und Verbessern ein hochgestecktes Ziel." (*ebenda*)

Das Leitbild postuliert auch die Eigenständigkeit der Hotellerie. Sie muss versuchen, die sich ihr stellenden Probleme aus eigener Kraft, d.h. durch unternehmerische Privatinitiative zu lösen.

Es folgen Empfehlungen über Marktwahl/Zielgruppen, Leistungsgestaltung und Image, Preisgestaltung, Werbung und Verkauf, Marktpartner, Mitarbeiter, Umwelt und Öffentlichkeit.

Mit der **Strategie 98** und dem **Verbandsprogramm 99** soll die strategische Neuausrichtung des SHV erklärt werden. Insbesondere sollen die kleinen und mittleren Unternehmen (KMU) unterstützt werden. Durch Interessenvertretung und Beratung sollen sie fit für den härteren Wettbewerb gemacht werden. Ein neuer, unternehmerischer SHV soll die Nachteile ausgleichen, die den KMUs durch Gesetzgebung und Kreditgewährung entstehen.

Die Strategie 98 betrifft im Weiteren eine bessere Interessenvertretung, Partnersuche für Produkte- und Angebotslinien des SHV zur Erreichung von mehr Erfolg und wo Qualität und Preis am besten sind, durch Allianzen und Kooperationen.

Für alle **Arbeitsverhältnisse** in der Hotellerie und Gastronomie besteht ab 1.1.1999 ein neuer Landes-Gesamtarbeitsvertrag. Dieser regelt Mindestlöhne, Monatslöhne, Ferien, Feiertage, Arbeitszeit (flexibel), Arbeitspläne, Zeitkontrolle, Sozialversicherungen und Kündigung.

1.1.5 Hotelklassifikation und Gütesiegel

Es ist nach wie vor unbestritten, dass die Klassifikation des Beherbergungsangebots eine wesentliche Marketinggrundlage im nationalen und internationalen Wettbewerb darstellt. Mit der Einführung einer **nationalen Hotelklassifikation** 1979 wurde die Schweizer Hotellerie ihrem Ruf als Wegbereiter von Neuerungen vollauf gerecht. Verfahren und Inhalt der schweizerischen Normen wurden in den letzten 15 Jahren vielerorts im Ausland in mehr oder weniger veränderter Form kopiert. Letztes Beispiel dieser Entwicklung bildet dabei Deutschland, das erst 1997 mit ausdrücklichem Verweis auf die schweizerische Hotelklassifikation eine entsprechende Regelung eingeführt hat.

Schweizer Hotelier-Verein

Die neue Hotelklassifikation

«Normen 2000»

Gültig ab 1.1.2000

Abb. 1-1: Hotelklassifikation

Aufgrund der Erfahrungen, internationaler Vergleiche, einer Gästebefragung und Hearings mit Hotel- und Tourismusexperten wird ab 1. 1. 2000 eine **neue Hotelklassifikation (Normen 2000)** eingeführt.

Das vorgeschlagene System umfasst **drei Ebenen:**

Die **erste** Ebene liegt im Wesentlichen in der Bewertung der **Infrastruktur**. In diesem Bereich wird auch an der bewährten Selbstdeklaration mit Kontrolle durch die Regionalkommissionen und Rekursmöglichkeit an die gesamtschweizerische Kommission Hotelklassifikation festgehalten. Dieser Teil der Hotelklassifikation bleibt für alle Mitglieder des SHV obligatorisch. Die Basiskategorien 0–5 Stern, Landgasthof SHV, Kategorie Unique sowie Apparthotel SHV bleiben erhalten.

Punktzahlen werden ausgerichtet für den baulichen Zustand, die Zimmerausstattung, die Nasszellen sowie für Aufenthaltsräume, Restaurationsräume, übrige Verkehrsflächen und öffentliche Toiletten. Eigene Parkplätze bis einzigartiges Verkaufsargument (USP) werden zusätzlich berücksichtigt. Je nach Hotelkategorie werden weitere Normen verlangt, wie persönliche Sicherheit und Nachtdienst (für alle), Minimalgröße der Zimmer, Front-Office mit Empfangsbereich, Frühstücksservice, Getränkeservice im Zimmer, Wäschewechsel usw.

Die **zweite** Ebene beschlägt den Bereich der **Servicequalität**. Der SHV hat ein besonderes Programm für die Hotellerie entwickelt, welches ausgedehnten Praxistests unterzogen wurde. Ziel des Instruments ist es, dem Hotelier Führungsunterlagen zur Verfügung zu stellen. So wird der Betrieb und seine Leistung aus Sicht des Unternehmers, seiner Mitarbeiter und der Gäste beurteilt. Es handelt sich um ein eigentliches Qualitätsprogramm, in dem zusätzlich eine anonyme Fremdkontrolle (Mystery-Man) und eine Beratung vor Ort inbegriffen ist. Die Kosten müssen vom Betrieb getragen werden. Dieser Teil der Klassifikation ist fakultativ.

Die **dritte** Ebene umfasst den Bereich der **Spezialisierung**. Gemäß Leitlinien und anerkannten Marketingbedürfnissen der Betriebe sollen diese wesentlich erweitert werden. Es wird eine Plattform zur Darstellung des betrieblichen Angebotes (Segmentierung) zur Verfügung gestellt. Der Betrieb hat die Möglichkeit, bei Erfüllen der Bedingungen maximal 3 Spezialisierungen im Hotelführer eintragen zulassen (Ferien-, Golf-, Tennis-, Velo/Bike-, Gesundheits-, Wellness-, Seminar-, Kongress-, Business-, Familienfreundliches Hotel, Historisches Hotel, Ökohotel). Für die einzelnen Spezialisierungen bestehen klare Voraussetzungen. Antrag und Kontrolle werden gleich geregelt wie bei den Minimalnormen und den allgemeinen Normen. Abweisende Bescheide der Regionalkommissionen bezüglich der Spezialisierungen sind deshalb rekursfähig. Dieser Teil der Klassifikation ist ebenfalls fakultativ (*vgl. Schweizer Hotelier-Verein, Die neue Hotelklassifikation, „Normen 2000", gültig ab 1. 1. 2000*).

Hotelkategorien gemäß Schweizer Hotelführer

– 5 Sterne Hotels	76	Betriebe mit 17.145 Betten
– 4 Sterne Hotels	445	Betriebe mit 52.410 Betten
– 3 Sterne Hotels	1.119	Betriebe mit 68.800 Betten
– 2 Sterne Hotels	458	Betriebe mit 18.075 Betten
– 1 Stern Hotels	124	Betriebe mit 3.720 Betten
– Unikat	7	Betriebe mit 295 Betten
– Apparthotels	8	Betriebe mit 900 Betten
– Landgasthof SHV	120	Betriebe mit 2.965 Betten

Seit einigen Jahren ist das **„Qualitäts-Gütesiegel für den Schweizer Tourismus"** eingeführt worden. Die Verantwortlichen auch der Hotellerie und Gastronomie streben eine Steigerung des Qualitätsbewusstseins in den Betrieben und die Sicherung der Servicequalität im Reise- und Ferienland Schweiz an.

Abb. 1-2: Qualitäts-Gütesiegel

Mit einer Selbsteinschätzung können touristische Unternehmen das Qualitäts-Gütesiegel beantragen. Einen recht umfangreichen Kriterienkatalog mit ziemlich hohen Anforderungen müssen Hotels und Restaurants erfüllen, um die Auszeichnung zu erhalten.

Als **Kriterien** seien erwähnt:

- Eine kleine Aufmerksamkeit oder frische Blumen sind im Zimmer
- Im Zimmer liegt eine informative Mappe mit aktuellen Informationen über das Hotel, den Ort und die Region
- Das Servicepersonal ist stets zuverlässig und freundlich und wird gegebenenfalls durch eine kompetente und sprachgewandte Person unterstützt
- Das Menu bzw. die Speisekarte sind sauber geschrieben/gedruckt
- Pro Woche wird ein spezieller Anlass durchgeführt, z. B. „Französische Woche"
- Gäste werden durch den/die Geschäftsführer/in, Hotelier/Gastwirt oder den/die Stellvertreter/in persönlich begrüßt und verabschiedet.

1.1.6 Schweizerische Gesellschaft für Hotelkredit (SGH)

Im Rahmen der Förderung und Gewährung von Krediten für die Hotel- und Kurortserneuerung durch den Bund besteht die **Schweizerische Gesellschaft für Hotelkredit** als eine vom Bundesrat errichtete Genossenschaft des öffentlichen Rechts mit Sitz in Zürich.

Die Gesellschaft kann für folgende Zwecke Darlehen verbürgen oder gewähren:

Erneuerung bestehender Hotels mit Einschluss des Neubaus eines Hotels anstelle eines bisher bestehenden in Fremdenverkehrsgebieten. Neubauten von Hotels, Jugendherbergen und anderen Beherbergungsbetrieben in Entwicklungs-Berggebieten; Erneuerung oder Neubau von Personalunterkünften und Arbeitsplätzen sowie Schaffung überbetrieblicher Gemeinschaftseinrichtungen der Hotellerie (z. B. Zentralwäschereien); Erleichterung des Erwerbs von Hotels; Erneuerung privater Erziehungsinstitute und Pensionate, die maßgeblich vom Besuch ausländischer Zöglinge abhängig sind; Projektierung, Schaffung oder Erneuerung von Kurortseinrichtungen, die im allgemeinen Interesse des Kurorts liegen und nicht zu den ordentlichen Aufgaben der Kantone und Gemeinden gehören; Erneuerung von Heilbädern.

Der gemischtwirtschaftliche Charakter der Gesellschaft tritt insbesondere beim Genossenschaftskapital hervor, das rund ein Drittel vom Bund und zu zwei Dritteln von Dritten (Banken, Hoteliers, Private) aufgebracht wird. Der Bund verzichtet auf die vorläufige Rückzahlung von früher gewährten Darlehen im Zusammenhang mit Maßnahmen für das Hotelgewerbe sowie mit der Erneuerung der schweizerischen Heilbäder, indem er der Gesellschaft diesen Betrag weiterhin als zinsloses Darlehen überlässt.

Das durchschnittliche Bewilligungsvolumen betrug in den letzten 3 Jahren rund 35 Mio. Franken. Das damit ausgelöste Investitionsvolumen erreichte über 326 Mio. Franken. Bei den SGH-Finanzierungen steht seit letzter Zeit der Hotelkauf im Vordergrund, wogegen die Kredite für Erneuerungen weiter zurückgehen. Stark rückläufig sind die mitfinanzierten Neubauten.

Der hier umschriebene Hotelkredit versteht sich als Rest- und Nachgangsfinanzierung nach der Fremdfinanzierung durch Banken und Eigenfinanzierung unter vorteilhaften Zinskonditionen während der Aufbau- und Einführungsphase.

Die SGH führt ein breites Angebot an Beratungsleistungen, einschließlich Rechnungswesen und Abschlussprüfung (*vgl. SGH, Jahresbericht 1997*).

Abb. 1-3: Prospekt SGH

1.2 Parahotellerie

In der Parahotellerie werden Ferienwohnungen (Chalets, Privatzimmer usw., ohne Kapazitäten in nicht vermietbaren Ferienhäusern und ohne Übernachtungen von Eigentümern und Dauermietern), die Bettenzahl betrug 360.000 oder 45 %; Campingplätze (205.000 Schlafstellen oder 26 %), Gruppenunterkünfte (Touristen- und Massenlager, Naturfreundehäuser, SAC-Hütten, Unterkünfte für Ferienkolonien) 226.000 Schlafstellen oder 28 % sowie Jugendherbergen (6.900 Schlafstellen) ausgewiesen.

57 % der Parahotellerie-Übernachtungen entfallen auf Ferienwohnungen, wobei die Parahotellerie-Gäste mehrheitlich Schweizer sind, gefolgt von deutschen Gästen. (*vgl. Schweizer Tourismus-Verband u. a., Schweizer Tourismus in Zahlen 1998).*

1.3 Gastronomie

In den vergangenen fünf Jahren musste das kleinbetrieblich strukturierte Restaurationsgewerbe zum Teil markante Umsatzeinbrüche hinnehmen, was unter anderem mit dem steigenden Preisbewusstsein der Kunden zusammenhängt. Der leichte Aufwärtstrend, der Ende 1997 eingesetzt hatte, konnte sich nicht stabilisieren. Erfreulicherweise hat sich aber der Umsatzrückgang verlangsamt. Dies ist nicht zuletzt auf eine leicht bessere Konsumentenstimmung sowie auf eigene Anstrengungen der Wirte zurückzuführen ...

Die zunehmende Bedeutung der Schnell- und Take-away-Verpflegung werden die traditionellen Restaurants auch in Zukunft zu spüren bekommen.

Der härtere Konkurrenzkampf zwingt die Gastronomen weiterhin, sich vermehrt auf kulinarische Spezialitäten zu konzentrieren und dem veränderten Ernährungsverhalten Rechnung zu tragen.

Aufgrund der immer noch vorhandenen Überkapazitäten wird mit einem leichten Personalabbau und zurückhaltenden Investitionen gerechnet.

(Nach: UBS Branchenspiegel Schweiz 1998/99, S. 31)

1.3.1 Bedeutung der Gastronomie

Die Gaststätten erwirtschaften einen jährlichen Totalumsatz von weit mehr als 15 Milliarden Franken.

Die Schweiz ist mit knapp 26.000 Gastbetrieben (Hotels, Restaurants, Bars, Tea-Rooms usw.) eines der gaststättenreichsten Länder der Welt. Auf rund 270 Einwohner trifft es einen Gastbetrieb. Die Hälfte der gesamten Schweizer Wohnbevölkerung inkl. Kleinkinder kann gleichzeitig in der „Gaststätte Schweiz" Platz nehmen. Die extrem große Betriebsdichte bringt nicht nur Vorteile. Sie bringt harte Konkurrenz in einem heute schwierigen Umfeld. Dies bedeutet eine enorme Herausforderung, ist aber zugleich Ansporn zur Leistungssteigerung.

Pro Tag werden ca. 2 Millionen Mahlzeiten serviert, d.h. ca. 700 Millionen Mahlzeiten pro Jahr.

Die verschiedenen Betriebstypen stellen eine außerordentliche Angebotsvielfalt sicher:

Restaurant	49 %
Hotel/Restaurant	16 %
Gasthof	11 %

Alkoholfreier Betrieb/Tea-Room	5 %		
Hotel garni (Frühstückspension)	2 %		
Pension	2 %	Dancing, Discothek, Night Club	4 %
Bar/Pub	5 %		

(*vgl. Schweizer Tourismus-Verband u. a., Schweizer Tourismus in Zahlen 1998*).

In keiner anderen Branche vermehren sich die Betriebe derart: Zählte das Handelsregister für die Gastronomie 1993 erst 1.316 Neueintragungen pro Jahr, waren es 1998 bereits 2.361. Doch nicht überall wurde gleich stark zugelegt: In den Kantonen ohne obligatorischen Fähigkeitsausweis, wie im Kanton Zürich, wuchs die Zahl der neu eingetragenen Restaurants 1998 wesentlich stärker. Die vorausgesetzte Ausbildung oder Kenntnisse zur Führung eines Gastronomiebetriebes sind von Kanton zu Kanton verschieden. 8 Kantone sehen keine entsprechende Voraussetzungen vor.

Anzahl Restaurant-Sitzplätze pro Betrieb, Kennzahl für **Betriebsgröße**:

In Prozenten aller Betriebe	1– 25 Plätze	2%
	26– 50	24 %
	51– 75	23%
	76–100	20%
	101–200	24%
	201 und mehr Plätze	7%

(*vgl. Gastro-Suisse, Branchenspiegel 1998*)

Die Gastbetriebe sind dabei, ihre technischen Kapazitäten verstärkt auf die geänderten Marktverhältnisse auszurichten. Dabei zeigt es sich, dass die Betriebe im mittleren Segment im Sinne der Optimalisierung des Betriebes entweder ausgebaut oder verkleinert werden. Die größeren Betriebe (ab 100 Sitzplätze) tendieren eher dazu, ihr Sitzplatzangebot etwas auszubauen (*ebenda*).

1.3.2 Rationalisierungsbestrebungen

Die genannte Herausforderung führt zu einem Trend der **schlanken Dienstleistung,** zur Wertschöpfungssteigerung durch Leistungswille und mehr Professionalität, aber auch durch Dynamik und Innovation. Der Personaleinsatz wird überprüft und neue Arbeitsformen und Arbeitszeitmodelle kommen zum Einsatz. Die Arbeitsabläufe in Küche und Service werden optimiert und durch elektronische Hilfen ausgestattet.

Gelebte Gastfreundschaft wird zum eigentlichen Markenzeichen.

Vier Hauptkategorien umschreiben erfolgreiche **Gastbetriebstypen**:

- Originelle Dorfgaststätten und Quartierrestaurants, stattliche Landgasthöfe, heimelige Restaurants, einfache und gemütliche Hotel-Restaurants
- Spezialitäten-/Erlebnisgastronomie (Trendlokale mit fremdländischer und exotischer Küche bzw. Betriebe, namentlich in verschiedenen Städten der Schweiz, welche sich sowohl äußerlich als auch mit ihrem Angebot auf ein bestimmtes Thema – Spaß und Unterhaltung, Kontakte – ausrichten. Im Visier ist meist ein jüngeres Publikum)
- Marken-, Systemgastronomie (Coop und Migros, Spaghetti-Factory, Charrasco sowie Fast-Food-Restaurants wie McDonald's aber auch Snack-Imbisse und Take-aways)
- Luxushotel-Restaurants, „Gourmet-Tempel" (dem Service wird größte Aufmerksamkeit geschenkt. Ihre Leistungen werden höchsten Ansprüchen gerecht. Sie bieten etwas ganz Besonderes, wofür die Gäste bereit sind, einen entsprechend höheren Preis zu bezahlen).

Der Anteil jener Betriebe, welche sich spezialisieren, ist stark gestiegen. Nur noch 11 Prozent aller Betriebe führen keine Spezialitäten im Angebot. „Gutbürgerlich" nennen sich 25 Prozent.

Die fünf umsatzmäßig größten Restaurantketten sind:

- McDonald's (102 Betriebe), Mövenpick (55), Schweiz. Speisewagen Gesellschaft (45), Merkur (62) und Bindella (30).

Der Branchenverband Gastro-Suisse umschreibt das neue Rollenverständnis seitens der Angebot- und Nachfrageseite wie folgt:

Der erfolgreiche **Gastgeber**

- beschreitet mit Initiative und Phantasie neue Wege,
- hat Mut zu Außergewöhnlichem,
- erfasst konsequent Kundenbedürfnisse,
- ist flexibel und richtet sein Angebot ständig neu aus,
- spezialisiert und profiliert sich,
- passt seine Öffnungszeiten dem Markt an,
- pflegt seine Dienstleistungsbereitschaft und Servicequalität,
- überprüft laufend sein Preis-/Leistungsverhältnis,
- rekrutiert und hält gute Mitarbeiter.

Der **„neue" Gast**

- ist preisbewusst,
- ist spontan und unberechenbar,
- lebt nach Lust und Laune,
- ist oft weitgereist und erlebnisorientiert, sucht Begegnung,
- verlangt nach Wohlbefinden und lebt gesundheitsbewusst,
- ist an Qualität und Originalität der Leistung interessiert und
- ist oft unter Zeitdruck und sehr mobil.

Auf die Frage, wer den Betrieb führe, sagt der Gastro-Suisse Branchenspiegel aus: rund 46 % der Betriebe werden von Eigentümern/Miteigentümern geführt, 44 % von Mietern/Pächter und 10 % von Geschäftsführern (Gerant/Direktor). Der Anteil der Eigentümer ist indes rückläufig. Vor allem jene, welche einen Betrieb neu übernehmen, sind häufiger Mieter, fehlt ihnen doch oft das Geld für den Kauf des Lokals (*ebenda*).

1.3.3 Gastro-Suisse, der Branchenverband

GASTROSUISSE
Blumenfeldstrasse 20
8046 Zürich

Gastro-Suisse ist der größte Verband für Hotellerie und Restauration mit rund 20.000 Mitgliedern; rund 75 % sämtlicher schweizerischer Gastbetriebe (Hotels, Restaurants usw.) sind in Gastro-Suisse zusammengeschlossen. Gastro-Suisse setzt sich als gesamtschweizerisch tätige Informations- und Dienstleistungsorganisation für alle Belange seiner Mitglieder ein, wahrt und fördert unter Berücksichtigung nationaler, kantonaler und regionaler Gegebenheiten die Interessen des Gastgewerbes.

Zur Tätigkeit des Verbandes gehören folgende Gebiete:

- Berufsbildung, Grundausbildung u.a. durch kantonale Wirtekurse, Ausbildung in drei Stufen zum Gastro-Unternehmer:

1. Stufe: Gastro Grundausbildung mit Zertifikat, 2. Stufe: Gastronomie-Betriebsleiter/innen mit Diplom, 3. Stufe: Eidg.dipl. Restaurateur/in

Weiterbildungs- und Fachkurse

Fachschulen: Belvoirpark, Hotelfachschule Zürich, Höhere Fachschule HF Vieux Bois, Hotelfachschule Genf, Höhere Fachschule HF

- Stellenvermittlung
- Beratung: Allgemeine Treuhand, Unternehmens-, Rechts- und Steuerberatung durch Gastroconsult AG
- Soziale Kassen: Ausgleichskasse Gastro-Suisse, AHV/IV/EO Sozialversicherung Familienausgleichskassen, Kollektiv Kranken- und Unfallversicherung, Betriebliche Altersvorsorge
- Information: Verbandszeitung „Schweizer Gastronomie", Wirtschaftspolitischer Dienst, Fachbuchverlag, Nachwuchswerbung.

Im Rahmen der Liberalisierung wurden in verschiedenen Kantonen die Bedürfnisklausel und die obligatorische Wirtefachprüfung abgeschafft und durch fakultative Ausbildungskurse ersetzt, wodurch die Berufsbildung durch Gastro-Suisse aufgewertet wurde.

1.3.4 Union Helvetia als Angestelltenverband

Die Union Helvetia ist der Schweizerische Zentralverband der Hotel- und Restaurationsangestellten, was gleichbedeutend ist mit einer nationalen Berufsorganisation. Der Union Helvetia angeschlossen sind der Schweizerische Kochverband (SKV) und der Schweizerische Bedienungspersonalverband.

Der Verband bietet als Dienstleistungen eine Stellenvermittlung, Rechtsschutz sowie Aus- und Weiterbildungskurse, eine Verbandszeitung („Union Helvetia"), eine Fachzeitschrift („Hotellerie") und einen Fachbuchverlag an (u. a. Koch- und Weinbücher).

Die Union Helvetia betreibt die Schweizerische Hotelfachschule Luzern.

Aufgaben

1. Welche Bedeutung haben Tourismus und Hotellerie in der Schweiz?
2. Welche sind die Stärken und Schwächen der Schweizer Hotellerie?
3. Wer vertritt die Schweizer Hotellerie und welches sind die drei Hauptbereiche der Tätigkeit der Branchenorganisation?
4. Welche Aufgaben übernimmt die Schweizerische Gesellschaft für Hotelkredit?
5. Wie hat sich die Schweizer Gastronomie in den letzten Jahren entwickelt und welches sind die Gründe hierfür?
6. Welches sind die Maßnahmen, um dem härter werdenden Wettbewerb in der Schweizer Gastronomie zu begegnen?

Quellen und weiterführende Literatur

Gastro-Suisse, Branchenspiegel 1998, Zürich 1998

Div. Jahresberichte, Zürich

Schweizer Hotelier-Verein, Leitbild 1982, Die Schweizer Hotellerie auf dem Weg ins Jahr 2000, Bern 1982

Die neue Hotelklassifikation „Normen 2000“, Bern 1998

Schweizer Hotelierverein u. a. (Hrsg.), Marketing der Gastfreundschaft, Bern 1992

Schweizer Tourismus-Verband u. a., Schweizer Tourismus in Zahlen 1998, Bern 1998

UBS, Branchenspiegel Schweiz 1998/99, Zürich 1998

2. Hotellerie und Gastronomie in Österreich

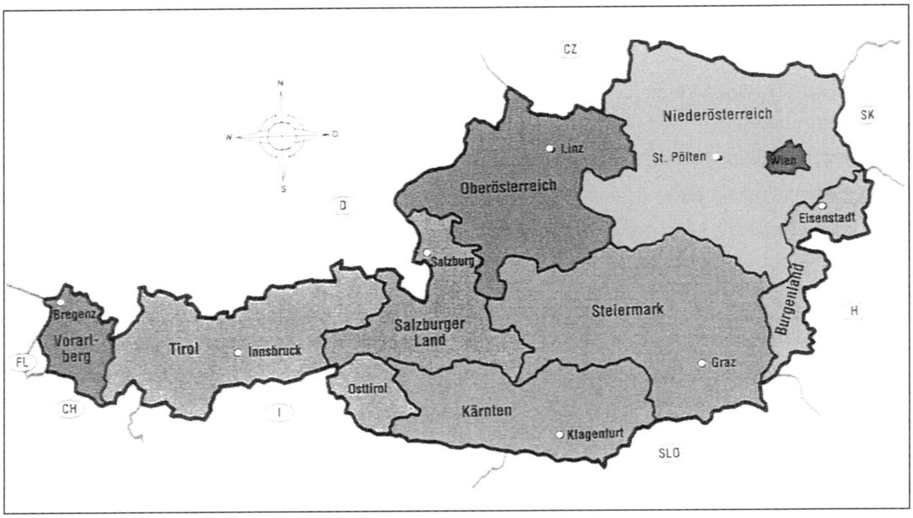

2.1 Szenarium

Laut der Studie „Freizeit und Lebensqualität", die vom B.A.T.-Freizeitinstitut in Hamburg durchgeführt wurde, bleibt die hohe Bedeutung vom Urlaub und Reisen als Lebenswert auch in Zukunft erhalten. Die WTO spricht gar von einem „noch in den Kinderschuhen steckenden Wirtschaftszweig" und geht bei ihren Vorhersagen davon aus, dass es im Jahr 2020 fast dreimal so viele Ankünfte geben wird wie 1995 und sich die Einnahmen aus dem Welttourismus im gleichen Zeitraum verfünffachen. Freizeit rückt neben der Arbeit gleichwertig und gleichberechtigt ins Zentrum der Lebensgestaltung.
(*ÖW Bulletin August-September 1998*)

2.1.1 Die Position Österreichs im Welttourismus

Österreich zählt im internationalen Reiseverkehr zu den tourismusintensivsten Ländern der Welt. Tourismus und Freizeit haben damit in der österreichischen Volkswirtschaft eine **zentrale Bedeutung** für die Einkommens- und Beschäftigungssicherung sowie für die Leistungsbilanz erlangt. Im internationalen Vergleich nimmt Österreich in Bezug auf die Ausländernachfrage eine führende Postion ein. In Pro-Kopf-Einnahmen aus dem internationalen Reiseverkehr liegt Österreich vor der Schweiz, Spanien und Irland an erster Stelle. Auch bei der Betrachtung des Anteils der Einnahmen aus dem internationalen Reiseverkehr am Bruttoinlandsprodukt liegt Österreich mit 6,1% an erster Stelle vor Spanien, Portugal, Neuseeland, Irland, der Türkei und Griechenland. Der europäische Durchschnitt des Anteils der internationalen Tourismuseinnahmen am Bruttoinlandsprodukt beträgt 2% (*vgl. Bericht über die Lage der Tourismus- und Freizeitwirtschaft in Österreich 1997, Wirtschaftsministerium Wien, 1998*).

2.1.2 Stellenwert des Tourismus in der österreichischen Gesamtwirtschaft

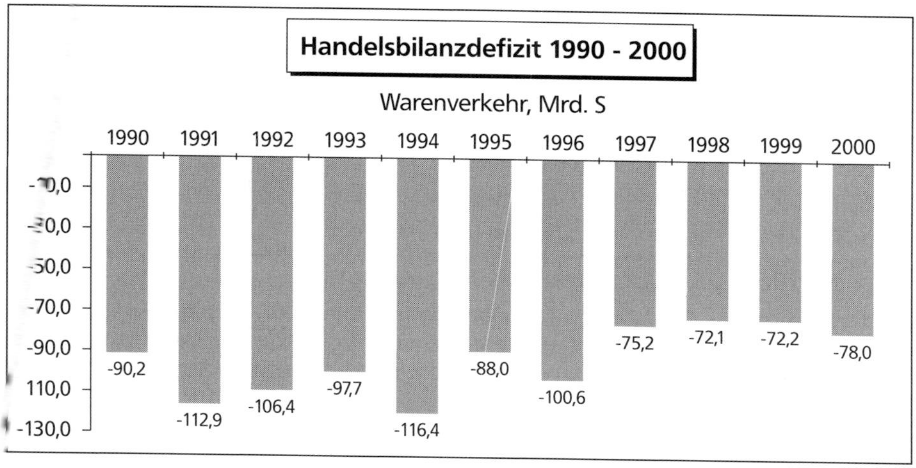

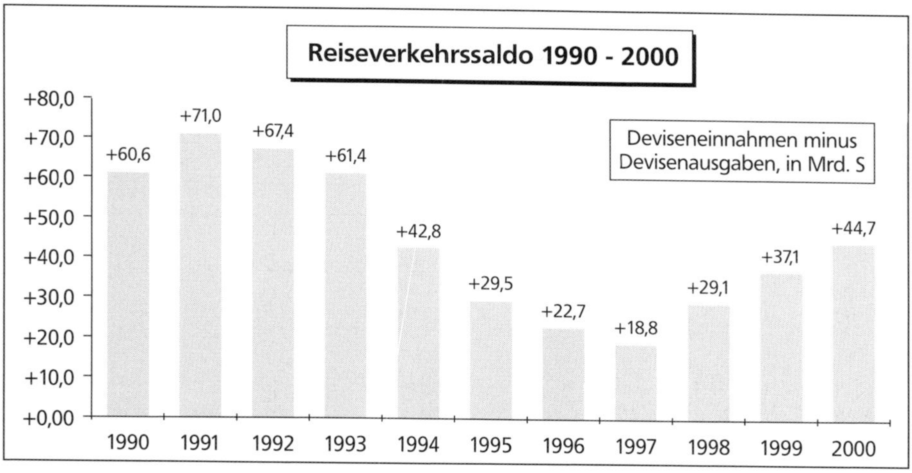

Abb. 2-1

Die in Österreich getätigten Aufwendungen für Tourismus und Freizeit erreichten 1997 eine Größenordnung von Euro 30,8 Mrd. Der Wertschöpfungsanteil des gesamten Sektors (unter Berücksichtigung der gesamten Lieferverpflichtungen laut Input-Output-Analyse) betrug rund 13%. Die Gesamtaufwendungen der Österreicher im Zuge von Urlaubs- und Erholungsreisen werden vom Volumen und der Dynamik nach Auslandsreisen bestimmt. Von Euro 10.3 Mrd. Gesamtaufwendungen entfallen nach vorliegenden Zahlen Euro 1,8 Mrd. auf Inlandsreisen und Euro 8,5 Mrd. auf Auslandsreisen (Bericht zur Lage der Tourismus- und Freizeitwirtschaft 1997, Wirtschaftsministerium, Wien 1998).

2.2 Stellenwert des Beherbergungs- und Gastronomieangebotes im Tourismus

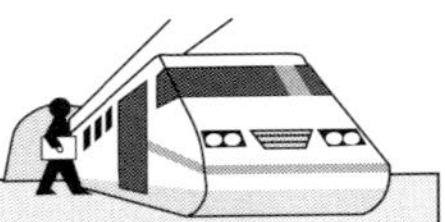

Beherbergungswesen und Gastronomie sind die Basis des touristischen Angebotes in Österreich. Auf sie entfällt der größte Anteil der Einnahmen aus dem internationalen Reiseverkehr und dem Inlandtourismus, wobei allerdings festzustellen ist, dass sich die Tendenz zu Gunsten der Aufwendungen im Kultur- und Sportbereich verändert (*vgl. Smeral, Tourismus 2005, Wien 1994*).

2.2.1 Struktur und Volumen des Angebotes

Das Beherbergungs- und Gaststättenwesen umfasst rund 40.000 Betriebe. Der Nettoproduktionswert dieser Angebotssparte erreichte einen Anteil von 4% an der Gesamtwirtschaft (*vgl. Bericht über die Lage der Tourismus- und Freizeitwirtschaft in Österreich 1997, Wirtschaftsministerium Wien, 1998*).

Insgesamt liegt das Tourismusangebot Österreichs bei 1,2 Millionen Betten. Davon entfallen auf die Hotellerie 667.000 Betten, auf die Kur- und Erholungsheime 15.000 Betten, übrige gewerbliche Unterkünfte (Sanatorien, Jugendherbergen, Schutzhütten) 285.000 Betten. In den Betrieben des Beherbergungs- und Gaststättenwesens sind nahezu 162.000 Mitarbeiter tätig (*vgl. Tourismus in Zahlen, Wirtschaftkammer Österreich 1998*).

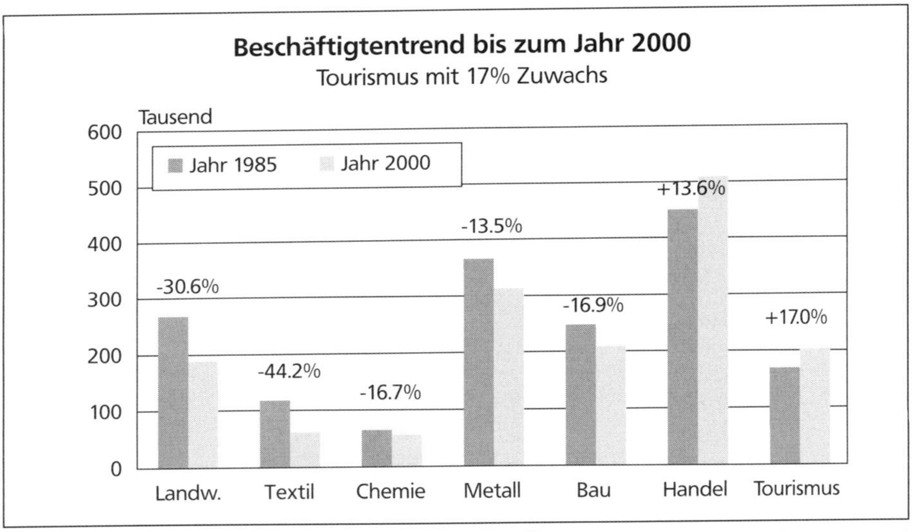

Abb. 2-2: Beschäftigungstrend bis zum Jahr 2000 (Österreich Werbung Marketing 2000)

Dabei ist der strukturelle Unterschied zwischen östlichen und westlichen Bundesländern bemerkenswert. So liegt Tirol mit 32,1% aller Gästebetten vor Salzburg mit 17,6% und Kärnten mit 17,1% an der Spitze. Es folgen die Steiermark mit 8,8%, Oberösterreich mit 7,2%, Vorarlberg mit 6,1%, Niederösterreich mit 5,8%, Wien als Städtedestination mit 3,5% und Burgenland mit 1,9%. Somit werden in Westösterreich rund 63%, in Südösterreich 26% und in Ostösterreich 11% des Beherbergungsvolumens angeboten (*vgl. Smeral, Tourismus 2005, Wien 1994*).

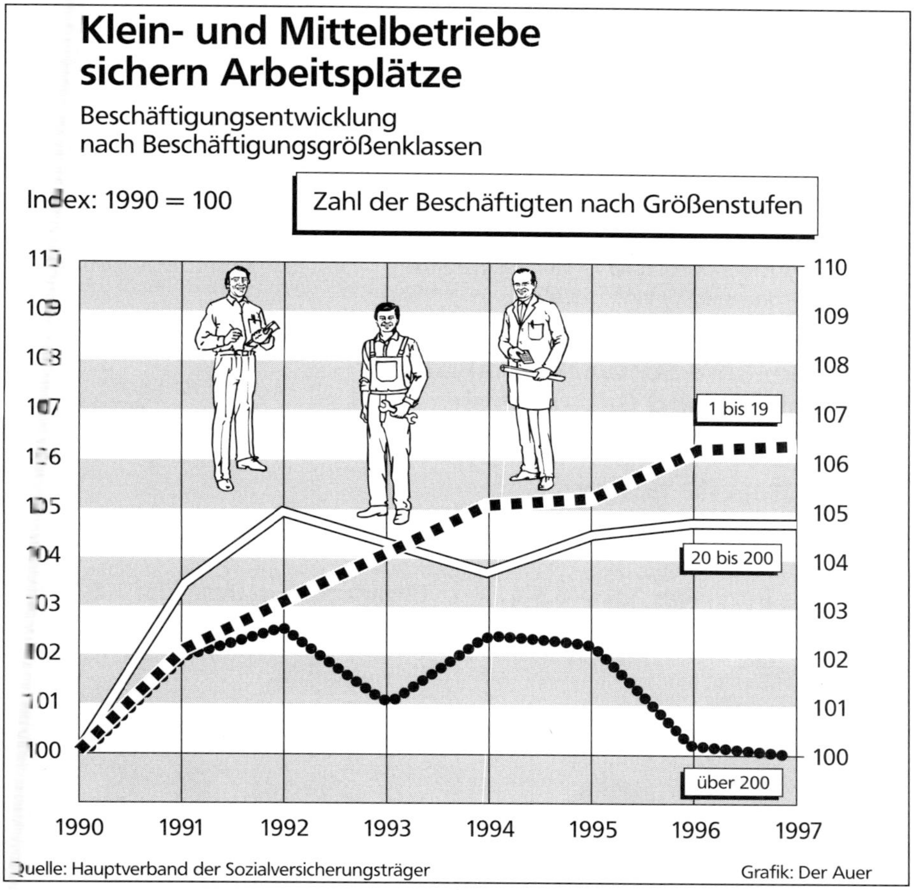

Abb. 2-3

Trotz deutlicher Verschiebung zu größeren Betriebseinheiten ist das Beherbergungs- und Gaststättenwesen in Österreich überwiegend klein- und mittelbetrieblich strukturiert, wobei der **Familienbetrieb dominiert.** 85% der Betriebe haben nicht mehr als vier Beschäftigte. Die durchschnittliche Betriebsgröße ist zwar in den letzten 25 Jahren um 10 Betten gewachsen und beträgt derzeit 35 Betten, ist aber dennoch nach wie vor wirtschaftlich nicht optimal, weil bei dieser Betriebsgröße eine ungünstige Ertragslage gegeben ist. Ausgenommen von dieser strukturellen Schwäche ist die Stadthotellerie im Allgemeinen und die Wiener Hotellerie im Besonderen, zumal dort das durchschnittliche Bettenangebot in der unteren Kategorie 112 Betten und in der oberen Kategorie der 4- und 5-Stern-Betriebe 185 Betten beträgt.

Insbesondere durch den Trend zu gehobener Qualität, aber auch bedingt durch geänderte wirtschaftliche Verhältnisse der Vermieter, ist der Anteil der Privatzimmervermietung am Gesamtvolumen des Bettenangebotes rückläufig (*vgl. Tourismus in Zahlen, Wirtschaftskammer Österreich, 1998*).

2.2.2 Ein internationaler Vergleich

Ein internationaler Vergleich der Angebotsqualität des österreichischen Beherbergungs- und Gastronomiewesens mit den unmittelbar konkurrierenden Alpenanrainerstaaten wird erschwert durch zum Teil unterschiedliche Qualitätswertungen und Zuordnungskategorien. Das höhere Qualitätsangebot in Deutschland ist durch das Gewicht der Stadthotellerie mitbestimmt. In der Schweiz steht die dominierende Parahotellerie auf qualitativ sehr hohem Niveau. Bei einem Vergleich Österreich – Südtirol zeigt sich, dass Österreich im Bereich der gehobenen Hotellerie und der Ferienwohnungen Strukturvorteile hat, jedoch Südtirol über besser ausgestattete 1- und 2-Stern-Betriebe verfügt (*vgl. Smeral, Tourismus 2005, Wien 1994*).

2.3 Stärke- und Schwächeanalyse der Hotellerie und Gastronomie

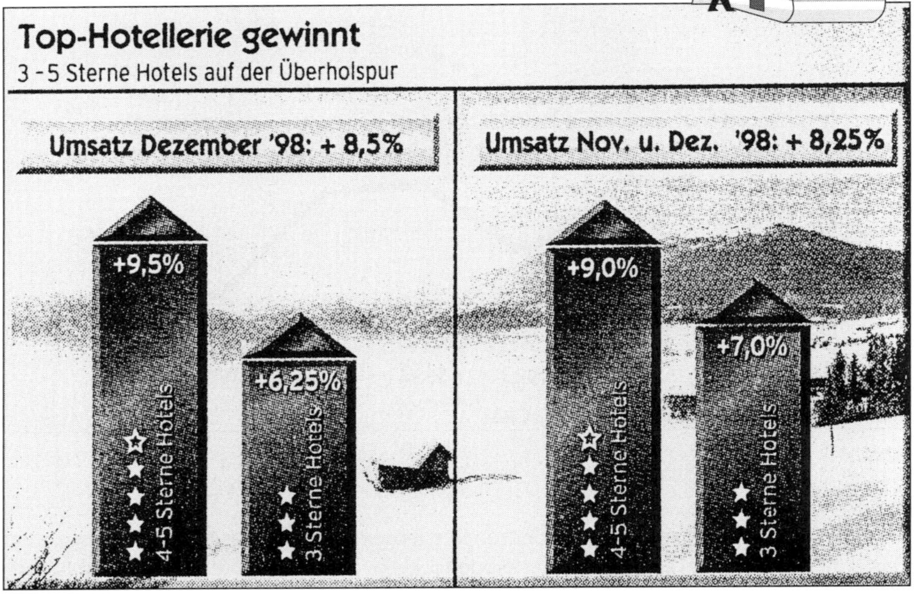

Top-Hotellerie gewinnt (Österreichische Hotel- und Gastgewerbezeitung 4/1999)

2.3.1 Das grundsätzliche Strukturproblem

Die klein- und mittelbetriebliche Struktur des Beherbergungswesens in Österreich führt dazu, dass die einzelnen Betriebe nur geringen Einfluss am Markt haben, einem Markt, der sich vom Verkäufer- zum Käufermarkt gewandelt hat. Dies bedeutet sowohl, dass die Betriebe wenig Durchsetzungskraft am Absatz- als auch eine schwache Position am Finanzierungsmarkt haben. Diese Stellung am Markt ist auch dafür verantwortlich, dass es die Hotellerie bisher nur ansatzweise geschafft hat, ihr größtes betriebswirtschaftliches Problem, die geringe Kapazitätsauslastung im Jahresdurchschnitt, durch geeignete Marketingmaßnahmen zu verbessern.

Andererseits bedeutet eine geringe Marktmacht aber auch, dass Hotels eine **Nischenpolitik** verfolgen können, die sie gegenüber vielen wirtschaftlichen Umweltfaktorn zumindest teilweise autark macht. Der wirtschaftliche Erfolg der österreichischen Hotellerie ist sicher zum Teil dadurch zu erklären, dass diese Betriebe typischerweise klein- und mittelgewerblich strukturiert, persönlich geführt und somit der rasch wechselnden Nachfrage besser angepasst sind (*Österreich Werbung, Tourismus-Marketing 2000, Wien*).

2.3.2 Stärken und Schwächen der österreichischen Hotellerie

• Stärken

- Individualität
- Familienbetriebliche Struktur, persönliche Führung
- einheimische, qualifizierte Mitarbeiter
- hohe Investitionsbereitschaft

• Schwächen

- hohe Saisonabhängigkeit
- geringe Auslastung im Jahresdurchschnitt
- geringe Eigenkapitalbildung
- noch immer ungenügende Ausbildungskapazität
- vergleichsweise geringe Marketingausgaben

2.4 Marketingstrategie

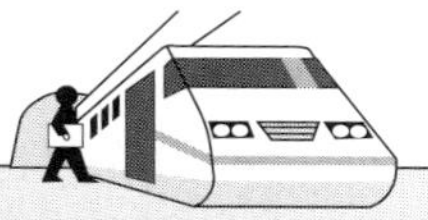

Die überwiegend kleinen Betriebseinheiten des österreichischen Beherbergungsgewerbes sind ein Wettbewerbsnachteil im internationalen Tourismus, zumal weltweit Konzentrationstendenzen bei den Anbietern von touristischen Leistungen festzustellen sind. Die Weiterentwicklung des österreichischen Tourismus unter Aufrechterhaltung der Struktur der eigenständigen Klein- und Mittelbetriebe erfordert daher kooperative Maßnahmen auf dem Angebotssektor als auch im Nachfragebereich, um die Marktpräsenz zu stärken und Synergieeffekte zu erzielen.

2.4.1 Kooperation auf dem Angebotssektor

Zur Stärkung ihrer Position im Einkaufs- und Beschaffungsbereich haben 790 Betriebe der Hotellerie und Gastronomie eine gemeisame Einkaufsorganisation, die „HOGAST", Einkaufgenossenschaft für das Hotel- und Gastgewerbe, reg. Gen. m.b.H., gegründet. Das Leistungsspektrum dieser Organisation umfasst folgende Bereiche:

- HOGAST – Food & Beverage-Einkauf
- HOGAST – Regionaler Einkauf
- HOGAST – Verbrauchsgütereinkauf
- HOGAST – Investitionsgütereinkauf
- HOGAST – Bonifikationssystem
- HOGAST – Finanzierungshilfe
- HOGAST – Versicherungsdienst
- HOGAST – Inseratenservice

Ein regelmäßiger Informationsservice der Organisation informierte die Mitglieder über den aktuellen Stand auf dem Markt.

2.4.2 Kooperation im Nachfragebereich

Die Aufrechterhaltung der Konkurrenzfähigkeit des österreichischen Tourismusangebotes unter Beibehaltung der Struktur der eigenständigen Klein- und Mittelbetriebe erfordert kooperative Maßnahmen, um die Position am Markt zu halten. Mit der Schaffung von Angebotsgruppen gleich gelagerter Betriebe, den so genannten „Urlaubsspezialisten" wurde eine Form der Zusammenarbeit dieser Betriebe gefunden, die die Wettbewerbsvorteile von Hotelketten auf die Angebotsgruppe übertragen, z. B. Markenbildung, strategische und operative Marketingplanung, einheitlicher Auftritt, Verkaufsförderung durch die Hotelkette, Buchbarkeit über Computerreservierungssysteme, Kooperation mit Reiseveranstaltern und Transportunternehmen. Diese Angebotsgruppen haben sich in Form einer Kapitalgesellschaft unter Einbeziehung der Österreich Werbung organisiert. So werden in 19 Angebotsgruppen von über 1.000 Betrieben mehr als 68.000 Betten angeboten; dazu kommen noch weitere 45.000 auf Bauernhöfen.

Folgende Angebotsbereiche werden durch die „Urlaubsspezialisten" abgedeckt:

- Reiten in Österreich (Reitarena Austria)
- Tennis in Österreich (Multi Tennis Austria)
- Golfen in Österreich (Golf Green Austria)
- Fischen in Österreich (Fischwasser Österreich)
- Schlank und Schön in Österreich
- Weinreisen in Österreich (Vinoveritas Austria)
- Erlebnis Bahn und Schiff
- Deutsch lernen in Österreich (Campus Austria)
- Kinderhotels in Österreich
- Familienappartements in Österreich
- Urlaub am Bauernhof
- Dorfurlaub in Österreich
- Landidyll in Österreich
- Kleine historische Städte in Österreich
- Spiel der Sinne (Casinos in Österreich)
- Wintererlebnis Österreich
- Top Ski Austria
- L´Austria per Italia
- Austria pro France

2.5 Stadthotellerie – Ferienhotellerie

> Während die Stadthotellerie in zunehmenden Maße das Eindringen multinationaler Hotelkonzerne sowie eine damit verbundene Marktkonzentration erlebt, wird der Bereich der Ferienhotellerie im Eigentum und Management weitgehend von Unternehmerfamilien geprägt.
>
> (*Österreich Werbung, Marketing 2000, Wien*)

2.5.1 Stadthotellerie

Die österreichische Hotellerie lässt sich in Stadthotellerie und Ferienhotellerie unterscheiden. Die Stadthotellerie ist durch das Eindringen multinationaler Hotelkonzerne und einer damit verbundenen **Marktkonzentration** geprägt. Einzeln geführte Privatbetriebe besitzen nur dann eine Überlebenschance, wenn sie konsequente Marktnischenpolitik betreiben, entsprechendes Kostenmanagement einhalten und mit den immer schneller werdenden Innovationszyklen mithalten können.

In Zukunft gewinnt das **Stadthotel als multifunktionaler Komplex** an Bedeutung. Büroräume, Restaurants, Tagungseinrichtungen, Geschäftspassagen und ein Hotel befinden sich unter einem Dach und sind als Ensemble rentabler als nur das Hotel allein. Damit sind Stadthotels vielfach über ihre Rolle als Tourismusangebot hinaus auch eine Dienstleistungseinrichtung für die Bewohner der Stadt.

2.5.2 Ferienhotellerie

Der Bereich der Ferienhotellerie ist weitgehend von Hotels im Eigentum und Management von Unternehmerfamilien geprägt. Es ist aber auch hier ein Eindringen von Konzernbetrieben zu beobachten, wobei es sich vielfach um Übernahmen von bestehenden Hotels handelt. Die Überlebensstrategie der Ferienhotellerie erfordert entsprechende produktpolitische Maßnahmen: Eine marktkonforme Anhebung der Qualität in den Bereichen Ausstattung, Service, Freizeit- und Unterhaltungseinrichtungen sowie eine intelligente Preispolitik und Werbung. Um die hohen Kosten der Angebotsgestaltung tragen zu können, wird eine verstärkte Kooperation in Marketinggruppen, wie dies bei den „Urlaubsspezialisten" der Fall ist, angestrebt.

2.6 Campingangebot

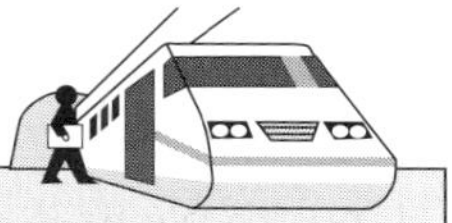

> Camping wird von den Ausübenden als eine Art Weltanschauung eingeschätzt, der man nur extrem positiv oder extrem negativ gegenüberstehen kann. Man sucht daher gar nicht das Gespräch und versucht auch nicht, Campinggegner zu überzeugen.
>
> (*Österreich Werbung, Marketing 2000, Wien*)

Campingtourismus ist eine **spezifische Form des Urlaubsverhaltens,** eine Form, die das klassische Beherbergungsangebot ergänzt. Mit 591 Campingplätzen (*vgl. Tourismus in Zahlen, Wirtschaftskammer Österreich, 1998*), wovon rund 40% das ganze Jahr über geöffnet sind, nimmt diese Form des Angebotes einen beachtlichen Platz im österreichischen Tourismus ein. Da die Campingplätze von einem relativ starken Eigenleben mit einer speziellen Gästestruktur geprägt sind, kommt es kaum zu Überschneidungen und Verdrängung anderer Beherbergungsformen. Campingplätze sind in der Regel in sich geschlossene Infrastruktureinheiten. Es sind nicht nur Versorgung, Entsorgung, Verpflegung und Freizeiteinrichtungen sehr eigenständig ausgerichtet, sondern auch die soziale und kulturelle Autarkie ist auf einem Campingplatz gegeben. Trotzdem ist eine Verknüpfung mit kommunalen und infrastrukturellen Einrichtungen auf den Gebieten Freizeitangebot und Gastronomie gegeben.

Um eine höhere Aufenthaltsdauer der Gäste zu erreichen, ist es notwendig geworden, organisierte Gästeunterhaltung anzubieten, wobei oft eine kostensparende Kooperation mit umliegenden Hotelbetrieben vorgenommen wird. Dieses Kooperationsmodell, das vor allem in Länderen bekannt ist, in denen das Campingwesen eine ungleich größere Rolle spielt als in Österreich, etwa in Spanien, wird vor allem auf den nach modernen Marketingmethoden geführten großen Campingplätzen in Kärnten, Tirol, Vorarlberg und im Salzkammergut, praktiziert (*vgl. Österreich Werbung, Marketing 2000, Wien*). Diesen absoluten Ferienplätzen stehen jene Anlagen gegenüber, die sich entlang der großen Reiserouten oder im Bereich großer Städte, vornehmlich als Etappenziele profilieren können. Gut augestattete Stadtcampingplätze spielen vor allem in Hinblick auf die zunehmende Ost-West Orientierung der Reiseströme eine wichtige Rolle.

Wie auch bei anderen Unterkunftsarten zählen Qualität der Anlagen, Gediegenheit der Ausstattung, Einfallsreichtum hinsichtlich des Marketings, gut geschultes Personal und Professionalität der Betriebsführung zu den Erfolgskriterien eines Campingplatzes.

2.7 Ferienwohnungsmarkt

Im Durchschnitt der letzten 10 Jahre betrug das jährliche Wachstum im Marktsegment Ferienwohnungen- und Ferienhäuser rund 8%. Die gute Nachfrage und die nicht mehr verkauften 1- und 2-Stern-Kapazitäten sowie Privatquartiere werden dieses Beherbergungsangebot weiter dynamisch wachsen lassen.
(*Egon Smeral, Tourismus 2005, Wien 1994*).

Während die Entwicklung auf dem Privatzimmersektor rückläufig ist, zeigt die Nachfrage nach **Ferienwohnungen eine positive Tendenz.** Vor allem der Prozess der Umstrukturierung von Privatzimmern in Ferienwohnungen zog einen Anstieg im Angebotsbereich Ferienwohnung nach sich. Das Angebot liegt bei 186.000 Ferienwohnungen und Ferienhäusern. Sie sind vor allem bei Familien mit kleinen Kindern beliebt, wobei die freizügige Urlaubsgestaltung – ähnlich wie beim Campingurlauber – etwa in Bezug auf Bekleidungsvorschriften und Essenzeiten eine Rolle spielt.

Viele Vermieter von Ferienwohnugen haben erkannt, dass die ursprüngliche Form des Angebotes, den Gast nach der Schlüsselübergabe sich selbst zu überlassen, nicht mehr zielführend ist. Es werden daher zunehmend, wie in der Hotellerie, Sport und Unterhaltungsprogramme, Aufenthaltsräume, Restaurants und Kommunikationszentren angeboten. Wie bei Hotelbetrieben ist auch bei Ferienwohnungen ein zielgruppenorientiertes Angebot notwendig für eine erfolgreiche Vermarktung.

Ferienwohnungen entsprechen weitgehend dem Wunsch nach Komfort und Bequemlichkeit sowie dem weiterhin steigenden Bedürfnis nach Ungezwungenheit und Freisein von gesellschaftlichen Zwängen. Damit grenzt sich diese Angebotsform vom Camping-Caravaning einerseits und vom traditionellen Hotelangebot andererseits ab.

2.8 Gastronomie

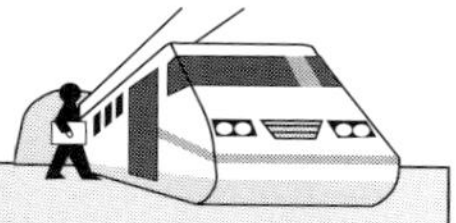

> Die Qualität der österreichischen Küche und der Kellerspezialitäten finden ihren Rückhalt in der ausgeprägten Ess- und Trinkkultur. Hinzu kommt die hohe Qualität der landwirtschaftlichen Produkte und der Erzeugnisse einer vergleichsweise strengen gesetzlichen Richtlinien unterliegenden Nahrungsmittelwirtschaft.
>
> *(Egon Smeral, Tourismus 2005, Wien 1994)*

Eine vor längerer Zeit in Österreich durchgeführte Zustandsanalyse der Gastronomie hat festgestellt, dass es **drei Arten des Gastgewerbes** gibt: ein kämpfendes, ein träumendes und ein verdienendes. Vor allem ein um jeden Gast kämpfendes Gastgewerbe, das träumt, durch ein überdimensional großes Speisenangebot ein dementsprechendes Geschäft zu machen und dabei vergisst, dass es durch ein „Allerweltsangebot" niemanden anlocken kann. Ein verdienendes Gastgewerbe, das hauptsächlich in der **Systemgastronomie** anzutreffen ist, mit beschränktem Angebot, guter und gleichbleibender Qualität, zu vernüftigen Preisen *(vgl. Österreich Werbung, Marketing 2000, Wien).* Hohe Frequenz und gut durchorganisierte Personalplanung bewirken hier entsprechende Betriebsergebnisse. Aktuelles Hauptproblem der österreichischen Gastronomie ist nach wie vor die hohe Steuerbelastung, insbesondere bei Getränken.

Der zunehmende Wohlstand und das höhere Selbstwertgefühl bewirken eine steigende Nachfrage nach Restaurants die Spitzenleistungen erbringen, vor allem in der Verarbeitung von bodenständigen Naturprodukten hoher Qualität. Dies hat eine stärkere Zusammenarbeit mit der Landwirtschaft zur Folge.

Nach ihrer Betriebsform unterscheidet die Gastronomie in Österreich folgende **Betriebstypen:**

- **Gastwirtschaften** (Gasthäuser und Restaurants, Gasthöfe bis 8 Gästebetten, Rasthäuser, Buffets, Bahnhofgastwirtschaften, Milchgaststätten, Kantinen, Jausenstationen etc.)
- **Schankwirtschaften** (Bier- und Weinausschankbetriebe, Branntweinschänken und sonstige Schankbetriebe)
- **Kaffeehausbetriebe** (Kaffeehäuser, Kaffeerestaurants, Espressi, Kaffeekonditoreien)
- **Barbetriebe**

Insgesamt gibt es in Österreich rund 45.000 Gastronomiebetriebe. Neben der öffentlich-rechtlichen Standesvertretung durch die Wirtschaftkammer, ist der „Bund österreichischer Gastlichkeit" – BÖG, ein freiwilliger Zusammenschluss von Gastronomiebetrieben, vor allem familiärer Art, mit dem Ziel der Qualitätssteigerung der heimischen Gastronomie.

2.9 Wirtschaftliche Lage der Hotellerie und Gastronomie

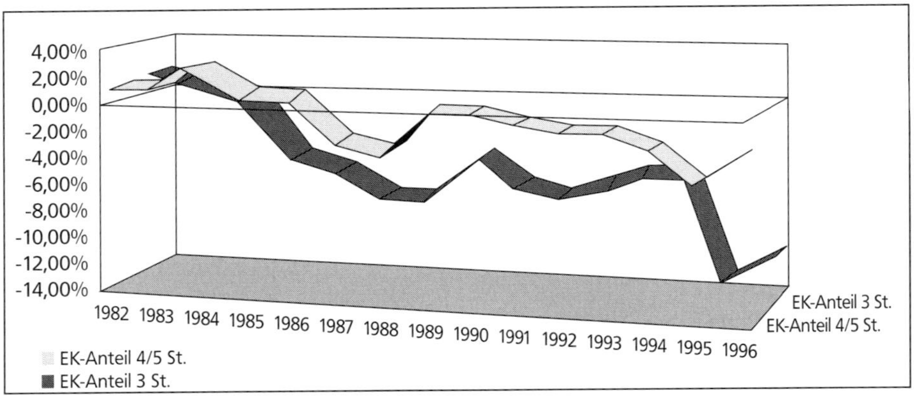

Abb. 2-4 Entwicklung des Eigenkapitals in Hotellerie

2.9.1 Kapitalausstattung

Die österreichische Tourismuswirtschaft hat im letzten Jahrzehnt Dynamik bei den Investitionen erkennen lassen, die ein konkurrenzfähiges Angebot auf den Markt gebracht hat. Als negativer Effekt hat im gleichen Ausmaß die Verschuldung zugenommen, da nicht gleichermaßen Eigenkapital gebildet werden konnte. Inzwischen hat sich die Verschuldung infolge Abnahme der Investitionstätigkeit etwas verflacht und damit eine gewisse Stabilisierung der finanziellen Situation der Branche und eine Verbesserung der Bonitätslage herbeigeführt.

Ein insgesamt nach wie vor steigender Umsatz ist das Ergebnis aus sich höchst unterschiedlich entwicklenden Komponenten. Während die Auslastung als eine Folge des Nächtigungsrückganges rückläufig ist und auch die Auslastung der Restaurantkapazitäten abnimmt, konnte durch Preisanhebung der Umsatz in den Betrieben je nach Kategorie um Euro 800.000 bis Euro 1.3 Millionen angehoben werden. Dies hat zur Folge, dass Österreich weiter auf dem Wege zu einem Hochpreisland ist (*Bericht über die Lage der Tourismus- und Freizeitwirtschaft in Österreich 1997, Wirtschaftsministerium, Wien 1998*).

2.9.2 Tourismusförderung

Die letzten Jahre sind gekennzeichnet durch eine steigende Nachfrage nach Krediten. Auf Grund der verbesserten wirtschaftlichen Lage und des zurückgestauten Erneuerungsbedarfs haben die Kreditanträge in dem zurückliegenden Zeitraum um 25% zugenommen (*Bericht über die Lage der Tourismus- und Freizeitwirtschaft in Österreich, Wirtschaftsministerium, Wien 1998*).

Für die Bedienung dieses Finanzierungsbedarfs stehen eine Reihe von **Förderungsinstrumenten** zur Verfügung:

- Die TOP-Tourismusförderungsprogramme der österreichischen Hoteltreuhand GmbH.
- Die Förderungen im Wege der BÜRGES-Aktionen (Kleingewerbe-Kreditaktion, Gewerbestrukturverbesserungsaktion). Jungunternehmer-Förderungsaktion).

2.10 Umweltmanagement in der Hotellerie und Gastronomie

Die **Umweltkompetenz** ist in Österreich zwischen Bund und Ländern geteilt: Die rechtliche Regelung des Gewerbe- und Hausmülls fällt in die Kompetenz der Bundesländer. Die Verantwortung für umweltgerechte Entsorgung, Deponierung und Verbrennung von Gewerbe- und Hausmüll liegt somit bei den Ländern und Gemeinden. Das Abfallwirtschaftsgesetz, ein Bundesgesetz, regelt den Umgang mit gefährlichen Abfällen und Problemstoffen. Wie in anderen Bereichen, so muss auch im Tourismus im Umweltmanagement doppelgleisig gefahren werden, das heißt, die notwendigen gesetzlichen Maßnahmen müssen vom kooperativen Willen der Betroffenen getragen werden. Der Beratung und Information der Betriebe zu den Themen des Umweltschutzes wird daher besonderes Augenmerk zugewendet. In der Praxis geschieht dies vor allem durch eine Reihe von Informationschriften des Wirtschaftsförderungsinstitutes der Wirtschaftskammer, die an die Betriebe versendet werden. Ergänzt werden diese Maßnahmen durch praktische Beratungsaktivitäten in den Betrieben.

Ein aktuelles Instrument des touristischen Umweltmanagement in Österreich ist das gemeinsam vom Bundesumweltamt, den Tourismusverbänden der Bundesländer, der Österreich Werbung, der ARGE Qualitätskontrolle und Umweltorganisationen geschaffene Umweltzeichen für Tourismusbetriebe.

Das **Umweltzeichen** wird in drei Kategorien vergeben:

- 1. Kategorie: Hotelbetriebe, Gasthöfe, Feriendörfer, Appartements;
- 2. Kategorie: Pensionen, Jugendherbergen, Erholungsheime, Bildungszentren, Gastronomiebetriebe, Campingplätze, alpine Schutzhütten;
- 3. Kategorie: Urlaub am Bauernhof und Privatzimmervermieter.

Die **Prüfungskriterien** sehen eine ganzheitliche Prüfung des Betriebes vor, wobei in folgenden Bereichen eine Bewertung vorgenommen wird:

- Beschaffung und Abfallvermeidung in den Bereichen Lebensmittel/Küche, Reinigung und Hygiene, Büro/Rezeption, Ausstattung/Einrichtung;
- Abfallverwertung- und -entsorgung, betriebliches Abfallkonzept, Bestellung eines Abfallverantwortlichen;
- Energieversorgung und Energiesparen, Wirkungsgrad der Heizung, Wärmedämmung, Energiekonzept;
- Wasserverbrauch und Abwasserbeseitigung;
- Im Außenbereich: Architektur, Verzicht auf Streusalz und Pflanzenschutzmittel, keine asbesthaltigen Dämmstoffe;
- Lärmvermeidung, Nichtraucherzonen;
- Förderung der Anreise mit öffentlichen Verkehrsmittelen, Shuttleservice;
- Mitarbeitermotivation und Mitarbeiterschulung.

In einer Zeit, in der Umweltanliegen ein hoher Stellenwert eingräumt wird und bei den Gästen ein verstärktes ökologisches Bewusstsein sowie ein wachsendes Bedürfnis nach Naturnähe und intakten Umweltbedingungen im Urlaub zu verzeichnen ist, liegt ein hoher Bedarf nach Orientierungs- und Entscheidungshilfen vor. Durch ein kontrolliertes Zeichen können sich ökologische Anbieter aus der Fülle des Angebotes hervorheben. Außerdem wirkt sich das Umweltzeichen auf Grund der Optimierung des Ressourceneinsatzes kostensparend aus und trägt darüber hinaus zur Förderung regionaler Strukturen, vor allem hinsichtlich der Kooperation zwischen Tourismus und Landwirtschaft, bei.

2.11 Zukunft des Beherbergungswesens und der Gastronomie

Der Tourismus zählt zu den hoffnungsvollsten Wachstumsmärkten der Zukunft. Das Beherbergungswesen und die Gastronomie spielen in diesem Szenarium eine Schlüsselrolle. Eine rücksichtslose Ausnützung des quantitativen Wachstumsspielraumes würde jedoch bei den am Tourismus direkt und indirekt beteiligten Bevölkerungskreisen, aber auch bei der Umwelt, an die Grenzen des Machbaren stoßen. **Ziel der Tourismuswirtschaft** im Allgemeinen und des Beherbergungswesens und der Gastronomie im besonderen kann deshalb in Zukunft nur in der Optimierung der Wertschöpfung bei minimaler Beanspruchung der Umweltressourcen und nicht in einer Maximierung der Besucher- und Nächtigungszahlen liegen. Konsequente Qualitätspolitik und respektvoller Umgang mit der Umwelt müssen daher die zentralen Komponenten einer zukunftsorientierten Tourismuspolitik sein.

Dabei wird man vor allem auf folgende **Trends im Tourismus** einzugehen haben:

- Trend zum Urlaubsverhalten zwischen Entspannung und Erlebnis: Gesucht wird eine Intensivierung des Freizeiterlebnisses.
- Trend zur Individualisierung: Gesucht werden unabhängige Reisen nach eigenen Vorstellungen; bevorzugt werden flexiblere Reiseangebote.
- Trend zu mehr Wellness in den Ferien: Gesucht werden Reiseformen, die den überreizten Menschen ganzheitlich beseelen; gesunde Ernährung, gemütliche körperliche Bewegung, Schönheits- und Körperpflege; vielfältigste Therapieformen sind Stichworte dazu.
- Trend zu anspruchsvolleren Reiseangeboten: Gesucht werden Reisen, die nebst Abwechslung auch Kultur und Bildung vermitteln; sowohl passive Erholung als auch hyperaktiver Sport sind out.
- Trend zum „Zweiten Zuhause": Gesucht werden behagliche Ferienunterkünfte als heimische Rückzugsnische mit hohem Komfort.
- Trend zu sonnigen Reisezielen: Gesucht werden Reiseziele mit Sonnengarantie, vor allem im nasskalten, regenverhangenen Winter.
- Trend zu billigeren Reisen: Gesucht werden Angebote die preiswert, d. h. kostengünstig sind; Billigstangebote und eine immer höhere Markttransparenz schüren diesen Trend.
- Trend zu häufigeren und kürzeren Reisen: Gesucht werden Reiseangebote, die zwischendurch (Wochenende, Feiertage) Abwechslung schaffen.
- Trend zu spontanen Reiseentscheidungen: Gesucht werden Angebote, die in letzter Minute gebucht werden können, die nicht nur billig sind, sondern auch einen zusätzlichen Überraschungseffekt beinhalten.
- Trend zu mobilerem Reiseverhalten: Gesucht werden Reiseangebote mit vielen Ortsveränderungen als Hauptattraktion.

Der Urlauber der Zukunft will verwirklichte Visionen und keine Illusionen, denn Illusionen kann man zerstören, Visionen nie. Die Ferienwelt von Morgen soll kein Abbild der gesellschaftlichen Wirklichkeit sein, vielmehr soll das verwirklicht werden, was sich die Menschen in ihren Phantasien und Träumen vorstellen (*Bericht über die Lage der Tourismus- und Freizeitwirtschaft, Wirtschaftsministerium, Wien 1998*).

Aufgaben

1. Österreich zählt zu den tourismusintensivsten Ländern der Welt. Was bedeutet das für die Wirtschaftspolitik dieses Landes?
2. Das Volumen der Auslandsreisen der Österreicher übersteigt wesentlich das der Inlandsreisen. Was bedeutet das für die Zahlungsbilanz dieses Landes?
3. Warum ist der Anteil der Privatzimmervermietung am Gesamtvolumen des Berherbergungsangebotes in Österreich rückläufig?
4. Die durchschnittliche Betriebsgröße eines Beherbergungsbetriebes beträgt in Österreich 35 Betten. Wo sehen Sie hier Probleme?
5. Wo liegen die positiven Aspekte der klein- und mittelbetrieblichen Struktur des Beherbergungsangebotes in Österreich?
6. Wo liegen die Stärken und Schwächen der österreichischen Hotellerie?
7. Welche Formen der Kooperation gibt es im österreichischen Hotel- und Gaststättenwesen auf dem Angebotssektor?
8. Welche Formen der Kooperation der Branche bestehen im Nachfragebereich?
9. Welche unterschiedlichen Tendenzen prägen die Stadthotellerie und die Ferienhotellerie in Österreich?
10. Was ist damit gemeint, wenn man sagt, das Umweltmanagement werde in Hotellerie und Gastronomie doppelgleisig gefahren?

Quellen und weiterführende Literatur

Bericht zur Lage des Tourismus- und Freizeitwirtschaft in Österreich 1997, Wirtschaftsministerium, Wien 1998

Smeral, Tourismus 2005, Wien 1994

Tourismus in Zahlen, Wirtschaftskammer Österreich, 1998

Österreich Werbung – Tourismusmarketing 2000, österreichischer Wirtschaftsverlag, Wien

Special Interest Marketing im Tourismus, Österreich Werbung, Wien

Umweltschutz im Hotel- und Gastgewerbe, 208 Schriftenreihe des Wirtschaftsförderungsinstituts der Wirtschaftskammer Österreich, Wien

Poltitische Akademie – Forschung, Berichte – Analysen – Dokumente, Forschungsbericht 56/89, Wien

Österreichisches Umweltzeichen für Tourismusbetriebe, Bundesministerium für Umwelt, Jugend und Familie, Wien

Fremdenverkehr – Umweltschutz im Hotel- und Gastgewerbe, Wirtschaftsförderungsinstitut, Wirtschaftskammer Österreich, Wien

Der Fremdenverkehr in Österreich im Jahre 1996, österreichisches statistisches Zentralamt, Wien, Heft 1.236

Smeral, Prognoseerhebung im Tourismus, österreichisches Institut für Wirtschaftsforschung, Wien, Juni 1997

3. Hotellerie und Gastronomie in Südtirol

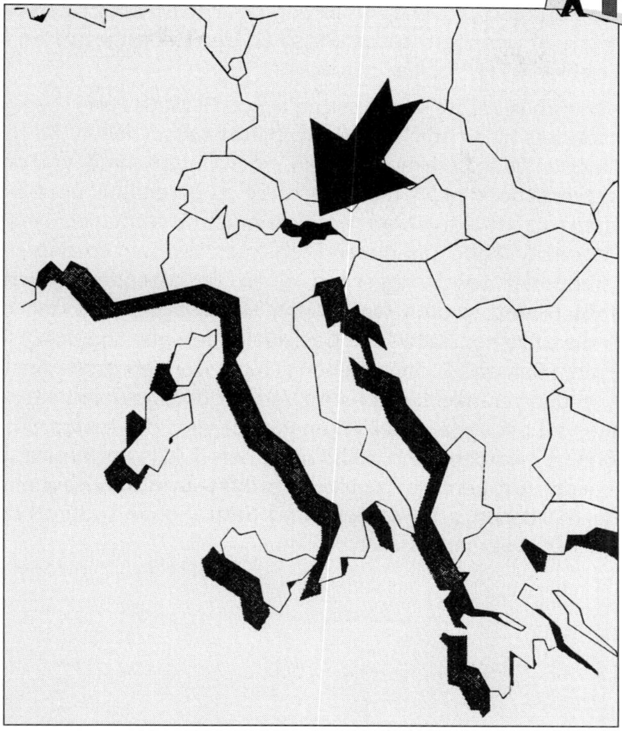

So liegt Südtirol in Europa

3.1 Übersicht

Nach wie vor gehört das **Tourismusgeschäft** zu den **wichtigsten Einnahmequellen Südtirols.** Innerhalb der Exportbranchen nimmt der Tourismus neben der Industrie und den landwirtschaftlichen Produkten eine führende Rolle ein. Bereits zur letzten Jahrhundertwende waren einige Südtiroler Orte durch ihre hervorragenden Hotelstrukturen mitten in den Alpen europaweit zu Ruhm und Namen gekommen. Ein elitäres Publikum gab sich in den 26 Grandhotels Südtirols Jahr für Jahr ein gesellschaftliches Stelldichein, das durch die Kriegswirren des Ersten Weltkrieges einen jähen Abschluss fand. In der Nachkriegszeit entwickelte sich das Tourismusgeschäft rasant: von 5,3 Mio. Übernachtungen im Jahr 1963 wuchs diese Zahl auf den Höchststand von 26 Mio. im Jahr 1995, um sich in den folgenden Jahren auf 24 Mio. einzupendeln. Südtirol war immer ein sehr beliebtes **Reiseland für Ausländer**, die im Jahre 1978 einen Anteil von 84% der Gesamtübernachtungen erreichten.

In den letzten Jahren sind auf die Südtiroler Tourismusbetriebe vor allem Rentabilitätsprobleme zugekommen, da in diesem mitarbeiterintensiven Gewerbe die Schere zwischen erzielbaren Preisen und den Kosten für die Dienstleistung immer stärker auseinanderklafft. Die durchschnittliche Auslastung der Bettenkapazitäten hat sich in Kombination mit einem zu geringen Auslastungsgrad der fest angestellten Mitarbeiter zu einem ernst zu nehmenden Problem entwickelt.

Der Südtiroler Tourismus weist - wie ähnliche alpine Gebiete auch – einige gravierende **Schwächen besonders hinsichtlich der Rentabilität** auf, an denen dringend gearbeitet werden muss. Der Handlungsspielraum der einzelnen Unternehmer und der lokalen Wirtschaftspolitik ist hinreichend groß, diese Nachteile zu beseitigen, um bei einem professionellen Vorgehen eine attraktive Marktposition im Tourismusmarkt zu erobern oder auszubauen (*vgl. Tappeiner 1995*). Um diesen Problemen wirksam entgegentreten zu können, hat die Südtiroler Landesregierung einen umfassenden **Tourismusfachplan** 1996–2006 verabschiedet, in dem wesentliche Handlungsanleitungen der Tourismuspolitik sowie für die einzelnen Hotel- und Gaststättenbetriebe angeführt sind. Besonders die gastronomischen Betriebe Südtirols sehen sich gezwungen, große Anstrengungen zu unternehmen, um den veränderten Ess- und Verpflegungsgewohnheiten der Gäste mit neuen Angeboten zu begegnen. Weil erkennbar ist, dass der Kampf um den billigsten Preis nicht gewonnen werden kann, muss mit einer Qualitätsoffensive verlorengegangenes Terrain wieder gut gemacht werden: **Produkt- und Servicequalität** heißen die Schlüsselbegriffe, mit denen sich Hotellerie und Gastronomie Südtirols der Konkurrenz auf dem touristischen Weltmarkt stellen wollen.

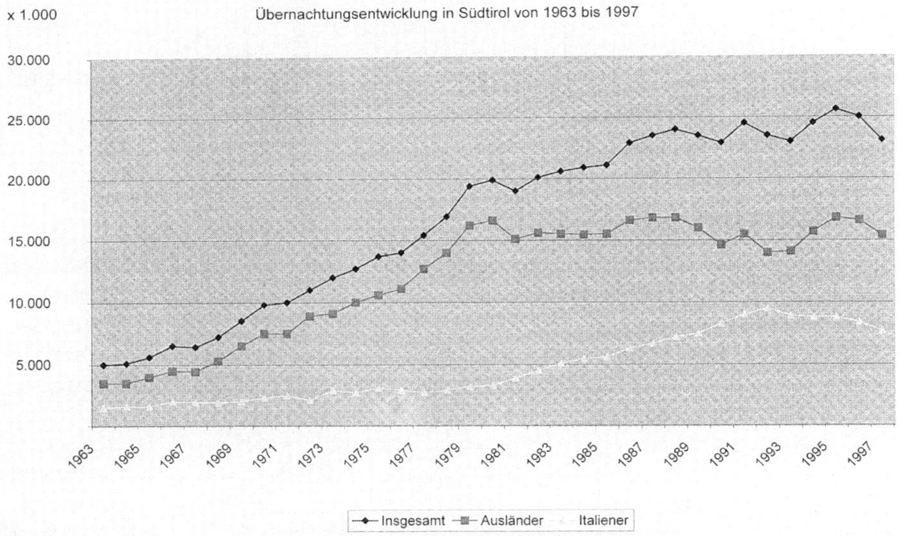

Abb. 3-1: Übernachtungsentwicklung in Südtirol von 1963–1997

3.2 Hotellerie

Weil die durchschnittliche Bettenkapazität der Südtiroler Betriebe im internationalen Vergleich sehr klein ist, spricht man im Lande selbst nur selten von Hotellerie. Viel mehr sind die Begriffe der **„gastgewerblichen Beherbergungsbetriebe"** gebraucht, die eine klare Abgrenzung zu den Privatzimmervermietern und Ferienwohnungsvermietern schaffen, welche als „nicht gewerbliche Betriebe" in den Statistiken geführt werden. Zweifellos stellen diese Betriebsstrukturen aber gemeinsam mit der Hotellerie die Basisleistung für den Südtiroler Tourismus und damit das Rückgrat der gesamten Tourismusbranche des Landes dar.

Grandhotel Erzherzog Johann in Meran

3.2.1 Eine lange Tradition

„Das Grandhotel trug dazu bei, dass gehobene Gästeschichten und mit ihnen neue Stile und Werte nach Südtirol kamen. Es fand eine Verbürgerlichung von Werten statt. Den Einheimischen wurde um 1900 vor Augen geführt, was es damals hieß, in einer Konsumgesellschaft zu leben" (*Prugger, Der Belle Epoque Tourismus in Südtirol, 1998*).

Die Hotellerie kann in Südtirol auf eine sehr bewegte Geschichte zurückblicken. Zwischen 1850 und 1912 waren auf dem heutigen Landesgebiet von Südtirol, das als österreichisches Land erst 1919 vom italienischen Staat im Rahmen des Friedensvertrages von Saint Germain annektiert wurde, bereits sechs **Grandhotels** erbaut. Diese Hotellerie erfüllte eine zweifache Funktion: sie sicherte den Adels- und Königsfamilien Europas die erste Kuradresse an der Südseite der Alpen, wobei insbesondere die Städte Meran, Gossensaß und Bozen zu den etablierten Adressen zählten; zum anderen fungierte sie als Stützpunkt für bergbegeisterte Menschen, vor allem aus England, die sich die Dolomiten und südlichen Alpen zu alpinistischen Eroberungsgebieten gekürt hatten. Die Hotellerie inspirierte sich zu diesem Zeitpunkt an den Vorbildern der Schweiz, welche vor allem im Bereich des **touristischen Alpinismus** zur führenden Nation Europas avanciert war. Vom Baustil her „orientierten sich die Hotels vor allem an der italienischen Renaissance und am französichen Barock. Das ‚Mehr-Sein' spielt eine große Rolle für den Großteil des Publikums" (*Prugger 1998, S. 44*).

Nach dem Ende des Zweiten Weltkrieges waren die wenigen Südtiroler Beherbergungsbetriebe vor allem auf die Nachfrage der Inlandsgäste angewiesen. Erst Anfang der 60er Jahre wandelte sich dieses Bild rapide: an die erste Stelle rückten Gäste aus dem deutschsprachigem Raum. In dieser Zeit wird **Südtirol als Ferienland** entdeckt, und ein solches ist es bis heute geblieben. Stadt- und Geschäftshotels gab und gibt es auch heute noch wenige. Dies erklärt auch, warum die Betriebsgrößen der Grandhotels der Belle-Epoque-Zeit nie mehr erreicht wurden. Bis 1970 entstand eine Vielzahl von kleineren Beherbergungsbetrieben, weit verstreut über das ganze Land, mit einer beeindruckenden Gesamtbeherbergungskapazität: auf 400.000 Einwohner zählt man heute über 200.000 Gästebetten.

3.2.2 Die Südtiroler Hotellerie in Zahlen

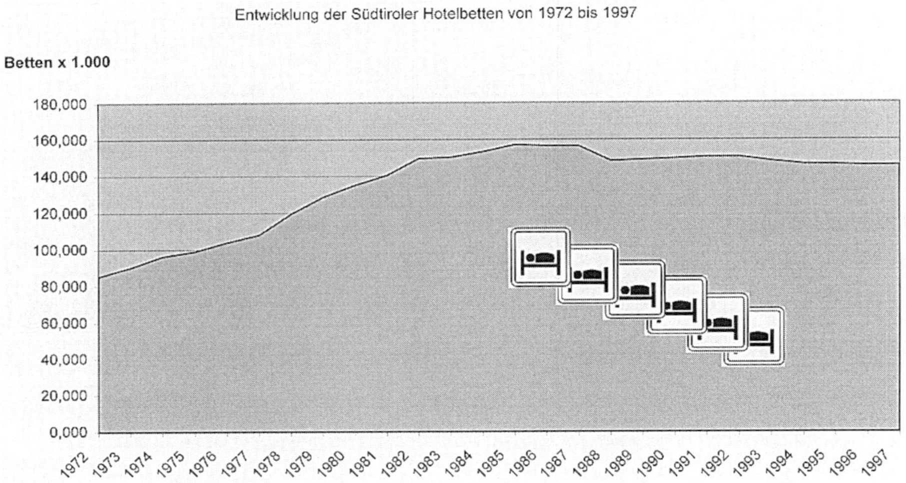

Abb. 3-2: Entwicklung der Südtiroler Hotelbetten von 1972 bis 1997

Zählte Südtirol im Jahr 1972 noch 3.238 gastgewerbliche Betriebe (Hotellerie) mit insgesamt rund 85.000 Betten, so war diese Zahl bis 1989 auf 4.528 Betriebe und 146.000 Betten angestiegen.

Bettenburgen sucht man im Lande vergeblich: gerade einmal 50 Hotels haben in Südtirol über 100 Betten, 20% aller Betriebe haben über 50 Betten, während der Rest wirkliche **Kleinstbetriebe** sind. Im Laufe der letzten 10 Jahre hat Südtirol durch Betriebsauflassungen und Privatisierungen von Hotelstrukturen rund 10% seiner ehemaligen Höchstbeherbergungskapazität verloren. Seit dem Übernachtungsrekordjahr 1995 mit einem Spitzenwert von 26 Mio. Übernachtungen hat die Anzahl der Übernachtungen in den letzten Jahren wieder abgenommen und sich zwischen 23 und 24 Mio. eingependelt. Anhaltend hingegen der Rückgang bei der durchschnittlichen Aufenthaltsdauer: nur noch 5,7 Tage im Durchschnitt nimmt sich der Südtirol-Urlauber Zeit, um seinen Urlaub zu genießen. Starke Anstrengungen wurden in den letzten Jahren unternommen, um das bestehende Beherbergungsangebot den qualitativen Anforderungen anzupassen:

zählte man im Jahre 1988 noch 120 Betriebe der Vier-Sterne-Kategorie, so waren es 1998 bereits 229 Betriebe; 1.293 Betriebe ordnen sich der Drei-Sterne-Kategorie zu, 1.956 Betriebe der Zwei-Sterne-Kategorie und 1.049 Betriebe der Ein-Sterne-Kategorie. Durchaus messen kann sich die Südtiroler Hotellerie im internationalen Vergleich bezüglich der Ausstattungsmerkmale der Hotels. Über 25.000 Zimmer sind mit einem Safe ausgestattet, 45.000 mit einem Zimmertelefon und rund 30.000 verfügen über ein Fernsehgerät im Zimmer. 1.000 Betriebe haben ein Schwimmbad, 750 Betriebe sind für Rollstuhlfahrer geeignet und 1.275 Betriebe verfügen über das Angebot einer Saunalandschaft, eines Solariums oder eines Fitnessraumes.

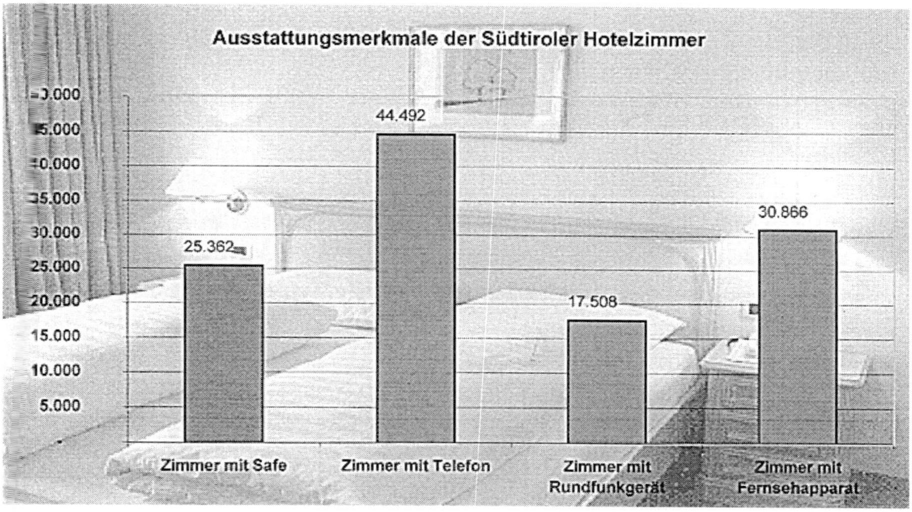

Abb. 3-3: Ausstattungsmerkmale der Südtiroler Hotelzimmer

Die **durchschnittliche Betriebsgröße** von Hotel- und Gasthöfen hat sich in der Zwischenzeit bei gerade einmal 31 Betten eingependelt; ein deutlicher Hinweis auf die klein strukturierte Betriebslandschaft in diesem Ferienland. Die durchschnittliche Auslastung aller in Südtirol verfügbaren Betten der gewerblichen Betriebe sind 123 Vollbelegungstage. Zwar muss bei dieser Zahl berücksichtigt werden, dass die meisten Hotel- und Gastbetriebe **Saisonbetriebe** sind und je nach Höhenlage bis zu 5 Monate im Jahr geschlossen bleiben: trotzdem lässt dieser Durchschnittswert den Schluss zu, dass viele Betriebe nur einen Nebenerwerb garantieren können und mit den hohen Investitionskosten für die Betriebsstruktur immer öfter in schwierigen Rentabilitätszonen wandeln. (*vgl. Regulierungsmodell, Kohl, S. 107 ff*). Die im internationalen Vergleich äußerst kleingewerbliche Struktur hat in den letzten Jahren zu einer intensiven Auseinandersetzung über die Rentabilität derartiger Kleinbetriebe geführt. Gerade für Betriebe der unteren Kategorien wurde festgestellt, dass diese offensichtlich nicht in der Lage sind, für ihre Leistung einen angemessenen Preis zu erzielen und vor allem, dass die nötige Kapitalintensität für die Betriebsführung zu einer gefährlichen Kostenschere führt (*vgl. Tappeiner, 1995, S. 59 ff.*).

Klein und fein. Das Icaro.
Komfortable 16 Zimmer.
Alles ein bisschen anders als anderswo.
Atemberaubendes Panorama
von jedem Zimmer.

Alles ein bisschen persönlich
abgestimmt auf Ihre Wünsche,
zugeschnitten auf Herzlichkeit

Genießen Sie die einheimischen
und italienischen Spezialitäten.
Lassen Sie sich verwöhnen.
Sie haben es sich verdient.

Relaxen Sie in unserem Dampfbad,
Whirlpool und Solarium.
Neu in der Finnischen Sauna:
Entspannung durch spezielle Lichtquellen.

Ruhe, erholen, entspannen. Kraft tanken.

Aus einem Prospekt eines kleinen Hotels in Südtirol

3.2.3 Stärken- und Schwächenprofil der Südtiroler Hotellerie

Im internationalen Vergleich darf die Südtiroler Hotellerie folgendes zu ihren **Stärken** zählen:

- Südtirols Betriebe sind zum größten Teil **familiengeführt** und bieten deshalb ein hohes persönliches Engagement der Gastgeberfamilie (Dienstleistungsnähe)
- Das Preis-Leistungs-Verhältnis ist im internationalen Vergleich überdurchschnittlich gut, wie auch der hohe infrastrukturelle Ausstattungsgrad der Betriebe
- Südtirol verfügt über ein äußerst differenziertes Betriebsangebot, das für jeden Kundentyp und jedes Urlaubsbudget etwas im Angebot führt
- Die betriebliche Umgebung besteht in hohem Ausmaß aus reizvollen Landschaften, viele Grünflächen und exzellenter Aussicht auf die Berglandschaft
- Das **gastronomische Angebot** am Schnittpunkt der deutschen und italienischen Kultur wird sehr geschätzt
- Aufgrund der durchschnittlich **kleinen Betriebsgrößen** kann durch ein individuelles Angebot auf Kunden- und Gästewünsche sehr schnell eingegangen werden
- Viele Betriebe sind mit hoher Emotionalität aus „Leib und Seele" geführt **(Gast-Freundschaft).**

Auf der **Schwächen**-Seite müsste verbucht werden:

- Einzelkämpfertum und steigender Egoismus trotz schwieriger werdender Marktlage verhindern einen gemeinsamen Auftritt auf internationalen Märkten
- Aufgrund der geringen Betriebsgröße und dem geforderten persönlichen Einsatz sind die **Probleme bei der Betriebsnachfolge** nicht zu übersehen (fehlende Perspektiven, Image, hohe Steuerbelastung, Immobilienwerte und Erbschaftsteilungen)

- Viele Betriebe gleichen sich in Angebot und Infrastruktur: es gibt zu viel **„Gleiches vom Gleichen"**
- Wirkliche „Betriebsspezialisten" für eine klar positionierte Kundenschicht finden sich noch zu wenige (auch Problem der zu geringen Betriebsgröße)
- Die Defizite im Bereich der modernen Betriebsführung sind unübersehbar: strategisches Kostenmanagement, strenge Kalkulation und entsprechende Maßnahmen haben sich noch zu wenig durchgesetzt.

Die Südtiroler Landesregierung hat im Jahre 1996 einen **„Tourismusfachplan"** verabschiedet (*s. oben, vgl. auch Band 1, S. 313*), der neben einer Bestandsaufnahme der touristischen Situation des Landes auch eine Reihe von Leitstrategien festschreibt, welche zur Verbesserung der Betriebsstruktur vorgeschlagen werden. Damit wird versucht, eine Richtschnur vorzugeben, an der sich die Hoteliers- und Gastwirte orientieren können.

Vorgeschlagen werden:

- Südtirol soll weiterhin konsequent auf einen selbstbestimmten Tourismus setzen, der auf familiengeführten Betrieben und dem mittelständischen Unternehmertum als Motor der zukünftigen wirtschaftlichen Entwicklung aufbaut.
- Südtirol soll bei der touristischen Angebotsentwicklung einerseits auf die Pflege und Förderung von guten bestehenden Betrieben (Leitbetriebe) achten und deren wirtschaftliche Mechanismen und sensible Entwicklungspunkte berücksichtigen. Andererseits sollen die „kleinen Vermieter" – im Sinne des Bekenntnisses zum klein strukturierten Angebot Südtirols – als unverzichtbares Angebotselement unterstützt werden.
- Südtirol soll die Wettbewerbsfähigkeit der Tourismusbetriebe durch moderate, qualitative und quantitative Erweiterungsmöglichkeiten sichern. Die Erweiterungsmöglichkeiten (Schaffung von sinnvollen Betriebsgrößen) sollen in Grenzen gehalten werden und bedingen keine große Verschuldung der Betriebe. Auch in Zukunft soll es in Südtirol eine wirksame Regulierung der touristischen Angebotskapazität geben.
- Südtirol soll die Unternehmer bei der Spezialisierung und Profilierung ihrer Betriebe, bei der Sicherung und Stärkung ihrer Rentabilität und bei der Bildung von Kooperationen begleiten, beraten und betreuen – dies auf allen Ebenen: vom Privatzimmervermieter bis zum Hotelier und vom Barbetreiber bis zum Hüttenwirt. Gleichzeitig soll eine Professionalisierungsoffensive diese Bemühungen unterstützen.

  Südtirol soll Kooperationen und spezielle Angebotsgruppen unterstützen.
- Südtirol soll die Eigenverantwortlichkeit der Unternehmer fördern. Die Unternehmer ihrerseits sollen sich zum freien Unternehmertum bekennen und ihre Probleme nicht nach oben delegieren.

(Nach: Kohl & Partner, Fachplan für die Tourismuswirtschaft Südtirols 1996–2006, S. 62 ff.)

Während die Südtiroler Hotellerie im Bereich der Preisgestaltung über Jahre von der schwachen italienischen Lira gegenüber den ausländischen Hartwährungen in den Herkunftsländern der Hauptgäste (Deutschland, Österreich und Schweiz) profitieren konnte, fällt dieser Vorteil durch die geplante Einführung des EURO und die damit verbundenen **stabilen Wechselkursverhältnisse** bis zum Jahre 2002 nun weg. Dies bedingt eine verhärtete Konkurrenzsituation am Preismarkt und verstärkten Konkurrenzdruck aus ähnlich gelagerten Gebieten. Auch deshalb ist eine **Professionalisierungsoffensive** laut den oben aufgezeigten Leitstrategien von Nöten. Vor allem wird es zu einer Marktbereinigung kommen, wenn ertragsschwächere Betriebe anlässlich der nächsten Investitionsnotwendigkeiten aus dem Markt scheiden müssen.

3.2.4 Nischenmarketing als Erfolgsstrategie

„Ist der richtige Weg eingeschlagen, wird man merken, wie viel davon täglich zu schaffen ist und wie viel man dem näher gekommen ist, was man anstrebt" (*Seneca*).

Die Südtiroler Hotellerie hat die Chance, sich in einer wirtschaftlich prosperierenden Zeit – nicht unter Druck – gute Rahmenbedingungen auch für die Zukunft zu schaffen und das Tourismusgeschäft langfristig abzusichern. Dabei wird entscheidend sein, welche **Innovationskraft** von den einzelnen Unternehmern ausgehen kann. Die typische Südtiroler Dienstleistungsqualität, die gerade im Bereich der Gastfreundschaft „mit Herz" dabei ist, braucht einen professionellen Schub. Angebotsqualität wird bedeuten, dass Ausstattungsqualität der Hotellerie (Hardware) sich in einer engen Symbiose mit der **Dienstleistungsqualität** (Software) vereinigen muss, wenn auf die veränderten Gästebedürfnisse eingegangen werden soll. Somit liegen die Zukunftschancen der Südtiroler Hotellerie

- in einer hohen Individualqualität und
- im Nischen-Marketing (individuelles Angebot für klar definierte Kundengruppen).

Natürlich wird es auch weiterhin eine Masse von Gästen brauchen, um über 200.000 Betten über das ganze Jahr zu füllen; trotzdem wird der Südtiroler Tourismus und mit ihm die Hotellerie weiterhin mit einem sehr starken Anteil von Individualgästen leben, die laut einer repräsentativen Umfrage das Unterkunftsangebot in Südtirol mit folgenden Bewertungskriterien bemessen haben (*vgl. Gästebefragung Südtirol 1995, Institut für Grundlagenforschung, Salzburg*).

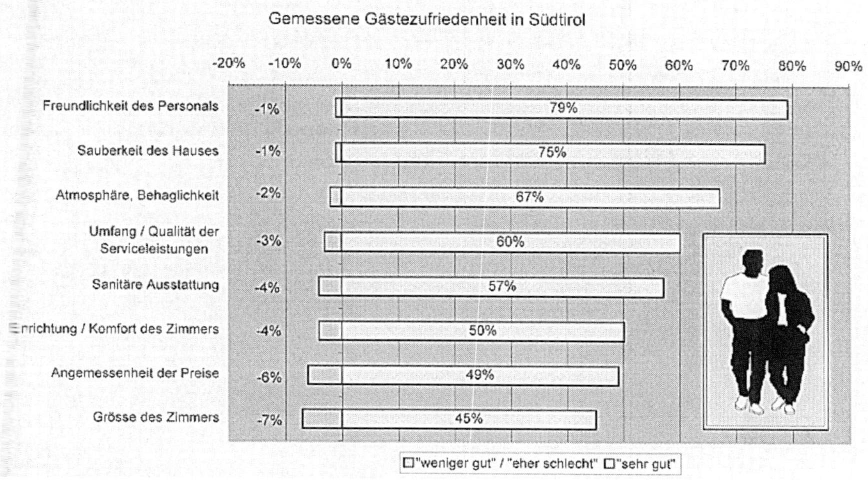

Abb. 3-4: Gemessene Gästezufriedenheit in Südtirol

3.2.4.1 Kooperationen

Eine weitere interessante Entwicklungsmöglichkeit, welche sich gerade für Südtirols klein strukturierte Unternehmen anbietet, sind Betriebskooperationen, mit denen die Wettbewerbsnachteile gegenüber großen Unternehmungen teilweise wettgemacht werden können. Gerade weil Südtirol im Herzen einer großen Alpenregion liegt, ist die klein strukturierte Hotellerie **Bedrohungen** ausgesetzt:

- auch in den Alpenbereich drängen Hotelketten vor und sind den familiengeführten mittelständischen Hotels in Finanzierung, Controlling und Verkauf überlegen;
- Managementgesellschaften übernehmen mittelständische Hotels im Voll- und Teilmanagement;
- Vermittlergesellschaften nehmen den kleineren Betrieben die Gästeakquisition ab und rücken mittelfristig mit dieser Trumpfkarte zu stark auf den erzielbaren Beherbergungspreis;
- die systematische Nutzung elektronischer Verkaufs- und Reservierungsmöglichkeiten kanalisiert die Nachfrage zu Lasten von Klein- und Mittelbetrieben.

Die Überlastung und Überforderung der mittelständischen Unternehmer wird deutlich, da sie Managementaufgaben übernehmen müssen, die in Großbetrieben aufgeteilt sind. Allerdings sind Kooperationen keine Rettungsanker für schwache Betriebe, sondern eine Vorwärtsstrategie für jene, die mit einem gemeinsamen klaren Betriebskonzept auf **klar definierte Kundengruppen** ihr Angebot bündeln. Zwischenzeitlich haben sich in Südtirol einige spezialisierte Betriebe zu **Marketingkooperationen** zusammengefunden, die über gemeinsame Werbung, gemeinsame Kundenbindungsprogramme und die Entwicklung gemeinsamer Qualitätsstandards einen gemeinsamen Auftritt am Markt organisieren. 13 Betriebe sind in der Kooperationsgruppe der **Belvita-Hotels** zusammengeschlossen, mit einem klaren Bekenntnis zu Beauty, Fitness und Wellness und einem dementsprechend spezialisierten Angebot in den Betrieben; **16 Familienhotels** haben sich zusammengefunden, um ihr spezialisiertes Angebot, dem neuen Trend zu Familienurlaub, zu folgen; **25 Hotels** haben sich um die noch wenigen **Golfplätze** in Südtirol geschart und versuchen, ihren Kunden ein spezialisiertes Angebot zu bieten. Die größte Kooperationsgruppe hat sich als Servicekooperation in der Einkaufsgenossenschaft **„HOGAST Italia"** zusammengefunden, die vom Südtiroler Hoteliers- und Gastwirteverband (HGV) gegründet, zwischenzeitlich knapp 300 Mitglieder vereint und ein Gesamtvolumen von 35.000 EURO fakturiert (*siehe auch Band 1, S. 331 ff.*).

Einige größere Hotels sind auch international tätigen Kooperationsgruppen angeschlossen (Relais&Chateau, Romantikhotels, Best-Western usw.).

Abb. 3-5: „Wirtschaften in der Natur" – unter diesem Slogan haben sich Betriebe zu einer ökologisch ausgerichteten Marketingoperation zusammengefunden

Unter dem Begriff **„Ökosiegel"** haben sich 77 Betriebe in Südtirol zusammengefunden, die nach einem freiwilligen ökologischen Prüfverfahren die Berechtigung erworben haben, die Plakette „Ökosiegel" zu führen. Die Berechtigung wird von seiten des Landesrates für Tourismus verliehen und kontinuierlich von einer unabhängigen Fachkommission überprüft. Dabei handelt es sich um ein Kooperationsprojekt zwischen Nord- und Südtirol, welches über den Zweck hinaus, eine Sensibilisierung für bewusstes ökologisches Handeln und Wirtschaften in den einzelnen Betrieben zu sein, mittlerweile auch den Weg einer Marketingkooperation versucht. Ob dieser gelingen kann, ist allerdings fraglich: in einer Gästeumfrage gab ein Großteil der Befragten an, den Betrieb mit dem Ökosiegel nicht deshalb gewählt zu haben; allerdings ist ein Prestigenutzen der Anstrengungen vorhanden, weil von über 90% der befragten Kunden „das ökologische Engagement des Betriebes als äußerst bemerkenswert eingestuft wird" (*vgl. Gästeumfrage 1993, Südtirol Tourismus Werbung*).

3.2.5 Bettenstopp

Über viele Jahre hinweg (von 1970 bis ins Jahr 1992) war über Südtirols Hotellerie ein völliges **Bau- und Erweiterungsverbot** verhängt. Eine äußerst restriktive Raumordnungsgesetzgebung sollte verhindern, dass in den Boom-Jahren des Tourismus ein Zuviel an Beherbergungskapazität entstehen konnte. In der Zwischenzeit wurden diese Bestimmungen zugunsten der bereits bestehenden Betriebe moderat gelockert, um einen **Anpassungsprozess** an die neuen Strukturerfordernisse für einen Gastbetrieb nicht weiter zu behindern. Neubauten von Hotels sind hingegen in nur touristisch unterstrukturierten Gebieten zulässig. Nach wie vor herrscht aber ein absoluter Bettenstopp, momentan einzigartig in Europa: Durch Landesgesetz ist festgelegt, dass in Südtirol nicht mehr Hotelbetten entstehen dürfen als es schon einmal gab (Höchststand im Jahre 1988) (*ausführlicher dazu: Band 1, S. 326 ff.*).

3.3 Gastronomie

3.3.1 Zeiten des Umbruchs

Der starke Wandel der Konsumentenbedürfnisse ist auch an Südtirols Gastronomieangebot nicht spurlos vorübergegangen. Der stark zunehmende Trend zum „Essen im Vorbeigehen", der Wegfall der traditionellen Mittagsverpflegung bei Geschäftsleuten und Feriengästen, Fitnesskult und der Trend zur leichten Küche: diese rapiden Wandel haben die traditionelle Gasthauskultur in ihren Grundfesten erschüttert. Das Auseinanderklaffen zwischen steigenden Personalkosten und geringeren gastronomischen Umsätzen haben einen **Strukturwandel** eingeleitet. Viele traditionelle Gasthäuser mussten deshalb in den vergangenen Jahren ihre Tore schließen, Pizzerias und Schnellverpflegungsrestaurants nahmen besonders in den Städten überhand. Dennoch kann die Südtiroler Gastronomie weiterhin ihre Stärke ausspielen, am Schnittpunkt von zwei völlig unterschiedlichen Esskulturen ihr Angebot zu entfalten: die vielen Spaghetti- und Pastagerichte werden auf den Speisenkarten von Tiroler Speckknödeln und Wiener Apfelstrudel kontrastiert.

Weil in Südtirol durch eine noch starke Landwirtschaft sehr viele Nahrungsmittel selbst angebaut werden können, werden in letzter Zeit verstärkt Bemühungen unternommen, die **landestypischen Rohprodukte** auch vermehrt in das gastronomische Angebot (Regionalküche) aufzunehmen.

3.3.2 Gastronomische Betriebstypologien

Was nördlich des Brenners noch ein „Wirtshaus" ist, heißt in Südtirol traditionell ein **Gasthaus**. Verfügt ein Gastbetrieb auch noch über ein Übernachtungsangebot, so spricht man von einem **Gasthof**; derer gibt es in Südtirol eine ganze Menge, weil diese Betriebstypologie sich auch aufgrund der touristischen Aktivität als Ferienland am stärksten in diesem Land verankert hat. Wer auf den internationalen Charakter seiner Küche hinweisen will, nennt sich **Restaurant**, und wer vorwiegend Produkte aus der eigenen Landwirtschaft an Gäste verabreicht ist ein „**Buschenschank"**. Die meistverbreitete Art eines „Fastfood-Restaurants" in Südtirol ist die typische italienische **Pizzeria**, die neben einer Unzahl verschiedenartig belegter Pizzen auch noch kleine Nudelgerichte und vorwiegend italienische Nachspeisen auf der Karte führt.

Der Pizzaofen: in Südtirol das beliebteste Fast-Food-Angebot

Als „**Bar**" wird ein sog. „Stehkaffee" bezeichnet, als „**Cafe**" ein im Angebot gleich gelagertes Lokal mit Sitzgelegenheit und eine Kaffee-Konditorei ist ein Betrieb mit angeschlossenem Patisseriebetrieb. Schließlich geht man noch ins „**Pub**", wobei darunter ein Schankbetrieb mit musikalischem Angebot gemeint ist, um den Abend ausklingen zu lassen. Wer es noch später mag, sucht sich eine **Diskothek**, von denen es immerhin 112 kleinere, auf das ganze Land verteilt, gibt.

Südtirols Gastronomie ist wohl eines der vielfältigsten Angebote in diesem Sektor überhaupt; die italienische Kaffeehauskultur hat davon ebenso Platz ergriffen wie jene aus Wien, und die landestypischen Speisen sind unter den Gästen genauso beliebt wie jene nach internationalen oder italienischen Rezepten. Aufgrund dieser Situation hat das gastronomische Angebot in Südtirol eine für Europa etwas andere Entwicklung genommen als üblich: große Fastfood-Ketten konnten sich bisher ebensowenig durchsetzen wie die Anbieter fremdländischer Küchen. Der **Fastfood-Trend** wird in Südtirol über die Pizzeria abgedeckt, **Etnofood** ist italienische Küche pur und noch dazu authentisch zubereitet, von einigen wenigen China-Restaurants einmal abgesehen, die erst in den letzten Jahren besonders in größeren Ballungsräumen Fuß gefasst haben. In der Spitzengastronomie ist das Angebot diesbezüglich besser bestückt: fünf Restaurants sind mit dem Michelin-Stern ausgezeichnet.

Auch die anzahlmäßige Verteilung der verschiedenen Betriebstypologien lässt auf eine außerordentliche Angebotsvielfalt schließen. Südtirol verfügt über insgesamt 3.808 Gastronomiebetriebe der folgenden Kategorien:

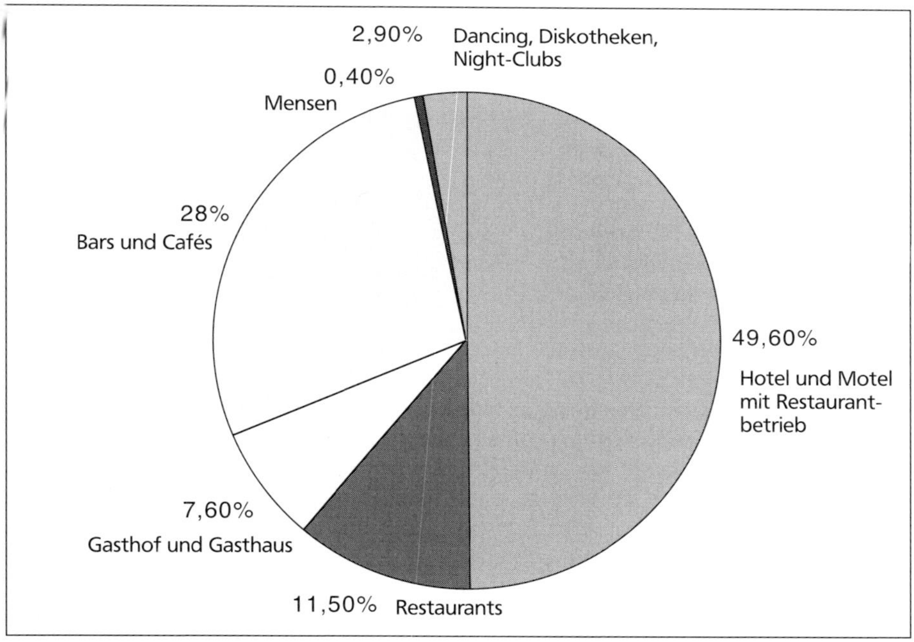

Die Betriebsfluktuation ist in Südtirol, von Pächterwechseln einmal abgesehen, äußerst gering: wer einen Gastronomiebetrieb eröffnen will (Erlaubniswerber), braucht neben dem **obligatorischen Befähigungsnachweis** auch eine Betriebserlaubnis, welche bisher auf kommunaler Ebene nach dem „Bedarfskriterium" erteilt oder verweigert wird. Zuständig ist dafür eine kommunale Gastgewerbekommission, welche darüber zu befinden hat, ob die örtlichen Gegebenheiten und die Versorgungslage den Bedarf für eine neue Betriebsöffnung rechtfertigen oder nicht. Im Rahmen der wirtschaftlichen Liberalisierungsdiskussion auf EU-Ebene sind diese geltenden gesetzlichen Bestimmungen jedoch in Diskussion gekommen. So möchte man in Zukunft den obligatorischen Befähigungsnachweis (Ausbildungs-Erfahrungsnachweis bzw. Prüfungsnachweis) erhalten und in seiner Bedeutung sogar noch verstärken, während das „Bedarfskriterium", ob es einen Betrieb in der einzelnen Kommune braucht oder nicht, abgeschafft werden soll. Im Bereich des Handels wurde im März 1999 für Südtirol bereits eine Teil-Liberalisierung beschlossen, wonach kleinere Verkaufsflächen keiner Erlaubnispflicht mehr unterliegen (Flächen bis zu 150 m²).

3.3.3 Exkurs: Das Südtiroler „Dorfgasthaus"

Dorfgasthaus

Die verschiedenen Rationalisierungsbestrebungen von Gastwirten haben in Südtirol in den letzten Jahren dazu geführt, dass eine ganze Reihe von traditionellen „Dorfgasthäusern" für immer ihre Tore schließen mussten. Bei der **Betriebstypologie „Dorfgasthaus"** handelt es sich um Gastronomiebetriebe, meist auf den kommunalen Plätzen (nahe bei der Kirche), die seit jeher als traditionelle Treffpunkte des Dorflebens galten. Weil diese Funktion immer stärker verloren ging, wurde im Jahre 1998 vom Hoteliers- und Gastwirteverband (HGV) eine Initiative zur Rettung der Dorfgasthäuser ins Leben gerufen und mit fünf Thesen untermauert:

These 1

Dorfgasthäuser gehören zum kulturellen Erbe unserer Orte. Deshalb verdienen sie eine besondere politische Beachtung und Förderung in allen Belangen.

Die oft vorhandenen **Standortnachteile** (kein Parkraum, Nähe von Schankgärten zu Wohnsiedlungen usw.) verlangen nach besonderen Rahmenbedingungen für diese Betriebsart. Auch bei der Investitionsförderung ist ein Förderungsaufschlag für diese Betriebsart nötig und gerechtfertigt.

These 2

Dorfgasthäuser garantieren den Genuss von einfachen **einheimischen und frisch zubereiteten Speisen**. Sie sind deshalb immer stärkere Anziehungspunkte für Gäste, die Liebhaber unserer regionalen Spezialitäten sind.

Lokale Gerichte pflegen und diese verfeinern, heißt die Devise. Eine enge Kooperation mit den Bauern im Ort kann Frischprodukte garantieren, deren kulinarische Verarbeitung von Gästen und Einheimischen gleichermaßen geschätzt werden.

These 3

Dorfgasthäuser haben zunehmende Rentabilitätsprobleme. Die nötigen Öffnungszeiten und die erforderliche Dienstleistungspalette lassen die Schere zwischen den Wünschen der Gäste und den betriebswirtschaftlichen Erfordernissen immer weiter auseinanderklaffen. Trotzdem sichert letzten Endes nur korrektes Kalkulieren die Existenz dieser Betriebsart.

Die hohen Personalkosten lassen es kaum noch zu, dass ein Dorfgasthaus rund um die Uhr seinen Gästen offensteht. **Betriebsgerechte Öffnungszeiten** garantieren beste Bedienung während der Betriebszeit. Diesen Erfordernissen muss eine Neuregelung der Öffnungszeiten für Gastbetriebe Rechnung tragen.

These 4

Dorfgasthäuser sind Familienbetriebe und leben von einer familiären Atmosphäre. Dieser hohe persönliche Einsatz verlangt gesellschaftliche Anerkennung: Familienführung muss sich lohnen, anstatt durch die Steuer- und Abgabengesetze bestraft zu werden.

Ein klares Förderungskonzept für kleine familiengeführte Unternehmen bis zu zwei Mitarbeitern würde vielen Dorfgasthäusern neue Perspektiven eröffnen.

These 5

Dorfgasthäuser können nicht durch bloße urbanistische Bindungen erhalten werden. Sie müssen Betriebe bleiben und nicht zu erhaltenswerten Museen umfunktioniert werden.

Wer verhindern will, dass alteingesessene Dorfgasthäuser aufgeschlossen werden, muss vor allem dafür sorgen, dass diese weiterhin günstige Rahmenbedingungen vorfinden können. Deshalb müssen im Falle einer Zweckbindung im Bauleitplan gleichzeitig jene Maßnahmen beschlossen werden, welche als Entschädigung für die Zweckbindung gelten können.

Die Initiative erregte großen politischen Konsens: in das neue *Raumordnungsgesetz* Südtirols wurde ein Artikel eingefügt, der es den Gemeindeverwaltungen ermöglicht, historische Gasthöfe in den Ortszentren, welche der Nahversorgung dienen und kulturelle Treffpunkte sind, **urbanistisch zweckzubinden** und damit einer Bestimmungsveränderung zu entziehen. Ob diese Möglichkeit ausreichen wird, um in allen Südtiroler Kommunen ein Dorfgasthaus zu erhalten, muss sich in der Zukunft noch zeigen. Vor allem ist die Frage, wie die diesbezügliche Entschädigung für die Eigentümer erfolgen soll, noch ungelöst.

3.3.4 Zukunftsaussichten

„Abends für den feinen Gast, der ‚gepflegt' ausgehen will – mittags ein billiges Tagesmenü für die Angestellten aus dem Bürohaus von nebenan. Südtiroler Kost neben internationaler Küche, Pizza und neuerdings auch mexikanischen Spezialitäten – alles ist möglich! Wir bieten alles – alles ist gut – wir sind für jeden da – jeder kann sich bei uns wohlfühlen. Nur eigenartig, dass immer weniger Gäste kommen …?!"

Seit einigen Jahren befindet sich die Gastronomiebranche in einem großen Umbruch. Traditionell ausgerichtete Gastronomen müssen die neuen Spielregeln lernen, die vom Markt und den neuen Konsumentenbedürfnissen diktiert werden. **Neue Betriebstypologien** drängen sich in eine traditionell gewachsene Gasthauskultur. Schwierige Zeiten brechen für jene Betriebe an, welche sich nach dem in der obigen Situation genannten Betriebskonzept ausrichten.

Innovative Gastronomen hingegen erkennen für Südtirols Gastronomiebedürfnisse folgende **Trends:**

Trend 1

Spezialisten sind gesucht

Gesucht sind Spezialisten mit berechenbarem Konsumerlebnis (Markenartikel). „Allerweltsbetriebe" ohne Profil, ohne spezielles Angebot, haben ausgedient.

Trend 2

Der Alltag als Ereignis

Die gastronomische Basisleistung ist wichtig, aber ohne Erlebnis läuft gar nichts! Der Gast sucht Abwechslung und Abenteuer und tauscht seine Alltagsrealität nur allzu gerne gegen eine inszenierte Gegenwelt ein.

Trend 3 *Die Gäste werden sparsamer*

Die Gäste sparen, besonders mittags. Das klassische Mittagsgeschäft stirbt – neue Vertriebsformen (Mitnahmegeschäft, Fastfood, Imbisse, aber auch der Lebensmitteleinzelhandel) gewinnen zunehmend Marktanteile!

Trend 4 *Die Gäste werden umsichtiger – die Kritikbereitschaft steigt*

Der Gast interessiert sich zunehmend für die Herkunft der Lebensmittel, die Art der Zubereitung, das Vorhandensein von Nichtraucher-Zonen im Lokal, den Beitrag, den das Unternehmen zum Umweltschutz leistet.

Trend 5 *Neue Standorte – neue Vertriebsformen*

Spontaneität, Bequemlichkeit, Lust und Laune fordern die Gastronomie heraus! Rasche Verfügbarkeit, Angebote „rund um die Uhr", Standortinseln in Fußgängerzonen, auf Parkplätzen oder an Bahnhöfen sind zeitgemäße Antworten auf neue Gästebedürfnisse.

Trend 6 *Perfektionieren Sie die Gästebeziehung (Beziehungsmarketing)*

Eine zweite Chance gibt es nicht – um die Ecke wartet schon das nächste Lokal auf neue Gäste! Nur wer sich „menschlich" wohlfühlt, kommt wieder – auf Routineabfertigung steht heute niemand mehr!

Trend 7 *Zur Konsumation verführen*

Gäste sind daran gewöhnt, sich von gezielt gestreuten Impulsen zur Konsumation animieren zu lassen (denken Sie an einen Einkaufsbummel durch ein großes Kaufhaus). Sich selbst spontan zu belohnen (z. B. mit einem guten Glas Wein oder einem leckeren Dessert) liegt im Trend.

(*Vgl. HGV, Gute Karten für Gast und Wirt, 1998*)

3.4 Der Südtiroler Hoteliers- und Gastwirteverband (HGV) als Lobby- und Dienstleistungsunternehmen

„Der Südtiroler Hoteliers- und Gastwirteverband (HGV) ist die Landesorganisation der gastgewerblichen Unternehmer und anderer touristischer Berufe Südtirols.

Der HGV vertritt die wirtschaftlichen und ideellen Interessen des Südtiroler Gastgewerbes und der Tourismuswirtschaft im Allgemeinen und der Verbandsmitglieder im Besonderen. Der Verband verwendet sich für das berufliche, wirtschaftliche, soziale, kulturelle und gesellschaftliche Ansehen der gastgewerblichen Unternehmer sowie aller anderen touristischen Berufe, steht seinen Mitgliedern auch durch die Erbringung verschiedener Dienstleistungen bei, und vertritt diese vor Behörden, Ämtern, Gewerkschaften und anderen Sozialpartnern" (*Art. 1 des HGV-Statutes*).

Der Südtiroler Hoteliers- und Gastwirteverband, kurz HGV genannt, entstand vor über 30 Jahren nach dem Zusammenschluss der damaligen Hoteliersvereinigung und des Gastwirteverbandes. Früh genug war man sich in den Tourismuskreisen im Klaren, dass nur ein Zusammenschluss aller wirtschaftlichen Interessen im Bereich des Fremdenverkehrs die nötige politische Stärke sichern konnte. Seit den Gründungsjahren ist der HGV zu einem starken Wirtschaftsverband herangewachsen, der sich neben seiner politischen Vertretungsarbeit auch zu einem modernen **Dienstleistungsunternehmen** entwickelt hat.

Für die **politische Interessensvertretung** kann der HGV auf folgende Struktur vertrauen:

Abb. 3-6

- 5.600 Mitgliedsbetriebe und damit ein Organisationsgrad von 93% aller möglichen Mitglieder;
- 107 Ortsgruppen, die für eine starke Verwurzelung des HGV auch auf der kleinsten Organisationsebene sorgen;
- 600 Funktionäre im ganzen Land, welche die Verbandsinteressen von der Ortsgruppe über die Bezirksvertretungen, die Landesdelegierten bis in den HGV-Vorstand vorantragen;
- Gesamtvertretung aller touristischen Dienstleistungsbetriebe, von Hotels über Gasthöfe, über Diskotheken, Restaurants, Bars bis hin zu den privat geführten Schutzhütten und den Campingplatzbetreibern.

Alle vier Jahre kommt es zu einer Neuwahl in allen Vertretungsgremien, wobei innerhalb der Ortsgruppen für eine jeweils angemessene Vertretung von Hotellerie und Gastronomie durch statutenmäßige Absicherung gesorgt ist. Das Leitungsgremium ist der zwölfköpfige Vorstand, dem der HGV-Präsident vorsteht. Das Amt des HGV-Präsidenten ist mit jeglicher politischer Funktion unvereinbar, damit eine effiziente Lobbyarbeit gegenüber der politischen Vertretung und der Verwaltung gesichert ist. Als eigene Interessenvertretung ist die **Hoteliers- und Gastwirtejugend (HGJ)** organisiert, der sich über 1.000 Junggastwirte bis zu 33 Jahren zusammenfinden und in verschiedenen touristisch wichtigen Projekten tätig werden. Die HGJ-Funktionäre haben jeweils Vertretungsrecht in den HGV-Gremien und umgekehrt, um einen lückenlosen Informationsfluss zu garantieren.

Als **Dienstleistungsunternehmen** mit knapp 100 Mitarbeiterinnen und Mitarbeitern, die am Hauptsitz in Bozen und an weiteren vier peripheren Büros ihre Arbeit im Dienste der Mitglieder leisten, versteht sich der HGV als modernes Dienstleistungsunternehmen, das „seinen Mitgliedern möglichst viele Lasten abnehmen möchte" (*HGV-Dienstleistungs-*

broschüre, S. 31 ff.). Um diesen Zielsetzungen gerecht zu werden, wurde innerhalb des HGV eine Dienstleistungs-Genossenschaft „HGV-Service Gen.m.b.H." gegründet.

Von dieser nehmen rund 3.500 Mitglieder Dienstleistungen als zahlende Kunden in Anspruch. Die HGV-Service Gen.m.b.H. als Dienstleistungsunternehmen ist in folgenden Bereichen tätig:

- in der Personalberatung, die jährlich über 80.000 Lohnstreifen ausarbeitet und bei der Einstellung von Personal bürokratisch behilflich ist;
- in der Steuer- und Buchhaltungsabteilung, über die für 1.500 Kunden die Buchhaltungsarbeit sowie die jährlichen obligatorischen Erklärungen für die verschiedenen Steuerbehörden erarbeitet werden;
- in der Unternehmensberatung, die sich mit vorausschauenden Wirtschaftlichkeitsrechnungen für Bauprojekte, Kalkulationsschema und Betriebscoaching beschäftigt;
- in der Weiterbildung, die pro Jahr an die 1.300 Teilnehmer an Weiterbildungskursen zählt;
- in der Rechtsberatung, in der die HGV-Mitglieder Pacht- und Mietverträge, Kaufverträge und Gesellschafterverträge vorbereiten lassen und sich in allen rechtlichen Fragen Beistand holen;
- in der Abteilung für Öffentlichkeitsarbeit, die neben der Herausgabe der Monatsausgabe der HGV-Zeitung sich auch noch mit der Produktion von Radiosendungen rund um den Tourismus sowie die anfallende Verbandspressearbeit kümmert;
- im Bereich des Projektmanagements, über den Image- und Dienstleistungsprojekte (Spezialitätenwochen u. Ä.) abgewickelt werden können
- sowie im Bereich der allgemeinen Verwaltung und der Sekretariatsassistenz, die den Mitgliedern bei der Ausarbeitung von Beitragsgesuchen und anderen behördlichen Bescheinigungen behilflich ist.

In Vertretung aller Mitglieder tritt der HGV auf, wenn auf nationaler Ebene die gesamtstaatlichen **Kollektivverträge** ausgehandelt oder die Landesgesamtarbeitsverträge mit den Gewerkschaften verhandelt werden. Diesbezüglich tragen das Abkommen für die Lehrlingsverhältnisse, das Abkommen für die saisonale Beschäftigung, das Abkommen für die Ferialverträge sowie das Abkommen über die Produktivitätsprämie für Saisonsarbeiter jeweils die Unterschrift des HGV.

In verstärktem Ausmaß vertritt der HGV auch die Interessen seiner Mitglieder in den gesamtstaatlichen Verbänden „Federalberghi" und „FIPE" (Federazione Italiana Pubblici Esercizi), die als Vertretung der nationalen Tourismusinteressen die direkten Ansprechpartner für die staatliche Gesetzgebung und die dort notwendige Lobbyarbeit sind. Darüber hinaus wird auch ein strenges Auge auf die Arbeit der Europäischen Union in Brüssel geworfen: die Europäische Touristische Interessensvertretung HOTREC dient dem HGV als Ansprechpartner in EU-Fragen.

Aufgaben

1. Stärken- und Schwächenprofil

Machen Sie je drei Stärken und Schwächen der Südtiroler Hotellerie aus und setzen Sie diese in den Vergleich zum Stärken- und Schwächenprofil der Schweiz. Greifen Sie sich zwei ausgemachte Schwächen heraus, und erstellen Sie drei Verbesserungsvorschläge für einen Hotelleriebetrieb mit 40 Betten und 5 Angestellten.

2. Kooperationsgruppen

Die Familie Mayr führt einen mittleren Hotelbetrieb in Südtirol seit über zwei Generationen. Es wird immer schwieriger, aus eigener Kraft an neue Gäste heranzukommen. Deshalb überlegt Familie Mayr, sich einer Kooperationsgruppe anzuschließen, um mit gemeinsamer Vermarktung stärker am Tourismusmarkt auftreten zu können. Das Hotel „Sonne" liegt mitten im Grünen und verfügt bereits über ein Freischwimmbad und einen kleinen Freizeitparcour.

- Definieren Sie, welche der Südtiroler Angebotsgruppen dieses Hotel um Aufnahme ersuchen sollte.
- Legen Sie fest, welche betrieblichen Investitionen unabdingbar sind, um dem Profil der Angebotsgruppe gerecht zu werden.

3. Konsumentenveränderungen

Sie sind als Unternehmensberater in der Südtiroler Gastronomieszene tätig und sollten im Rahmen eines Fachseminars 25 etablierten Gastronomen darlegen, aus welchen Gründen sich das Gastronomieangebot verändern muss, wenn es auch noch für die Zukunft attraktiv bleiben soll. Zeigen Sie in Stichworten die fünf wichtigsten Trends auf, weshalb insbesondere jugendliche Konsumenten ganz andere Erwartungen an die Gastronomiebetriebe haben.

4. Dorfgasthäuser

Sie sind von der Südtiroler Landesregierung beauftragt, eine Studie über die Existenzbedrohung der sog. „Dorfgasthäuser" zu erstellen und mögliche Rettungsmaßnahmen aufzulisten. Erstellen Sie den Entwurf zu Ihrer Analyse und begründen Sie, warum die Erhaltung der Dorfgasthäuser auch ein wichtiges politisches Anliegen sein muss.

5. Erlaubnis-Verfahren

Sie möchten in Südtirol einen Gastronomie-Betrieb eröffnen. Bei der zuständigen Behörde erkundigen Sie sich nach den einschlägigen Rechtsvorschriften, die für eine Betriebsgründung Geltung haben. Beschreiben Sie die nötigen Voraussetzungen dafür sowie die verfahrensrechtlichen Schritte für eine Gastronomie-Erlaubnis.

6. Dienstleistungs-Unternehmen HGV

Sie sind als neue/r Mitarbeiter/in bei der HGV-Service Gen.m.b.H. eingestellt worden und verschaffen sich in den ersten Arbeitstagen einen Überblick über die verschiedenen Abteilungen des Unternehmens. Erstellen Sie eine Übersicht über die angebotenen Dienstleistungen.

7. Stammgäste in der Hotellerie

Sie gehören zu jener großen Gästegruppe, die als Stammgäste seit vielen Jahren Südtirol besuchen. Von einem Umfrageinstitut werden Sie im Auftrag der Südtiroler Tourismuswerbung befragt, weshalb Ihre Urlaubstreue so hoch ist. Zählen Sie jene fünf Kriterien auf, welche auch von anderen Stammgästen am meisten genannt worden sind

Quellen und weiterführende Literatur

ASTAT Statistisches Jahrbuch 1998

Engl, Christoph, Tourismuswirtschaft in Südtirol, in: Dettmer, H. (Hrsg.): Tourismus 1, Tourismuswirtschaft, Köln 1998

Kohl & Partner Tourismusberatung (Hrsg.), Fachplan für die Tourismuswirtschaft Südtirol 1996–2006, Bozen 1996

Kohl & Partner Tourismusberatung im Auftrag von Südtiroler Hoteliers- und Gastwirteverband (HGV), Regulierungsmodell der Tourismusentwicklung in Südtirol – eine Studie aus betriebswirtschaftlicher und volkswirtschaftlicher Sicht, Bozen 1993

Landesverkehrsamt der Autonomen Provinz Bozen, Motive, Meinungen und Verhaltensweisen der Südtirolgäste, Bozen 1991

Prugger, Barbara, Der Belle Epoque Tourismus in Südtirol, Salzburg 1998

Südtirol Tourismus Werbung (STW), Gästebefragung Südtirol Sommer 1996, Bozen 1997

Südtirol Tourismus Werbung (STW), Gästebefragung Winter 1996/97, Bozen 1997

Südtirol Tourismus Werbung (STW), Trends im Tourismus – Perspektiven für Südtirol, Bozen 1993

Südtiroler Hoteliers- und Gastwirteverband (HGV), Heiße Tips gegen kalten Kaffee, Bozen 1995

Südtiroler Hoteliers- und Gastwirteverband (HGV), Ihre Vertreter unsere Leistungen, Bozen 1997

Südtiroler Hoteliers- und Gastwirteverband (HGV), Gute Karten für Gast und Wirt, Bozen 1998

Wirtschaftsforschungsinstitut (WIFO) der Handelskammer Bozen, gastgewerbliche Beherbergungsbetriebe und Preise 1998/99, Bozen 1999

Wirtschaftsforschungsinstitut (WIFO), Die wirtschaftliche Situation des Südtiroler Fremdenverkehrs, Bozen 1995

Wirtschaftsforschungsinstitut (WIFO), Der Fremdenverkehr in Südtirol im Jahre 1997, Bozen 1998

4. Perspektiven: Die Zukunft der Branche Gastgewerbe

Marktorientierte Erfolgsfaktoren

Erfolgsfaktor Stammkundengewinnung *Erfolgsfaktor Stammkundengewinnung*

Das besondere Image als Erfolgsfaktor *Erfolgsfaktor „Gestaltung des Entree"*

Erfolgsfaktor „Gestaltung und Ausstattung der Gasträume"? *Musik als Erfolgsfaktor?*

Erfolgsfaktor „Präsentation der Speisen" *Erfolgsfaktor „Personal"*

Erfolgsfaktor „Preis"

Erfolgsfaktor „Gesamtkonzept" *Erfolgsfaktor „Marktorientierung durch Marktforschung"*

Betriebsorientierte Erfolgsfaktoren

Erfolgsfaktor „Kosten-Preis-Relation" *Einkaufs-, Lager und Produktionsplanung als kostenorientierter Erfolgsfaktor*

Erfolgsfaktor „Kontrolle"

(vgl. Meyer, Jörn-Axel; Hoffmann, Frank: Erfolgsfaktoren in der Gastronomie, Berlin 1992, S. 76 ff.)

Nach einer Meldung von Travel Tribune kommt die von der Europäischen Kommission 1998 gebildete Expertenrunde zu dem Schluss, dass der **Tourismus in den nächsten zehn Jahren in Europa 2,2 bis 3,2 Millionen neue Arbeitsplätze** schaffen kann. Davon sollen auf Deutschland allein 300.000 bis 400.000 entfallen. Dies vermeldete die so genannte High Committee Commission.

Die Kommission macht dabei deutlich, dass um dieses Potential zu heben, ein **umfangreiches Maßnahmenbündel verwirklicht** werden müsste. In dem vorliegenden Buch ist versucht worden, einige dieser Maßnahmen, die die gastgewerbliche Branche betreffen, zu umreißen.

Das **Gastgewerbe bildet die größte Branche der Tourismuswirtschaft.** Dies wurde durch die Gründung des Bundesverbandes der Deutschen Tourismuswirtschaft (BTW) im Dezember 1995, der erstmals touristische Unternehmen wie Reiseveranstalter und Carrier mit dem gesamten Gastgewerbe, der Hotellerie und Gastronomie, den Tourismusunternehmen vor Ort sowie viele andere Branchen der Reiseindustrie verbindet und auf nationaler Ebene mit einer Stimme spricht, so deutlich wie noch nie. Der Tourismus ist, dem BTW zufolge, eine der drei Wachstumsbranchen in der Welt, neben der Kommunikationswirtschaft/-technologie und der Biotechnik (*Rede des Präsidenten des BTW, Dr. Erich Kaub, 9. Juli 1998*). Dass ausgerechnet das Gastgewerbe an diesem Wachstum vor allem im deutschsprachigen Raum nur unterproportional teilnimmt, kann nicht daran liegen, dass die Marktchancen generell zu gering sind. Es ist viel mehr zu vermuten, dass wesentliche Teile des Gastgewerbes in ihrer Umstrukturierung den veränderten Verbraucherwünschen hinterherhinken. Dies scheint für die Gastronomie noch stärker zu gelten als für die Hotellerie, würde es an den unterschiedlichen Wachstumsquoten – erstere leichtes Schrumpfen, letztere leichtes Wachsen – in Deutschland festgemacht werden.

„Nach Jahren nominaler und realer Umsatzeinbußen befindet sich die deutsche Hotellerie in einer Phase konjunktureller Erholung. Nach wie vor unbefriedigend im internationalen Vergleich ist das niedrige Preisniveau, und die Situation ist ganz klar von Überkapazitäten gekennzeichnet" *(AHGZ v. 21. 8. 1999, S. 1).*

Neben ... zielgruppenspezifischen Trends und Tendenzen zeichnet sich eine Reihe struktureller Veränderungen im Nachfrageverhalten ab, die für alle Gästegruppen und Marktsegmente der Hotellerie gleichermaßen relevant sind:

„Verkürzte Aufenthaltsdauer	**Gründe:** Sparmaßnahmen bei Firmen und Privathaushalten; mehrere Kurz- und Wochenendreisen treten an die Stelle längerer Zweit-Urlaubsreisen im Inland.
Steigendes Preisbewußtsein	**Gründe:** Die Notwendigkeit zu Sparmaßnahmen im geschäftlichen und privaten Bereich führt zu intensiver Überprüfung des jeweiligen Preis-Leistungs-Verhältnisses in der Hotellerie.
Verlagerung der Übernachtungsfrage in Mittelklassebetriebe	**Gründe:** Kürzungen des Dienstreisebudgets zwingen zu Einsparungen bei den Übernachtungen; neue moderne Hotels entstehen vorwiegend im Mittelklassebereich; bezogen auf Größe und Ausstattungsmerkmale der Zimmer unterscheiden sie sich nur geringfügig von First-class-Hotels.
Gehobene Ansprüche an die Serviceleistung	**Gründe:** Die Wandlung vom Verkäufer zum Käufermarkt führte zur Anhebung des Anspruchsniveaus; es werden verstärkt Konkurrenzvergleiche angestellt.
Kurzfristiges Buchungsverhalten	**Gründe:** Da bei ständig wachsendem Angebot kaum Kapazitätsengpässe zu befürchten sind, werden Reiseentscheidungen immer kurzfristiger getroffen; darüber hinaus locken Last-minute-Angebote."

(Gugg & Hank-Haase [Hrsg.]: Der Hotelmarkt in Deutschland, S. 67).

Gerade die im Buch aufgezeigten ausgewählten Entwicklungen und branchenübergreifenden Betriebsformen sollten exemplarisch deutlich machen, dass das **Gastgewerbe**, wenn es denn professionell Kundenwünsche und neue Lösungen realisieren will, noch **erhebliche Wachstumschancen** hat, die sich auch für den aufgeschlossenen Laien unmittelbar ergeben. Wie in den definitorischen Kapiteln festgestellt, haben wesentliche Teile des Gastgewerbes allerdings betriebswirtschaftlich betrachtet ein quasi vorindustrielles Niveau. Grundlegende Erkenntnisse wie strategische Unternehmensführung, Marktforschung, Marktbeobachtung, gesteuertes Innovationsmanagement und Qualitätsmanagement in allen Ebenen haben in ganzen Teilen des Gastgewerbes noch kaum

Fuß fassen können. Hier sind die Reiseveranstalter sowie die Carrier „um Lichtjahre" voraus.

In der Hotellerie und Gastronomie kann – vergleichbar zu anderen Branchen – kaum von einer Branchenkonjunktur gesprochen werden. Vielmehr werden sich die Unternehmen und auch die Analysten darauf einstellen müssen, es hier mit einer Unternehmenskonjunktur und im besten Fall, das heißt im verallgemeinernden besten Fall, mit einer Segmentkonjunktur zu tun zu haben.

Somit stellt sich die Frage immer wieder neu, auf welche Erfolgsfaktoren sich bestimmte Unternehmen und bestimmte Segmente stützen können. Für wesentliche Teile des Gastgewerbes, insbesondere die Gastronomie, liegen solche Untersuchungen nach wie vor nur in Ansätzen vor.

Der Branche Gastgewerbe und den bestehenden Betrieben können als zukünftige Strategien empfohlen werden:

„• **Nachfrageadäquate Produktgestaltung**
  - ▷ Schaffung einer USP (Unique Selling Proposition), eines unverwechselbaren Produktprofils
  - ▷ Konzentration auf unterschiedliche, in sich homogene Nachfragesegmente durch zielgruppenspezifische Produktgestaltung
  - ▷ Erstellung von nachfragespezifischen Pauschalangeboten
  - ▷ Sicherstellung hoher Servicequalität
  - ▷ Beachtung eines ausgewogenen Preis-Leistungs-Verhältnisses
  - ▷ Einbindung in Marketingkooperationen

- **Nutzung der Möglichkeiten der Preisdifferenzierung**
  - ▷ Preisdifferenzierung nach
    - Saisonzeiten, Wochentagen, Tageszeiten
    - Aufenthaltsdauer, Übernachtungsvolumen
  - ▷ Preisanreize im Rahmen von Packages

- **Einsatz differenzierter Kommunikationsmittel**
  - ▷ Werbung als zielgruppenspezifische Einzel- und Gemeinschaftswerbung
  - ▷ Verstärkte Verkaufsförderungsmaßnahmen
  - ▷ Presse- und PR-Aktivitäten

- **Ausbau der Distributionswege**
  - ▷ Präsenz in Informations- und Reservierungssystemen
  - ▷ Eigene Homepage im Internet mit Buchungsmöglichkeit
  - ▷ Einbindung in Online-Dienste."

(Gugg/Hank-Haase [Hrsg.]: Der Hotelmarkt in Deutschland 1999, S. 68)

Das angebrochene Jahrtausend wird also von einem neuen Typus bestimmt werden. Spezialisierung und Kundenorientierung werden die Schlüsselwörter für den Markt 2000 plus sein. Elemente wie die Zusammenarbeit mit Lieferanten werden ihn bestimmen, man wird gemeinsam Konzepte entwickeln, z.B. das Café Nescafé in Frankfurt, es werden mehr Kooperationen entstehen. Kurz: Handwerk, Handel, Gastronomie und Dienstleistungen platzieren sich in zeitgemäßen Kombinationen am Markt. Der Handel macht es bereits vor. Deshalb ist angesichts 50 Jahre DEHOGA zu konstatieren: Die größere Kundenorientierung braucht einerseits eine emotionale Intelligenz des Managements, andererseits sehr viel mehr Wissen über den Kunden *(vgl. Kaub, Erich, in: 50 Jahre DEHOGA, S. 46).*

Es bleibt eine **Aufgabe auch der Wissenschaft** und hier speziell der anwendungsorientierten Wissenschaft der Fachhochschulen und Hochschulen, die aufgezeigten Lücken zu schließen und der Praxis Erfolgsanalysen und wissenschaftlich fundierte Unternehmensführung hinzuzufügen, damit das Gastgewerbe seine vorhandenen Chancen im 21. Jahrhundert angemessen nutzen kann.

Quellen und weiterführende Literatur

Allgemeine Hotel- und Gaststättenzeitung, Nr. 34, vom 21. 8. 1999, Stuttgart

Gugg/Hank-Haase (Hrsg.): Der Hotelmarkt in Deutschland 1999, Frankfurt/Main 1999

Meyer, Jörn-Axel; Hoffmann, Frank: Erfolgsfaktoren in der Gastronomie, Berlin 1997

Kaub, Erich, in: 50 Jahre DEHOGA, Sonderveröffentlichung der Allgemeinen Hotel- und Gaststätten-Zeitung, Stuttgart 1999

Teil C: Lösungen der kapitelbegleitenden Aufgaben

1. Lösungen zum Teil „Hotellerie und Gastronomie – allgemein"

1.1 Lösungen zu „Hotellerie und Gastronomie – Teil der Dienstleistungsbranche"

Zu 1.

Laut DEHOGA sollte ein „Hotel" mindestens 20 Gästezimmer sowie einen Hotelempfang vorweisen. Des weiteren muss ein erheblicher Teil der Gästezimmer mit eigenem Bad/Dusche und WC ausgestattet sein.

Zu 2.

Aparthotels bieten dem Gast eine gehobene Ausstattung und ein vielseitiges Dienstleistungsangebot. Neben Hotelzimmer können Gäste auch in komplett eingerichteten Appartements oder Wohnungen absteigen, ohne auf die Vorteile eines voll ausgestatteten Hotels zu verzichten. Aparthotels sind häufig auf langfristige Vermietung ausgerichtet. Boarding Häuser bieten ebenfalls die Möglichkeit der Selbstversorgung im eigenen Appartement. Das Zusatzangebot geht über das normaler Appartementhäuser hinaus, entspricht jedoch nicht denen eines Hotels.

Zu 3.

Die Segmentierung gastronomischer Betriebe kann unter anderem durch Faktoren wie Angebot, Betriebsgröße, Standort, Betreiber oder Kernzielgruppe erfolgen.

Zu 4.

Beispiele für neuere gastronomische Betriebstypen:

- „Tex-Mex"-Gastronomie mit mexikanisch-texanischem Angebot und Ambiente.
- Megarestaurants zeichnen sich durch ihre Größe, Angebotsvielfalt und atmosphärisch unterschiedliche Ausstattung aus.
- Shop- und Dine Bookstore: Buchhandlung mit gastronomischer Bewirtung.
- Ethno-Restaurants: Angebot und Ausstattung muten für europäische Verhältnisse häufig exotisch an, zum Beispiel afrikanische, karibische, australische, afghanische oder asiatische Nahrungsmittel, Gewürze sowie fremdartige Zubereitungs- und Tischsitten erhöhen den Erlebniswert.

Zu 5.

Fast Food beschreibt grundsätzlich eine bestimmte Art und Weise, wie verzehrfertige Speisen an den Gast gebracht werden. Diese zeichnet sich durch die Schnelligkeit der Zubereitung, Ausgabe und Verzehrfähigkeit aus. Fast Food ist nicht gleichzusetzen mit Systemgastronomie, wird aber in der Systemgastronomie zum Teil angewandt.

Die Systemgastronomie definiert sich unabhängig vom eigentlichen Produkt (Fast Food, Slow Food usw.) und zeichnet sich durch ein standardisiertes Konzept, das sich auf mehrere Outlets übertragen lässt.

Zu 6.

Unabhängig davon, ob ein Hotelrestaurant ausschließlich Hausgästen oder auch Nicht-

Hausgästen offensteht, handelt es sich um einen Bewirtungsbetrieb innerhalb des Beherbergungsbetriebes.

Zu 7.

Bei der Schlemmergasse handelt es sich um gastronomieorientierten Einzelhandel.

Zu 8.

Beide Hotels verfügen vermutlich nicht über den gleichen Standard. Dies beruht auf den unterschiedlichen Bewertungskriterien für die Hotelklassifizierung der diversen Verbände/Unternehmen. Eine Standardisierung der Hotelklassifizierung gibt es in Deutschland noch nicht.

Zu 9.

Es handelt sich um die Betriebsform des Free-flow-Restaurants. Diese Betriebsform kennzeichnet sich vor allem durch eine verkaufsaktive Präsentation der Speisen und Getränke im Rahmen verschiedener Angebotstheken und -buffets zur Selbstbedienung. Zudem bezahlt der Gast noch vor Einnahme der Speisen an einem Compurter am Ende des Buffets, bevor er den Gastraum betrifft.

Zu 10.

a) Für das Angebot von Fast Food ist kein System zwingend erforderlich. Dieser Eindruck entsteht jedoch, da die bekanntesten Anbieter mit einem eigenem System am Markt agieren.

b) Der Gast erhält durch die Externalisierung im Idealfall Preissenkungen bei bestimmten Produkten. Zudem kann er schneller bedient werden.

Zu 11.

Die Reiselust der Deutschen ist zwar ungebrochen, aber Tourismusforscher sehen eine Trendwende bei den Reisezielen. So hat der jüngsten BAT-Tourismusanalyse zufolge bei den Inlandsreisezielen die Ostsee Bayern als gefragteste Ferienregion verdrängt. Von 100 Urlaubern verbrachten acht im vergangenen Jahr die schönsten Wochen des Jahres am Ostsee-Strand in Schleswig-Holstein oder Mecklenburg-Vorpommern. Bei den Auslandsreisezielen ist nach wie vor Spanien mit Abstand am beliebtesten, gefolgt von „Bella Italia". Auch in diesem Jahr will beinahe jeder zweite Bundesbürger eine Reise unternehmen. Immerhin 29 Prozent aller Befragten sind aber noch unsicher, und 23 Prozent haben sich bereits Entschieden: sie werden zu Hause bleiben *(Globus; Statistische Angaben: BAT/Freizeit-Forschungsinstitut).*

1.2 Lösungen zu „Aufgaben der Hotellerie und Gastronomie im Rahmen des Tourismus"

Zu 1.

a) Die Reiseveranstalter sichern sich durch Hotelbeteiligungen zum einen weitere Einnahmequellen aus den Zielgebieten, zum anderen bestimmen sie so die Einkaufspreise der Zimmerkontingente und sind somit unabhängiger von der Preispolitik einheimischer Hoteliers. b) Durch Beteiligung an bereits etablierten Hotels besteht zudem die Möglichkeit des kooperativen Marketings, was im Idealfall das Image der Destination und des Reiseveranstalters steigert.

Zu 2.

Die Faktoren Ambiente, Qualität der sanitären Einrichtungen, Ausstattungsqualität, Lichtdesign, Technik und Zusatzeinrichtungen sind bei einer Hotelzimmereinrichtung zu beachten.

Zu 3.

Aus der Sicht des Reisenden besteht eine touristische Destination aus der Natur, den klimatischen Bedingungen, den Hotels, der Erreichbarkeit/Transport, dem Freizeit- und Gastronomieangebot sowie vielem mehr.

Zu 4.

Als strategische Entwicklungsmöglichkeiten sind mehrere Optionen möglich. Eine Segmentierung des Angebotes ist ebenfalls möglich wie ein Upgrading. Wichtigstes Instrument ist das Total Quality Management. Weitere Optionen sind Packages sowie die Schaffung von Transparenz im Hinblick auf Buchungsmöglichkeiten.

Zu 5.

a) Packaging Inhouse ist zunächst eine Strategie der Konsolidierung. Grundsätzlich ist hierunter eine vertikale Integration von Leistungen zu verstehen. b) Dem Kunden wird ein komplettes Leistungspaket angeboten.

Zu 6.

So positiv der All Inclusice Urlaub für die Gäste ist, so negativ ist er teilweise für das einheimische Wirtschaftsleben. Da die Gäste innerhalb ihrer Hotelanlage sowohl Getränke als auch Speisen inklusive über den Reisepreis bezahlt haben, geben immer weniger Gäste Geld für auswärtiges Essen aus. Dies hat zur Folge, dass in unmittelbarer Nähe der Hotelanlagen immer weniger einheimische Gastronomie überleben kann.

Zu 7.

Ein mangelhaftes TQM hat oftmals dreifache Kosten zur Folge. Diese entstehen zum einen durch die Erstellung der für den Kunden als unbefriedigend empfundenen Leistung, zum anderen durch die Regulierung der unbefriedigenden Leistung und schließlich durch die Abwanderung der unzufriedenen Kunden.

1.3 Lösungen zu „Management in Hotellerie und Gastronomie"

1.3.1 Lösungen zu „Managementbegriff"

Zu 1.

- Flexiblität
- Gesunder Mut zum Risiko
- Identifikation mit den Aufgaben
- Know-how
- Kreativität
- Organisations- und Delegationsfähigkeit
- Selbstdisziplin
- Soziale Kompetenz
- Überzeugungskraft
- Weiterbildungsbedürfnis
- Zukunftsorientiertheit

Zu 2.

Gestalten …	**Lenkung …**	**Entwickeln …**
… bedeutet das gedankliche Entwerfen eines Modells, wie die Institution als handlungsfähige Einheit zu konzipieren ist.	… bewirkt, dass die Institution nach bestimmten Verhaltensweisen geführt wird.	… sagt aus, dass eine Institution nicht kurzfristig und für alle Male festgelegt werden kann, sondern der Anpassung an die laufende Entwicklung bedarf.

Zu 3.

- Marketingmanagement
- Personalmanagement
- Finanzmanagement
- Qualitäts- und Umweltmanagement
- Front Office-Management
- Food and Beverage Management
- Controlling

1.3.2 Lösungen zu „Standort im Gastgewerbe"

Zu 1.

Das Konkurrenzverhalten am Standort, die touristische Bedeutung der Destination, ihre Perspektiven und geographische Lage sind von besonderer Relevanz.

Zu 2.

Die Standortwahl beeinflußt im entscheidenden Maße die Höhe des benötigten Kapitals für die Anschaffung des Objektes und die notwendigen zusätzlichen Investitionen (z. B. für Parkplätze und eine Verbesserung der Zufahrtswege) sowie die Kosten- und Erfolgsfaktoren:

Kostenfaktoren:

Vorteile:

- vorhandene, gute Infrastrukturen
- Förderungsprogramme
- geringe Personalkosten
- günstige Lieferkosten
- steuerliche Aspekte (z. B. niedrige Gewerbesteuer)

Nachteile:

- kein qualifiziertes Personal
- hohe Grundstückserschließungskosten
- keine Erweiterungsmöglichkeiten
- ungenügende, schlechte Parkflächen
- hohe Umweltverschmutzungen

Erfolgsfaktoren:

Vorteile:

- gute Verkehrsanbindung
- zentrale Lage, vom Kunden gut erreichbar
- geringe Konkurrenz
- großes Einzugsgebiet
- natürliche Gegebenheiten, z. B. Landschaft

Nachteile:

- hohe Umweltbelastung
- hohe Arbeitslosigkeit
- starke Konkurrenz
- ungünstige Ortslage, z. B. Stadtrand

Zu 3.

s. Punkt 3.2, … 11 kritische Fragen …

13.3 Lösungen zu „Marketingmanagement"

Zu 1.

Der Gastronom

- Hat die eigenen Schwächen aufzudecken und zu vermindern sowie die Stärken auszubauen
- Soll nicht verkaufen, was man produzieren kann, sondern produzieren, was man verkaufen kann
- Hat die eigene Leistung nachfragegerecht zu gestalten
- Hat den bisherigen Absatz zu sichern und auszubauen
- Hat neue Absatzsegmente am Gastronomiemarkt zu suchen
- Soll sich soweit wie möglich von den Wettbewerbern absetzen
- Sollte sich selbst mit den Augen des Gastes sehen

Zu 2.

- leichtere Positionierung am Markt,
- stetige flexible Angebotsanpassung an die Bedürfnisse des Gastes,
- Abhebung von den Mitbewerbern,
- Gästenachfrage für den Betrieb aktiv durch wirksame Maßnahmen fördern,
- erhöhte unternehmerische Risiken können durch Beweglichkeit und Phantasie sowie Kreativität ausgeglichen werden und
- Gewinnsteigerung

Zu 3.

Marketing ist die unternehmerische Grundeinstellung und Denkweise, einen Betrieb marktgerecht zu führen, um dadurch die Bedürfnisse der Gäste, aber auch der Mitarbeiter/-innen rechtzeitig zu erkennen und mit den vorgehaltenen Leistungen zu befriedigen.

Weiteres Definitionsmerkmal: Marktorientierung sowie das Ausrichten der Unternehmenspolitik auf permanentes Wachstum in der Zukunft

Zu 4.

Ziel: Die von den Gästen nachgefragte Leistung ist zum richtigen Zeitpunkt sowie am richtigen Ort zu erbringen

- und zwar zu einem adäquaten Preis,
- auf geeignetem Distributionsweg,
- aufgrund wirksamer Verkaufsförderung, Werbung und Öffentlichkeitsarbeit,
- dem richtigen Gast zu erbringen,
- um dadurch einen angemessenen Gewinn zu erzielen.

– Gastronomische Unternehmenspolitik muss gäste-, absatz- und verkaufsorientiert sein

– Marketing steht also im Mittelpunkt

Zu 5.

Gastgewerbliche Unternehmenspolitik

- Strategische Zielsetzungen
  - Qualitative Ziele
    - – Erhaltung der Unternehmensselbstständigkeit
    - – angestrebtes Image
  - Quantitative Ziele
    - – zu erreichende Rentabilität
    - Unterziele:
      - – Marktanteil
      - – Umsatz
- Visionen

Zu 6.

– Unternehmenspolitik angelegt über längeren Zeitraum (mehr als 5 Jahre),

– Marketing als Teilkonzept geplant auf 3–5 Jahre,

– umfasst Absatz- und Personalmarketing,

– steht in Interdependenz zu Unternehmensfunktionen Beschaffung/Investition, Finanzwirtschaft und Organisation

Zu 7.

SEP sind bewusst geschaffene Eigenschaften und Fähigkeiten, führen im Wettbewerb nachhaltig zur Überlegenheit und ermöglichen dadurch überdurchschnittliche Ergebnisse.

– „Produktinnovationen (Entwicklung und Einführung neuer Produkte): Trendfrüherkennung und entsprechende Angebotsgestaltung (entweder als „Trendsetter" die Richtung bestimmen oder einfach „die Nase vorne haben");

– Segmentierung und konsequente Spezialisierung auf Bedürfnisse und Nutzenerwartungen der Gäste (z. B. das professionelle Seminarzentrum);

- Qualität, besondere Architektur, außergewöhnlicher Komfort, stimmungsvolles Ambiente der Räumlichkeiten;
- rationelle Produktion (bei gleicher Qualität niedrige Kosten);
- attraktives Betriebskonzept (z. B. Autobahnraststätten-Konzept);
- Mitarbeiter: Dank systematischer Mitarbeiterschulung, attraktiver Entlohnung, guter Motivation und Führung die fähigsten Mitarbeiter der Branche beschäftigen;
- Standort (abhängig von Betriebsart, z. B. an einem Verkehrsknotenpunkt oder einmalig gelegen inmitten eines Naturparks)".

Zu 8.

- USP = das Schaffen von Wettbewerbsvorteilen aufgrund einzigartiger und unverwechselbarer Leistungen,
- zahlreiche Einzelleistungen, die positiven Gesamteindruck beim Gast erhöhen
    - eine unverwechselbare Dekoration,
    - frische Produkte aus ökologischem Anbau,
    - exklusives Geschirr,
    - die persönliche Art freundlicher und kompetenter Mitarbeiter, den Gast beim Namen zu nennen, ihn zu grüßen und zu verabschieden,
    - eine karibisch anmutende Empfangshalle
- USP sind im Gegensatz zu den SEP leichter kopierbar und damit meist nur kurzlebig,
- sie sind ständig den sich wandelnden Gästeerwartungen anzupassen.

Zu 9.

a)

- die Informationsbeschaffung,
- das Festlegen der Marketingstrategie,
- das Leistungskonzept

b)

- die Bedürfnisse der Gäste festzustellen und
- durch eine optimale Befriedigung der Bedürfnisse
- Gewinne zu erzielen.

Zu 10.

- Ausloten von Chancen und Risiken am Markt
- Stärken und Schwächen der einzelnen Unternehmen resp. Betrieb offenzulegen

Prozess der Informationsgewinnung

Problemerkennung → Informationsbedarf

Informationsbeschaffung

Informationsverarbeitung

Informationsverwendung ← Informationsaufbereitung

Zu 11.

Ausgangspunkt: vorliegendes Datenmaterial, welches für ähnliche Zielgruppen eruiert worden ist

Vorteile:

- Geringere Kosten
- Sofortige Untersuchung möglich
- Lange Erhebungsphase entfällt

Nachteile:

- Gegebene Informationen treffen nicht immer genau auf die Situation zu
- Informationen sind oft nicht auf aktuellem Stand
- Mitbewerber werten diese Daten auch aus

Zu 12.

-Gästekriterien

- Sozioökonomische Untersuchungspunkte, z. B. Geschlecht, Alter, Beruf, Ausbildung, Familiengröße, Einkommen;
- Gästeverhalten, z. B. Preis- und Werbesensibilität, Gästemotive, Gästetreue usw.;
- Geographische Untersuchungspunkte, z. B. Bayern, Baden-Württemberg, Niedersachsen, Nordrhein-Westfalen oder Großstädte – Landbevölkerung oder Inlandsmarkt/Auslandsmarkt;
- Zusätzliche Unterscheidungsmerkmale potentieller Gäste/Nachfrager, z. B. Großhaushalte, Catering-Betriebe, Saisonbetriebe usw.
- Gütekriterien, Speisenangebote, umweltfreundliche Verkaufsangebote, Preisgefüge usw.

Zu 13.

Jede Marketingkonzeption verfügt über zwei extreme Lösungsmöglichkeiten, nämlich den Informations- und Manipulationssektor.

Informationssektor = Mit diesem wird versucht, die Aufnahmefähigkeit des Marktes zu erforschen und das Leistungsangebot des jeweiligen gastgewerblichen Betriebes adäquat zu gestalten.

Manipulationssektor = Ein Hotel- oder Gaststättenbetrieb versucht, durch den Einsatz marketingpolitischer Instrumente sein Angebot, z. B. verschiedenster Arten von vegetarischer Kost, mit Hilfe von Werbung, Verkaufsförderung und anderer Mittel den Gästen zu verkaufen, d. h. am Markt unterzubringen.

Zu 14.

- Wie kann ein gastgewerblicher Betrieb innerhalb der von ihm angebotenen Leistungen sinnvolle Prioritäten für die künftige Entwicklung setzen? Dabei ist die Beantwortung der Frage davon unabhängig, ob dieser Betrieb stark diversifiziert oder auf eine bestimmte Leistungspalette beschränkt ist. Immer gilt es, aus einer Vielzahl von sich im Angebot befindlichen Leistungen die richtigen auszuwählen und zu unterstützen.
- Eignet sich das momentane Produkt Portfolio dazu, den Bestand des gastgewerblichen Betriebes für einen überschaubaren Zeitraum abzusichern?
- Gilt es, weitergehende Dienstleistungsbereiche zu akquirieren oder derzeitige herauszunehmen und nach welchen Kriterien sind die adäquaten Dienstleistungsbereiche auszuwählen? So steht beispielsweise ein Hotelbetrieb immer vor der Frage, ob er nur Beherbergung anbieten soll und ob dieser Leistungsbereich auch in Zukunft die Wettbewerbsfähigkeit des Hotels allein aufrecht erhält oder ob zum Beispiel ein

Restaurantbetrieb hinzuzunehmen ist. Daraus ergibt sich das Ziel jeder Portfolio-Analyse, nämlich ein optimales Mischungsverhältnis des Marktengagements des gastronomischen Betriebes anzustreben.

Zu 15.

Wenn ein gastronomisches Unternehmen aus der vorgegebenen Marketing-Konzeption einen Plan ableitet, der das weitere Vorgehen im Marketingsinne beinhaltet, so handelt es sich um eine Strategie.

Als wichtiger Bestandteil der Marketing-Konzeption des Hotels nimmt die Marketingstrategie die Funktion eines Bindegliedes zwischen den Unternehmens- und Marketingzielen sowie den durch das Marketing-Mix definierten operativen Maßnahmen ein. Marketingstrategien begrenzen also einerseits den Handlungsspielraum des gastgewerblichen Unternehmens, und zwar innerhalb des durch die Strategie festgelegten Rahmens, andererseits ermöglichen sie das zielgerichtete Handeln.

Die Ziele der Marketingstrategie leiten sich aber nicht nur aus den Unternehmens- und Marketingzielen ab, sondern auch aus der jeweiligen Marktanalyse, durch die sich Faktoren ergeben können, die die Strategie beeinflussen, um daraus Wettbewerbsvorteile gegenüber den Mitbewerbern abzusichern. Entscheidend bleibt also immer, im Rahmen der Marketingstrategie eine auf die Zielgruppe bzw. Marktsegmente präzise formulierte Marketingidee einzubringen.

Zu 16.

- die Stellung des Unternehmens aus der Sicht der Gäste gegenüber den Mitbewerbern abgrenzen;
- den potentiellen Gästen durch den Anbieter vor Augen führen, welches Angebot sie erwartet oder anders ausgedrückt, die Gäste sollen sich ein klares Bild vom Unternehmen machen können.

<u>Beispiel:</u> Der Direktor des Hotels „Brauner Hirsch" hat kurzfristig einen französischen Koch eingestellt und will nun im Hotelrestaurant französische Wochen anbieten. Durch einen Aufsteller vor dem Hotel, einer Zeitungsanzeige sowie der Präsentation im Internet macht er dieses seinen Mitbewerbern und seinen Gästen deutlich. Er lässt Weine, Fisch und die weiteren Zutaten aus Frankreich anliefern. Zudem verändert er die Dekoration des Restaurants, um eine original französische Atmosphäre zu schaffen.

Zu 17.

<u>Ausgangspunkt:</u>

- Schaffen strategischer Erfolgspositionen (SEP), also das Angebot von einzigartigen, unverwechselbaren Leistungen
- mit Hilfe der SEP versucht der Hotelier gegenüber den Wettbewerbern durch das Schaffen bestimmter Eigenschaften und Fähigkeiten abzusetzen
- Ziel ist ein langfristiger Erfolg
- Möglich sind Einzelleistungen oder auch Kompaktangebote
    - Produkte aus ökologischem Anbau
    - individuell bezogener Service
    - Fernseh- einschließlich Videogerät im Zimmer
    - Bademantel im Badezimmer usw.
- Weitere Möglichkeit ist die Unterscheidung von Spitzenleistungen und Standardleistungen

- Speisenauswahl
- ständig im Angebot befindliche Getränke
- hygienisch einwandfreie Zimmer
- Annimationsprogramm
  usw.
- Auch Unique Selling Propositions (USP) helfen dem Unternehmer sich von seinen Mitberbern abzugrenzen und den Gast zu überzeugen
- Allerdings sind diese zahlreichen Einzelleistungen leichter kopierbar und müssen daher ständig überprüft und erneuert werden

Zu 18.

Jedes einzelne Produkt ist daraufhin zu überprüfen, in welcher marktbezogenen Lebensphase es sich gerade befindet. Die einzelnen Phasen gastronomischer Leistungen/Dienstleistungen – auch als Produkt-Lebenszyklus bezeichnet – ergeben sich aus der Absatzmenge eines Produktes/einer Leistung bzw. einer Produktgruppe oder Branche und der damit im Zusammenhang stehenden Änderungen im Zeitablauf.

Das Konzept des Lebenszyklus versucht, die Lebensdauer von gastronomischen Leistungen/Produkten in einzelne Phasen zu unterteilen, und zwar vor dem Hintergrund des möglichst effizienten Einsatzes des marketingpolitischen Instrumentariums von der ersten bis zur letzten Phase.

Die einzelnen Lebenszyklusphasen werden durch bestimmte Phasenmerkmale charakterisiert. Natürlich sind die Phasen der Produktlebenszyklen ungleich. Während sog. „Flops“ schon während der Einführungsphase aus dem Markt genommen werden, stehen dem Produkte bzw. ganze Leistungsbereiche gegenüber, die sich lange am Markt der Branche halten können (z. B. Wein, Dorfgasthaus). Wieder anders verhält es sich mit Leistungen, die trendbedingt am Markt auftauchen und ein erfolgversprechendes Verkaufssegment darstellen, ebenso schnell aber auch wieder nach der Phase 3 abbrechen und aus dem Markt zu nehmen sind (z. B. bestimmte Musikveranstaltungen bzw. dazugehörige Räumlichkeiten oder sog. Modegetränke). Damit wird klar, dass ein gastronomischer Betrieb nur dann erfolgreich sein kann, wenn die von ihm angebotenen Produkte/Dienstleistungen sich lange genug in der Wachstums- bzw. Reifephase befinden, folglich also über einen ausreichenden Zeitraum hinweg für genügend Gäste interessant sind und damit ausreichenden Gewinn einbringen.

Nicht zu vergessen ist, dass eine positive oder negative Entwicklung gastronomischer Leistungen davon abhängt, ob der richtige Produktname gewählt wurde. Letzterer dient dazu, die gastronomische Leistung von den Angeboten der Mitbewerber abzusetzen, das Produkt/die Leistung also zu „individualisieren“, um sie soweit wie möglich als „einmalig“ oder „einzigartig“ für den Gast erscheinen zu lassen.

Zu 19.

Wenn auch die Beurteilung der Qualität durch den Gast im Vordergrund steht, so sind die objektiven Kriterien im Rahmen des Erstellungsprozesses, z. B. von Speisen, nicht völlig zu übergehen. Während der Koch die Qualität der Speisen u. a. in den eingesetzten Zutaten, der Frische, der Herkunft, der Handelsklasse, der Sorgfalt bei der Lagerung usw. (= Input-Qualitäten) sieht, wird er versuchen, den Aufwand und die Qualität seiner Arbeit selbst einzuschätzen; er wird also zum Maßstab nehmen, wie er die jeweilige Speise zubereitet, zusammengestellt und angerichtet hat (= Prozess-Qualitäten).

Wird eines der vorstehend genannten Qualitätskriterien (z. B. Beilagen, Mengenverhältnisse, Portionierung usw.) verändert, ergibt das auch eine andere Speisenqualität; ob gleichbleibende Qualitätskriterien oder Änderungen sich positiv auswirken, dieses hängt allein von der Beurteilung des Gastes ab (= Output-Qualität).

Zu 20.

- Sättigung = Portionsgröße, Nährwert, Ballaststoffe
- Gesundheit = Bekömmlichkeit, ernährungsphysiologische Merkmale, diätetische Eignung
- Genuss = sensorische Qualität (z. B. Aussehen, Geruch, Geschmack, Gefüge, Temperatur)
- Erlebnis = gedankliche Assoziation, Identifikation, Aktualität, Exotik, Symbolik, Prestige
- Ethik = moralische Bedenken, ökologische Vertretbarkeit, religiöse Tabus usw.

Zu 21.

	Qualitätspolitik	Sortimentspolitik
Modifikation	Qualität verändern: kann eine Verbesserung, aber auch ein Sparen an Qualität sein – Zutaten aus biologischem Anbau – Schonendes Garverfahren	Sortiment verändern: durch Auswechseln von Speisen und Getränken (Abwechslung bieten) – Tageskarte anbieten – Erdbeeren aktuell zur Saison – Cocktail des Monats
Differenzierung	Unterschiedliche Qualitäten für individuelle Wünsche – Steak medium oder durchgebraten – Dressing mit oder ohne Knoblauch	Mehr Auswahl (Karte wird länger) – „Rumpsteak Gast" (Gast kann Gemüse und Sättigungsbeilage selbst wählen)
Elimination	Qualitäten vereinheitlichen – alle kochen und backen nach den gleichen Rezepten	Auswahl beschränken (Karte wird kleiner) – für Reisegruppen nur eine kleine Karte anbieten – mit vorbestellten Familienfeiern Menü festlegen
Innovation	Ganz neue Qualitäten entwickeln – nur bei uns: Spargel aus der Altmark	Mit neuen Speisen und Getränken experimentieren – neu auf unserer Karte – neue Gerichte eigens von unserem Chefkoch entwickelt

Zu 22.

- Materielle Komponenten lassen sich unterteilen in funktionale und ästhetische Komponenten

- Zu den materiellen zählen unter anderem Menagerie auf dem Tisch des Gastes, scharfe Messer usw.
- Zu den ästhetischen Komponenten gehören beispielsweise Dekoration, Innenarchitektur, Lichtgestaltung, Luftqualität usw.
- Immaterielle Komponenten sind bequemes Sitzen auf qualitativen Stühlen oder gutes Schlafen auf rückengerechten Matratzen, die für ein körperliches Wohlbefinden sorgen
- Um seelisches Wohlbefinden hervorzurufen, kann der Wirt seine Gäste persönlich begrüßen und zurückhaltend aber gezielt umsorgen
- Für geistiges Wohlbefinden sind Hintergrundmusik im Restaurant und ein kleines Unterhaltungsprogramm an der Bar (Pianospieler) von Vorteil

Zu 23.

Die Komfortpolitik von Beherbergung und Bewirtung in gastronomischen Betrieben umfasst alle materiellen Dinge, also alle Sachen, die dem Gast Bequemlichkeit, Behaglichkeit und Wohlbefinden sowie Anregung und Erlebnis verschaffen. Definieren lässt sich Komfort damit als das Materielle, das dem Gast im Hotel/Restaurant zur Verfügung gestellt wird. Die Komfortpolitik hat komplementären Charakter, denn sie steht in unmittelbarer Interdependenz zu den grundsätzlichen Entscheidungen, die aus der selektierten und gewichteten Bündelung der Marketinginstrumente Image-, Qualitäts-, Sortiments-, Gäste-, Service- und Preispolitik resultieren; damit wird die Komfortpolitik zum integrierten Bestandteil des Marketing-Mix eines jeden Betriebes.

Zu 24.

Räumlichkeiten

- Zimmer
- Verzehrräume
- Nebenräume
- Außenbereiche usw.

Einrichtung

- Innenausbau
- Raumausstattung
- Gästezimmer
- Mobiliar
- Lampen
- Technische Anlagen
- Dekoration usw.

Inventar für Service und Beherbergung

- Tischwäsche
- Geschirr
- Tischgerät
- Serviergerät
- Informationsträger
- Gästebetten
- Bettwäsche
- Toilettenartikel usw.

Verbrauchsmaterial

- Einmaltischwäsche
- Einmalgeschirr
- Unterlagen
- Hygienematerial usw.

Zu 25.

- Funktion, z. B. Zweckmäßigkeit, Handlichkeit, Bequemlichkeit, Zuverlässigkeit, Sicherheit, Bewegungsfreiheit
- Ästhetik, z. B. Stil, Sauberkeit, Pflegezustand, Anmut, Harmonie
- Erlebnis, z. B. gedankliche Assoziation, Identifikation, Aktualität, Exotik, Extravaganz, Prestige

Zu 26.

Servicepolitik umfasst alle Dienstleistungen (Funktionen, Tätigkeiten, Prozesse), die in der Gastronomie für den Gast auf unterschiedlichen Ebenen geleistet werden, und zwar

- physisch-materiell, z. B.
  eingießen, vorlegen, entgegennehmen, abräumen
- kaufmännisch-administrativ, z. B.
  reservieren, informieren, Bestellungen aufnehmen, registrieren, kassieren
- seelisch-geistig, z. B:
  grüßen, beraten, empfehlen, überzeugen, einfühlen, anerkennen, verabschieden.

Zu 27.

Prinzipiell lässt sich der eine Vielzahl von Aktivitäten umfassende Service in zwei Phasen unterteilen:

1 mise-enplace. Dabei handelt es sich um vorbereitende Arbeiten im Restaurant oder Office, um einen optimalen Serviceablauf – wenn der Gast die gewünschte Leistung abfragt – zu garantieren. Zu den umfangreichen Vorbereitungsarbeiten zählen u. a.

- Polieren und Bereithalten von Geschirr und Bestecken
- Reinigung von Tabletts, Tischwäsche
- Instandhaltung
- Funktionskontrolle
- Reinigung und Pflege verschiedenster Servicegeräte

2. Service am Gast. Dabei handelt es sich in erster Linie um die Dienste am Gast, d.h. die Servicefunktionen Bedienung und Betreuung.

Bedienung:

- Information über das Angebot
- Weiterleiten der Bestellung
- Darreichen von Speisen und Getränken
- Abräumen
- Abrechnen

Betreuung:

- freundlicher Empfang, Beratung und Kontakt

- Bedürfniserfüllung
- Aufmerksamkeit

Zu 28.

- Markttransparenz (Preis/Leistungsvergleich)
- Preisbewusstes Käuferverhalten
- Nachfrageschwankungen
- Saisonschwankungen
- Intuition
- Psychologische Momente
- Produkt/Service-Qualität
- Umsatzzusammensetzung (Speisen und Getränke)
- Vermutliches Gästeverhalten
- Konkurrenzverhalten (Preisführer)
- Standort (Luft, Wasser, Klima, Landschaft, Sehenswürdigkeiten)
- Kostenorientierung (Kostendeckung, Kalkulation)
- Leistungspolitik
- Preisinterdependenz der Produkte und Dienstleistungen

Zu 29.

Kostenorientierte Preisbildung

Bei der kostenorientierten Preisbildung gilt es, den Preis zu ermitteln, den der jeweilige gastgewerbliche Betrieb aufgrund einer bestimmten Kostensituation erzielen muss. Der Preis kann dabei grundsätzlich auf Vollkosten- und/oder Teilkostenbasis ermittelt werden.

Bei der Preisbildung auf Vollkostenbasis stellen die Selbstkosten die Grundlage der Preisforderung dar.

Die progressive Preisermittlung findet sich heute noch sehr häufig in der gastronomischen Praxis. Da sie jedoch die Preiselastizität der Nachfrager unberücksichtigt lässt, empfiehlt sich eher eine vom Marktpreis (= Inklusivpreis) ausgehende kostenorientierte retograde Preisermittlung. Der ermittelte Preis garantiert zwar dem gastgewerblichen Betrieb die Rückerstattung aller Kosten und einen angemessenen Gewinn; dieses gilt jedoch nur, wenn der Gast bereit ist, den kalkulierten Preis zu zahlen. Sollten jedoch bei sinkender Auslastung die Stückkosten steigen, müsste eine Preiserhöhung vorgenommen werden, wofür die Gäste wohl kaum Verständnis hätten und die Leistung weniger nachfragen würden. Einen Ausweg dieser Situation stellt die Teilkostenrechnung dar. Im gastronomischen Betrieb fallen fixe und variable Kosten an. Fixe (feste) Kosten entstehen, sobald die Betriebsbereitschaft erstellt ist, unabhängig davon, wie viele Gäste diese Leistungen z. Z. in Anspruch nehmen (z. B. fest angestellte Mitarbeiter, Fremdkapitalzinsen). Derartige Kosten ändern sich also nicht mit der Höhe der Ausbringungsmenge. Variable Kosten hingegen verändern sich mit der Ausbringungsmenge und sind abhängig von der Anzahl der Gäste, für die Leistungen zu erbringen sind (z. B. Aushilfspersonal, Wareneinsatz, Energie). Erst wenn der Gesamterlös die Gesamtkosten, also die fixen + variablen Kosten, übersteigt fällt für den jeweiligen Betrieb Gewinn an. Halten sich Gesamterlös und Gesamtkosten in etwa die Waage, so ist der Break-Even-Point = Gewinnschwelle erreicht. Damit der gastronomische Betrieb langfristig überleben kann, sind die Preise so festzulegen, dass sie dem Betrieb einen Erlös erbringen. Preise (= Erlöse) werden also danach beurteilt, ob nach Abzug der variablen Kosten noch ein Beitrag zur Deckung der fixen Kosten und zur Gewinnerzielung verbleibt (= Deckungsbeitrag).

Nachfrageorientierte Preisbildung

Wenn auch preispolitische Entscheidungen und kostenrechnerischen Überlegungen in Einklang zu bringen sind, hat sich der Preis an den potentiellen Gästen, also der jeweiligen Zielgruppe bzw. deren Ausgabebereitschaft, zu orientieren. Natürlich ist es eine sehr schwierige Aufgabe herauszufinden, welche Preisvorstellungen die Gäste von der Produktqualität haben, denn jeder Gast bildet sich eine eigene Meinung für den Nutzen und damit den Preis der Leistung. Nicht selten gilt auch die Qualitätseinschätzung durch den Gast für die Höhe des Preises und ist somit auch imagebildend. Damit verbunden ist auch die Einteilung der Preise in einzelne Preissegmente (unteres, mittleres oder oberes), denn sie entspricht den vorgegebenen Preisvorstellungen bzw. der Preisbereitschaft der jeweiligen Gästegruppe.

Die erhöhte Markttransparenz (Durchschaubarkeit des Marktes) ermöglicht mehr denn je gezielte Preis- und Leistungsvergleiche für den Gast. Gerade hier versuchen viele Gastronomen, durch eine Politik der Produktdifferenzierung Referenzen für ihre Leistungsangebote zu erzeugen, um dann ein wenig autonomer in der Preisgestaltung vorgehen zu können. Mit einem bestimmten differenzierten Angebot versucht man, innerhalb gewisser Grenzen die Preise zu erhöhen, ohne eine negative Reaktion der Nachfrage befürchten zu müssen. Allerdings erfolgt die Reaktion der Gäste auf Preisvariationen häufig schneller als auf Produktdifferenzierungen. Von der saisonalen Preisdifferenzierung einmal abgesehen, bringt die Niedrigpreispolitik als Preiskampfmaßnahme am Markt mit Überkapazitäten langfristig gesehen erhebliche Nachteile mit sich.

Mitbewerberorientierte Preisbildung

Eine einfache und in der Praxis immer wieder anzutreffende Form der Preisbildung ist, wenn sich Hoteliers und Gastronomen einfach an das Preisgefüge der Mitbewerber anlehnen. So werden beispielsweise vergleichbare Getränke und Speisen auf der eigenen Karte nach den Preisen der Wettbewerber ausgezeichnet. Ebenso kostet das Einzelzimmer bei vergleichbarer Leistungsqualität den Preis des Mitbewerbers. Erhöhen die Mitbewerber ihre Preise, verringern sie diese oder geben sie Rabatte an bestimmte Zielgruppen, so wird die eigene Preispolitik danach ausgerichtet. Eine derartige Vorgehensweise hat natürlich zur Folge, dass man in eine gewisse Abhängigkeit zu den Wettbewerbern gerät und dadurch die eigene Preispolitik und Beeinflussungsmöglichkeit des Marktes von vornherein einschränkt.

Zu 30.

Alle im Zusammenhang mit dem Absatz von Dienstleistungen bzw. Produkten stehenden Entscheidungen zählen zur Distributionspolitik als Marketinginstrument des Gastgewerbes.

Der jeweilige Distributionskanal (Absatzweg) kennzeichnet den Weg zwischen dem Verkauf einer Leistung durch den Gastronomen und dem Abnehmer bzw. Gast. Aufgrund dessen, dass die Dienstleistungen des Gastgewerbes weder lager- noch transportfähig sind, müssen sie am Ort der Leistungserstellung verbraucht werden.

Kanäle (Vertriebswege) überbrücken die Distanz zwischen dem Angebot des gastgewerblichen Unternehmens und dem Gast.

Zu 31.

Das Franchising stellt eine Sonderform der Distribution dar. Franchising gewinnt im Gastgewerbe immer mehr an Bedeutung, da es für Unternehmensgründer eine interessante Alternative darstellt, vor allem bei mittelständischen Betrieben.

Franchising ist die entgeltliche Gewährung eines Nutzungsrechtes für Wettbewerbsvorteile an unabhängige Unternehmer, verbunden mit Weisungsrecht, Betreuung und Kontrolle.

Beim Franchising vereinbaren Franchisegeber (= Hersteller bestimmter Waren und/oder Dienstleistungen) und Franchisenehmer zu kooperieren; dabei bleibt letzterer rechtlich selbstständig, so dass er auch das Risiko trägt. Demgegenüber ist es für den Franchisegeber relevant, dass er seine Produkte über eigene Absatzwege vertreibt, ohne dass ihm die Mitbewerber diese streitig machen können, wobei die Kosten für den Franchisegeber niedriger liegen als bei eigenen Verkaufsniederlassungen. Das Franchise-System wird allerdings nur funktionieren, wenn ein Produkt/eine Dienstleistung mit Hilfe eines Marketingprogramms angeboten wird, für das eine Nachfrage am Markt besteht, also den Gästewünschen entspricht.

Zu 32.

Franchisegeber	Franchisenehmer
1. schnellere Verbreitung möglich	1. weitgehende Selbstständigkeit im Rahmen des Vertrages
2. Kontrollmöglichkeiten des Absatzsystems	2. Unterstützung, Beratung sowie Schulung in der Betriebsführung der Franchisegeber
3. keine Haftung für Schulden des Franchisenehmers	3. Teilhaber an dem Erfolg, dem Image und den Erfahrungen des Systems
4. kein Konkursrisiko	4. Großeinkauf durch das System
5. Kostensenkung	5. Finanzierungshilfe
6. umsatzabhängige Einnahmen	6. Verwendungsmöglichkeit eines dem Verbraucher bekannten Logos
7. Unternehmenswachstum ohne Erweiterung des Filialnetzes	7. Sparen von Marketingkosten, vor allem der Werbekosten
8. Gewinnung engagierter Unternehmen	8. Minderung des Risikos
9. Einbringung von Eigenkapital durch Franchisenehmer	9. Betriebsvergleiche zu anderen Franchisebetrieben

Zu 33.

Kommunikation ist keine Wissenschaft, sondern ein menschliches Bedürfnis. Zeichen der Liebe, der Sympathie oder Dankbarkeit kommen darum ohne Worte aus. Feldblumen in der Vase, Obst auf dem Teller, die Schokolade auf dem Kopfkissen, die umgeschlagene Bettdecke am Abend oder die Morgenzeitung vor der Tür sind eine weltweit verständliche Sprache. Und hier beginnen ihre kommunikativen Bemühungen – eben der gute Wille zur Verständigung.

Wenn ein gastronomischer Betrieb eine Botschaft an potentielle Gäste sendet, so kommuniziert er, d. h. er teilt etwas mit. Schließlich möchte der Gastronom, dass seine Leistungen nachgefragt werden bzw. seine Produkte gekauft werden, denn es genügt nicht, das Angebot marktgerecht zu gestalten; es muss vielmehr die Verbindung zu den Gästen hergestellt werden. Damit ist die Kernaufgabe jeglicher Kommunikationspolitik umschrieben. Sie umfasst also alle Bemühungen, die darauf gerichtet sind, die Dienstleistungen/Produkte mit Gewinn zu verkaufen. Die Marketingmaßnahmen, die zu diesem Zweck ergriffen werden, fördern entweder den unmittelbaren Verkauf, oder sie unterstützen als absatzfördernde Mittel die Verkaufsbemühungen.

Zu 34.

kommunikative Marketinginstrumente:

- persönlicher Verkauf
- Werbung
- Verkaufsförderung (Sales Promotion)
- Öffentlichkeitsarbeit (Public Relations oder PR)

Die genannten Marketinginstrumente prägen in besonderem Maße das Gesamtbild des gastronomischen Unternehmens, beispielsweise eines Hotels, das einer Kooperation angeschlossen ist, gegenüber den potentiellen Gästen bzw. der Öffentlichkeit. Aus diesem Grunde spricht man in diesem Zusammenhang auch von der Corporate Identity (= Unternehmensidentität). Sie beeinflusst koordinierend und integrierend alle Maßnahmen und das Verhalten, z. B. des vorstehend genannten Hotels, um dadurch ein positives Vorstellungsbild im Umfeld zu erzeugen. Bei einem Hotel einer Hotelkooperation könnte dieses durch die übereinstimmende Gestaltung des Briefpapiers, einer Gästezeitung oder eines bestimmten Displaymaterials sich erzielen lassen, um dadurch das innere und äußere Erscheinungsbild der Hotelkooperation zu unterstreichen.

Zu 35.

Werbung:
- Bedürfnisweckung
- Kundengewinnung
- Produktionsinformation
- Kundenerhalt

Im ersten Moment erscheint das Werbeziel für den Gastronomen immer gleich zu sein, nämlich den Umsatz und Gewinn zu steigern. Wenn auch alle Werbemaßnahmen die Ertragssteigerung zum Ziel haben, so ist die Zielsetzung der einzelnen Werbemaßnahmen nicht immer gleich dem langfristigen Unternehmensziel. So kann beispielsweise bei einem gastronomischen Betrieb in der Existenzgründungsphase das Werbeziel in erster Linie darin liegen, den Bekanntheitsgrad so schnell wie möglich zu steigern. Ganz anders kann es sich verhalten, wenn ein starker Mitbewerber in der näheren Umgebung auftritt, so dass es darum geht, den Gästestamm zu halten und ggf. ein Abwandern soweit wie möglich auszuschließen. Wieder anders kann das Werbeziel sein, wenn nach einer umfassenden Renovierungsphase ganz neue Gästekreise angesprochen werden sollen. Damit hat sich exemplarisch gezeigt, dass ein Werbeziel immer von den betriebswirtschaftlichen Erkenntnissen und Überlegungen abhängt und sich auf ein ganz spezielles Objekt bezieht; dabei ist allerdings die Corporate Identity, die Gesamtidee des Unternehmens, immer zu berücksichtigen.

Zu 36.

- Werbeetat: als Grundlage dient der Umsatz (also bei gastgewerblichen Unternehmen 1–2 % des Jahresumsatzes)
- Betriebsarten (Hotel, Restaurant, Imbisskette, Motel usw.)

- Betriebsformen (kommunaler Eigenbetrieb, GmbH usw.)
- Absatzmärkte (Nordsee, Ostsee, Sachsen, Bayern usw.)
- Zielgruppen (Jugendliche, Senioren, Kongressteilnehmer usw.)
- Werbekonzeption

Zu 37.

Werbemittel	Werbeträger	Zielgruppe
Werbebrief	Versand an Postadresse mit oder ohne Beilage von Drucksachen oder Objekten	Gäste, Unternehmen, Kollektive, Beeinflusser/Meinungsführer, Lieferanten, Freunde, Bekannte
Prospekte (Restaurant- oder Menükarten)	Persönlich überreichen, Versand, ausgelegt in Verkehrs- oder Kurvereinen, in Reisebüros, Hotels, auf Messen etc., beigelegt zu Korrespondenz, Drucksachen etc.	Bestehende und neue potentielle Gäste der näheren Umgebung, Hotel-, Kur- oder Tagungsgäste
Außenwerbung	Wirtshausschilder, Hinweisschilder, Plakate (an Haltestellen, Bahnhöfen, Litfaßsäulen, Hotels etc.), Schautafeln, Preisübersicht	Gäste und Passanten, das Plakat im Straßenaushang richtet sich an jedermann
Anzeigen	In Tages- und Wochenzeitungen, in Zeitschriften (z. B. Stadtmagazine), in Fachzeitschriften	Stammgäste, Gäste und potenielle Gäste, Beeinflusser (Reisebüros etc.)
Telekommunikation (Telefon, Telefax, Bildschirmtext)	Alle diese Kommunikationsmittel sind keine typischen Werbemittel, können aber zum Transport von Werbebotschaften benutzt werden	Jede mit den erwähnten Mitteln erreichbare Art von Gästen
TV-Werbung (auch Radio- und Filmwerbung)	Werbespots, Dias	Zielgruppen in den regionalen Sendegebieten
Andere Wege (Geschenke, Souvenirs)	Persönlich überreicht, per Post versandt, anderweitig erhältlich	Stammgäste, jede Art von Gästen, die erfreut oder belohnt werden

Zu 38.

Einführungs-/Eröffnungswerbung, die also bei Existenzgründungen oder nach längeren Umbauarbeiten usw. in Frage kommt

Erhaltungswerbung, also eine das ständige Verkaufsgeschäft begleitende Aktion

Informationswerbung, aktuelle und verkaufsplanbezogene Bekanntmachungen, z. B. über spezielle Angebotswochen oder zeitlich begrenzte Produkt- und Sortimentsangebote

Erinnerungswerbung, hierunter fallen u. a. persönliche Briefe an ehemalige Gäste

Zu 39.

Phasen:

- die Gesprächseröffnung,
- die Bedarfsanalyse und Vertrauensphase,
- die Angebotsphase sowie
- die Abschlussphase.

Wichtige Hinweise:

- dem Gast ist niemals mehr zu versprechen, als vom Haus gehalten werden kann;
- bei jedem Verkauf ist an das Wiederholungsgeschäft zu denken;
- niemals den Gast übervorteilen;
- es ist besser, ein überzeugendes Verkaufsargument vorzubringen als viele Worte zu machen;
- einzig wichtige Person ist der Gast, also niemals die eigene Position in den Vordergrund spielen;
- den Gast während des Verkaufsgespräches weder unterbrechen noch belehren;
- nicht versuchen, das Verkaufsgespräch zu beherrschen oder sich auf ein Streitgespräch einzulassen;
- nicht abfällig über die Mitbewerber sprechen, sondern besser treffende Verkaufsargumente einbringen;
- bei Empfehlungen über Speisen oder Getränke ist nicht zu übertreiben;
- während des Gespräches mit dem Gast keine negativen oder unpersönlichen Ausdrücke verwenden;

Zu 40.

Verkaufsförderung:

- umfasst alle Maßnahmen, die Gastronomen durchführen, um durch zusätzliche und außergewöhnliche Anreize bei den Gästen den Kaufentscheid auszulösen.
- soll auf Mitarbeiter/-innen im Sinne des Absatzprozesses motivierend hinzuwirken
- soll die Leistungspalette zielgruppengerecht und fachlich einwandfrei präsentieren, um den Erwartungen der Gäste soweit wie möglich zu entsprechen.
- soll durch persönliche und individuelle Betreuung, durch Qualität und herausragenden Service, durch ein gastgerechtes Ambiente und Imageverbesserung neue Gäste ansprechen.
- hat eine Koordinationsfunktion zwischen Werbung und Verkauf

Zu 41.

Zur **Sales-Promotion** gehören:

- das Verkaufsgespräch im gastronomischen Betrieb, auf Verkaufsreisen, Messen oder Ausstellungen;
- das Schaffen günstiger Bedingungen, z. B. das Gestalten der eigenen Verkaufsflächen, die Organisation der Verkaufsadministration sowie das Erstellen von Verkaufshilfen, z. B. Displays.

Findet Verkaufsförderung im eigenen Hause statt, so spricht man von In-House-Promotion, außerhalb des Hauses von Out-House-Promotion.

Zur **Verkaufsförderung im Haus** zählen u. a.:

- Verkaufsaktive Warenpräsentation
- Einsatz von Verkaufshilfen wie Anbringen von Plakaten, Auslegen von Prospekten oder Fotos, Hinweis auf Aktionstage/-wochen.

Zur **Verkaufsförderung außer Haus** zählen u. a.:

- Unmittelbare Kontaktpflege des Gastronomen oder seiner Mitarbeiter, z. B. durch Gästezeitung, Auftreten bei Messen, Versenden von Mailings usw.
- Mittelbare Maßnahmen, wie die Inanspruchnahme von Reisemittlern, deren Aktivitäten unterstützt und gefördert werden.

Zu 42.

Das **Sponsoring** kann sich wie im vorhergehenden Beispiel gestalten, ebenso können auch Hotels oder Restaurants als Sponsoren für lokale oder regionale Anlässe, z. B. Sportveranstaltungen, auftreten, um dadurch ihr Image positiv zu beeinflussen, also zusätzlich Vertrauen bei der potentiellen Kundschaft zu schaffen und zusätzliche Verkaufskontakte herzustellen.

Unter **Product-Placement** ist die auffällige, werbe- und imagewirksame Platzierung von Markenprodukten, z. B. bestimmten Porzellan, im eigenen Leistungsangebot zu verstehen. Product-Placement bietet dem Gastronomen den Vorteil, z. B. das vorstehend genannte Geschirr günstiger einzukaufen, um in die Kommunikationspolitik des Herstellers einbezogen zu werden.

Zu 43.

Ziel der Public-Relations-Arbeit ist es, Verständnis, eine positive Einstellung und vertrauensvolle Haltung der Gäste für das jeweilige Leistungsprogramm des gastronomischen Betriebes zu fördern, denn jeder Gastronom will im innerbetrieblichen und außerbetrieblichen Bereich das Ansehen, den guten Ruf, das Image sowie die Transparenz des Unternehmens in der Öffentlichkeit steigern; außerdem soll eine Identifikation des gastronomischen Betriebes mit den unternehmensspezifischen SEP oder USP erreicht werden. Erfolgreiche Öffentlichkeitsarbeit ist immer auf das persönliche Engagement des gastgewerblichen Betriebes, d. h. des Gastronomen und seiner Mitarbeiterinnen und Mitarbeiter zurückzuführen; Fachwissen, Kommunikationsfähigkeit, Kontaktstärke, Redegewandtheit sowie die Sympathie, die auf Personen oder Gruppen der Öffentlichkeit ausstrahlt, sind von entscheidender Bedeutung.

1. Grundbedürfnisse befriedigen

1. Besonderheiten herausstellen

2. Mitarbeiter motivieren

3. Spezialbedürfnisse decken

4. Wirtschaftsfaktoren herausstellen

5. Mitbürgerliches Engagement zeigen

6. Berufsständische Pflichten einlösen

Zu 44.

Recht brauchbare und bekannte Methoden der Erfolgskontrolle kommunikativer Maßnahmen sind:

- Anzeigen in Zeitschriften, die der Gast ausschneiden und ausgefüllt an das werbende Unternehmen zurücksenden kann bzw. im Restaurant abgibt,

- Werbeaktionen mit einem Preisausausschreiben zu koppeln, um auf Grund der Teilnehmerzahl auf den Erfolg der Werbung schließen zu können,
- persönliche Gespräche mit Gästen zu führen (z. B. zu Fragen woher sie das Hotel/Restaurant kennen; aus welchem Grund sie dieses Haus besucht haben usw.),
- einen Wechsel der Identität vorzunehmen (z. B. Gast im eigenen Hause zu sein).

Zu 45.

Da Bergungs- oder Bewirtungsleistung ohne den Gast nicht möglich ist, lässt sich der Gast betriebswirtschaftlich als zusätzlicher Produktionsfaktor darstellen, denn wer ist am Produktionsprozess einmal als Objekt und einmal als Subjekt beteiligt. Damit spielt der Gast eine Doppelrolle, nämlich einmal als Marketinginstrument „Publikum“, gleichzeitig aber auch als „Konsument“, um den sich alle Aktivitäten im Gastgewerbe drehen; er ist eine unverzichtbare Größe bei der Leistungserstellung, denn jede Dienstleistung wird schließlich für ihn erstellt (= Objektfunktion). Andererseits ist der Gast Kooperationspartner und wichtigster Mitgestalter des Leistungsprozesses. Schließlich kann eine Bewirtung oder Beherbergung nur zustande kommen, wenn sie vom Gast gewünscht wird. Da er mit dem Service des jeweiligen Hauses sich in einem ständigen Dialog befindet, der also mit ihr kooperiert, stellt der Gast auch eine der wichtigsten Faktoren dar, die die Atmosphäre des Hotels/Restaurants schaffen. Dieses Phänomen der sozialen Kommunikation sowie des Status- und Rollenspiels unterstreicht die duale Stellung des Gastes einerseits als Käufer der angebotenen Leistungen/Dienste, andererseits bringt er sich selbst und die anderen Gäste in einem engen Beziehungszusammenhang in Form eines guten oder schlechten, interessanten oder langweiligen Publikums.

Zu 46.

Verkaufspläne sollen in klarer und knapper Form ihre wichtigsten Strategien für das kommende Jahr beinhalten. Dazu gehören:

1. Ziele:	Wichtig hierbei ist, dass die Messbarkeit der angegebenen Ziele gewährleistet ist.
2. Strategie:	Von der kompetenten Mitarbeiterin/dem kompetenten Mitarbeiter ist kurz und prägnant die Strategie für das entsprechende Marktsegment zu beschreiben.
3. Zielgruppe:	Hier sind vor allem die Buchungsquellen anzugeben (z. B. Organisation, Geschäftspartner), welche das jeweilige Geschäft bringen/vermitteln.
4. Aktionen:	Es sind die wichtigsten Aktivitäten aufzuzählen, mit denen das Erreichen der gesetzten Ziele geplant wird, und zwar basierend auf der o. g. Strategie für die unterschiedlichen Zielgruppen. Da die Aktionen selbstverständlich verkaufsfördernd sein sollen, sind hier keine festen Zeitpunkte anzugeben, da diese erst in der monatlichen Aktivitätenplanung enthalten sind.
5. Externe Unterstützung:	Im Rahmen der Zielerreichung ist immer zu überlegen, welche Ereignisse oder Personen/Organisationen dabei behilflich sein können.

Beispiele zu vorstehend genannten Punkten 1 bis 5:

zu 1.:	Verbesserung des Durchschnittspreises von 100 auf 110 DM; Belegungsrate halten und versuchen, durch neue Außenwerbung auf das Hotel aufmerksam zu machen bei einer Preiserhöhung um 3 DM gegenüber dem Vorjahr.

zu 2.: Durch den Einsatz des Yield-Managements, geschickte Schulung des Front-Office-Personal, das Aufzählen der Vorteile des Unique-Selling-Points sollten feste Buchungen am Frontdesk erzielt werden; ebenso durch mehr Leistung z. B. den Messebesucher besser ans Haus binden (Angebot von Sushi für Japaner, allabendliche „Get Together Fair Events").

zu 3.: Es ist zu versuchen, Seminare mit längerer Aufenthaltsdauer zu akquirieren; Reiseveranstalter, Busunternehmen, Vereine sind zu bewerben.

zu 4.: Schalten von Anzeigen in Tagungsmagazinen; Schaffen aktueller Werbeflächen innerorts; Durchführen von Promotion-Tours.

zu 5.: Beteiligung an Tourismus-Messen, soweit dieses erfolgversprechend und kostenmäßig zu vereinbaren ist; Herausgabe eines eigenen Hoteljournals.

Zu 47.

a) Marketing ist die unternehmerische Grundeinstellung und Denkweise, einen Betrieb marktgerecht zu führen, um dadurch die Bedürfnisse der Gäste, aber auch der Mitarbeiter/-innen rechtzeitig zu erkennen und mit den vorgehaltenen Leistungen zu befriedigen.

b) Marketing, als Teilkonzept des Verhaltens im Rahmen der Unternehmenspolitik, bezieht sich in der Regel auf 3 bis 5 Jahre und umfaßt das Absatzmarketing und Personalmarketing des gastgewerblichen Unternehmens; darüber hinaus steht das Marketing in Interdependenz zu den Unternehmensfunktionen Beschaffung/Investition, Finanzwirtschaft und Organisation. Dieser enge Zusammenhang in einem gastronomischen Marketingkonzept kommt nachstehend zum Ausdruck:

gehobene Gastronomie
= adäquate Personalpolitik (erhöhter Fachkräftebedarf)
= Einkauf hochwertiger und teurer Waren bzw. Materialien
= erhöhte Investition
= steigender Finanzbedarf

c) Der Wurm muß dem Fisch schmecken – nicht dem Angler! Mit anderen Worten, durch das Marketing soll das Unternehmen den Gast so gut kennen und verstehen, daß die angebotenen Leistungen zu ihm passen und sich selbst verkaufen.

Also nicht die Bedürfnisse des Gastronomen/Hoteliers, sondern die des Gastes stehen im Vordergrund.

d) <u>1. Informationssektor</u> = Mit diesem wird versucht, die Aufnahmefähigkeit des Marktes zu erforschen und das Leistungsangebot des jeweiligen gastgewerblichen Betriebes adäquat zu gestalten.

<u>2. Manipulationssektor</u> = Ein Hotel- oder Gaststättenbetrieb versucht durch den Einsatz marketingpolitischer Instrumente sein Angebot, z. B. verschiedenster Arten von vegetarischer Kost, mit Hilfe von Werbung, Verkaufsförderung und anderer Mittel den Gästen zu verkaufen, d. h. am Markt unterzubringen.

e) Antworten individuell

f) <u>Nachfrageorientierte Preisbildung</u>

Wenn auch preispolitische Entscheidungen und kostenrechnerische Überlegungen in

Einklang zu bringen sind, hat sich der Preis an den potenziellen Gästen, also der jeweiligen Zielgruppe bzw. deren Ausgabebereitschaft, zu orientieren. Natürlich ist es eine sehr schwierige Aufgabe herauszufinden, welche Preisvorstellungen die Gäste von der Produktqualität haben, denn jeder Gast bildet sich eine eigene Meinung für den Nutzen und damit den Preis der Leistung. Nicht selten gilt auch die Qualitätseinschätzung durch den Gast für die Höhe des Preises und ist somit auch imagebildend. Damit verbunden ist auch die Einteilung der Preise in einzelne Preissegmente (unteres, mittleres oder oberes), denn sie entspricht den vorgegebenen Preisvorstellungen bzw. der Preisbereitschaft der jeweiligen Gästegruppe.

Mitbewerberorientierte Preisbildung

Eine einfache und in der Praxis immer wieder anzutreffende Form der Preisbildung ist, wenn sich Hoteliers und Gastronomen einfach an das Preisgefüge der Mitbewerber anlehnen. So werden beispielsweise vergleichbare Getränke und Speisen auf der eigenen Karte nach den Preisen der Wettbewerber ausgezeichnet.

Ebens kostet das Einzelzimmer bei vergleichbarer Leistungsqualität den Preis des Mitbewerbers. Erhöhen die Mitbewerber die Preise, verringern sie diese oder geben sie Rabatt an bestimmte Zielgruppen, so wird die eigene Preispolitik danach ausgerichtet. Eine derartige Vorgehensweise hat natürlich zur Folge, daß man in eine gewisse Abhängigkeit zu den Wettbewerbern gerät und dadurch die eigene Preispolitik und Beeinflussungsmöglichkeit des Marktes von vornherein einschränkt.

g) Relevante Vorteile für Franchisenehmer sind:
   1. weitgehende Selbständigkeit im Rahmen des Vertrages
   2. Unterstützung, Beratung sowie Schulung in der Betriebsführung der Franchisegeber
   3. Teilhaber an dem Erfolg, dem Image und den Erfahrungen des Systems
   4. Großeinkauf durch das System
   5. Finanzierungshilfe
   6. Verwendungsmöglichkeit eines dem Verbraucher bekannten Logos
   7. Sparen von Marketingkosten, vor allem der Werbekosten
   8. Minderung des Risikos
   9. Betriebsvergleiche zu anderen Franchisebetrieben

h) Antwort individuell

i) Zur Verkaufsförderung im Haus zählen u. a.:
   - Verkaufsaktive Warenpräsentation
   - Einsatz von Verkaufshilfen wie Anbringen von Plakaten, Auslegen von Prospekten oder Fotos, Hinweis auf Aktionstage/-wochen

   Zur Verkaufsförderung außer Haus zählen u. a.:
   - Unmittelbare Kontaktpflege des Gastronomen oder seiner Mitarbeiter, z. B. durch Gästezeitung, Auftreten bei Messen, Versenden von Mailings usw.
   - Mittelbare Maßnahmen, wie die Inanspruchnahme von Reisemittlern, deren Aktivitäten unterstützt und gefördert werden.

j) Soft opening = Generalprobe. Beim soft opening werden unter realistischen Bedingungen alle Abläufe, Geräte, Maschinen, Mitarbeiter, Abrechnungs- und Kontrollsysteme eingesetzt, überprüft und für den „Ernstfall“ letztmalig getestet. Beim soft opening sind die Gäste geladen und werden kostenfrei bewirtet. Sie sind sog. Testpersonen für das hard opening.

Hard opening = Premiere. Das hard opening ist die offizielle Eröffnung. Ab jetzt beginnt die Realität bezüglich Einkauf, Planung, Kalkulation, Verkauf, Gewinn und Verlust. Für das hard opening muß die Geschäftsleitung u.a. die Einladungen, Gästeliste, den Ablauf, die Mitarbeiterplanung, die Pressearbeit sowie die Managementaufgaben koordinieren und ggf. dirigieren.

Zu 48.

a) Beim Einsatz von Online-Medien als Werbe- oder Vertriebsmittel besteht ein direkter Kontakt zum Gast, der zusätzlich durch Gewinnspiele oder attraktiv gestaltete Webseiten animiert werden kann.

b) Die Unternehmensleistung kann einem internationalen Markt relativ preisgünstig und „rund um die Uhr" vorgestellt werden.

c) Konditionen und Preise können jederzeit der betrieblichen Auslastung angepasst werden, ohne dass neues Prospektmaterial gedruckt werden muss.

d) Gäste können direkt zu Angebot und Marketingaktionen des Unternehmens Stellung nehmen.

e) Webtracking, d.h. die Werbeerfolgskontrolle im Netz ist durch das Internet Protokoll (IP) möglich. Die IP-Nummern geben Aufschluss über die Internet Hosts, über die der Zugriff auf das Netz erfolgte. Durch die IP-Nummern, die in Domainnamen umgewandelt werden können, lassen sich die Besucher Organisationen und Ländern zuordnen. „com" steht für Unternehmen, „edu" für Universitäten und andere Bildungseinrichtungen, „org" für Organisationen, „gov" für Regierungsstellen sowie „de", „ch", „uk" etc. für die jeweiligen Länder. – Weitere Möglichkeiten sind das Zählen und Protokollieren von Page Views, Visits, AdViews, AdClicks etc.durch den Provider des Unternehmens.

f) Mailings an Gäste können kostengünstig verschickt werden. Achtung! – Eine Mailing-Aktion (Mailspamming) übers Netz ist bei Erstkontakten unzulässig.

Zu 49.

Für die Herstellung einer CD-ROM gilt dieselbe Devise wie für das Internet: nur Produkte, die eindeutige, einzigartige und für den Benutzer „Wert-volle" Botschaften vermitteln, werden überhaupt noch beachtet. Der Image Transfer: eindrucksvolle, innovative, interaktive CD-ROM Präsentation = tolles Unternehmen, kann sie bei einer durchschnittlichen Leistung ins Negative umkehren.

Zu 50.

Die „Angst" vor neuen Technologien geht in der Bevölkerung immer weiter zurück. Bargeldautomaten quasi als Urväter von Kiosk-Systemen erfreuen sich allgemein großer Beliebtheit. Die Terminals sind zunehmend einfacher zu bedienen und bieten neben Informationen auch die Möglichkeit, auf schnelle Weise zu kommunizieren, Leistungen zu buchen, Geschäfte zu tätigen oder unterhalten zu werden.

Zusätzlich zur Nutzenerweiterung in Richtung Kunde/Gast bieten sie einem Unternehmer die Möglichkeit, Kaufgewohnheiten und Bedürfnisse zu erfassen, um den Wünschen der Zielgruppe besser entsprechen zu können.

Zu 51.

a) **Domain:** Eindeutige Heimatadresse, die so genannte URL eines Unternehmens. In Deutschland beispielsweise werden Domains mit der Länderkennung „de" von dem Unternehmen DeNIC und international von dem InterNIC vergeben (z.B. „com").

b) **Download:** Herunterladen von Dateien eines virtuellen Anbieters auf den eigenen Rechner.

c) **Electronic Mall:** Virtuelle Einkaufspassage bzw. Geschäftszentrum.

d) **E-Mail:** Elektronischer Brief, der über Telekommunikationsleitungen versendet wird.

e) **Intranet:** Unternehmensinterne Vernetzung auf Basis der Technologie des Internets.

f) **Server:** Anbieter von Online-Diensten (auch Provider). Der entsprechende Rechner, der den Zugriff auf die Daten ermöglicht, wird ebenfalls als Server bezeichnet.

g) **Attachment:** Unter „Attachment" (auf deutsch „Anhängsel") versteht man eine Datei (Text-, Bild-, Sound- oder Video-Datei), die an eine elektronisch verschickte Nachricht angehängt wird.

h) **Alias:** Unter einem „Alias" bzw. „Alias-Namen" versteht man einen Namen bzw. einen Begriff, der stellvertretend für einen anderen Namen steht, jedoch im Vergleich zum ursprünglichen Namen im allgemeinen leichter zu merken ist. Im Online-Bereich verwendet man Alias-Namen beispielsweise, um mit ihrer Hilfe komplizierte User-IDs, E-Mail-Adressen etc. für Online-Nutzer leichter merkbar zu machen.

i) **Binäre Dateien:** Unter „binären Dateien" versteht man im allgemeinen alle Dateien, die keine Texte sind (z. B. Bild- und Grafikdateien, Sound- und Videosequenzen etc.).

j) **ISP / Provider:** Unter einem „Provider", auch „ISP" genannt („ISP" steht für „Internet-Service-Provider") versteht man einen Internet-Dienstleister, der dem Internet-Nutzer den Web-Zugang ermöglicht. Provider betreiben i. d. R. ein Teilnetz des gesamten Internet. Sie bieten ihren Kunden meist einen Zugriff auf sämtliche IP-Dienste im Netz und das entweder via Stand- oder Wählleitung und wahlweise analog oder digital.

k) **Mailingliste:** „Mailinglisten" dienen der Diskussion von Online-Nutzern via E-Mail. Hierzu wird auf einem speziellen „Mailserver" eine Liste mit den E-Mail-Adressen aller an der Diskussion beteiligten User angelegt. Der Mailserver seinerseits ist ebenfalls über eine fest vorgegebene E-Mail-Adresse erreichbar. Schickt einer der an der Diskussion beteiligten User eine Mail an den Server, so leitet dieser die Nachricht automatisch an alle anderen Teilnehmer der Liste weiter.

(AGHZ, Nr. 32 vom 7. 8. 1999, S. 24)

Zu 52.

⇨ Wie wird sich das Konsumverhalten durch eine weitere Ausbreitung von Virtual-Reality-Systemen verändern?

⇨ Wie wird die steigende Informationstransparenz das Kundenverhalten, den Wettbewerb sowie das Marketing auf den angestammten Märkten des Unternehmens verändern?

⇨ Welche Auswirkungen haben neue Technologien auf die Reformierung des Bildungssystems?

⇨ Welche Bedeutung werden sogenannte „Intelligent Agents" mittel und langfristig für die Produkt-, Standort-, Preis- und Kommunikationspolitik erhalten?

Zu 53.

Das Internet als Informationsquelle wird immer wichtiger. Die Möglichkeit, jederzeit Informationen und Nachrichten aus dem Netz abzurufen, fasziniert viele. Knapp jeder Zweite interessiert sich einer Allensbach-Umfrage zufolge für aktuelle Informationen und für Nachschlagemöglichkeiten. Viele der Befragten möchten von zu Hause vom Computer aus ihre Behördengänge erledigen und so die meist ungünstigen Öffnungszeiten der

Amtsstuben umgehen. Auch Online-Banking stößt auf ein großes Interesse. Andererseits sind viele Bürger bisher von den Datenschutz- und Sicherheitsmechanismen des Internets nicht überzeugt.

1.3.4 Lösungen zu „Personalmanagement"

Zu 1.

Arbeit:	Dispositive (leitende) und ausführende menschliche Arbeitsleistung, die in der Hotellerie und der Gastronomie den höchsten Stellenwert besitzt. Als Dienstleistungsunternehmen sind die Gastronomiebetriebe von der Zufriedenheit der Gäste abhängig. Diese wiederum wird geschaffen durch die Qualität der Mitarbeiter.
Betriebsmittel:	Betriebsmittel (Anlagen, Einrichtungen) besitzen lediglich im Logisbereich einen hohen Stellenwert. Aber auch dort kann die menschliche Arbeitsleistung nicht durch den Einsatz von Betriebsmitteln ersetzt werden. Auch lassen sich schlechte Arbeitsleistungen nicht durch eine noch so schöne Einrichtung kompensieren.
Werkstoffe:	Werkstoffen (Roh-, Hilfs- und Betriebsstoffe) wird nur im Speisen- und Getränkebereich eine angemessene Bedeutung zugerechnet. Aber auch in der Speisenherstellung überwiegt die Bedeutung der handwerklichen Tätigkeit den Einsatz von Werkstoffen.

Zu 2.

Führungskräfte und Mitarbeiter, Autorität und Macht, Kommunikation

Zu 3.

Das Spannungsfeld zwischen mitarbeiterorientierter und aufgabenorientierter Führung entsteht durch den Konflikt zwischen Unternehmenszielen und individuellen Zielen der einzelnen Mitarbeiter.

Überwunden werden kann der Konflikt, indem die Mitarbeiter motiviert werden. Mit Anreizen sollen sich die Mitarbeiter mit den Zielen des Unternehmens identifizieren.

Auch die Wahl des richtigen Führungsverhaltens (Führungsstil, Führungstechnik) kann den Konflikt überwinden helfen.

Zu 4.

Führungsverhalten G: Die Führungskraft handelt sehr stark mitarbeiterorientiert, verliert aber dabei die Aufgaben (Unternehmensziele) nicht aus den Augen. Sie findet einen Kompromiss, der nicht die 100%ige Aufgabenerfüllung ermöglicht, aber die Mitarbeiter in höchstem Maße zufriedenstellt.

Führungsverhalten F: Trotz optimaler Aufgabenorientierung akzeptiert und berücksichtigt die Führungskraft die Interessen der Mitarbeiter. Bei 100%iger Zielerreichung sind die Mitarbeiter nicht unzufrieden und mit dem Führungsverhalten einverstanden.

Zu 5.

- Interdisziplinäres Denken und Handeln
- Konzeptionelle Gesamtsicht
- Menschenführung und Motivation
- Kommunikationsfähigkeit und -bereitschaft
- Marktorientierung

- Sachkompetenz
- Wirtschaftliches Grundverständnis
- Kreativität für neue Lösungen
- Lernfähigkeit und Flexibilität
- Entscheidungsfähigkeit
- Kooperations- und Kompromissfähigkeit
- Organisationsfähigkeit
- Technologieverständnis
- Methodenwissen
- Verantwortungsbewusstsein

Zu 6.

- Individualität
- Belastbarkeit
- Standfestigkeit, Sicherheit
- Seelische Kraft
- Durchhaltevermögen, Zähigkeit
- Effektivität, Urteilskraft
- Mobilisierungskraft
- Gesprächsfähigkeit
- Aufgeschlossenheit
- Mitmenschliche Qualitäten

Zu 7.

Gruppen entstehen aus den gemeinsamen Interessen, Zielen und Motiven verschiedener Menschen. Innerhalb einer formalen Gruppe (hier die Housekeeping-Abteilung) ist die Bildung solcher informeller Gruppen keine Seltenheit und daher normal. Auch mehrere Gruppen mit unterschiedlichen Zielsetzungen können so entstehen. Die Rivalität zwischen einzelnen Gruppen stellt jedoch ein ernst zu nehmendes Problem dar, das sich auf die Leistungsfähigkeit der Abteilung negativ auswirken kann.

Zu 8.

Macht ist die Möglichkeit, seinen Willen und seine Interessen auch gegen den Willen anderer durchzusetzen:

Beispiel: Der Küchenchef teilt den Auszubildenden zum Wochenenddienst ein, obwohl dieser ein Fussballspiel besuchen wollte.

Autorität ist die freiwillige Bereitschaft der Mitarbeiter, sich dem Willen anderer unterzuordnen.

Beispiel: Der Küchenchef macht dem Auszubildenden vor, wie er künftig den Fisch filetieren soll.

Zu 9.

Durch die beschriebene Situation hat der Restaurantdirektor an Macht (Macht durch Sachkenntnis) und vor allem an Autorität (fachliche Autorität) verloren.

Zu 10.

Motive steuern das menschliche Verhalten in eine positive oder negative Richtung. Das

Verstärken und die Befriedigung von Motiven durch das Verhalten der Führungskraft kann das Verhalten der Mitarbeiter so zielgerichtet beeinflussen.

Zu 11.

Kontaktmotiv	(Zusammenarbeit in der Servicebrigade)
Leistungsmotiv	(Verantwortung für den Front Office-Bereich)
Sicherheitsmotiv	(Sicherheit des eigenen Arbeitsplatzes)
Geldmotiv	(Leistungslohn, Tronc)
Statusmotiv	(Küchenchef eines Gourmetrestaurants)
Kompetenzmotiv	(Gesamtverantwortung für ein Hotel mit 120 Mitarbeitern)

Zu 12.

Neben den allgemeinen Führungsvoraussetzungen (Persönlichkeit, fachliche Voraussetzungen etc.) muss die Führungskraft Menschenkenntnisse besitzen und die möglichen Bedürfnisse aller Mitarbeiter kennen.

Zu 13.

Zielsetzung, Planung, Entscheidung, Realisierung und Kontrolle.

Eine Kreisbildung entsteht dadurch, dass durch die permanente Erfolgskontrolle Abweichungen bei der Zielerreichung festgestellt werden können, die wiederum neue Zielsetzungen und Planungen auslösen.

Zu 14.

Das Ziel kann in seiner unzureichenden Formulierung nicht kontrolliert werden. Um eine Zielerreichung zu gewährleisten, muss das Ziel genauer formuliert werden, z. B. die Betriebskosten sollen um 4% im nächsten Geschäftsjahr im gesamten Restaurant gesenkt werden.

Zu 15.

Der Controller wird zuerst festlegen, was wie überprüft werden soll (Festlegung der Kontrallstandards). Danach wird eine Erfassung des Ist-Zustandes erfolgen, der wiederum mit den vorgegebenen Werten (Soll-Zustand) verglichen wird. Bei Abweichungen werden die Ursachen für die Differenzen erforscht und Vorschläge zur Lösung des Problems vorbereitet.

Zu 16.

Kooperativer Führungsstil und Management by Motivation.

Zu 17.

Vorteile:

- Hohe Motivation und geringe Fluktuation der Mitarbeiter.
- Geringes Risiko für Fehlentscheidungen.
- Selbstständige und mitdenkende Mitarbeiter, denen jederzeit Führungsverantwortung übertragen werden kann.
- Entlastung der Führungskräfte von Routine- und Kontrollaufgaben.
- Zufriedenheit der Mitarbeiter und folglich auch Zufriedenheit der Gäste.
- Nachteile: Entscheidungen bedürfen eines größeren Zeitaufwandes.
- Unangenehme Entscheidungen und schwierige Aufgaben werden häufig vertagt oder bleiben liegen.

- Durch die Beteiligung mehrerer Personen am Planungs- und Entscheidungsprozess kann die klare Linie der Unternehmensführung verloren gehen.

Zu 18.

- Aufgaben unter starkem Zeitdruck, bei denen Diskussionen den Erfolg gefährden (Bankett).
- Gefahrensituation (Feuer, Erste Hilfe bei Unfällen in der Küche).
- Leistungsgefälle zwischen Vorgesetzten und Mitarbeitern ist sehr groß (z. B. Küchenmeister Auszubildende).
- Betriebsneueröffnungen (Pre-Openings), um in der Anfangszeit die neuen Mitarbeiter mit ihren unterschiedlichen Erfahrungen und Kenntnissen auf eine einheitliche Vorgehensweise einzustimmen.
- Häufiger Mitarbeiterwechsel.
- Unangenehme Tätigkeit.

Zu 19.

Durch die Einbeziehung der Mitarbeiter in den Prozess der Zielfindung wird die Identifikation der Mitarbeiter mit den Zielen gewährleistet. So wird die Bereitschaft der Mitarbeiter gesteigert, die (selbst gesteckten) Ziele zu erreichen. Die Leistungen der Mitarbeiter erreichen zum Vorteil des Unternehmens ein sehr hohes Niveau.

Zu 20.

Mündliche Dienstanweisung, Aushang.

Zu 21.

In einem Workshop mit dem Thema „Verbesserung der Kommunikation zwischen Küche und Service“ können die beteiligten Mitarbeiter ihre Vorstellungen und Wünsche einbringen und so die künftige Zusammenarbeit mitgestalten. Dieser aktive Prozess ist im hohen Maße motivierend, da er der angestrebten Selbstverwirklichung der Mitarbeiter nahe kommt.

Zu 22.

Das Harzburger Modell ist für die heutige flexible und schnelllebige Zeit zu träge, unbeweglich und nicht effektiv. Die folgenden Nachteile untermauern dies:

- Organisationsregeln führen zu einer Beschneidung von notwendigen Freiräumen und zu einer Bürokratisierung der betrieblichen Abläufe.
- Ressortdenken („Zuständigkeitsdenken“) wird verstärkt.
- Hierarchiedenken wird verstärkt („oben-unten“), während die horizontale Kommunikation und Koordination vernachlässigt wird.
- Teamarbeit kommt selten vor, da die Mitarbeiter in ihren Aufgabenbereichen meist „einsame“ Entscheidungen treffen.
- Es fehlt der kreative Einsatz der Mitarbeiter, vor allem in der Planung und Entscheidungsvorbereitung.
- Der praktizierte Führungsstil erscheint den Mitarbeitern durch die Organisationsrichtlinien und die mangelnde Kommunikation und Teamarbeit eher autoritär.

Zu 23.

Teamorientierte Modelle steigern die Kommunikation und die Leistungsfähigkeit der Mitarbeiter. Durch die notwendige soziale Interraktion sind sie motivationsfördernd und leistungssteigernd. Sie entsprechen eher dem Trend der modernen Personalführung.

1.3.5 Lösungen zu „Finanzmanagement"

Zu 1.

a)

- die Planung der Kapitalbeschaffung,
- die Versorgung des Unternehmens mit Kapital (Kapitalbeschaffung),
- die Gestaltung des Zahlungs- und Kreditverkehrs in des Unternehmens (Kapitalverwaltung),
- den Einsatz des Kapitels im Unternehmen (Kapitalverwendung(-steuerung) und
- die Kontrolle von Erfolgs- und Risikopositionen des Unternehmens (Kapitaleffizienzkontrolle).

b)

Finanzierung beinhaltet im engeren Sinne die Versorgung des Unternehmens mit Kapital (Kapitalbeschaffung) und Investition ist die Nutzung des Kapitals im Unternehmen (Kapitalverwendung).

Zu 2.

Der erste Schritt im Phasenmodell wird als **Schritt der Entscheidungsvorbereitung** (Willensbildung) bezeichnet, der sich in drei Phasen vollzieht. Dabei wird in der ersten Phase, der Anregungsphase, ein Problem festgestellt, das mit Hilfe einer Ursachenanalyse geklärt wird. Dabei gilt es, das Problem zu erkennen, die Ausgangssituation zu analysieren, die Unternehmensziele festzustellen und zu beachten sowie die Entscheidungsaufgabe zu präzisieren und festzulegen.

Die zweite Phase umfasst die Vorbereitung der Entscheidung mit relevanten Maßnahmen (Suchphase). Diese Phase beinhaltet dementsprechend die Bestimmung der Entscheidungskriterien, die Suche nach alternativen Lösungsmöglichkeiten und deren Ausarbeitung sowie die Ermittlung und Beurteilung alternativer Lösungen.

Die dritte Phase (Entscheidungsphase) baut auf den Erkenntnissen aus der Suchphase auf und schließt die Willensbildung ab, indem die Lösungsalternativen beurteilt weren, eine Rangfolge der Alternativen vorgenommen wird und letztendlich vorteilhafte Lösungen verglichen werden.

Der zweite Schritt im Phasenmodell bildet die **Entscheidungsführung** (Willensrealisierung). Nach erfolgter Willensbildung (1. Schritt) wird zunächst ein Entschluss gefasst, der die vorteilhaften Lösungsalternativen beinhaltet; hieran schließt sich die Ausführungsbestimmung an, in die frühzeitig alle Personen eingebunden werden sollen, die diese Entscheidung betrifft.

Die **Entscheidungskontrolle** ist der letzte Schritt im Phasenmodell. Voraussetzung zur Wahrnehmung der Kontrollfunktion ist das Erstellen von messbaren Kontrollstandards; hiernach werden die Soll-Werte bestimmt, die auf dieser Basis mit den Ist-Werten verglichen werden. Weiterhin sind Plankorrekturentscheidungen vorzubereiten, und die Gründe für Abweichungen sind offenzulegen.

Zu 3.

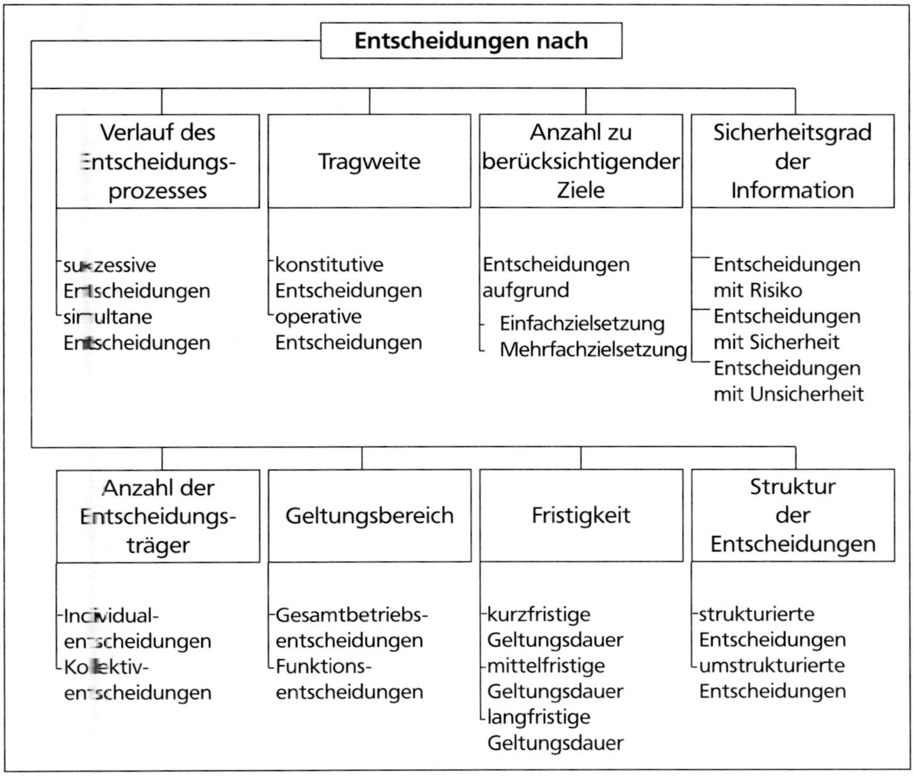

Zu 4.

a) Wenn in einem Unternehmen Teilentscheidungen, z. B. Leistungsprogramm- und Investitionsentscheidungen, nacheinander getroffen werden, verläuft der Entscheidungsprozess über die so genannten sukzessiven Entscheidungen; diese erfordern in der Praxis über eine rollierende Planung immer wieder neue Entscheidungen, da sie einem Anpassungsprozess unterliegen.

b) In einem ideal verlaufenden Entscheidungsprozess würden alle Entscheidungsvariablen gleichzeitig ermittelt bzw. festgestellt, um die Voraussetzungen für simultane Entscheidungen zu haben; dazu wäre vollkommene Transparenz erforderlich, die sich infolge nicht rechenbarer Interdependenzen nur annäherungsweise realisieren lässt.

Zu 5.

1/a, 2/b, 3/b, 4/a, 5/b, 6/b, 7/a

Zu 6.

Kapital wird z. B. benötigt für

- die Planung und Gründung des Unternehmens,
- die Errichtung des Hotels, einschließlich Aufstellung und Einbau von Anlagen und Geräten für die Verwaltung und den Hotelbetrieb,
- Materialien für Anlauf und Aufrechterhaltung des Hotelsbetriebes,

- Anlegen eines Magazins,
- Deckung der Personalkosten vor und nach der Betriebseröffnung usw. (*vgl. Dettmer [Hrsg.] 1999, S. 378 ff., ders. 1996, S. 60*).

Zu 7.

Der Finanzplanung wird in der Literatur eine zentrale Rolle im Rahmen des Finanzmanagements zugesprochen. Gegenstand der Finanzplanung sind die Geld- und Kreditströme, die im voraus so zu analysieren sind, dass eine realistische Geld- und Zahlungsplanung sowie Forderungs- und Schuldenplanung ermöglicht wird; diese Betrachtungen führen zu den Finanzplänen.

Zu 8.

Die Finanzdisposition baut auf den Erkenntnissen der Finanzplanung auf und lässt sich als Überwachung und Steuerung unmittelbar bevorstehender Zahlungsströme eines Unternehmens charakterisieren; sie bildet demzufolge die zweite, wesentliche Funktion des Finanzmanagements.

Zu 9.

Die Finanzkontrolle setzt im Anschluss an die Finanzierungsentscheidung bereits im Durchführungsstadium an. Finanzkontrolle wird während des gesamten Finanzierungszeitraums der Finanzierungsobjekte durchgeführt und hat ständig die Effizienz der Finanzplanung zu überprüfen. Werden im Rahmen des Kontrollprozesses Planabweichungen festgestellt, sollten die Informationen der Finanzkontrolle über einen Rückkopplungsprozess bereits eine Grundlage für die Analyse möglicher Störungsauswirkungen liefern können.

Um wirkungsvoll zu sein, muss die Kontrolldurchführung nach festgelegten Rhythmen erfolgen. Als Kontrollmethode dienen Soll-Ist-Vergleiche (*vgl. Hausmann 1997, S. 215 ff.*).

1.3.6 Lösungen zu „Qualitäts- und Umweltmanagement"

Zu 1.

Auf der Basis des TQM-Konzeptes umfasst das 5 Q Modell fünf Bausteine, die den Rahmen für die Einführung eines TQM-Konzeptes bilden:

- Wertorientierung
- Kundenorientierung
- Personalorientierung
- Optimierung und Restrukturierung des Qualitätssystems
- Kosten- und qualitätsorientiertes Controlling.

Zu 2.

Die Kerngedanken des TQM sind:

- Qualität ist ein bedeutsamer strategischer Erfolgsfaktor und damit eine Unternehmensaufgabe
- Qualität aus Kundensicht betrachten – Der Kunde bestimmt Qualitätskriterien und Qualitätsmaßstäbe
- Qualität ist relativ zum Wettbewerb, zu Erwartungen und Erfahrungen
- Qualitätsmanagement versucht, die Fehler immer weiter im voraus abzustellen
- Es gibt keine Qualitätskosten, aber erhebliche Fehlleistungskosten

Zu 3.

Qualität ist auch im Tourismus zu einem erfolgversprechenden Element des Angebotes geworden. Zunehmender Wettbewerb unter einer stark wachsenden Zahl von Reisedestinationen sowie die steigernden Erwartungen und Ansprüche der Reisenden bestimmen immer mehr das Qualitätsniveau touristischer Leistungen. Qualität wird im Tourismus mehr und mehr zu einem konkurrenzrelevanten Faktor, wobei im Vordergrund das Qualitätsdenken und -bewusstsein der Mitarbeiter steht, basierend auf einem guten Aus- und Weiterbildungssystem.

Zu 4.

Das Konzept der touristischen Servicequalität enthält folgende 7 Schritte:

- Formulierung und Durchsetzung eines touristischen bzw. Unternehmensleitbildes für Mitarbeiter und Gäste
- Bessere Erforschung der Gästewünsche
- Entwicklung von Kriterien für Gästezufriedenheit
- Dialog mit den Gästen suchen
- Festlegung von Servicestandards, die zu Qualitätsversprechen werden
- Herausfordern von Gästereklamationen zur Feststellung von Schwachstellen
- Ständige und kritische Beobachtung des eigenen und des Konkurrenzangebotes

Zu 5.

Qualitätswettbewerbe und Qualitätsauszeichnungen haben die Aufgabe, das Bewusstsein der Branche und auch das der Öffentlichkeit für die jeweiligen Qualitätsaspekte zu schärfen. Die Vorteile liegen

- im Imagegewinn und Steigerung des Bekanntheitsgrades
- in der Steigerung der Glaubwürdigkeit des Unternehmens
- darin, dass der Name bzw. die Marke des Unternehmens zum Inbegriff für Qualität werden
- in der Festigung der Position am Markt, wodurch Gewinne aus erhöhter Nachfrage zunehmen
- in der Erhöhung des Stammkundenanteils
- in der Verringerung der Personalfluktuation, zumal die Mitarbeiter zufrieden sind
- in der Abnahme der Kundenbeschwerden, die Kundenzufriedenheit nimmt zu.

Zu 6.

Die Zertifizierung eines Unternehmens gemäß ISO 9000 enthält:

- die Schaffung einer Aufbau- und Ablauforganisation zur Gewährleistung einer effizienten Qualitätszielerreichung
- den Einbezug und die Qualifikation der Mitarbeiter
- die Regelung von Zuständigkeiten, Verantwortung und Befugnissen
- die Dokumentationspflicht für Regelungen und Ergebnisse (Transparenz der Abläufe, Nachweis der Erfüllung von Forderungen)
- die Berichtspflicht bis zur höchsten Leitungsebene
- die Beherrschung von Risiken und Wirtschaftlichkeit
- die Errichtung von vorbeugenden Maßnahmen zur Vermeidung von Qualitätsproblemen
- die Durchführung von Audits.

Zu 7.

Die ökologische Problematik im Tourismus besteht in der Situation, dass sich das seit Ende des Zweiten Weltkrieges unaufhörlich entwickelnde Massenphänomen Tourismus an den von der Natur gesetzten Grenzen rüttelt. Da verschiedene touristische Ausprägungen irreversibel sind, nehmen die natürlichen Schäden zu. Der Tourismus benötigt indessen eine intakte Umwelt, die er aber selbst gefährdet, wenn nicht zerstört. Die primäre Aufgabe der Tourismuspolitik besteht somit in der Gewährleistung und Förderung eines Qualitätstourismus, eines nachhaltigen Tourismus, welcher im Einklang mit gesellschaftlichen und ökologischen Postulaten steht.

Zu 8.

Zahlreiche touristische Institutionen und Unternehmen haben vielfältigste Maßnahmen eingeführt, um die Vorteile eines umweltorientierten Managements wahr zu machen. Die wichtigsten sind:

- Aufbau eines umweltorientierten Informationswesens
- Betriebliche Umweltberatung
- Ökologisch orientiertes Tourismusmarketing (Leistungsgestaltung, Preispolitik, Kommunikationspolitik)
- Ökologisch orientierte Unternehmensplanung und -organisation
- Umweltcontrolling (Öko-Kennzahlen, Umweltverträglichkeitsprüfung, Ökobilanzen usw.)

1.3.7 Lösungen zu „Front Office-Management“

Zu 1.

Unter Beschwerdemanagement versteht man den aktiven, systematischen und organisierten Umgang mit Reklamationen des Gastes.

Zu 2.

Die deutschsprachige Bezeichnung der Stelle, die für das Front Office-Management die Gesamtverantwortung trägt, ist die Stelle des Empfangschefs.

Zu 3.

Die hotelbetriebliche Stelle, mit deren Ausfüllung üblicherweise der näheste Kontakt zum Gast einhergeht, ist die Stelle des Chefportiers.

Zu 4.

Die Stelle des Nachtportiers wird auch als Night Auditor bezeichnet.

Zu 5.

Ein Executive-Floor ist eine spezielle Etage, die von VIP-Gästen nur durch Durchziehen ihrer Schlüsselkarte in einem Lesegerät im Aufzug erreicht werden kann.

1.3.8 Lösungen zu „Food und Beverage Management“

Zu 1.

Konkurrenzanalyse, Planung und Erstellung des Speise- und Getränkeangebots, Servicesysteme, Preispolitik und gezielte Verkaufsförderungsmaßnahmen

Zu 2.

Die Konkurrenzanalyse soll die grundsätzlichen Marktverhältnisse erarbeiten, kurz- und langfristige Veränderungen sichtbar werden lassen, Hinweise für die Gestaltung der Angebotspalette geben und Grundlagen für den wirkungsvollen Einsatz absatzwirtschaftlicher Instrumente schaffen.

Zu 3.

Produktbeschreibung, Geschäftspotential, Betriebskostenkontrolle

Zu 4.

siehe 3.3.2.3.3

Zu 5.

	So	**Mo**	**Di**	**Mi**	**Do**	**Fr**	**Sa**
Belegte Zimmer	75	250	125	75	125	200	250
	120%	120%	120%	140%	120%	120%	110%
Anzahl der Hausgäste	90	300	150	105	150	240	275
Hausgäste							
50% Mittag	45	150	75	53	75	120	138
60% Abend	54	180	90	63	90	144	165
Restaurant Mittag							
90% Hausgäste	41	135	68	48	68	108	124
Externe Gäste	80	60	40	40	60	60	70
Restaurant Abend							
80% Hausgäste	43	144	72	50	72	1115	132
Externe Gäste	90	70	40	60	60	70	80
Total	**254**	**409**	**2209**	**198**	**260**	**353**	**406**
Gesamt	**2100**						

(Externe Gäste: Sitzkapazität = 200)

Artikel	**Zu erwartende Gäste (Woche)**	**% zur Gesamtanzahl der Gäste**	**Prognose der zu verkaufenden Anzahl von Gerichten**
Hauptgänge			
Mastkalbsteak	2100	14%	294
Gebratene Ente	2100	8%	168
Minuten-Steak	2100	56%	1176
Hähnchen	2100	15%	315
Filetsteak	2100	7%	147

b)

Belegung (Dienstag)	50% = 125 Zimmer
Doppelbelegung	20% = 150 Gäste
Frühstück (Mittwoch)	80% = 120 Couverts
Etage	60% = 72 Couverts
Restaurant	40% = 48 Couverts
48 Couverts x 3,00 Euro = **144 Euro**	

c) (siehe Tabelle zur Qualitätsbestimmung des Rohmaterials)

Artikel	**Prognose der zu verkaufenden Anzahl von Gerichten**	**Quantitätsbestimmung (1 Woche – Einkauf)**
Mastkalbsteak	(294 x 2,5) : 10	= 73,5 kg
Gebratene Ente	(168 x 2,5) : 4	= 42 Stück
Hähnchen	(315 x 5) : 2	= 158 Stück

Zu 6.

Siehe 3.8.3.2 Prognosefaktoren

Zu 7.

Der Beliebtheitsgrad der Speisenartikelauswahl gibt an, wie viel Prozent der bedienten Gäste sich für den jeweiligen Speiseartikel entschieden haben und verdeutlicht damit die Gästewünsche sowie Präferenzen, bezogen auf das gastronomische Angebot.

Beliebtheitsgrad = Anzahl der verkauften Portionen x 100/Gesamtanzahl der Gäste.

Zu 8.

Vorausberechnete Artikelanzahl = erwartete Gäste x Beliebtheitsgrad/100.

Zu 9.

Stabdardisierung der Portionsgröße, Kochrezepte, Garnituren, Anrichteweise und Serviceinstruktionen.

Zu 10.

Produktionsplanungsverfahren sind auch bei Convenience Food unerlässlich, um kurzfristig die schon fertig gestellten Speisen auch in ausreichender Menge gemäß der Kundenpräsenz abrufen zu können.

Zu 11.

Der Personalaufwand wird aufgeteilt in Zubereitungspersonal und allgemeines Personal.

Zu 12.

Der Warenaufwand wird hinsichtlich des Zubereitungsaufwandes (gering/hoch) unterschieden.

Zu 13.

Differenzierter Kalkulationsfaktor = zugeordneter Speisenerlös/aufgeteilter Warenaufwand der einzelnen Artikelgruppe.

Zu 14.

Der differenzierte Kalkulationsfaktor dient zur Überprüfung bzw. Neukalkulation der Nettoverkaufspreise.

Zu 15.

15. siehe 3.8.4.7.

Zu 16.

Fallangaben:

G	=	85
P	=	465 Euro
WS(gesamt)	=	85 x 8.25 Euro = 701,254 Euro
WG(gesamt)	=	85 x 3.60 Euro = 306 Euro
S	=	340 Euro
SRK	=	90 Euro
Ü %	=	15%
B %	=	15%
GW%	=	60%
E	=	?

Kalkulationsformel:

$$E = \frac{P + WS(gesamt) + WG(gesamt) + SRK - S}{G\,(1 + B\% - GW\% - Ü\%)}$$

$$E = \frac{465 + 701.25 + 306 + 90 - 340}{85\,(1 + 0.15 - 0.60 - 0.159}$$

$$E = \frac{1222{,}25}{34}$$

E = 35.95 Euro netto
+ 5.39 Euro Bedienungsgeld (15%)
+ 5.75 Euro MwSt. (16%)

4.75 Euro brutto

Zu 17.

Das Budget für den Food & Beverage Bereich geht von der prognostizierten Anzahl von Hotelgästen aus.

Zu 18.

Die Budgetierung der Personalkosten erfolgt mit Hilfe des Personalplanungsleitfadens, der für jede Abteilung festgelegt wird.

Zu 19.

Siehe 3.8.6.4.

Zu 20.

Als Warenkosten wird nur der Wareneinsatz verstanden, mit dem Umsätze zu erzielen sind.

Zu 21.

Abteilungsebene

Zu 22.

Durch die Varianzanalyse wird ein detailliertes Ergebnis im Hinblick eines kapazitätsgerechten Kostenmanagements auf Abteilungsebene erzielt.

1.3.9 Lösungen zu „Controlling"

Zu 1.

Aufgaben: Planen, Steuern, Überwachen, nicht: Kontrolle

Ziele: Informationen für alle verbessern, beschleunigen und neue Informationen beschaffen

Zu 2.

Planungsaufgaben

- Festlegung der Planungsbereiche und -inhalte
- Erstellung von Planungsrichtlinien
- Festlegung eines Planungskalenders (terminliche Abfolge)
- Motivation und Beratung der planenden Bereiche
- Abstimmung von Teilzielen und -plänen

Steuerungsaufgaben

- Aufbau eines Steuerungssystems zur Beeinflussung von Kosten und Leistungen
- Unterrichtung der Geschäftsleitung bei Änderung grundlegender Unternehmensdaten
- Darstellung der Auswirkungen geänderter Daten auf die Zielerreichung (Erfolgsprognosen)
- Veranlassung von gegensteuernden Maßnahmen
- Mitwirkung an gegensteuernden Maßnahmen

Überwachungsaufgaben

- Aufbau eines Berichts- und Informationssystems
- Permanente Soll-/Ist-Vergleiche aller erfolgswirksamen Bereiche
- Permanente Datenkontrolle
- Überwachung allgemeiner Unternehmensrichtlinien
- Wirtschaftlichkeitskontrolle

Zu 3.

Operatives Controlling = Kurzfristiges Controlling (Zeithorizont = 1 Jahr)

Dies bedeutet, dass die Beraterfirma die Strategie des Unternehmens auf lange Sicht vorgibt und dann im Betrieb vom Controller in kurzfristige Maßnahmen umgesetzt wird. Eine enge und gut funktionierende Zusammenarbeit zwischen Berater und Controller ist notwendig.

Zu 4.

Die Unternehmensleitung braucht sehr vielfältige Informationen, um die betriebswirtschaftlichen Entscheidungen treffen zu können. Der Controller liefert den Entscheidungsträgern die Informationen aus dem internen und externen Bereich.

Unternehmensinterne Informationen	● Finanzbuchhaltung mit Betriebswirtschaftlicher Auswertung BWA ● Kosten- und Leistungsrechnung ● Statistiken, z. B. Personal-, Gäste-, Umsatzstatistiken ● Betriebs- und Abteilungsvergleich
Unternehmensexterne Informationen	● Konjunkturdaten ● Arbeitsmarktzahlen ● Branchenvergleichszahlen

Zu 5.

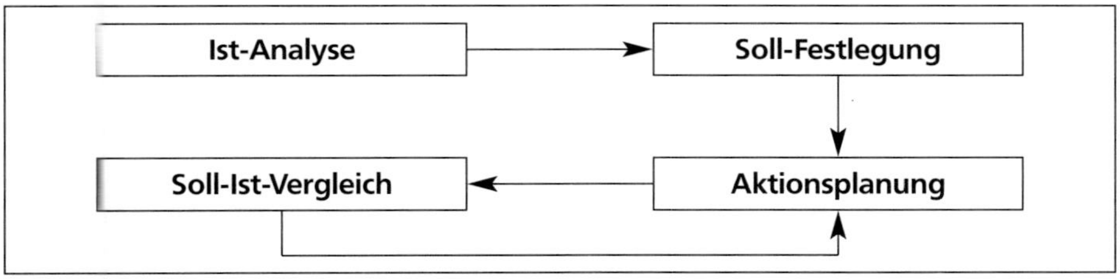

Zu 6.

Vorteile von Kennzahlen und eines Kennzahlensystems:

- Komprimierte und übersichtliche Darstellung von Informatioinen
- Durchführung von Vergleichen zu anderen Zeitperioden innerhalb des Unternehmens möglich
- Betriebsvergleiche und Vergleiche zur Branche möglich

Zu 7.

Faktoren

- Personalbedarf (Personalplanungsleitfaden)
- Arbeitsverträge (Bruttogehälter, Urlaub, etc.)
- Tarifvertrag
- Personalnebenkosten (Sozialaufwendungen, Urlaubs-, Weihnachtsgeld, Überstundenpauschalen, Sonn- und Feiertagszuschläge, Weiterbildungskosten, Mitarbeiterverpflegung)

  Vorgehensweise:

  Nach Erstellen eines Personalplanungsleitfadens für jede Abteilung werden die Bruttogehälter addiert und die Nebenkosten i.d.R. prozentual aufgeschlagen. Abschließend kommt noch der Wareneinsatz für die Personalverpflegung hinzu.

Zu 8.

Direkte Kosten:

- Wäscherei variabel, in Abhängigkeit von den belegten Zimmern
- Reinigungsmittel fix, Pauschale pro Monat für jedes Gästezimmer und allgemeiner Bereich
- Verschleiß Wäsche, Glas, Porzellan fix, Pauschale pro Monat

- Fremdreinigung variabel, in Abhängigkeit von den belegten Zimmern
- Dekoration, Blumen fix, Pauschale pro Monat
- Musik und Unterhaltung variabel, in Abhängigkeit von den durchgeführten Veranstaltungen
- Gästezimmerartikel variabel, in Abhängigkeit von den belegten Zimmern
- Restaurant-, Küchenartikel fix, Pauschale pro Monat
- Provisionen variabel
- Drucksachen variabel im Logisbereich, fix im Gastronomiebereich
- GEZ fix, Pauschale pro Monat

Zu 9.

Vorteile:

- Managementorientierte Überwachung der Abteilungen und des Betriebes auch in Klein- und Mittelbetrieben ohne großen Zeitaufwand möglich
- Gastronomiebezogene Anwendung möglich
- Standardisierte Vorgehensweise
- Motivation der an der Budgetierung beteiligten Mitarbeiter
- Verbesserung der Selbstkontrolle
- Zeitgerechte Reaktionen auf Marktveränderungen werden möglich

1.4 Lösungen zu „Nachfolgeregelungen in Hotellerie und Gastronomie"

Zu 1.

Kraft Gesetzes geht ein Unternehmen auf die Erben über. Diese übernehmen alle Aktiva und Passiva sowie alle Verpflichtungen. Eine Besonderheit stellt das gesetzliche Erbrecht des Ehegatten dar. Hier kommt es auf den so genannten Güterstand an, der zu verschiedenen Erbquoten und steuerlichen Konsequenzen führt.

Zu 2.

Das notarielle Testament kann nicht verloren gehen und ist in jedem Fall formgültig.

Zu 3.

Nicht beachtete Pflichtteilsansprüche (50 % der gesetzlichen Erbquote) sind innerhalb von 6 Wochen in Geldform zu leisten. Daher können sie zu gefährlichen Liquiditätsengpässen führen.

Zu 4.

- Unternehmensverkauf
- Teilentgeltliche Übertragung
- (Leibrente, Dauernde Last, Nießbrauch)
- Unternehmensliquidität

Zu 5.

Für die jeweilige zweckdienliche Regelung der Nachfolge haben sich verschiedene Erbfolgeklauseln in Gesellschaftsverträgen herausgebildet, die jeweils zu unterschiedlichen

Konsequenzen führen und deren Anwendung daher von der Zielsetzung des Seniors abhängt. (Fortsetzungs-, Nachfolge-, qualifizierte und Eintrittsklausel)

Zu 6.

Im vorliegenden Fall wird Frau Huber zunächst Alleinerbin (Berliner Testament).

Die Tochter erhält nur einzelne Gegenstände.

Die Verpflichtung zur Verbrennung ist als Auflage für die Erbin zu sehen.

1.5 Lösungen zu „Wellness in Hotellerie und Gastronomie"

Zu 1.

a) Gemeint ist die rapide Internationalisierung der Weltwirtschaft.

b) Die Tendenzen zur immer weltoffeneren Entwicklung des Angebots und vor allem der Nachfrage waren im Tourismus relativ früh wahrnehmbar. Der einstige Verkäufermarkt wandelte sich zum Käufermarkt – mit weitreichenden Konsequenzen.

Zu 2.

Es ist der Ausdruck „Wellness".

Zu 3.

a) Der Begriff „Wellness" war überhaupt noch nicht bekannt

oder:

b) Für mich bedeutete der Ausdruck früher: ...(bitte mit eigenen Worten beschreiben) ...

Wellness umfasst das größtmögliche körperliche und geistig/seelische Wohlbefinden eines Menschen, in Harmonie mit seinem privaten, beruflichen und natürlichen Umfeld.

Zu 4.

Beschaffen Sie sich einschlägige Hotelprospekte oder vergleichen Sie aus der Erinnerung die darin enthaltenen Leistungsbeschreibungen mit den kritischen Äußerungen der Branchenbeobachter.

Notieren Sie Anpreisungen, welche gemäß Ihrem inzwischen erweiterten Kenntnisstand übertrieben oder sogar irreführend sind.

Zu 5.

Angesichts stetig steigender beruflicher Beanpruchungen („Qualifizierungsoffensiven") empfiehlt es sich ganz allgemein, den überwiegend fachbezogenen Lehrstoff um moderne Techniken einer gesundheitsförderlichen Befindenssteuerung – im Sinne von Wellness – zu ergänzen.

In Bereichen mit besonders starker unmittelbarer Kundenbezogenheit (zu denen Hotels und andere touristische Einrichtungen gehören) bewirken derartige Schulungsbausteine eine Zusatzqualifikation des Personals im Umgang mit erwünschten Dauergästen.

Zu 6.

Bereits seit mehr als 300 Jahren heißt die umfassende englische Vokabel für Wohlgefühl, Wohlbehagen u. dgl. Well-*being*, nicht Well-*ness*.

Zu 7.

„Verwöhnprogramme" von Hotels, die ihren Gästen für die Dauer eines kürzeren oder längeren Aufenthalts ein Höchstmaß an Behaglichkeit und Wohlgefühl bieten wollen, wären – sofern man dafür einen englischen Ausdruck sucht – mit WELLBEING korrekt deklariert. Die hierfür jedoch zumeist verwendete Bezeichnung WELLNESS ist nur dann berechtigt, wenn über die zeitlich befristeten Annehmlichkeiten hinaus Anleitungen und Fertigkeiten zur eigenständigen Befindenssteuerung und selbstverantwortlichen Gesundheitsvorsorge vermittelt werden, die unter Alltagsbedingungen nachvollziehbar sind.

Zu 8.

Um das Leistungsspektrum eines Wellness-Hotels zu charakterisieren, bedarf es zusätzlicher Beurteilungsmaßstäbe. Hierzu gehören subjektive und immaterielle Kriterien. Wichtig ist, inwieweit den Besuchern nicht nur Gelegenheit zum passiven Genießen von „Streicheleinheiten", sondern darüber hinaus alltagstaugliche Verhaltensanleitungen im Sinne dauerhaft positiver Lebensgestaltung geboten werden.

Zu 9.

Glaubhafte Angebote setzen Seriosität und Sachkompetenz voraus. Dabei spielt das erkennbare Vorhandensein koproduktiver Potentiale (motiviertes und geschultes eigenes Personal, synergetische Kooperation mit externen Fachorganisationen, konstruktive Arbeitsteilung mit akzeptablen anderen Anbietern aus der Region) eine wichtige Rolle. Ausschlaggebend ist freilich die Überzeugung der Gäste, auf eine bestmögliche Selbststeuerung ihres Wohlbefindens im Alltag ganzheitlich vorbereitet zu werden.

Zu 10.

Beispielhafte Qualitätspolitik eines Wellnesshotels zielt hauptsächlich darauf ab, die Lebensqualität und Lebensfreude der Gäste über ihren zeitlich befristeten Urlaubsaufenthalt hinaus steigern und sichern zu helfen. Dazu bedarf es der Vermittlung nachvollziehbarer Kenntnisse und Fertigkeiten zum eigenverantwortlichen Gesundheitsmanagement.

1.6 Lösungen zu „Ausgewählte Entwicklungen und branchenübergreifende Betriebsformen"

Zu 1.

Foodservice nimmt in der Freizeitgastronomie einen weitaus höheren Stellenwert ein als im gesamten Gastgewerbe. Alleine bei Centerparks Holland ist der Foodservice zweitwichtigster Umsatzfaktor.

Zu 2.

Die wichtigste Zielgruppe für Freizeitparks sind in erster Linie Familien. Dies zieht die gastronomische Konsequenz nach sich, ein Konzept zu entwickeln, das bewusst Kinder anspricht und ihren Wünschen genügt. Die gesamte Ausrichtung vieler Freizeitparks muss kinderorientiert sein, ohne die Erwachsenen zu vergessen.

Zu 3.

In einem Urban Entertainment Center ist Foodservice und Gastronomie ein viel stärkerer Kernbestandteil als in Einkaufszentren. Zudem ist ein UEC mehr als nur reine Vermietung von verbundenen Flächen. Es ist vielmehr ein Gesamtkonzept, in welches alle Bestandteile integriert werden.

Zu 4.

Da grundlegende Kenntnisse wie strategische Unternehmensführung, Marktforschung, Marktbeobachtung, gesteuertes Innovationsmanagement und Qualitätsmanagement in fast allen Ebenen der Gastronomie fehlen, sprechen Experten von einer Art vorindustriellem Niveau.

Zu 5.

Es muss eindringlich an eine bedürfnisorientierte Einrichtung appelliert werden. Jeder einzelne Hotelier sollte sich vor einer Investition im Bereich Wellness seine Gästestruktur und deren Ansprüche/Aufenthaltsgewohnheiten anschauen. Nicht jeder Gast präferiert eine Beautyfarm oder Fitnessprogramme bei einer relativ kurzen Verweildauer. Entscheidend für die Bedürfnisse hinsichtlich Wellness ist zudem das Reisemotiv.

Zu 6.

Die Vorteile sind zum einen erhebliche Kostensenkung für Reiseveranstalter mit Hotelbeteiligungen sowie die einheimischen Hoteliers, zum anderen wird das einheimische Wirtschaftsleben angeregt. Daraus resultieren neue Arbeitsplätze, welche wiederum für ein wenig mehr Wohlstand im Zielland sorgen. Dies führt zu mehr Akzeptanz der Touristen in der Bevölkerung und fördert interkulturelle Beziehungen, die zugleich eine Imageförderung für alle beteiligten Leistungsträger und das Zielgebiet mit sich bringt.

2. Lösungen zum Teil „Hotellerie und Gastronomie – speziell"

2.1 Lösungen zu „Hotellerie und Gastronomie in der Schweiz"

Zu 1.

Der Schweizer Tourismus steht einnahmemäßig (20,6 Mrd Fr.) an dritter Stelle (nach der Metall-, Maschinenindustrie und der chemischen Industrie) der inländischen Exportbranchen und zählt zu den bedeutendsten Wirtschaftsbereichen der Schweiz.

Die Hotellerie bildet das Rückgrat des Schweizer Tourismus. Der ausländische übernachtete Reiseverkehr bringt 70 % der Gesamteinnahmen aus dem Tourismus, wobei die ausländischen Hotelgäste 1997 5,5 Milliarden Franken ausgaben.

Tourismus wie Hotellerie und Gastronomie sind mit über 300.000 Arbeitsplätzen (direkt und indirekt über Vorleistungen) wichtige Arbeitgeber.

Zu 2.

Stärken der Hotellerie:

Besondere regionalpolitische Bedeutung und ihre wichtige Funktion in der Wirtschaftsförderung in Berg- und Randgebieten; guter Ruf (Hoteltradition); gutes Preis-/Leistungsverhältnis; hohes gastronomisches Niveau; Flexibilität dank kleingewerblicher Struktur; differenziertes, vielfältiges Angebot; weitgefächerte nationale und internationale Kundschaft; liegt in mehrheitlich intakter Landschaft, kleinmaßstäblicher Ortsgröße und weist eine große Vielfalt geographisch und kulturell auf kleinem Raum.

Schwächen der Hotellerie:

Falsch verstandener Traditionsbegriff als Hindernis für Neuerungen, Beharrungsvermögen bis Perfektionismus; geringes Interesse der Nachkommen an der Übernahme des elterlichen Betriebs; Hochpreisimage; fremdsprachiges Personal; nicht genügend entwickeltes Fremdenverkehrsbewusstsein der einheimischen Bevölkerung; z.T. fehlende unternehmerische Dynamik und ungenügender Ausbildungsstand der Betriebsleitung (Management-Know-how); Schwierigkeiten in der Personalrekrutierung; teilweise überalterte Betriebe und Anlagen; mangelnder Kooperationswille.

Zu 3.

Träger der Hotelpolitik ist der Schweizer Hotelier-Verein SHV als Branchenorganisation. Die Tätigkeit des SHV erstreckt sich auf drei Hauptbereiche:
- Interessenvertretung bei Behörden, Wirtschaftsorganisationen und Öffentlichkeit
- Anbieter eines engen Netzes von Dienstleistungen
- Fördert eine Tourismuspolitik, welche als oberstes Ziel die Qualitätssicherung und -steigerung (Hotelklassifikation, Gütesiegel) definiert.

Zu 4.

Verbürgt und gewährt Darlehen im Nachgang zur Eigen- und Bankfinanzierung für Hotels in Fremdenverkehrs- und Entwicklungsgebieten, für Kurortseinrichtungen, Heilbäder, Jugendherbergen und Erziehungsinstitute. Der gemischtwirtschaftliche Charakter der Gesellschaft tritt insbesondere beim Genossenschaftskapital hervor, das rund ein Drittel vom Bund und zu zwei Drittel von Dritten (Banken, Hoteliers, Private) aufgebracht wird. Der Bund verzichtet vorläufig auf die Rückzahlung von früher gewährten Darlehen. Die SHG führt ein breites Angebot an Beratungsleistungen, einschliessliche Rechnungswesen und Abschlussprüfung.

Zu 5.

In den vergangenen fünf Jahren musste das kleingewerblich strukturierte Restaurationsgewerbe zum Teil markante Umsatzeinbrüche hinnehmen, was unter anderem mit dem steigenden Preisbewusstsein der Kunden und ihren neuen Essensgewohnheiten (Schnell- und Take-away-Verpflegung) sowie der bestehenden Überkapazität infolge des weiterhin zunehmenden Angebots zusammenhängt.

Zu 6.

Der zunehmende Wettbewerb zwingt zur schlankeren Dienstleistung (besserer Personaleinsatz), zur Wertschöpfungssteigerung durch Leistungswille und mehr Professionalität, aber auch durch Dynamik, Flexibilität und Innovation. Neue Arbeitsformen und Arbeitszeitmodelle sowie die Überprüfung und Optimierung der Arbeitsabläufe in Küche und Service, ausgestattet mit elektronischen Hilfen, sind geboten. Durch Spezialitätenangebote, besonders erlebnisreiche Einrichtungen und Serviceleistungen können neue Gästeschichten gewonnen werden.

2.2 Lösungen zu „Hotellerie und Gastronomie in Österreich"

Zu 1.

Die Wirtschaftspolitik hat in besonderem Maße die Anforderungen des Tourismus zu berücksichtigen, etwa in den Bereichen Betriebsansiedelung, Umweltbelastung, Verkehrserschließung usw.

Zu 2.

Das große Volumen der Auslandsreisen der Österreicher schmälert die positive Auswirkungen des Tourismus auf die Zahlungsbilanz, da sie dem Import gleichzusetzen sind.

Zu 3.

Diese Entwicklung ist bedingt durch den Trend zu höherer Qualität und durch die geänderten wirtschaftlichen Verhältnisse der Vermieter.

Zu 4.

Die Probleme liegen in der Ertragslage und in der Wirtschaftlichkeit der Betriebe.

Zu 5.

Sie sind persönlich geführt, können sich rasch der geänderten Nachfrage anpassen und Nischenpolitik betreiben.

Zu 6.

Stärken: Individualität, familienbetriebliche Führung, einheimische Mitarbeiter, hohe Investitionsbereitschaft.

Schwächen: Hohe Saisonabhängigkeit, geringe Auslastung, geringe Kapitalbildung, ungenügende Ausbildungskapazität, geringe Marketingausgaben.

Zu 7.

Die „HOGAST", Einkaufsgenossenschaft für das Hotel- und Gastgewerbe deckt durch ein breites Leistungsspektrum in den Bereichen Einkauf, Finanzierungshilfe, Versicherungsdienst usw. die Bedürfnisse der Branche ab.

Zu 8.

Zu Erhaltung der Konkurrenzfähigkeit der Klein- und Mittelbetriebe wurde die Angebotsgruppe der „Urlaubsspezialisten" gegründet.

Zu 9.

Die Stadthotellerie ist durch das Eindringen multinationaler Hotelkonzerne geprägt, während in der Ferienhotellerie die Unternehmerfamilie dominiert.

Zu 10.

Mit dieser Formulierung wird zum Ausdruck gebracht, dass die gesetzlichen Vorgaben durch Beratung und Information der Betriebe begleitet werden müssen.

2.3 Lösungen zu „Hotellerie und Gastronomie in Südtirol"

Zu 1.

Stärken- und Schwächenprofil

Stärken

1. Familiengeführt und deshalb große Dienstleistungsnähe
2. Gutes Preis-Leistungsverhältnis im internationalen Vergleich
3. Interessantes gastronomisches Angebot (Einflüsse aus Österreich und Italien sowie Regionalküche)
4. Individuelles Angebot aufgrund der kleinen Betriebsgröße

Vergleich zur Schweiz:

1. Ähnliches Profil
2. Durchaus vergleichbar
3. Eindeutig stärkeres Profil in Südtirol

4. Auch in der Schweiz als Stärke geführt

Zusätzliche Stärke in der Schweiz: Weitgefächerte internationale Kundschaft, internationaler guter Ruf, längere Unternehmenstradition

Schwächen:

- Zu viele Betriebe gleichen sich zu sehr im Angebot
- Deutliche Defizite im betrieblichen Management

Verbesserungsvorschläge für einen Kleinbetrieb:

- Ausarbeitung eines Betriebsleitbildes im Rahmen eines Familien-Workshops:

Wer sollen unsere Gäste sein? Was müssen wir tun, um uns von anderen zu unterscheiden? Was sollten wir in Zukunft nicht mehr anbieten, und wo sollten wir unsere Kraft konzentrieren?

- Kontinuierliche Weiterbildung in den Bereichen „Kostenmanagement", „Betriebskalkulation", „Preisgestaltung".

Zu 2.

Kooperationsgruppen

Zur Auswahl stehen die Marketingkooperationsgruppen „Familien-Hotels" und „Ökosiegel-Betriebe".

Familienhotels:

Das Hotel „Sonne" muss eine Reihe von Investitionen tätigen, um den Kriterien der Kooperationsgruppe zu entsprechen, z. B. Kinderspielzimmer, Betreuungspersonen, Spielplatz im Freien, usw. Weiteres sind notwendig:

- Schulung der Mitarbeiter/innen auf Kinderfreundlichkeit
- Umgestaltung der Preisliste
- Bewerbung anderer Zielgruppen

Ökosiegel:

Notwendige Investitionen zur Erfüllung der Vorgaben sind zu tätigen, z.B. Verwendung von ökologischen Baustoffen, Anlegen eines Kräutergartens, Reduktion des Energieverbrauchs durch Optimierung der Wärmequellen usw. Weiteres: Schulung der Mitarbeiter/innen auf rigorose Mülltrennung und Müllvermeidung, sowie „Schulung der Gäste" mittels Hinweisschildern usw.

Zu 3.

Konsumentenveränderungen

Spezialisten sind gesucht

„Allerweltsbetriebe" ohne Profil, ohne spezielles Angebot, haben ausgedient.

Der Alltag als Ereignis

Der Gast sucht Abwechslung und Abenteuer und tauscht seine Alltagsrealität nur allzu gerne gegen eine inszenierte Gegenwelt ein.

Die Gäste werden sparsamer

Das klassische Mittagsgeschäft stirbt – neue Vertriebsformen gewinnen zunehmend Marktanteile!

Die Gäste werden umsichtiger – die Kritikbereitschaft steigt

Der Gast interessiert sich für die Herkunft der Lebensmittel, die Art der Zubereitung, den Beitrag, den das Unternehmen zum Umweltschutz leistet.

Neue Standorte – neue Vertriebsformen

Lust und Laune fordern die Gastronomie heraus! Rasche Verfügbarkeit, Angebote „rund um die Uhr“, sind zeitgemäße Antworten auf neue Gästebedürfnisse.

Perfektionieren sie die Gästebeziehung (Beziehungsmarketing)

Nur wer sich „menschlich“ wohlfühlt, kommt wieder – auf Routineabfertigung steht heute niemand mehr!

Zur Konsumation verführen

Gäste sind daran gewöhnt, sich von gezielt gestreuten Impulsen zur Konsumation animieren zulassen.

Zu 4.

Dorfgasthäuser

Die Probleme der Südtiroler Dorfgasthäuser lassen sich wie folgt darstellen:

- Erhebliche Standortprobleme (mangelnder Parkraum, wenig Erweiterungsmöglichkeiten)
- Ausgedehnte Betriebsöffnungszeiten wegen der Nahversorgungsfunktion
- Rentabilitätsprobleme aufgrund stark schwankender Auslastung der Gasträume und der damit zusammenhängenden Personalkosten

Wichtigkeit der Dorfgasthäuser

- Kommunikations-Treffpunkt für die Dorfbevölkerung
- Sicherung der Nahversorgung der ansässigen Bevölkerung auch außerhalb der Tourismussaison
- Traditionelle Gaststuben als Gegensatz zu fastfood-Anbietern

Zu 5.

Erlaubnis-Verfahren

Voraussetzungen für die Eröffnung eines Gastronomiebetriebes:

- Befähigungsnachweis (einschlägige Fachausbildung oder Berufserfahrung oder Prüfung bei der Behörde)
- Erlangung einer Betriebserlaubnis in der zuständigen Komune

Verfahren:

- Ersuchen um Betriebserlaubnis an die Komunalverwaltung
- Prüfung des Ersuchens durch die zuständige Gastgewerbekommission zur Feststellung des Bedarfs.
- Annahme oder Ablehnung der Betriebserlaubis

Zu 6.

Dienstleistungs-Unternehmen HGV

Unternehmensberatung, Rechtsberatung, Lohn- und Personalberatung und Ausarbeitung der Lohndokumente; Steuer- und Buchhaltungsberatung, Projektmanagement, Weiterbildung, Öffentlichkeitsarbeit.

Zu 7.

Stammgäste in der Hotellerie

- Freundlichkeit der Gastgeber und des Personals

- Sauberkeit des Hauses
- Angenehme Atmosphäre
- Preis-Leistungsverhältnis
- Sanitäre Ausstattung/Zimmerkomfort

Sachregister

Autorenverzeichnis

Prof. Dr. Braunschweig, Christoph: Nach Banklehre und Studium der Betriebswirtschaft folgte eine Anstellung im Finanzmanagement; dieser Tätigkeit schloss sich ein fünfjähriges Engagement in verschiedenen Bereichen eines Handelskonzerns an. Danach folgte eine Geschäftsführerposition in einem Medienverlag sowie die Übernahme einer Fachhochschulprofessur. Mitgesellschafter in einer familieneigenen Immobiliengesellschaft in Köln. 1999 Ruf als Professor an die Universität Graz.

Prof. Dr. Dettmer, Harald: Dem betriebswirtschaftlich/rechtlichen und wirtschaftspädagogischen Studium folgten die Prüfung zum Hotelfachmann, eine Vielzahl von beruflichen Tätigkeiten u.a. in Handel, Industrie, Hotellerie und Gastronomie sowie Erwachsenenbildung – hier vornehmlich als Direktor einer Hotel-(Berufs-)fachschule. Anschließend Übernahme einer Professur für Tourismuswirtschaft. Mitglied der Internationalen Vereinigung wissenschaftlicher Tourismusexperten (AIEST) sowie Juror der Gastronomischen Akademie Deutschlands (GAD).

Dr. Engl, Christoph: Dem Doppelstudium der Rechtswissenschaften an den Universitäten Innsbruck und Padua folgten Rechtsanwaltspraktika und Geschäftsführertätigkeiten in Wirtschaftsverbänden; seit 1989 Direktor des Südtiroler Hoteliers- und Gastwirteverbandes sowie seit 1998 geschäftsführendes Verwaltungsratsmitglied der HGV-Service Gen.m.b.H.; tätig auch in der Erwachsenenbildung, Lehrbeauftragter am Hochschulkurs für Tourismuswirtschaft der Universität Innsbruck, Referententätigkeit zu den Themenbereichen Tourismus- und Dienstleistungswirtschaft im In- und Ausland.

Prof. Dr. Gewald, Stefan: Studium der Betriebswirtschaft und Promotion. Anschließend Berufstätigkeit im Unternehmensberatungsbereich. Seit 1997 Professor an der Fachhochschule München, Fachbereich Tourismus.

Gruner, Axel, Dipl.-Betriebsw., staatl. gepr. Hotelbetriebsw.: Mehrjährige Tätigkeit in der internationalen Hotellerie, anschließend Besuch der Hotelfachschule Hamburg; Studium der Wirtschaftswissenschaften an der Hochschule für Wirtschaft und Politik, Hamburg, sowie an der Universidad de Alicante (E). 1992 Gründung der Unternehmensberatung gastro consulting & training, Hamburg–München; Dozent für Marketing & Hotelmanagement sowie Lehrbeauftragter für Tourismusmarketing an der Fachhochschule Heide/Holstein.

Hausmann, Thomas, Dipl.-Betriebsw.: Dem Studium der Betriebswirtschaft folgte eine Anstellung in der Holding eines großen Industrieunternehmens als Leiter der zentralen Projektorganisation; diesem Tätigkeitsfeld schloss sich die Mitgliedschaft in der zentralen Geschäftsführung mit übergeordneter Verantwortlichkeit für alle Konzernstandorte als stellvertretender Leiter des Geschäftsbereichs „Betriebe" an. Seit 1994 wissenschaftlicher Mitarbeiter im Fachgebiet Tourismuswirtschaft. Die entsprechenden Aufgaben in Lehre und Forschung werden ergänzt durch Gutachter- und Beratungstätigkeiten in der Tourismusindustrie.

Prof. Dr. Kaspar, Claude: Studium der Wirtschaftswissenschaften an den Universitäten Bern und Köln. Promotion an der Universität Bern. Nach der Tätigkeit als Direktionssekretär und Geschäftsführer in der Verkehrswirtschaft alleinverantwortliche Übernahme des Instituts für Tourismus und Verkehrswirtschaft an der Universität St. Gallen. Habilitation an der Universität St. Gallen. Ordinarius für Verkehrs- und Tourismuslehre. Emeritierung 1996. Honorarprofessor der TU Dresden, Prof. h.c. Hochschule Budapest für Handel, Tourismus und Gastronomie. Ehrenpräsident AIEST und Ehrenmitglied der Internationalen Vereinigung für Balneologie und Klimatologie (FITEC).

Knabner, Frank, Dipl.-Kaufmann: Studium der Wirtschafts- und Organisationswissenschaften an der Universität der Bundeswehr München. Dem Studium folgte zunächst eine Offizierslaufbahn; bis heute Lehrtätigkeit an der Bavaria Hotelfachschule Altötting. Anschließend Controller und Leiter der Verwaltung des 5-Sterne-Hotels „Die Wutzschleife" in Rötz-Hilstett im Bayerischen Wald.

Dr. Malich, Siegfried, M. Sc.: Wirtschaftswissenschaftliches Studium in Deutschland sowie gesundheitswissenschaftliches Studium in den USA (Master of Sciences: Health and Public Services). Aufgaben in Forschung, Industrie und Ernährungswirtschaft sowie bei der Europäischen Kommission. 1990 Gründer und Präsident der Europäischen Wellness Union (EWU). Bundesverdienstkreuz am Bande und Bundesverdienstkreuz 1. Klasse.

Dr. Oppitz, Werner, M.A.: Studium der Rechtswissenschaften, Universität Wien und Staatswissenschaften, University of Oregon, USA. 25 Jahre Landestourismusdirektor, Bundesland Salzburg, Österreich. Universitätslektor in Innsbruck, Linz, Wien und Venedig. Tourismuskonsulent, vor allem in den Ländern der 3. Welt. Tourismusexperte der Welttourismusorganisatiuon (WTO).

Prof. Schaetzing, Edgar E.: Nach der Ausbildung zum Hotel- und Gaststättenkaufmann und dem Abschluß an einer Hotelfachschule folgten Hochschulstudien der Betriebswirtschaft, Pädagogik und Amerikanistik in Deutschland und den USA. Seit 1979 Professur für Betriebswirtschaftslehre und Hotelmanagement an der FH München sowie Koordinator für die Studienrichtung Hospitality Management und Prodekan. Nebenamtliche Tätigkeiten auf dem Gebiet der Trainings- und Schulungsprogramme, Consulting Case Studies und Entwicklung von Management-Informations-Datenbanken für die Praxis. Zusätzlich Lehraufträge an der Universität Klagenfurt im Bereich Controlling und an der Boston University im Hospitality Management. Seit 1987 Präsident des Internationalen Instituts für Hotel & Restaurant Administration (I.H.R.A.-Institut) in Europa.

Schneid, Werner, C. M.: Ein Studium des Hotel- und Tourismus-Managements sowie der Meisterbrief (RM) waren Grundsteine für vielfältige Aufgaben in der internationalen Hotellerie, z. B. als General-Manager, Tourismuskonsulent, Seminarleiter (international), stellv. Schulleiter (Hotelberufsfachschule), Prüfungsmeister (IHK München) und Center-Manager.

Wessel, Ingo B., Dipl.-Kaufmann: Studium der Betriebswirtschaft und der Psychologie an der Ludwig-Maximilians-Universität München. Selbstständige Beratungstätigkeit seit über 15 Jahren. Drei Jahre Geschäftsführer der Dr. Kaub Consult. Mitbegründung und Aufbau des Instituts für Systemgastronomie. Mitherausgeber der Reihe „Gastronomie der Zukunft". Lehrbeauftragter der Fachhochschule München, Fachbereich Tourismus. Gründer und Inhaber des Konzeptbüros Wessel, Beratungsgesellschaft für Gastgewerbe und Tourismus. Strategiepartner des DRV (Deutscher Reisebüro und Reiseveranstalter Verband e.V.).

Wurzer, Annegret J., Dipl.-Betriebsw. (FH): Studium am Fachbereich Tourismus der Fachhochschule München, Studienrichtung Hospitality Management, begleitet von mehreren Auslandsaufenthalten. Danach Assistentin am Fachbereich Tourismus sowie Managementtätigkeit in der Hotellerie.

Zenkner, Nicola, Dipl.-Betriebsw. (FH): Nach dem Studium des Tourismus, Studienrichtung Hospitality Management, Anstellung in einer weltweit operierenden Hotellerie.

Die Beiträge und ihre Autoren

Buchinhalt		Autoren
Teil A: Hotellerie und Gastronomie – allgemein		
1.	Hotellerie und Gastronomie – Teil der Dienstleistungsbranche	**1.1** Ingo B. Wessel; Harald Dettmer **1.2.1–1.2.4** Claude Kaspar; Ingo B. Wessel **1.2.5–1.9** Ingo B. Wessel; Harald Dettmer
2.	Aufgaben der Hotellerie und Gastronomie im Rahmen des Tourismus	Ingo B. Wessel
3.	Management im Hotellerie und Gastronomie	**3.1** Harald Dettmer **3.2** Harald Dettmer **3.3.1–3.3.4** Harald Dettmer **3.3.5–3.3.8** Axel Gruner **3.4/3.9** Frank Knaber **3.5** Thomas Hausmann **3.6** Claude Kaspar; Harald Dettmer **3.7** Stefan Gewald; **3.8** Edgar E. Schaetzing
4.	Nachfolgeregelungen in Hotellerie und Gastronomie	Christoph Braunschweig
5.	Wellness in Hotellerie und Gastronomie	Siegfried Malich
6.	Ausgewählte Entwicklungen und branchenübergreifende Betriebsformen	**6.1/6.3–6.4** Ingo B. Wessel; **6.2** Werner Schneid
Teil B: Hotellerie und Gastronomie – speziell		
1.	Hotellerie und Gastronomie in der Schweiz	Claude Kaspar
2.	Hotellerie und Gastronomie in Österreich	Werner Oppitz
3.	Hotellerie und Gastronomie in Südtirol	Christoph Engl
4.	Perspektiven: Die Zukunft der Branche Gastgewerbe	Harald Dettmer; Ingo B. Wessel
Teil C: Lösungen der kapitelbegleitenden Aufgaben		
1.	Lösungen zum Teil „Allgemeine Hotellerie und Gastronomie"	entsprechend der vorstehenden Zuordnung (Buchinhalt/Autoren)
2.	Lösungen zum Teil „Spezielle Hotellerie und Gastronomie"	entsprechend der vorstehenden Zuordnung (Buchinhalt/Autoren)